SECOND EDITION

Experiencias

BEGINNING SPANISH

Diane Ceo-DiFrancesco, Ph.D.
Xavier University

Gregory L. Thompson, Ph.D.
Brigham Young University

Alan V. Brown, Ph.D.
University of Kentucky

Kathy Barton, Ph.D.
Professor Emerita Indiana University of Pennsylvania

VISTA®
HIGHER LEARNING

Boston, Massachusetts

Creative Director: José A. Blanco

Senior Director, Editorial: Judith Bach

Editorial Development: Gisela María Aragón-Velthaus, Marissa Fiala, Juan Sebastián Gómez Alférez

Project Management: Chrystie Hopkins, Rosemary Jaffe

Rights Management: Juan Mora, Kristine Janssens, Annie Pickert Fuller

Technology Production: Diana Arias, Matthew Haronian, Lauren Krolick, Lillyana Uribe

Design: Ilana Aguirre, Daniela Hoyos, Radoslav Mateev, Gabriel Noreña, Andrés Vanegas, Manuela Zapata

Production: Thomas Casallas, Esteban Correa, Sebastián Díez, Oscar Díez, Andrés Escobar, Adriana Jaramillo, Daniel Lopera, Daniela Peláez, Sol Vásquez

Student Text ISBN: 978-1-66991-353-5

Library of Congress Control Number: 2023935190

1 2 3 4 5 6 7 8 9 TC 28 27 26 25 24 23

Printed in Canada.

Contents

The Vista Higher Learning Difference

Vista Higher Learning's singular focus is developing print and digital solutions that meet the needs of all language learners—those learning a new language, improving their skills in a second language, or perfecting their native language.

We are committed to partnering with educators to raise the teaching and learning of language and culture to a higher level.

Founded by a native Spanish speaker with experience teaching at the high school and college levels, Vista Higher Learning relies on the continual and invaluable feedback of language instructors and students nationwide. This partnership allows us to develop programs that create powerful results for you and your students.

We believe

- It is essential to prepare students for a world in which learning another language is a necessity, not a luxury.

- Language learning should be fun and rewarding, and all students should have the tools they need to achieve success.

- Students who experience success learning a language will be more likely to continue their language studies both inside and outside the classroom.

Exceptional Service and Support

In addition to the highest quality language-learning programs, Vista Higher Learning is committed to providing the best service and support to instructors and students. We do this with the following:

- Modern Language Specialists who work with you to deliver the best solutions for your department's needs.

- In-house Digital and Editorial teams that use customer input to improve products and generate new ideas.

- Customer Service and Technical Support teams who are focused exclusively on language learning.

- A dedicated Accessibility support team that can provide the resources needed so that you can teach all your students in the same course.

The Vista Higher Learning Team

VISTA®
HIGHER LEARNING

Developed for Classroom and Mobile Learning

The Vista Higher Learning Supersite is the only online learning environment created specifically for world language acquisition, developed based on input from thousands of language students and instructors. The Supersite makes language learning comfortable and accessible, helping students succeed.

The Supersite's mobile-friendly design serves students inside and outside the classroom. Students enjoy the flexibility to keep up with their learning on-the-go and the ability to complete their classwork and homework on mobile devices.

Learn more at **vistahigherlearning.com/mobile-friendly**

Built for Accessibility

Vista Higher Learning strives to make our print and digital products and services accessible to all users. All materials are evaluated through all stages of the publication process to ensure the creation of thoughtful, accessible content.

In addition, our digital products undergo testing to be sure they meet strict standards for delivery of accessible content.

Learn more at **vistahigherlearning.com/accessibility**

The *Experiencias* Story

Experiencias is a Spanish language program for beginning and intermediate learners based in research on second language acquisition, metacognition, and learner-centered pedagogy. The program was created in response to what students told us they really wanted in a Spanish course. We designed the program to be practical, easy to use, with a focus on communication. As authors, our commitment to you is to provide you with a meaningful learning experience, no matter whether you meet face-to-face, online, or in a hybrid configuration. In this new edition, you will find contemporary and engaging topics, a highly visual new design, and a learning sequence that is effective and personalized. We continue to improve on the quality of our program with many new features, content updates, and new technology to support you in your learning.

> "To learn another language is not only to experience a new side of oneself, but also to better understand others' experiences. Welcome to *Experiencias*."
>
> Diane, Greg, and Alan
> The *Experiencias* Authors

What is the *Experiencias* approach?

Experiencias is a research-informed language program inspired by these key concepts:

- **Backward Design** The learning experience is more effective and intentional when lessons are designed with a final goal in mind.

- **Reduced Grammar Scope** We deliberately limited the grammar coverage to focus on what you need to know: the structures that are most frequently used in communication.

- **Metacognitive Learning Strategies** Strategies help you better understand the process of learning a new language. They foster reflective thinking and teach you the value of using multiple approaches to accomplish different tasks.

- **Comprehensible Input** As a language learner, you can't really be expected to communicate without first hearing and reading many examples of similar language that you can understand. To this end, the activities will support you by modeling new language in context as you work toward creative communication in Spanish.

- **Authentic Learning** Purposeful activities and projects support you to creatively work toward a tangible goal, create a product, and complete a real-world task.

- **Intercultural Competence** You will work toward your ongoing development of intercultural competence by critically reflecting on your own cultural products, practices, and perspectives to better understand the world around you.

What are your course goals as a learner in *Experiencias Beginning?*

Your focus in this course will be on using language to communicate and to learn about Spanish-speaking cultures. Using the *ACTFL World-Readiness Standards for Learning Languages* (2015) as its organizational framework, and the *ACTFL Proficiency Guidelines* (2012), **Experiencias** fosters active, student-centered learning.

By the end of this introductory Spanish course, you will be able to:

- Identify main ideas and key information in simple, non-specialized Spanish oral and written texts.

- Participate effectively in everyday-life situations and have simple, spontaneous conversations about some familiar and contemporary topics.

- Compare and research cultural products and practices to better understand cultural perspectives of Spanish-speaking communities around the world.

- Present information to a general audience on a range of familiar topics related to daily life and your own personal experiences. Tell a story.

What are the benefits of reduced grammar coverage?

By focusing on high-frequency structures, you can use your energy mastering manageable amounts of material through recycling and creative communication. You will feel more confident because you can focus on what you can do with the language rather than on learning an overwhelming amount of grammar.

How do strategies support your academic growth?

When you are able to reflect on your learning, you can better monitor your progress, make adjustments, and drive your own success. In **Experiencias Beginning**, strategies are intended to support a range of skills, such as goal-setting, reflection, organizational skills, dealing with anxiety, and preparing for your presentations.

The *Experiencias* Story

How does *Experiencias* set you up for success?
Backward Design

We used Backward Design as an approach to designing learning experiences that focus on what you as a learner will be able to accomplish with the language. This means that at the beginning of each chapter you will find a guiding question. By the time you reach the end of the chapter, you will be able to answer that question, and everything you learn in the chapter—vocabulary, language structures, culture, and activities—will help you get there. The result is a learning experience that is intentional, meaningful, and effective.

Planning for Your Success with Backward Design

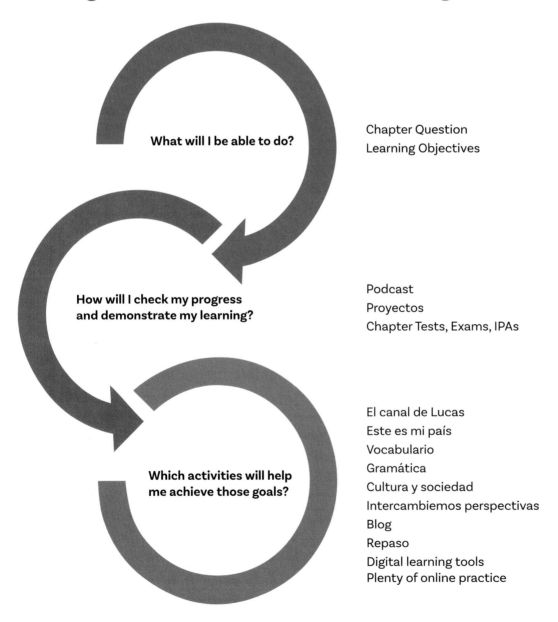

What will I be able to do?

Chapter Question
Learning Objectives

How will I check my progress and demonstrate my learning?

Podcast
Proyectos
Chapter Tests, Exams, IPAs

Which activities will help me achieve those goals?

El canal de Lucas
Este es mi país
Vocabulario
Gramática
Cultura y sociedad
Intercambiemos perspectivas
Blog
Repaso
Digital learning tools
Plenty of online practice

What is the *Experiencias* approach to culture?

Contemporary, culturally rich content is carefully integrated throughout the program so that you develop communication abilities while gaining cultural awareness.

Products, Practices, and Perspectives

You will examine the products, practices, and perspectives of a diverse range of people in Spanish-speaking communities around the world. Just like in your own culture, the Spanish-speaking world is made up of many diverse and vibrant communities that are unique and constantly evolving.

Interculturality

Intercultural communicative competence allows people from different backgrounds to interact appropriately and effectively. Throughout the program, you will work toward gaining intercultural competency, by critically reflecting on your own cultural values and practices to increase cultural awareness. Then, you will focus on an analysis of the attitudes, skills, and knowledge you need in order to interact appropriately with people from other backgrounds and beliefs, whether when coming into contact with people from other cultures or interacting with people in your own community.

Diversity, Inclusion, and Social Justice

Experiencias aims to foster contexts that are inclusive of a range of backgrounds and perspectives in order to bring awareness, celebrate, and uplift diverse voices and their communities. Readings, videos, and cultural topics lead to nuanced discussions about important issues, such as how some people are using social media to break down stereotypes, how and why art can connect communities with their roots, and why it's important to engage in conversations about gender roles at home and in the professional world.

Vlog: *El canal de Lucas*

Each chapter begins with an episode from **El canal de Lucas**, a brand new, fully-integrated video program, shot specifically for ***Experiencias Beginning***. The vlog features Lucas, a content creator and an aspiring influencer. Lucas is joined by his two friends, Alberto and Elena, who help him create his "how-to" video tutorials, share personal stories, and much more!

In each vlog, the characters model one approach to answering that chapter's question while previewing the vocabulary and grammar structures that you will learn in the chapter.

Let's meet the characters!

Lucas is a Cuban American content creator who lives in New York City. He loves telling stories, traveling, and creating tutorials for his followers. He is also really good at chess.

Elena is Lucas's friend. She is a New York native of Honduran descent. She is funny, top of her class, and has a schedule full of activities! She's really good at soccer and plays for her university team.

Alberto is Lucas's cousin and has Argentinean roots. Alberto is a tad obsessed with gaming, and he joins Lucas in a few episodes to talk about their family, childhood memories, and their **abuelita**!

Capítulo 3: Cómo organizar tu calendario

Authentic videos: *Intercambiemos perspectivas*

Experiencias Beginning features nine authentic videos—made by Spanish speakers for Spanish speakers. These videos were carefully selected to help you develop intercultural awareness, and support the chapter themes and your language learning. They focus on contemporary and relatable topics, such as buying new and second-hand clothes, when a house is a home, and memorable events. Through these videos, you will be exposed to different regional accents, sometimes from within the same country. Just like in your native language, there are many accents and varieties of Spanish used around the globe.

These are the authentic videos you'll find in ***Experiencias Beginning***:

Capítulo 3: *Bomba, una danza de la diáspora africana*, Puerto Rico

Capítulo 4: *La nueva música cubana*, Cuba

Capítulo 5: *#BetweenTwoWorlds*, Estados Unidos

Capítulo 6: *Diferencia entre una casa y un hogar*, Estados Unidos

Capítulo 7: *Ropa de segunda mano*, Honduras

Capítulo 9: *El teleférico que unió dos mundos*, Bolivia

Capítulo 10: *El tereré, bebida ancestral guaraní*, Paraguay

Capítulo 11: *Personas dicen lo que más extrañan de ser niños*, México

Capítulo 12: *Todos tenemos una historia que contar*, España/Argentina

Supersite

Supersite

Each section of the textbook comes with resources on the *Experiencias Beginning Supersite*, including auto-graded activities with immediate feedback. Plus, the Supersite is mobile-friendly, so it can be accessed on the go! Visit **vhlcentral.com** to explore this wealth of exciting resources.

EL CANAL DE LUCAS
- Streaming video with instructor-managed options for subtitles and transcripts
- Interactive video with integrated viewing activity for guided support
- Textbook and additional online-only activities for extra practice and reflection

ESTE ES MI PAÍS
- Interactive reading including maps, images, and video
- Textbook activities, including chat

VOCABULARIO
- Vocabulary hotspots with audio or audio-sync readings
- Textbook activities, including audio and chat activities
- WebSAM activities for extra practice

GRAMÁTICA
- Grammar tutorial
- Textbook activities, including audio and chat activities
- WebSAM activities for extra practice

PODCAST
- Audio-sync reading for scaffolded listening comprehension
- Textbook and additional online-only activities for extra practice and reflection

CULTURA Y SOCIEDAD
- Audio-sync reading
- Textbook activities, including chat and composition engine
- Online-only activity for extra practice
- Editable rubric for the instructor

INTERCAMBIEMOS PERSPECTIVAS
- Audio-sync reading or streaming video with instructor-managed options
- Interactive video with integrated viewing activity for guided support
- Textbook activities, including chat

BLOG
- Writing activity with composition engine
- Editable rubric for the instructor

PROYECTOS
- Textbook activities, including chat and student video recording
- Editable rubric for the instructor

REPASO
- Audio-enabled vocabulary list
- Vocabulary Tools with customizable word lists and audio-enabled flashcards
- Survey activity for reflection

Program Components

Student Edition

Icons Familiarize yourself with these icons that appear throughout *Experiencias Beginnning* printed edition:

 Presentation, tutorial, video, or vocabulary tools available online

 Listening activity/section

 Textbook activity available online

 Partner activity for print only

 Partner Chat activity available online

 Recycling

 Group activity for print only

 Group Chat activity available online

 Info Gap activity available online

Student Edition vText

This virtual, interactive Student Edition provides a digital text, plus links to Supersite activities and media.

Student Activities

Offers the Student Edition activities in a digital format.

Online-Only Activities

Offers auto-graded practice for **El canal de Lucas**, **Podcast**, **Cultura y sociedad** and **Intercambiemos perspectivas** sections. Additionally, there is a **Repaso general** module that appears just before **Capítulo 7**. This module doesn't introduce new material, but instead reviews key concepts from chapters 1 to 6.

WebSAM

Offers auto-graded practice for **Vocabulario** and **Gramática** sections.

Plus! Also found on the Supersite: Reference tools, video clips, News and Cultural Updates, Instructor Resources, Audio MP3 files, and more.

Table of Contents

	Encuentros	**Exploraciones**

Exploraciones

Experiencias

Table of Contents

Exploraciones

Experiencias

Table of Contents

 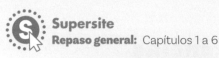

Exploraciones

Experiencias

Table of Contents

	Encuentros	**Exploraciones**

Exploraciones

Experiencias

Experiencias Beginning at-a-glance

Encuentros: Chapter Opener and El canal de Lucas

outlines the content and chapter objectives, and presents a model for the end-of-chapter project.

The chapter title is a guiding question that you will be able to answer by the end of the chapter.

A learning strategy guides you with an explanation or a suggestion to support your growth as a language learner.

The Learning Objectives for each chapter make the learning process transparent and help you understand the purpose behind everything you will study.

Interactive video with activity

Streaming video

Capítulo

3

¿Cómo es tu semana?

OBJETIVOS DE APRENDIZAJE
By the end of this chapter, I will be able to...

- Identify basic information about weekly and daily activities in a video.
- Exchange information about pastimes, sports, classes, likes, and dislikes.
- Compare products, practices, and perspectives from Puerto Rico and the Dominican Republic with my own community.
- Describe my weekly and daily activities.

ENCUENTROS
El canal de Lucas: Cómo organizar tu calendario
Este es mi país: Puerto Rico, la República Dominicana

EXPLORACIONES
Vocabulario
Los pasatiempos y los deportes
Las clases, los días de la semana y la hora
Los materiales y la tecnología para estudiar
Los lugares en la universidad
Gramática
The verb gustar
The verb estar
The present tense of -ar verbs

EXPERIENCIAS
Cultura y sociedad: Béisbol, el deporte rey
Intercambiemos perspectivas: Bomba, una danza
Blog: La bandera dominicana
Proyectos: ¿Cómo es tu semana?
Álbum de Puerto Rico y la República Dominicana

Encuentros | El canal de Lucas

Learning Objetive: Identify daily and free time activities in a video.

Video: Story

Cómo organizar tu calendario

Read and reflect on the learning strategy for this chapter. Then, watch Lucas help his friend Elena organize her week.

Estrategia de aprendizaje: Being Optimistic and Realistic

You speak your first language without effort, so you might not think that learning a second language is a different process. To be successful, learning to communicate in another language requires dedication, yet it's also fun! Successful students set realistic goals, remain optimistic about their potential, and don't compare progress to their peers. Everyone learns at a different rate, so focus on your own progress to reach your goals!

Antes de ver

(1) **Mis actividades** Use your knowledge of cognates to figure out the meaning of each activity. Then, select those that you generally do.

conversar con los amigos	andar en bicicleta
visitar a la familia	usar la computadora
estudiar	practicar deportes
mirar videos	pasar tiempo en redes sociales

Mientras ves

(2) **El calendario de Elena** Select the activities that you hear in the video.

___ andar en bicicleta	___ pasar tiempo en redes sociales	___ visitar a la familia
___ hablar por teléfono	___ jugar videojuegos	___ practicar el fútbol
___ estudiar	___ trabajar en la biblioteca	___ conversar con los amigos
___ nadar	___ mirar videos	

Después de ver

(3) **Los momentos libres** In pairs, compare notes on some of your favorite free time activities. Do you have any favorites in common?

Modelo *En mis momentos libres, prefiero mirar videos...*

☐ **I CAN** identify daily and free time activities in a video.

Resources
Vhlcentral
Online Activities

¿Cómo es tu semana? • 61

Textbook and additional online-only activities

Pre-, during, and post-viewing activities support you at every step.

El canal de Lucas video models how to answer the chapter question in **Proyectos**. It also previews some of the vocabulary and grammar that you will learn to use.

Encuentros: Este es mi país

highlights relevant cultural products, practices, and perspectives related to a country or region, and encourages you to further explore the culture.

Introduced by an individual you will hear from in the Podcast, readings and photos highlight some contemporary cultural products and practices of **the country of focus**. They also preview cultural content that is integrated throughout the chapter.

Interactive readings include maps, images, and video

Textbook activities

Encuentros Este es mi país

Learning Objective: Identify cultural products, practices, and perspectives from Puerto Rico.

Map

PUERTO RICO

¡Hola, mis panas! Me llamo Francisco Figueroa Rivera y soy de Ponce, Puerto Rico. Puerto Rico es una de las islas del mar Caribe. Es un Estado Libre Asociado° de Estados Unidos, pero tiene su propia constitución. También tiene un representante en el congreso estadounidense, pero no puede votar°. Los habitantes originales de la isla eran° los taínos. Boriquén era el nombre de la isla antes de la llegada° de Cristóbal Colón y los españoles en 1493. Por eso° a los puertorriqueños también se les llama boricuas.

El coquí es una rana° nativa de la isla y es un símbolo de Puerto Rico.

La ciudad con más habitantes de Puerto Rico es su capital, **San Juan**. La parte más antigua de la ciudad es el Viejo San Juan, que fue fundado° en 1521.

ESTADOS UNIDOS
Océano Atlántico
Golfo de México
BAHAMAS
CUBA
MÉXICO
HAITÍ **PUERTO RICO**
Mar Caribe
San Juan
JAMAICA LA REPÚBLICA DOMINICANA

62 • Capítulo 3

El béisbol es el deporte más popular de Puerto Rico.

Puerto Rico tiene alrededor de° 300 millas de costa y sus **playas** sobresalen° por su belleza° natural.

Puerto Rico en breve

Capital: San Juan

Tipo de gobierno: Estado Libre Asociado de EE. UU.

Tamaño: 9.104 km², casi tres veces el tamaño de Rhode Island

Población: 3.057.311 habitantes

Lenguas: español (oficial), inglés (oficial)

Moneda: dólar estadounidense

Nivel de alfabetización: 92%

Promedio de vida: 81 años

Expresiones y palabras típicas:

¡Chévere!	¡Fantástico!
la guagua	el autobús
los panas	los amigos

Fuente: The World Factbook, Central Intelligence Agency

(1) Comprensión Indicate whether each statement is **cierto (C)** or **falso (F)**.

1. El coquí es el nombre de una playa famosa. .... C F
2. El deporte más popular en Puerto Rico es el fútbol. .... C F
3. En Puerto Rico se utiliza el dólar de Estados Unidos. .... C F
4. *Boricuas* es otro nombre para los puertorriqueños. .... C F

(2) ¿Y tú? In pairs, discuss these questions.

1. ¿Cuál es un deporte profesional popular en tu cultura o comunidad?
2. ¿Conoces (*Do you know*) a deportistas puertorriqueños en las Grandes Ligas de Béisbol (*Major League Baseball*)?

(3) Para investigar Choose one of the topics in **Este es mi país** that has sparked your interest. Go online to learn more and be prepared to share your findings with a small group.

Estado Libre Asociado *Free Associated State* **no puede votar** *cannot vote* **eran** *were* **llegada** *arrival* **Por eso** *That is why* **rana** *frog* **fue fundado** *was founded* **alrededor de** *around* **sobresalen** *stand out* **belleza** *beauty*

☐ **I CAN** identify key products and practices from Puerto Rico.

¿Cómo es tu semana? • **63**

The inquiry-based approach to culture is designed to spark your curiosity and take it further with an internet research activity. As you share your findings with your peers, you will develop a broader understanding of the country or region of focus and gain new perspectives.

Experiencias Beginning at-a-glance

Exploraciones: Vocabulario

presents and practices the chapter vocabulary in meaningful contexts.

Appearing in the first vocabulary presentation, these **strategies** support your vocabulary development.

The active vocabulary for each chapter is broken down into **meaningful, manageable chunks**, tied to the communication goals of the section.

Vocabulary hotspots with audio

Exploraciones — Vocabulario 1

Audia: Vocabulary

Los pasatiempos y los deportes

Read the strategy and explore the vocabulary.

Estrategia de vocabulario: Identifying Collocations

A collocation is a pair or group of words that usually go together. To gain fluency and sound more natural, pay close attention to those little words, such as prepositions, that usually connect or collocate with verbs or nouns. For example, **andar en bicicleta, jugar al básquetbol, ir de compras**. Can you find others?

Los pasatiempos

jugar videojuegos

mirar videos

pasar tiempo en redes sociales

hablar por teléfono

conversar con los amigos

leer una novela

64 • Capítulo 3

Learning Objective: Exchange information about pastimes, sports, and activities.

Audia: Vocabulary

Los deportes y otras actividades

jugar al fútbol americano

practicar deportes

jugar al béisbol

jugar al vóleibol

nadar

andar en bicicleta

hacer ejercicio

jugar al

...to study
...a to go to the beach
...to go to the movies
...o work

¿Cómo es tu semana? • 65

Exploraciones

(1) ¿Cierto o falso? Listen to each statement and indicate whether it is true (**cierto**) or false (**falso**), according to each image.

1. cierto falso   2. cierto falso   3. cierto falso   4. cierto falso   5. cierto falso

(2) Tipo de actividades Many activities require a different amount of energy and effort. Decide whether each activity is **activa** or **pasiva**.

correr	conversar con amigos	levantar pesas	nadar
mirar videos	escuchar música	hablar por teléfono	ir al cine
descansar	jugar al fútbol	andar en bicicleta	caminar

Actividades activas	Actividades pasivas

(3) Preferencias What type of activities are your favorites? In groups of three, ask each other about your preferences and share them with the class.

Tus actividades favoritas son actividades...	Estudiante A	Estudiante B	Estudiante C
¿en grupos grandes?			
¿en parejas?			
¿individuales?			

(4) Mis actividades favoritas Choose three of your favorite activities and then share them with a partner. Be prepared to share with the class.

Modelo Mis actividades favoritas son...

☐ **I CAN** exchange information about pastimes, sports, and other activities.

66 • Capítulo 3

Resources

Vhicentral

WebSAM

Active vocabulary is presented in a variety of contextualized formats, such as illustrations with labels and comprehensible texts. English translations are provided for items that may be difficult to understand.

Activities practice new vocabulary in relatable and meaningful contexts, including real-world tasks to engage with your peers, collaborate, and build community.

Textbook and additional WebSAM activities

Exploraciones: Gramática

presents and practices linguistic functions in meaningful contexts.

¿Qué observas? features are strategically located within the grammar explanations. They offer guiding questions, prompting you to observe and analyze grammar elements in order to construct your own conceptual model of the structures that are explored.

The revised **grammar presentations** are student-friendly and simple.

Grammar tutorials

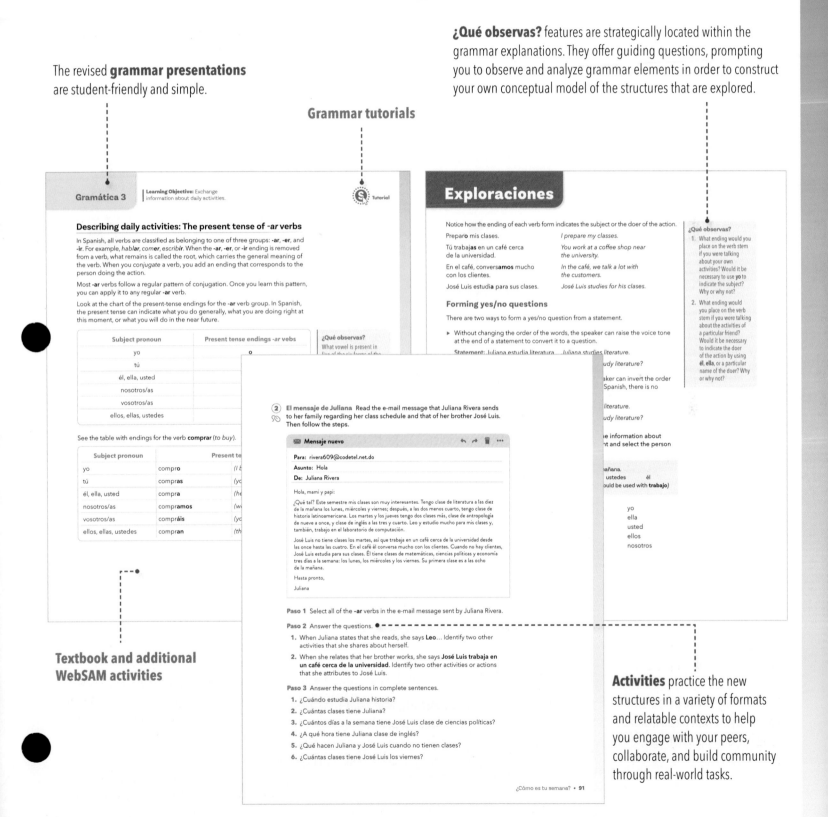

Gramática 3 | **Learning Objective:** Exchange information about daily activities.

Tutorial

Describing daily activities: The present tense of -ar verbs

In Spanish, all verbs are classified as belonging to one of three groups: **-ar**, **-er**, and **-ir**. For example, *hablar, comer, escribir*. When the **-ar**, **-er**, or **-ir** ending is removed from a verb, what remains is called the root, which carries the general meaning of the verb. When you *conjugate* a verb, you add an ending that corresponds to the person doing the action.

Most **-ar** verbs follow a regular pattern of conjugation. Once you learn this pattern, you can apply it to any regular **-ar** verb.

Look at the chart of the present-tense endings for the **-ar** verb group. In Spanish, the present tense can indicate what you do generally, what you are doing right at this moment, or what you will do in the near future.

Subject pronoun	Present tense endings -ar vebs
yo	o
tú	
él, ella, usted	
nosotros/as	
vosotros/as	
ellos, ellas, ustedes	

¿Qué observas?
What vowel is present in five of the six forms of the

See the table with endings for the verb **comprar** (*to buy*).

Subject pronoun	Present te
yo	compro	(I b
tú	compras	(yo
él, ella, usted	compra	(he
nosotros/as	compramos	(w
vosotros/as	compráis	(yo
ellos, ellas, ustedes	compran	(th

Textbook and additional WebSAM activities

Notice how the ending of each verb form indicates the subject or the doer of the action.

Prepar**o** mis clases.	*I prepare my classes.*
Tú traba**jas** en un café cerca de la universidad.	*You work at a coffee shop near the university.*
En el café, convers**amos** mucho con los clientes.	*In the café, we talk a lot with the customers.*
José Luis estud**ia** para sus clases.	*José Luis studies for his clases.*

Forming yes/no questions

There are two ways to form a yes/no question from a statement.

▶ Without changing the order of the words, the speaker can raise the voice tone at the end of a statement to convert it to a question.

Statement: Juliana estudia literatura. *Juliana studies literature.*

...udy literature?

...aker can invert the order ...Spanish, there is no

...literatura. ...udy literature?

...e information about ...nt and select the person

...mañana.
...ustedes él
...ould be used with **trabajo**)

yo
ella
usted
ellos
nosotros

¿Qué observas?
1. What ending would you place on the verb stem if you were talking about your own activities? Would it be necessary to use **yo** to indicate the subject? Why or why not?

2. What ending would you place on the verb stem if you were talking about the activities of a particular friend? Would it be necessary to indicate the doer of the action by using **él, ella**, or a particular name of the doer? Why or why not?

Exploraciones

(2) El mensaje de Juliana Read the e-mail message that Juliana Rivera sends to her family regarding her class schedule and that of her brother José Luis. Then follow the steps.

✉ **Mensaje nuevo**

Para: rivera609@codetel.net.do
Asunto: Hola
De: Juliana Rivera

Hola, mami y papi:

¿Qué tal? Este semestre mis clases son muy interesantes. Tengo clase de literatura a las diez de la mañana los lunes, miércoles y viernes; después, a las dos menos cuarto, tengo clase de historia latinoamericana. Los martes y los jueves tengo dos clases más, clase de antropología de nueve a once, y clase de inglés a las tres y cuarto. Leo y estudio mucho para mis clases y, también, trabajo en el laboratorio de computación.

José Luis no tiene clases los martes, así que trabaja en un café cerca de la universidad desde las once hasta las cuatro. En el café él conversa mucho con los clientes. Cuando no hay clientes, José Luis estudia para sus clases. Él tiene clases de matemáticas, ciencias políticas y economía tres días a la semana: los lunes, los miércoles y los viernes. Su primera clase es a las ocho de la mañana.

Hasta pronto,

Juliana

Paso 1 Select all of the **-ar** verbs in the e-mail message sent by Juliana Rivera.

Paso 2 Answer the questions.
1. When Juliana states that she reads, she says **Leo**... Identify two other activities that she shares about herself.
2. When she relates that her brother works, she says **José Luis trabaja en un café cerca de la universidad**. Identify two other activities or actions that she attributes to José Luis.

Paso 3 Answer the questions in complete sentences.
1. ¿Cuándo estudia Juliana historia?
2. ¿Cuántas clases tiene Juliana?
3. ¿Cuántos días a la semana tiene José Luis clase de ciencias políticas?
4. ¿A qué hora tiene Juliana clase de inglés?
5. ¿Qué hacen Juliana y José Luis cuando no tienen clases?
6. ¿Cuántas clases tiene José Luis los viernes?

Activities practice the new structures in a variety of formats and relatable contexts to help you engage with your peers, collaborate, and build community through real-world tasks.

Experiencias Beginning at-a-glance

Exploraciones: Podcast
allows you to reflect on your progress and see how you are doing.

Introduced by Lucas, podcasts feature audio stories from the characters in **Este es mi país** that are connected to the chapter themes. They integrate the vocabulary and grammar you have seen so far.

The **audio-sync reading** available online offers another way to practice your listening comprehension if you feel you need additional support.

Audio-sync reading

Podcast | **Learning Objective:** Reflect on your progress using language related to pastimes and sports.
Audio: Reading

Episodio #3: Francisco Figueroa Rivera

● **Estrategia de comprensión oral: Comprehending Spoken Spanish**
You don't have to understand everything that is being said in Spanish. Instead, listen for cognates such as **nombre, béisbol, día,** and other words that you know, piece it together, and guess! You may have to listen several times, but that's normal. Focus on what you can understand, not on what you can't.

Antes de escuchar

(1) **Predecir** List three sports or pastimes that you think Francisco, a sports enthusiast, may talk about.

Mientras escuchas

(2) **Francisco y sus actividades** You are going to listen to Francisco talk about his activities.

Paso 1 Listen to Francisco describe his activities and write the cognates you hear.

Paso 2 Listen to Francisco one more time and select the option that best completes each statement.

1. Francisco es…
   a. activo y tímido.
   b. activo y paciente.
   c. deportista y activo.

2. Un pasatiempo favorito de Francisco es…
   a. levantar pesas.
   b. jugar videojuegos.
   c. conversar.

3. A Francisco le gusta salir con sus amigos…
   a. los domingos por la tarde.
   b. los sábados por la noche.
   c. los viernes por la tarde.

4. Los viernes le gusta…
   a. mirar videos.
   b. hacer ejercicio.
   c. pasar tiempo en redes sociales.

Después de escuchar

(3) **Mis actividades** Give a presentation about your own activities and pastimes. Answer the questions and follow the model of Francisco's story. Share at least five examples. **¿Cuáles son tus actividades y pasatiempos favoritos? ¿Qué días haces cada (each) actividad?**

☐ **I CAN** describe my activities and pastimes.

Resources
Ⓢ Vhlcentral
▣ Online activities

¿Cómo es tu semana? • **79**

Podcast | **Learning Objective:** Reflect on your progress using language related to classes, schedules, and activities.
Audio: Reading

Episodio #4: Ramona Sandoval Gómez

Antes de escuchar

(1) **El horario de clases** You will listen to Ramona, an engineering major, talk about her class schedule. Which classes do you think she'll mention?

educación	economía	psicología
informática	física	ciencias políticas
cálculo	matemáticas	trabajo social

Mientras escuchas

(2) **El horario de Ramona** Listen and complete Ramona's class schedule.

hora	lunes	martes	miércoles	jueves	viernes
9:00					
10:00					
11:00					
12:00					

Después de escuchar

(3) **Mi horario** You will discuss your weekly schedule with a partner and then prepare a presentation based on Ramona's description.

Paso 1 In pairs, ask and answer questions about your class schedules, including which classes you have each day, at what time, and which is your favorite. Use the expressions in the list.

¿Qué clases tienes los lunes?	Los lunes tengo clase de…
¿A qué hora tienes la clase de…?	La clase de… es a las…
¿Cuál es tu clase favorita?	Mi clase favorita es…
¿Por qué?	Me gusta la clase de… porque (because)…

Paso 2 Individually, prepare a presentation about your weekly class schedule. Be sure to mention which classes you take, what days and times they meet, and which class is your favorite.

☐ **I CAN** describe my weekly class schedule.

Resources
Ⓢ Vhlcentral
▣ Online activities

¿Cómo es tu semana? • **95**

Textbook and additional online-only activities

A listening strategy featured and practiced with the first audio story helps you develop your listening skills.

Pre-, during, and post-listening activities support you at every step, from predicting, to verifying comprehension, to responding based on your own experiences.

Experiencias: Cultura y sociedad

features contemporary topics, and develops your reading and writing skills.

High-interest leveled readings help you grow as a reader while gaining deeper understanding of products, practices, and perspectives from a diverse range of people in Spanish-speaking communities around the world.

Audio-sync reading

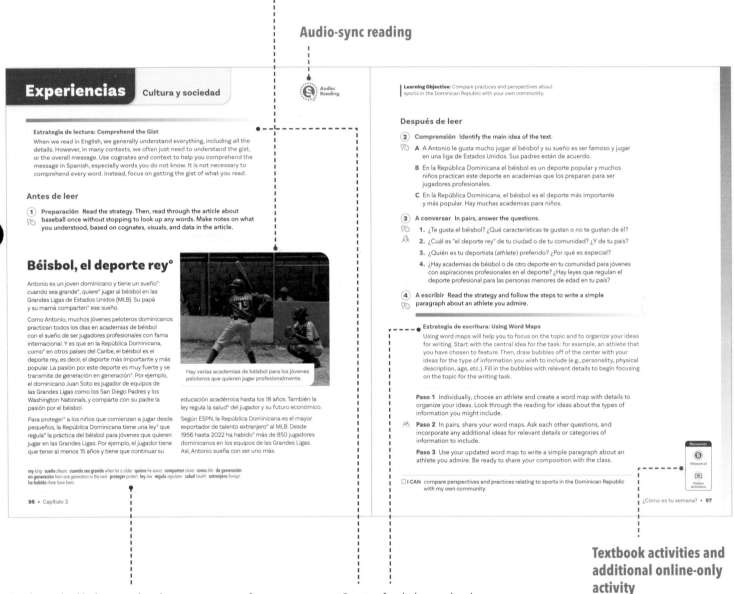

Experiencias — Cultura y sociedad

Audio: Reading

Estrategia de lectura: Comprehend the Gist

When we read in English, we generally understand everything, including all the details. However, in many contexts, we often just need to understand the gist, or the overall message. Use cognates and context to help you comprehend the message in Spanish, especially words you do not know. It is not necessary to comprehend every word. Instead, focus on getting the gist of what you read.

Antes de leer

1 **Preparación** Read the strategy. Then, read through the article about baseball once without stopping to look up any words. Make notes on what you understood, based on cognates, visuals, and data in the article.

Béisbol, el deporte rey°

Antonio es un joven dominicano y tiene un sueño°: cuando sea grande°, quiere° jugar al béisbol en las Grandes Ligas de Estados Unidos (MLB). Su papá y su mamá comparten° ese sueño.

Como Antonio, muchos jóvenes peloteros dominicanos practican todos los días en academias de béisbol con el sueño de ser jugadores profesionales con fama internacional. Y es que en la República Dominicana, como° en otros países del Caribe, el béisbol es el deporte rey, es decir, el deporte más importante y más popular. La pasión por este deporte es muy fuerte y se transmite de generación en generación°. Por ejemplo, el dominicano Juan Soto es jugador de equipos de las Grandes Ligas como los San Diego Padres y los Washington Nationals, y comparte con su padre la pasión por el béisbol.

Para proteger° a los niños que comienzan a jugar desde pequeños, la República Dominicana tiene una ley° que regula° la práctica del béisbol para jóvenes que quieren jugar en las Grandes Ligas. Por ejemplo, el jugador tiene que tener al menos 15 años y tiene que continuar su

educación académica hasta los 18 años. También la ley regula la salud° del jugador y su futuro económico.

Según ESPN, la República Dominicana es el mayor exportador de talento extranjero° al MLB. Desde 1956 hasta 2022 ha habido° más de 850 jugadores dominicanos en los equipos de las Grandes Ligas. Así, Antonio sueña con ser uno más.

Hay varias academias de béisbol para los jóvenes peloteros que quieren jugar profesionalmente.

rey *king* sueño *dream* cuando sea grande *when he is older* quiere *he wants* comparten *share* como *like* de generación en generación *from one generation to the next* proteger *protect* ley *law* regula *regulates* salud *health* extranjero *foreign* ha habido *there have been*

96 • Capítulo 3

Learning Objective: Compare practices and perspectives about sports in the Dominican Republic with your own community.

Después de leer

2 **Comprensión** Identify the main idea of the text.

A A Antonio le gusta mucho jugar al béisbol y su sueño es ser famoso y jugar en una liga de Estados Unidos. Sus padres están de acuerdo.

B En la República Dominicana el béisbol es un deporte popular y muchos niños practican este deporte en academias que los preparan para ser jugadores profesionales.

C En la República Dominicana, el béisbol es el deporte más importante y más popular. Hay muchas academias para niños.

3 **A conversar** In pairs, answer the questions.

1. ¿Te gusta el béisbol? ¿Qué características te gustan o no te gustan de él?
2. ¿Cuál es "el deporte rey" de tu ciudad o de tu comunidad? ¿Y de tu país?
3. ¿Quién es tu deportista (*athlete*) preferido? ¿Por qué es especial?
4. ¿Hay academias de béisbol o de otro deporte en tu comunidad para jóvenes con aspiraciones profesionales en el deporte? ¿Hay leyes que regulan el deporte profesional para las personas menores de edad en tu país?

4 **A escribir** Read the strategy and follow the steps to write a simple paragraph about an athlete you admire.

Estrategia de escritura: Using Word Maps

Using word maps will help you to focus on the topic and to organize your ideas for writing. Start with the central idea for the task: for example, an athlete that you have chosen to feature. Then, draw bubbles off of the center with your ideas for the type of information you wish to include (e.g., personality, physical description, age, etc.). Fill in the bubbles with relevant details to begin focusing on the topic for the writing task.

Paso 1 Individually, choose an athlete and create a word map with details to organize your ideas. Look through the reading for ideas about the types of information you might include.

Paso 2 In pairs, share your word maps. Ask each other questions, and incorporate any additional ideas for relevant details or categories of information to include.

Paso 3 Use your updated word map to write a simple paragraph about an athlete you admire. Be ready to share your composition with the class.

Resources Vhlcentral — Online activities

☐ **I CAN** compare perspectives and practices relating to sports in the Dominican Republic with my own community.

¿Cómo es tu semana? • 97

Readings shed light on real and **contemporary issues**, such as a social media campaign to break down stereotypes, two women pioneers breaking into the world of electronic music, and gender roles at home. Thoughtful questions prompt you to reflect on those issues in your own community.

Strategies help you develop your confidence in reading and writing.

Textbook activities and additional online-only activity

Experiencias Beginning at-a-glance

Experiencias: Intercambiemos perspectivas

develops your intercultural communication competence in the context of the chapter theme.

Exposes you to **compelling authentic materials** in a variety of formats. Videos, infographics, poems, photos, and more are used to help you notice, analyze, and compare aspects of culture related to practices and perspectives.

Each section features **an intercultural strategy** to support your cultural exploration.

Streaming video / Audio-sync reading

Interactive video with activity

Experiencias — Intercambiemos perspectivas — Video

Video: *Bomba, una danza de la diáspora africana*

You will watch a video about **la bomba**, an Afro-Puerto Rican dance created during colonial times by enslaved Africans living in Loíza, a town that is located on the north coast of Puerto Rico, a short distance from San Juan.

Estrategia intercultural: Developing Intercultural Competence

As you are exposed to cultural practices, products, and perspectives that are distinct from your own, try to cultivate your curiosity. Being curious means observing with an open mind and asking questions to try to learn more about aspects of a culture that are new and different for you. Find out more by doing your own research, talking to people from a specific cultural group, and participating in new experiences. Being curious means not being afraid to ask questions.

Antes de ver

1. **El tiempo libre y las raíces culturales** Mar began learning to dance the traditional dance of her heritage, **la bomba**, at the age of 22. Make a list of activities that you do in your free time and that connect you to your own cultural roots (**raíces culturales**).

Mientras ves

2. **¿Qué observas?** You will watch the video multiple times, paying attention to different aspects with each viewing.

   Paso 1 First, watch the video without sound. Make a list of the things and people you observe.

   Paso 2 Watch the video again. This time listen to the music and pay attention to the rhythms. Do they remind you of anything you've heard before? Explain.

   Paso 3 Re-watch the first segment of the video. Select the cognates that you hear. Then, compare your answers with a partner.

familia	respetar	opresión
momento	expresarse	libertad
influencia	instrumento	antisistémica
ancestros africanos	inspirar	transformación
celebrar	rebelión	maracas
	concentración	hospitalidad

¡ATENCIÓN!

The term **antisistémica** is a cognate in English that means "anti-systemic". Some people use this term to describe movements or perspectives that seek to challenge or oppose dominant ideologies or structures of power. Even though in the video **antisistémica** is used to describe a dance, the term can be applied to a wide range of issues.

98 • Capítulo 3

Learning Objective: Compare practices and perspectives about an Afro-Boricuan dance in Puerto Rico with your own community.

3. **Imágenes** Write the letter that corresponds to each quote.

Fuente: KQED Arts

1. _____ Lo pueden bailar en una tarima (*stage*), en una casa, donde sea (*wherever*).
2. _____ La bomba se bailaba (*was danced*) ... se tocaba (*was played*) ... nada más que (*only*) en familia.
3. _____ Es una manera de bailar bien libre (*free*).

Después de ver

4. **¿Cierto o falso?** Watch the video again and indicate whether each statement is **cierto (C)** or **falso (F)**. Use the cognates you identified to help you.

   1. Loíza está muy lejos de San Juan. .... C F
   2. La bomba es un baile (*dance*) exclusivo de mujeres adultas. .... C F
   3. En la bomba se utilizan instrumentos de percusión. .... C F
   4. Para las personas esclavizadas (*enslaved people*), la bomba representaba una forma de rebelión contra la opresión. ...... C F

5. **Reflexión** Reflect on the messages in the video related to **la bomba** and compare the practices and perspectives in the video to your own culture. Then, discuss with a partner.

   1. Why is this form of dance making a comeback in Puerto Rico?
   2. Can you think of forms of art, dance, music, or other activities that represent your ancestors? Are they making a comeback where you live? Why?
   3. How can an activity or hobby be anti-systemic or transformative but also serve as a peaceful and community-building activity at the same time?

☐ **I CAN** compare practices and perspectives of the Afro-Puerto Rican community with my own community.

Resources

VHLcentral

Online activities

¿Cómo es tu semana? • 99

Textbook and additional online-only activities

Pre-, during, and post-viewing or reading activities support you every step of the way, from activating your background knowledge, to checking your comprehension, to analyzing and interpreting.

Experiencias: Blog and Proyectos

highlights unique places in Spanish-speaking countries and sparks your creativity to further develop your speaking and writing skills.

Lucas's blog gives you a window into specific places, events, and experiences in the countries and cultures of focus through his own eyes and experiences, including photos, anecdotes, recommendations, and contemporary cultural information.

The end-of-chapter project is a culminating oral task. Everything you have done up to this point will help you answer the chapter question posed in the chapter title. The projects are meaningful and personal. They promote your self-expression and give you opportunities to use the language in real-world contexts. Online rubrics are designed to help you understand expectations for how your work will be assessed.

Editable rubric

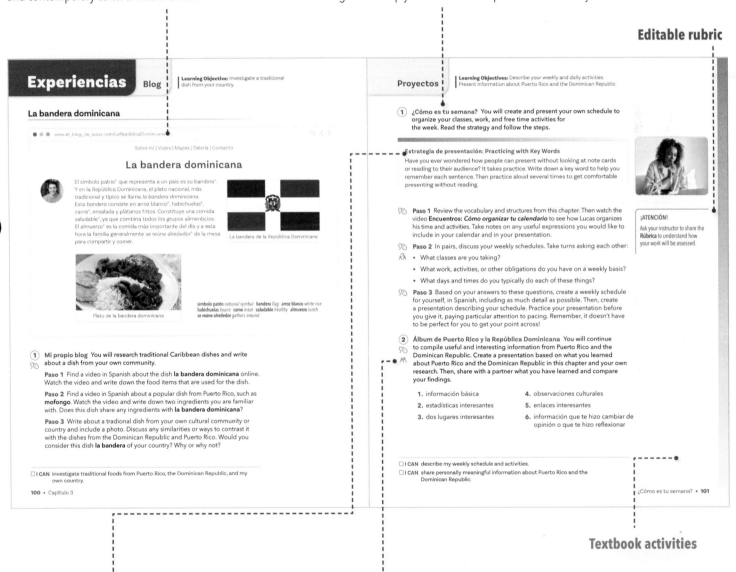

Experiencias — Blog

Learning Objective: Investigate a traditional dish from your country.

La bandera dominicana

www.el_blog_de_lucas.com/LaRepúblicaDominicana

Sobre mí | Viajes | Mapas | Galería | Contacto

La bandera dominicana

El símbolo patrio° que representa a un país es su bandera°. Y en la República Dominicana, el plato nacional, más tradicional y típico se llama la bandera dominicana. Esta bandera consiste en arroz blanco°, habichuelas°, carne°, ensalada y plátanos fritos. Constituye una comida saludable°, ya que combina todos los grupos alimenticios. El almuerzo° es la comida más importante del día y a esta hora la familia generalmente se reúne alrededor° de la mesa para compartir y comer.

La bandera de la República Dominicana

Plato de la bandera dominicana

símbolo patrio national symbol **bandera** flag **arroz blanco** white rice **habichuelas** beans **carne** meat **saludable** healthy **almuerzo** lunch **se reúne alrededor** gathers around

1. **Mi propio blog** You will research traditional Caribbean dishes and write about a dish from your own community.

   Paso 1 Find a video in Spanish about the dish **la bandera dominicana** online. Watch the video and write down the food items that are used for the dish.

   Paso 2 Find a video in Spanish about a popular dish from Puerto Rico, such as **mofongo**. Watch the video and write down two ingredients you are familiar with. Does this dish share any ingredients with **la bandera dominicana**?

   Paso 3 Write about a tradional dish from your own cultural community or country and include a photo. Discuss any similarities or ways to contrast it with the dishes from the Dominican Republic and Puerto Rico. Would you consider this dish **la bandera** of your country? Why or why not?

   ☐ I CAN investigate traditional foods from Puerto Rico, the Dominican Republic, and my own country.

100 • Capítulo 3

Proyectos

Learning Objectives: Describe your weekly and daily activities. Present information about Puerto Rico and the Dominican Republic.

1. **¿Cómo es tu semana?** You will create and present your own schedule to organize your classes, work, and free time activities for the week. Read the strategy and follow the steps.

   Estrategia de presentación: Practicing with Key Words
   Have you ever wondered how people can present without looking at note cards or reading to their audience? It takes practice. Write down a key word to help you remember each sentence. Then practice aloud several times to get comfortable presenting without reading.

   Paso 1 Review the vocabulary and structures from this chapter. Then watch the video **Encuentros: Cómo organizar tu calendario** to see how Lucas organizes his time and activities. Take notes on any useful expressions you would like to include in your calendar and in your presentation.

   Paso 2 In pairs, discuss your weekly schedules. Take turns asking each other:
   - What classes are you taking?
   - What work, activities, or other obligations do you have on a weekly basis?
   - What days and times do you typically do each of these things?

   Paso 3 Based on your answers to these questions, create a weekly schedule for yourself, in Spanish, including as much detail as possible. Then, create a presentation describing your schedule. Practice your presentation before you give it, paying particular attention to pacing. Remember, it doesn't have to be perfect for you to get your point across!

   ¡ATENCIÓN!
   Ask your instructor to share the **Rúbrica** to understand how your work will be assessed.

2. **Álbum de Puerto Rico y la República Dominicana** You will continue to compile useful and interesting information from Puerto Rico and the Dominican Republic. Create a presentation based on what you learned about Puerto Rico and the Dominican Republic in this chapter and your own research. Then, share with a partner what you have learned and compare your findings.

   1. información básica
   2. estadísticas interesantes
   3. dos lugares interesantes
   4. observaciones culturales
   5. enlaces interesantes
   6. información que te hizo cambiar de opinión o que te hizo reflexionar

   ☐ I CAN describe my weekly schedule and activities.
   ☐ I CAN share personally meaningful information about Puerto Rico and the Dominican Republic.

¿Cómo es tu semana? • 101

Textbook activities

An oral production strategy provides a helpful tip to guide your oral presentations.

Álbum de países allows you to bring together information that is personally meaningful to you by gathering photos and descriptions of places, people, and issues related to Spanish-speaking countries.

Diane Ceo-DiFrancesco, Ph.D.

As a professor of Spanish, I have spent my professional career focusing on the best ways to teach students like you to be successful communicators in the Spanish language. I also train students who want to become teachers, and have worked on projects related to virtual encounters with native speakers, collaborative virtual projects, and the development of intercultural competence. Writing *Experiencias* has been a fun way to share my enthusiasm for the Spanish language and cultures with learners. My love of travel and making friends with people from diverse backgrounds has taken me around the world, leading study abroad and immersion programs for students and colleagues to numerous Spanish-speaking countries. I hope that *Experiencias* inspires you to explore, experience, and interact with different peoples, opening your mind to diverse ideas and perspectives.

I dedicate *Experiencias* to my students, for all the fun that we have learning together.

Gregory L. Thompson, Ph.D.

I come from a long line of teachers, and knew from a young age that I wanted to be a teacher myself. I received my bachelors in Math and Spanish teaching, and an M.A. in Spanish Pedagogy from Brigham Young University, and a Ph.D. in Second Language Acquisition and Teaching from the University of Arizona. I have taught classes in language pedagogy, bilingualism, Spanish phonetics, applied linguistics, and language skill development. I have published articles and books about code-switching in the foreign language classroom, heritage language learners, service-learning and language acquisition, bilingualism and languages in contact, placement exams, service learning, Spanish language curriculum, languages in contact, and Spanish in the U.S. Currently I work at Brigham Young University in the Department of Spanish and Portuguese, where I supervise intermediate Spanish. I feel strongly that my training research experience, and 20+ years of teaching have helped me in working on *Experiencias*, and I look forward to sharing it with you.

Alan V. Brown, Ph.D.

I was raised in Southern California by a high school Spanish teacher, but it never crossed my mind that I might follow a similar path. When I got my first taste of teaching Spanish in 1995 as a part-time instructor of small groups of volunteer missionaries during college, I fell in love. It was then that I realized that Spanish language teaching brought out the parts of my personality that I enjoyed most. I became certified as a secondary Spanish teacher at Brigham Young University, received an M.A. in Spanish Pedagogy from the same university, and subsequently completed a Ph.D. in Second Language Acquisition and Teaching from the University of Arizona. I am currently on faculty at the University of Kentucky as a member of the Hispanic Studies Department and enjoy teaching and learning about all things related to Spanish applied linguistics, Spanish language teaching and learning, and second language acquisition. I dedicate this work to those tireless, underpaid Spanish teachers who truly believe in the transformative power of multi-lingualism.

Acknowledgments

The *Experiencias* authors wish to express a very sincere and heartfelt thank you to the many individuals who were instrumental in making this work. For his generous assistance in providing photos, we acknowledge and thank Vincent DiFrancesco.

Reviewers for the Second Edition

Special thanks to those instructors whose thoughtful and constructive feedback was instrumental in shaping the Second Edition:

Ana Boone, *Baton Rouge Community College*

María Carbonetti, *The University of British Columbia*

Marcela Lozoya Mireles, *Eastern Michigan University*

Barbara K. Fraser, *Vancouver Island University*

Kate Grovergrys, *Madison Area Technical College in Madison, Wisconsin*

Mónica Millán-Serna, *Eastern Michigan University*

Brianne Orr-Álvarez, *The University of British Columbia*

Stephanie Spacciante, *The University of British Columbia*

And finally, Vista Higher Learning is grateful to the reviewers of the First Edition who provided valuable insights and suggestions:

Amy Carbajal, *Western Washington University*, Susana Blanco-Iglesias, *Macalester College*, Todd Hernández, *Marquette University*, Dolores Flores-Silva, *Roanoke College*, Lilian Baeza-Mendoza, *American University*, Sean Dwyer, *Western Washington University*, Ryan LaBrozzi, *Bridgewater State University*, D. Eric Holt, *University of South Carolina, Columbia*, Karina Kline-Gabel, *James Madison University*, Jealynn Liddle Coleman, *Wytheville Community College*, Linda McManness, *Baylor University*, Julio Hernando, *Indiana University South Bend*, Robert Turner, *University of South Dakota*, Bridget Morgan, *Indiana University South Bend*, Jorge Muñoz, *Auburn University*, Barry Velleman, *Marquette University*, Catherine Wiskes, *University of South Carolina, Columbia*, Mirna Trauger, *Muhlenberg College,* Rachel Payne, *University of St. Joseph*, Patricia Orozco, *University of Mary Washington*, Héctor Enríquez, *University of Texas at El Paso*, Ava Conley, *Harding University,* Chelsa Ann Bohinski, *Binghamton University,* Ron Cere, *Eastern Michigan University*, Terri Wilbanks, *University of South Alabama*, Rebecca Carte, *Georgia College & State University*, James Davis, *Howard University*, Mónica Millán, *Eastern Michigan University*, Jorge González del Pozo, *University of Michigan-Dearborn*, Deyanira Rojas-Sosa, *SUNY New Paltz*, Luz Marina Escobar, *Tarrant County College Southeast Campus*, Louis Silvers, *Monroe Community College*, Julia Farmer, *University of West Georgia*, Alan Hartman, *Mercy College*, Jeff Longwell, *New Mexico State University*, John Burns, *Rockford College*, Martha Simmons, *Xavier University*, Rosa María Moreno, *Cincinnati State Tech*, Teresa Roig-Torres, *University of Cincinnati*, Francisco Martínez, *Northwestern Oklahoma State University*, Dana Monsein, *Endicott College*, David Schuettler, *The College of St. Scholastica*, Kenneth Totten, *The University of Cincinnati and The Art Institute of Ohio, Cincinnati*, Marlene Roldan-Romero, *Georgia College & State University*, Aurora Castillo, *Georgia College & State University*, Marta Camps, *George Washington University, Foggy Bottom*, Carla Aguado Swygert, *University of South Carolina, Columbia*, Nuria R. López-Ortega, *University of Cincinnati*, Terri Rice, *University of South Alabama*, Deanna Mihaly, *Virginia State University, Petersburg*, Simone Williams, *William Paterson University*, Rafael Arias, *Los Angeles Valley College*, Lourdes Albuixech, *Southern Illinois University*, Cristina Sparks-Early, *Northern Virginia Community College, Manassas*, Melany Bowman, *Arkansas State University*.

SECOND EDITION

Experiencias

BEGINNING SPANISH

Capítulo

1 | ¿Quién eres?

OBJETIVOS DE APRENDIZAJE

By the end of this chapter, I will be able to…

- Identify basic information about people introducing themselves in a video.
- Exchange greetings, goodbyes, and basic personal information.
- Compare products, practices, and perspectives from Spanish-speaking communities in the United States.
- Introduce myself.

ENCUENTROS

El canal de Lucas: Bienvenidos a mi canal

Este es mi país: Estados Unidos

EXPLORACIONES

Vocabulario

Los saludos, las despedidas y las presentaciones

Los números del 0 al 29

El alfabeto español

Los países del mundo hispano

EXPERIENCIAS

Cultura y sociedad: Perfiles latinos en Estados Unidos

Intercambiemos perspectivas: *Distintos pero iguales*

Blog: El Museo Nacional de Arte Mexicano

Proyectos: ¿Quién eres?, Álbum de Estados Unidos

Encuentros

El canal de Lucas

Learning Objective: Identify basic information about introductions in a video.

Video: Story

Bienvenidos a mi canal

Read and reflect on the learning strategy for this chapter. Then, watch Lucas and his friends introduce themselves.

> **Estrategia de aprendizaje: Learning a New Language**
>
> Spanish class is different from other classes because you don't just memorize words or structures: your focus will be on using them to communicate and to learn about culture. Like sports or music, it requires practice and time. Since it's hard to cram for a language course like you might do for other courses, you need to organize your time and practice often. **¡Buena suerte!**

Antes de ver

(1) **El canal de Lucas** Listen and repeat each word or expression that you will hear in Lucas's vlog. Then, listen for these words as you watch the first episode of **El canal de Lucas**.

canal *channel*	**videos** *videos*
redes sociales *social networks*	**suscribirse** *to subscribe*
seguidores *followers*	**¡Estamos en vivo!** *We're live!*

Mientras ves

(2) **Expresiones nuevas** Watch Lucas's vlog and select the expressions that Lucas and his friends use.

¡Hola!	Bienvenidos.	Buenos días.	¿Cómo estás?
Buenas tardes.	Buenas noches.	¡Mucho gusto!	Muchas gracias.
¿Cómo está usted?	Muy bien, gracias.	Estoy muy mal.	¡Hasta la vista!
¡Adiós!	Chau.	Hasta pronto.	¡Hasta luego!

Después de ver

(3) **¿Lucas, Elena o Alberto?** Watch Lucas's vlog again and decide whether each word refers to Lucas (**L**), Elena (**E**), or Alberto (**A**).

1. Texas .... **L E A**
2. Nueva York .... **L E A**
3. *gamer* .... **L E A**
4. muy mal .... **L E A**
5. ciencias políticas .... **L E A**
6. Cuba .... **L E A**

Resources

Vhlcentral

Online activities

□ **I CAN** identify basic information about introductions in a video.

Map

ESTADOS UNIDOS

¡Hola! Mi nombre es Carlos Torres y soy de° San Antonio, Texas. En Estados Unidos hay más de° 62,5 millones de personas de origen latino. Mi familia es de México y de Puerto Rico. Tenemos° tradiciones y celebraciones que son muy especiales. Estoy muy orgulloso° de mi cultura. Los latinos representamos una fuerza° económica y política muy importante en todo el país.

Las tortillas son el alimento° de origen latino que más se consume° en Estados Unidos.

CANADÁ

ESTADOS UNIDOS

San Francisco

San José

Los Ángeles

Phoenix

El Paso

Fort Worth

Austin
Dallas

Houston

San Antonio

Chicago

Nueva York

Washington, D.C.

Océano Atlántico

Miami

Golfo de México

MÉXICO

Océano Pacífico

Hawái

CANADÁ

Alaska

Los Ángeles es la ciudad° de Estados Unidos con la población hispana más grande°.

Hoy los hispanos representan un 64% de la población en **San Antonio, Texas**. Su arquitectura tiene° raíces° españolas y mexicanas.

Diana Trujillo es una ingeniera aeroespacial° colombiana que trabaja para la NASA.

Estados Unidos en breve

Capital: Washington, D.C.

Tipo de gobierno: república federal

Tamaño: 9.833.517 km², un poco más grande° que Brasil y que China

Población: 339.666.118 habitantes

Lenguas: No hay° una lengua oficial nacional. El 13,4% de la población habla español.

Moneda°: dólar estadounidense

Nivel de alfabetización°: 99%

Promedio° de vida: 81 años

Palabras que provienen del° español: *mosquito, plaza, patio, tornado*

Fuente: The World Factbook, Central Intelligence Agency

(1) Comprensión Complete the sentences.

1. Carlos es de _____.

2. Carlos está muy _____ de su cultura.

3. El 64% de la _____ de San Antonio es hispana.

4. Las tortillas son un _____ que se consume mucho en Estados Unidos.

(2) ¿Y tú? In pairs, discuss these questions: **¿Qué otras ciudades tienen un nombre hispano, como San Antonio y Los Ángeles?** *(What other cities have names derived from Spanish, like San Antonio and Los Angeles?)* **¿Qué otros alimentos populares en EE.UU. son de origen hispano?** *(What other Hispanic foods are popular in the U.S.?)*

(3) Para investigar In the United States, there are many influential Hispanics who are known for their work. Go online to research an individual and complete the statements. Then, share your findings with the class.

Modelo	Su nombre es ___*Diana Trujillo*___.
	Es de ___*Colombia*___.
	Su profesión es ___*ingeniera*___.

soy de *I am from* más de *more than* Tenemos *We have* orgulloso *proud* fuerza *force* alimento *food* que más se consume *most-consumed* ciudad *city* más grande *largest* tiene *has* raíces *roots* ingeniera aeroespacial *aerospace engineer* un poco más grande *a little bigger* No hay *There isn't* Moneda *Currency* alfabetización *literacy* Promedio *Average* provienen de *come from*

☐ **I CAN** identify key products and practices from the United States.

Los saludos, las despedidas y las presentaciones

Read the strategy and explore the vocabulary.

Estrategia de vocabulario: Greetings

Most languages have set phrases used to greet people. In Spanish, some of these greetings are tied to a certain time of day (**Buenos días, Buenas tardes**) while others are more general (**Hola**). Some have a double purpose as they can be used to ask how someone is doing (**¿Qué tal?**). Try out some greetings to begin interacting in Spanish.

Luisa:	Buenas tardes. ¿Cómo te llamas?
Eduardo:	Me llamo Eduardo. ¿Y tú?
Luisa:	Soy Luisa.
Eduardo:	Mucho gusto.
Luisa:	Encantada.

Carlos:	Buenos días, señora. ¿Cómo se llama usted?
Sra. Vargas:	Me llamo Margarita Vargas Muñoz. ¿Y tú?
Carlos:	Mi nombre es Carlos Rodríguez. Mucho gusto.
Sra. Vargas:	El gusto es mío.

María José:	¡Hola! ¿Qué tal?
Carlos:	Bien. ¿Y tú?
María José:	Más o menos.

Ricardo:	Buenas tardes, don Esteban. ¿Cómo está usted?
D. Esteban:	Muy bien, gracias. Y tú, ¿cómo estás?
Ricardo:	No muy bien.
D. Esteban:	Lo siento.

Leticia:	¡Hola, Beti! ¿Cómo te va? ¿Qué tal los estudios?
Beti:	Muy bien, gracias. ¿Y tú? ¿Cómo estás?
Leticia:	Bastante bien.

Marcos:	Buenas noches, doña Marisol.
Da. Marisol:	Adiós, Marcos. Hasta mañana.

Los saludos y las despedidas

To greet someone or say goodbye in Spanish, you may use these expressions. Note that your choice may depend on the formality of the situation.

Greetings (Saludos)	Farewells (Depedidas)
Hola. *Hello. / Hi.*	**Adiós.** *Goodbye.*
Buenos días. *Good morning.*	**Buenas noches.** *Good night.*
Buenas tardes. *Good afternoon.*	**Chau.** *Bye.*
Buenas noches. *Good evening.*	**Hasta luego.** *See you later.*
	Hasta mañana. *See you tomorrow.*
	Nos vemos. / Hasta pronto. *See you soon.*

To inquire how someone is doing	Response
¿Cómo estás? *How are you? (informal)*	**(Muy/Bastante) Bien.** *(Very/Quite) Well.*
¿Cómo está usted? *How are you? (formal)*	**No (muy) bien. / (Muy) Mal.** *Not (very) well. / Not very well (at all).*
¿Qué tal? *What's new? (informal)*	**(Estoy) Regular. / Más o menos.** *(I'm feeling) So-so.*
¿Qué pasa? *What's happening? / What's up? (informal)*	**No mucho.** *Not much.*

English speakers have one form of direct address: *you*. In Spanish there are two forms of address depending upon the social distance that exists between two people. The uses of **tú** and **usted** vary from one Spanish-speaking country to another and may even vary within a given country. Generally,

▶ **tú** (informal) is used with your family, friends, and anyone close to your own age, as well as children and pets;

▶ **usted** (formal) is used to show respect to others, including older adults, and generally indicates a more formal relationship.

Exploraciones

Las presentaciones

These phrases may be used when meeting new people through personal introductions:

Question or comment	Response
¿Cómo te llamas? *What is your name? (informal)* **¿Cómo se llama usted?** *What is your name? (formal)* **¿Cuál es tu nombre?** *What is your name? (informal)* **¿Cuál es su nombre?** *What is your name? (formal)*	**Me llamo… / Soy…** *My name is . . . / I'm . . .* **Mi nombre es…** *My name is . . .*
¿Quién es? *Who is he/she?*	**Es…** *He's/She's . . .*
Mucho gusto. *Nice to meet you.* **Encantado.** *(masc.)***/Encantada.** *(fem.)* *Pleased to meet you.*	**El gusto es mío. / Encantado./ Encantada.** *Nice to meet you, too. / Pleased to meet you.* **Igualmente.** *Likewise. / Same for me.*
¿De dónde eres? *Where are you from? (informal)* **¿De dónde es?** *Where are you from? (formal)* *Where is he/she from?*	**Soy de…** *I'm from . . .* **Es de…** *He's/She's from . . .*

Las expresiones de cortesía

These courtesy expressions may be used in different situations:

Expression	Response
(Muchas) Gracias. *Thank you (very much).* **Por favor.** *Please.* **Lo siento (mucho).** *I'm (so/very) sorry (to hear that).*	**De nada.** *You are welcome.*

1 **¿Qué dices?** You and a coworker in the office of International Education decide to practice some greetings before the international students arrive. Listen to each question or statement and choose the most logical response.

1. **a.** Me llamo Carlos. **b.** Hola. **c.** ¿Quién es? **d.** Se llama José.
2. **a.** Adiós. **b.** Hasta luego. **c.** Buenos días. **d.** Encantada.
3. **a.** Nos vemos. **b.** El gusto es mío. **c.** Buenos días. **d.** Chau.
4. **a.** Igualmente. **b.** Es María. **c.** Me llamo Rafael. **d.** Hola.
5. **a.** Buenas tardes. **b.** Es de Los Ángeles. **c.** Soy de Richmond. **d.** Es Javier.
6. **a.** Hasta pronto. **b.** ¿Qué tal? **c.** Es Marta. **d.** Su nombre es Isabel.
7. **a.** Es Raquel. **b.** Es de Colorado. **c.** Encantado. **d.** Buenas noches.
8. **a.** Ella es Jennifer. **b.** Soy Nieves. **c.** Buenos días. **d.** Su nombre es Juan.
9. **a.** Encantado. **b.** Es Gonzalo. **c.** Soy de Ohio. **d.** Hola.

2 **Mensajes de texto** Your coworker sends you some text messages in Spanish to get more practice. Write your answers to each message.

1. ¿De dónde eres?
2. ¿Cómo te llamas?
3. ¿Quién es esa estudiante?
4. Mucho gusto.
5. Hasta mañana.

CULTURA VIVA

Greetings in Spanish-speaking countries Spanish-speaking people generally greet one another with more than just words. For example, men who know each other well often hug or pat each other on the back. Women will give a light kiss on one or both cheeks. This is also true when men and women meet who know each other well. This seems to be the general practice in most Spanish-speaking countries but these practices vary from one country to another. Remember, there are 22 different Spanish-speaking countries in the world, including Equatorial Guinea! **What gestures do you use when greeting people in different contexts? Do you shake hands, hug, give a kiss on the cheek, or wave hello?**

CULTURA VIVA 🎧

Greetings Buenos días is used until the time of the main meal of the day in Hispanic countries. The time of the main meal may vary from country to country but generally occurs between 1:00 to 3:00 p.m. At that point, **Buenas tardes** is used into the evening hours. **Buenas noches** is used later at night when it's dark out. In some informal settings, native speakers just say **Buenas**. The second half of the greeting (**tardes, noches**) is understood by the time of the day. **Adiós** is used for goodbye when you don't expect to see the person soon. It is also used as a greeting in passing when you do not expect to stop and talk to the person. In some countries it is used as a greeting in passing by a person you do not know. **How does this compare to your practices when you greet people at different times of day? What time would you switch from saying Good morning to Good afternoon, Good evening, or Good night?**

(3) Nube de palabras Take a look at an example of a word cloud with expressions from this chapter. Then, make your own world cloud of vocabulary and decide which terms you want to emphasize. Be ready to share with the class and explain your choices.

Bastante bien. ¿Cómo estás? Mucho gusto.
Encantado. **Me llamo Carlos.** ¿Qué tal?
Hasta pronto.
Bien, gracias, ¿y tú? Nos vemos.
¿Cuál es tu nombre? **Encantada.** Igualmente.

(4) Preguntas y respuestas You and your partner will play a game of questions and answers. You have some of the questions and answers and your partner has a list of others. Take turns reading the answers aloud and your partner will find the appropriate question. Then try creating two more questions together and share them with another pair.

Estudiante A

Bien, gracias, ¿y tú?

Me llamo Carla.

¿Qué tal?

Es Marta.

¿Cuál es su nombre?

Estudiante B

Su nombre es Patricia.

¿Cómo te llamas?

¿Quién es ella?

Estoy bastante bien.

¿Cómo estás?

5 **Una recepción** Imagine that you are at a party at your university. Meet and greet as many people in your class as you can. Follow the model or use other greetings and introductions you have learned.

> **Modelo** **Estudiante A:** *¡Hola! Mi nombre es Diana.*
> **Estudiante B:** *Mucho gusto, Diana. Me llamo...*
> **Estudiante A:** *...*

CULTURA VIVA

Titles of respect Titles of respect, **señor** (Mr.), **señora** (Mrs.), **señorita** (Miss or Ms.), **doctor** (Dr.), **doctora** (Dr.), are used with the last name and are abbreviated **Sr., Sra., Srta., Dr., Dra.** On the other hand, **doña** and **don** are titles of respect used with first names to address an older adult that you know well, such as an older family friend: **doña María, don Felipe**. Without reference to their marital status, the title **señora** is often used without the last name as a way to show respect for older women and **señorita** is often used in the same manner when addressing younger women. **In what contexts do you use titles of respect in your community? In addition to titles, how do you speak differently in formal situations in order to show respect?**

---

6 **¿Cómo estás?** You want to practice speaking to your classmates appropriately. Ask five people, including your instructor, how they are feeling today. Look at the models for greeting a friend or acquaintance and asking how he/she is feeling. Remember to be more formal with your instructor.

> **Modelo (informal)** **Estudiante A:** *¡Hola! ¿Qué tal?*
> **Estudiante B:** *Bien, gracias. ¿Y tú?*
> **Estudiante A:** *Muy bien, gracias.*

> **Modelo (formal)** **Estudiante A:** *Buenos días, señor/señora _____.*
> **Estudiante B:** *¿Cómo está usted?*
> **Estudiante A:** *Muy bien, gracias, ¿y usted?*
> **Estudiante B:** *Bastante bien.*

Exploraciones

7 **¿De dónde eres?** It's still the beginning of the semester and you want to get to know your classmates better. Use the model to greet four classmates, find out their names, and learn where they are from. Be prepared to tell the same information about yourself when asked.

> **Modelo** **Estudiante A:** *Hola. ¿Cómo te llamas?*
> **Estudiante B:** *Hola. Me llamo Megan Miller. ¿Y tú?*
> **Estudiante A:** *Me llamo Scott McDonald. ¿De dónde eres?*
> **Estudiante B:** *Soy de Pittsburgh, Pennsylvania. Y tú, ¿de dónde eres?*
> **Estudiante A:** *Soy de Richmond, Virginia.*

(Use "**Repite, por favor**" if you need your partner to repeat a response.)

Él/Ella se llama...	Es de...

8 **Conversación dirigida** In pairs, use the cues to interact with your partner in Spanish. Then switch roles.

Estudiante A	Estudiante B
1. Greet your partner.	**2.** Greet your partner.
3. Ask your partner how he/she is feeling.	**4.** Respond to your partner.
5. Tell your partner you are from… (name a city) and ask your partner where he/she is from.	**6.** Tell your partner where you are from.
7. Tell your partner you will see him/her later.	**8.** Respond to your partner by saying goodbye.

☐ **I CAN** greet others and say goodbye.

Los números del 0 al 29

Read and listen to the numbers from 0 to 29.

0 cero	10 diez	20 veinte
1 uno	11 once	21 veintiuno
2 dos	12 doce	22 veintidós
3 tres	13 trece	23 veintitrés
4 cuatro	14 catorce	24 veinticuatro
5 cinco	15 quince	25 veinticinco
6 seis	16 dieciséis	26 veintiséis
7 siete	17 diecisiete	27 veintisiete
8 ocho	18 dieciocho	28 veintiocho
9 nueve	19 diecinueve	29 veintinueve

The Spanish equivalent of both *there is* and *there are* is **hay**.

Hay un estudiante. /	*There is one student. /*
Hay dos estudiantes.	*There are two students.*

Use **hay** to ask and answer the question **¿Cuántos/as...?** (*How many . . . ?*)

¿Cuántos estudiantes **hay?**	*How many students are there?*
Hay diez.	*There are ten.*

1 **Lotería Nacional de México** Listen to a broadcast of the winning numbers in the Mexican lottery and mark the winning numbers in each category.

1. Sorteo Fácil: 65732   65831   67542
2. Sorteo Colosal: 71143   71289   71198
3. Sorteo Horóscopo: 5641   5762   5681
4. Sorteo Superior: 01892   04538   00237
5. Seguro: 96723   90867   96418
6. Grande: 80436   88321   82472

(2) ¿Cuántos hay...? In pairs, take turns asking your partner how many people are in each photo. Be sure to use a complete sentence following the model.

Modelo **Estudiante A:** *¿Cuántas personas hay en la foto?*
Estudiante B: *Hay cuatro. (Hay cuatro personas).*

1.

2.

3.

4.

(3) Joe Villarreal Joe Villarreal is a painter who was born, grew up, and still resides in San Antonio, Texas. The primary themes of his paintings are sports, nature, and everyday life. Go online to find his painting *Las canicas* and answer the questions.

> 🔍 Las canicas Joe Villareal

Paso 1 What do you notice about the artist's name? Share your thoughts with the class.

Paso 2 The painting is entitled *Las canicas*. Looking at the painting, define the words **canicas** and **niños**.

Paso 3 With a partner, take turns asking and answering the questions. Answer in complete sentences.

- ¿Cuántos niños hay en la pintura?
- ¿Cuántas niñas hay?
- ¿Cuántos niños hay en total?
- ¿Cuántas canicas hay en el círculo?
- ¿Cómo están los niños?

☐ **I CAN** use numbers to exchange basic information.

Resources

Vhlcentral

WebSAM

Vocabulario 3

Learning Objective: Use the Spanish alphabet to exchange basic information.

Audio:
Vocabulary

El alfabeto español

These are the letters of the Spanish alphabet (**alfabeto**) and their names. Listen and repeat.

Letter	Name of letter	Example	Letter	Name of letter	Example
a	a	**A**rgentina	ñ	eñe	Espa**ñ**a
b	be	**B**olivia	o	o	**O**rinoco
c	ce	**C**uba	p	pe	**P**araguay
d	de	**D**urango	q	cu	**Q**uito
e	e	**E**cuador	r	erre	Puerto **R**ico
f	efe	**F**lorida	s	ese	El **S**alvador
g	ge	**G**uatemala	t	te	**T**enerife
h	hache	**H**onduras	u	u	**U**ruguay
i	i	**I**quique	v	uve	**V**enezuela
j	jota	Ciudad **J**uárez	w	uve doble	**W**ashington
k	ka	**K**ansas	x	equis	E**x**tremadura
l	ele	**L**ima	y	ye	**Y**ucatán
m	eme	**M**éxico	z	zeta	**Z**aragoza
n	ene	**N**icaragua			

Note: The letters **k** and **w** are used to spell words that have been borrowed from other languages.

(1) **Las placas** Practice numbers and letters by identifying the license plates from different states in Mexico.

Modelo *La placa de Baja California Sur es ce-zeta-e...*

Exploraciones

2 **Los apellidos** First, practice spelling your last name in Spanish so that you are able to spell it without looking at the written alphabet. Then, ask five classmates how to spell their last names. Use the question **¿Cómo se escribe...?** (*How do you spell . . . ?*) and follow the model.

> **Modelo** **Estudiante A:** *¿Cómo te llamas?*
> **Estudiante B:** *Mi nombre es Martha Smith.*
> **Estudiante A:** *¿Cómo se escribe Smith?*
> **Estudiante B:** *s-m-i-t-h (ese-eme-i-te-hache)*

3 **Palabra secreta** Work with a partner. Choose a word from the list and tell your partner how many letters it has. Your partner guesses letters until he/she guesses your secret word. Then change roles and play again. Follow the model.

> **Modelo** **Estudiante A:** Hay siete letras.
> **Estudiante B:** ¿Hay una ese?
> **Estudiante A:** Sí, hay una ese./No, no hay una ese.

mañana	nombre	luego
bastante	tardes	mucho
encantada	gusto	hasta
usted	igualmente	buenas

4 **Trabalenguas** Practice your pronunciation in Spanish by listening to these common tongue twisters and reciting them aloud. See if you can say them faster than other students in your class.

Pepe Pecas
pica papas
con un pico.

¿Toma té?
Toto toma té.
Tita toma mate.
Y yo me tomo
toda mi taza
de chocolate.

¿Cómo?
¿Cómo como?
Como como como.

☐ **I CAN** use the Spanish alphabet to exchange basic information.

| **Learning Objective:** Identify the countries where Spanish is spoken on a map.

Audio: Vocabulary

Los países del mundo hispano

These country names are cognates, yet the pronunciation is not quite the same in Spanish. Listen to each name, and then try to imitate the pronunciation.

Argentina	Guinea Ecuatorial
Bolivia	Honduras
Chile	México
Colombia	Nicaragua
Costa Rica	Panamá
Cuba	Paraguay
Ecuador	Perú
El Salvador	Puerto Rico
España	la República Dominicana
Estados Unidos	Uruguay
Guatemala	Venezuela

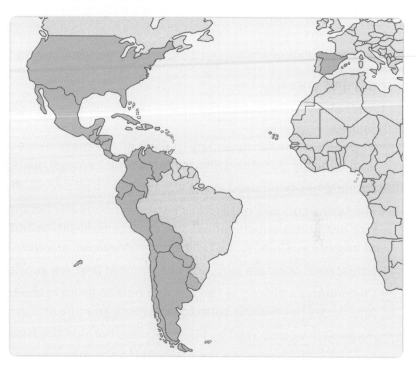

(1) El mapa de los países hispanos Test your knowledge of geography.

Paso 1 Set a timer for one minute to see how many Spanish-speaking countries you can identify on the map on your own without referring to the list.

Paso 2 Individually, list the Spanish-speaking countries according to their region. Then, in pairs, ask each other questions about the number of countries in each region and name them. Follow the model.

> **Modelo** **Estudiante A:** *¿Cuántos países hay en Centroamérica?*
> **Estudiante B:** *En Centroamérica hay seis países: Guatemala, …*

	África	El Caribe	Centroamérica	Europa	Norteamérica	Sudamérica
Total						

(2) **¿Dónde está?**   In pairs, take turns asking each other in what geographical area a particular country is located.

Modelo **Estudiante A:** *¿Dónde está Ecuador?*
Estudiante B: *Ecuador está en Sudamérica.*

CULTURA VIVA

Terminology Here is a breakdown of the terminology for people of cultural origins related to the Spanish language:

- *Hispanics* is the term used by the U.S. government as a collective name for all native Spanish-speakers. It specifically denotes a lineage or cultural heritage related to Spain.
- *Latino/a* has been used in the U.S. to refer to all people of Latin American heritage.
- The terms *Latino/a* or *Hispanic* can be problematic because they conflate many people of various origins into one group, which can lead to over-generalization. Individuals may prefer a term tied to their country of origin, e.g., Colombian, Guatemalan, Mexican, or Venezuelan.
- *Latinx* and *Latine* are variations of *Latino/a* that are gender neutral.
- *Chicano/a* is a citizen of the U.S. or a person living in the U.S. who is of Mexican descent. Some Mexican-Americans believe this term to be a more specific and empowering way to express their identity.
- *Boricuas* is a term used by Puerto Ricans born on the island.
- *Spanish* is the name of a language. This term also refers to citizens of Spain.

Which of these terms have you seen or heard in your community? Are any of them unfamiliar to you?

---

(3) **El español cerca de ti**   Where do you see and hear Spanish in your community? What experiences have you had with Latino cultures in your home town? Share your answers with your group.

- Are there any billboards or advertisements where Spanish is used?
- Do any supermarkets carry food items used in the Hispanic world?
- Do any of the theaters show films in Spanish?
- Are there any museums that display works of art by Hispanic artists?
- Are there any radio or TV stations or newspapers that serve the Hispanic population?
- Do you know any university employees besides language instructors who have Hispanic surnames?
- Do you have any family members or friends from Spanish-speaking countries?

Resources

Vhlcentral

WebSAM

☐ **I CAN** identify the countries where Spanish is spoken on a map.

Audio: Reading

Episodio #1: Carlos y sus amigos

Estrategia de comprensión oral: Identifying Cognates

Before you listen to an audio recording, carefully read the instructions for any tasks you must complete. Also, read any explanations about the recording, and closely review accompanying images. Predict what key words you might encounter, particularly cognates. Remember, you are not expected to understand every word in the recording. Instead, focus on the vocabulary you'll need to complete the tasks required.

Antes de escuchar

1 **Los saludos** Before you begin listening to Carlos and his classmates, write down five greetings you have learned in this chapter.

Mientras escuchas

2 **El primer día de clases** You are going to listen to Carlos, Bernarda, Flor, and Ricardo greet and introduce one another on the first day of school.

Paso 1 Listen and write down the greetings you hear.

Paso 2 Listen to the conversation one more time and select the option that best completes each statement.

1. Flor está…
   a. regular.   **b.** muy bien.   **c.** muy mal.

2. Bernarda es de…
   a. San Antonio.   **b.** Tucson.   **c.** Houston.

3. Ricardo es el _____ de Flor.
   a. vecino   **b.** amigo   **c.** estudiante

4. Ricardo es de…
   a. San Antonio.   **b.** Tucson.   **c.** Houston.

Después de escuchar

3 **¡Mucho gusto!** In groups of three, greet each other and ask how people are feeling. Then, introduce your classmate to a friend. Change groups two more times. Don't forget to say goodbye!

Resources

VhIcentral

Online activities

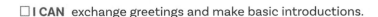

☐ **I CAN** exchange greetings and make basic introductions.

Estrategia de lectura: Cognates

Cognates (**cognados**) are words in two languages that have the same origin and share a similar spelling and meaning. Words such as **especial**, **importante**, **inteligente**, and **persona** are good examples. Some cognates are even spelled exactly the same in both languages—like **liberal** and **animal**—but are pronounced differently. As you read, take advantage of cognates to help you understand the gist of what you read.

Antes de leer

1 **Preparación** Before reading the profiles of four prominent *Latinos/as* in the United States, make a list in English of the information you expect to find in a biography. Then, read the strategy and skim each biography and select the cognates. This will help you to comprehend what you read without consulting a dictionary.

Perfiles latinos en Estados Unidos

Zoë Yadira Saldaña-Perego nace el 19 de junio de 1978 en Passaic, Nueva Jersey. Saldaña es una actriz muy famosa. En 2017, la actriz funda una plataforma digital para luchar contra° la falta de diversidad° en los medios.

Lin-Manuel Miranda es compositor, actor, cantante° y dramaturgo. Nace el 16 de enero de 1980 en Washington Heights, Nueva York. Sus padres son de Puerto Rico. Es famoso por sus obras de teatro, sus creaciones musicales y su actuación.

Jorge Gilberto Ramos Ávalos es conocido profesionalmente como° **Jorge Ramos**. Es periodista°, escritor° y presentador de noticias°. Nace el 16 de marzo de 1958 en Ciudad de México. Hoy en día conduce un programa de opinión y política llamado *Al punto*.

Sonia Sotomayor nace en el barrio del Bronx el 25 de junio de 1954. De padres puertorriqueños, obtiene su licenciatura de la Universidad de Princeton y luego se gradúa de la Facultad de Derecho° de Yale. Es la primera persona de origen hispano en ser juez de la Corte Suprema de Estados Unidos.

luchar contra *fighting against* **falta de diversidad** *lack of diversity* **es conocido... como** *he is known. . . as* **periodista** *journalist* **escritor** *writer*
presentador de noticias *news anchor* **cantante** *singer* **Facultad de Derecho** *Law School*

Después de leer

(2) Comprensión Indicate whether each statement is **cierto** (*true*) or **falso** (*false*).

1. Zoë Saldaña lucha contra la falta de diversidad
   en los medios de comunicación. .... **C F**

2. Jorge Ramos es de México. .... **C F**

3. Lin-Manuel Miranda es un periodista famoso. .... **C F**

4. Sonia Sotomayor es la primera mujer en ocupar
   el cargo de juez de la Corte Suprema. .... **C F**

(3) A conversar In pairs, answer the questions.

1. ¿Qué te sorprendió (*What surprised you*) sobre estos latinos famosos?
   ¿Aprendiste (*Did you learn*) algo nuevo?

2. ¿Cuál de estas personas te interesa más (*interests you most*)? ¿Por qué?

3. En tu opinión, ¿es importante luchar contra la falta de diversidad en los
   medios de comunicación?

4. Piensa en la comunidad hispana de Estados Unidos y en la población de
   Estados Unidos en general. En tu opinión, ¿por qué es importante tener
   un juez hispano en la Corte Suprema?

(4) A escribir Read the strategy and follow the steps.

> **Estrategia de escritura: Find Examples to Follow**
>
> As a learner of Spanish, it is important that you start writing meaningful
> messages as early as possible. Writing will help your speaking also. Most of
> your writing as a beginning language learner will consist of writing down what
> you have learned to say in class. Follow the models that provide support, and
> examine the **perfiles** to get you started.

Paso 1 Reread the profiles and note any example sentences that you could reuse.

Paso 2 Write three or four sentences about someone you know, or a famous
person, using those sentences from the profiles.

> **Modelo** *Mi madre es abogada y activista. Nace en Grand Junction, Colorado, el 12
> de noviembre de 1975. De padres estadounidenses, obtiene su licenciatura
> de la Universidad de Colorado...*

Paso 3 In pairs, take turns reading your sentences to each other. After
reading, ask your classmate three questions about their writing.

☐ **I CAN** name a few facts about some famous Hispanics in the United States.

Resources

Vhlcentral

Online
activities

Poema: *Distintos pero iguales*

You will read a poem about identity by Sandra Pulido. Pulido is a poet born in the United States and raised in El Salvador.

Estrategia intercultural: The Cultural Iceberg

The concept of culture is complicated and difficult to define. Using the visual of an iceberg, anthropologist Edward T. Hall suggests two elements of culture: practices and products that we can see (the visible iceberg); and perspectives, values, and attitudes that we cannot see (those below the water). Visible culture is just the tip of the iceberg; the majority of culture includes those elements in the hidden part of the iceberg. Deep below are commonalities that we all share, such as basic physical and emotional needs. Remember this visual as you learn about Spanish-speaking cultures.

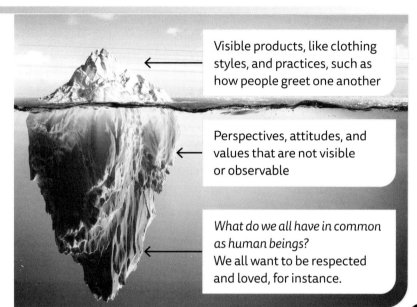

Visible products, like clothing styles, and practices, such as how people greet one another

Perspectives, attitudes, and values that are not visible or observable

What do we all have in common as human beings?
We all want to be respected and loved, for instance.

Fuente: Hall, E. T. (1976). *Beyond Culture*. Anchor Press.

Antes de leer

1. *Distintos pero iguales* Before reading the poem, think about its title, *Distintos pero iguales/Different but the Same*, and discuss the questions with a partner. **In what ways are all people alike? In what ways are people different?**

Mientras lees

2. **Cognados** As you read the poem, make a list of all the cognates you find.

Distintos pero iguales	Different but the Same
somos lo mismo	*we are the same*
porque nuestra sangre es roja	*because our blood is red*
tal vez distintos porque	*perhaps different because*
eres tú creativo y yo, optimista	*you are creative and I am optimistic*
somos lo mismo	*we are the same*
porque vivimos soñando	*because we live dreaming*
distintos porque	*different because*
soy yo sincera y tú, extrovertido	*I am sincere and you are extroverted*
somos distintos,	*we are different,*
pero lo mismo	*but the same*

—Sandra Pulido

Después de leer

3 **El iceberg cultural** With a partner, classify the aspects of Pulido's poem that
are visible elements of the iceberg, those that are below the water, and those
that are common to all of humanity. Be prepared to justify your classification.

4 **Descripción** As you get to know people from different cultures and
places, you will discover that you share common interests, viewpoints, and
preferences. You may both be students, share musical preferences, or have
favorite foods in common. You may also discover ways that you are distinct.
With your partner, create a short poem of commonalities and differences
using the list of cognates and the model.

interesantes	serios	independientes	generosos
inteligentes	dinámicos	responsables	extrovertidos
estadounidenses	ambiciosos	activos	sinceros
estudiantes	organizados	creativos	

> **Modelo** *Somos lo mismo*
> *porque somos _____.*
> *Somos distintos porque*
> *soy yo _____ y tú, _____.*
> *Somos iguales, pero distintos.*

5 **Reflexión** In small groups, reflect on the poem and the strategy. Then,
read the quote by Gloria Anzaldúa, an acclaimed Chicano writer, and
answer the questions.

> **"We come from all colors, all classes, all races, all time periods. Our role is to
> link people with each other—the Blacks with Jews with Indians with Asians
> with whites with extraterrestrials. It is to transfer ideas and information
> from one culture to another."**
> (*Literatura chicana*, p. 83)

1. What is the goal or purpose of language learning and learning about
   other cultures? What are your reasons for learning Spanish?

2. How do you imagine that the Spanish language will enable you
   to understand the perspectives of others?

3. What are some ways that you can practice respect and contribute to
   creating a comfortable community space for learning?

☐ **I CAN** use a poem to examine the concept of culture.

¡ATENCIÓN!

Descriptive words in Spanish
match the gender and
number of the person or
people described.
(**-a** for female, **-o** for male):

	singular	plural
Female:	since**ra**	since**ras**
Male:	since**ro**	since**ros**
Mixed group:		since**ros**

For words that end in **-e**, use
the same form for males or
females (**inteligente**), and add
an **-s** when describing two or
more people (**inteligentes**).

You will learn more about
these patterns in **Capítulo 2**.

Resources

Vhlcentral

Online
activities

Experiencias Blog

Learning Objective: Investigate the use of the Spanish language in the United States.

El Museo Nacional de Arte Mexicano

www.el_blog_de_lucas.com/MuseoNacionalArteMexicano

Sobre mí | Viajes | Mapas | Galería | Contacto

El Museo Nacional de Arte Mexicano

En Chicago hay un museo famoso que se llama Museo Nacional de Arte Mexicano. En el museo hay varias colecciones permanentes y exhibiciones especiales. Hay actividades para niños, adultos, adolescentes y familias.

1 **Mi propio blog** You will research online about the National Museum of Mexican Art in Chicago, and then look for Spanish-language organizations in your community.

Paso 1 Explore the museum's web site and answer these questions.

1. Why is the museum located in the neighborhood of Pilsen?

2. What is the mission of the museum?

3. Which exhibits would you like to view in person and why?

4. Why do you think the web site is primarily in English?

Paso 2 Look for evidence of Spanish in your home town or community. This could be a museum, a community center, a volunteer organization, an arts center, or even a restaurant. Upload a photo and write a caption for it in Spanish, including as much detail as you can.

Paso 3 Be prepared to share your findings with the class.

☐ **I CAN** identify examples of organizations related to Spanish-speaking cultures in the United States.

Proyectos

Learning Objectives: Introduce yourself. Present information about Spanish-speaking communities in the United States.

(1) **¿Quién eres?** You will create a presentation for a personal web page or blog introducing yourself in Spanish. Read the strategy and follow the steps.

Estrategia para presentaciones: Pronunciation Matters

Have you ever noticed when someone mispronounces a word in English, it can cause you to not recognize the word or understand the message? Listen closely to how words sound when pronounced by proficient speakers and imitate those sounds—particularly with cognates, since they look like English words but are often pronounced differently. Record yourself and listen to the recording. Ask your instructor for advice to improve your pronunciation.

Paso 1 Review the vocabulary and structures from this chapter. Then, watch the video **Encuentros:** *Bienvenidos a mi canal* to see an example of how Lucas greets people and introduces himself. Take notes on any useful expressions you would like to include in your video.

Paso 2 In pairs, have a conversation as though you were meeting each other for the first time. Say your names, including spelling, how you are doing today, and where you are from. Don't forget to say hello and goodbye!

Paso 3 Create a presentation introducing yourself for a personal web page or blog. Include the details from **Paso 2** and pay particular attention to pronunciation. Look up any words you are unsure of or ask your instructor for help.

> **¡ATENCIÓN!**
>
> Ask your instructor to share the **Rúbrica** to understand how your work will be assessed.

(2) **Álbum de Estados Unidos** At the end of each chapter, you will compile useful and interesting information from different countries where Spanish is spoken. Create a presentation based on what you learned about Spanish-speaking communities in the United States in this chapter and your own research. Then, share with a partner what you have learned and compare your findings.

1. información básica (mapas, expresiones útiles, etc.)

2. estadísticas interesantes

3. dos lugares (*places*) interesantes

4. observaciones culturales

5. enlaces interesantes

6. información que te hizo cambiar (*that made you change*) de opinión o que te hizo reflexionar

☐ **I CAN** introduce myself.

☐ **I CAN** share personally meaningful information about Spanish-speaking cultures in the United States.

Repaso

Repaso de objetivos

Reflect on your progress toward the chapter main goals.

I am able to...

	Well	Somewhat
• Identify basic information about people introducing themselves in a video.	☐	☐
• Exchange greetings, goodbyes, and basic personal information.	☐	☐
• Compare products, practices, and perspectives from Spanish-speaking communities in the United States.	☐	☐
• Introduce myself.	☐	☐

S Vocabulary Tools

Repaso de vocabulario

Los saludos   *Greetings*
Hola   *Hello. / Hi.*
Buenos días.   *Good morning.*
Buenas tardes.   *Good afternoon.*
Buenas noches.   *Good evening.*
¿Cómo estás?   *How are you? (informal)*
¿Cómo está usted?   *How are you? (formal)*
¿Qué tal?   *What's new? (informal)*
¿Qué pasa?   *What's happening? / What's up? (informal)*
(Muy/Bastante) Bien.   *(Very/Quite) Well.*
No (muy) bien. / (Muy) Mal.   *Not (very) well. / Not very well (at all).*
(Estoy) Regular. / Más o menos.   *So-so.*
No mucho.   *Not much.*

Las despedidas   *Saying goodbye*
Adiós.   *Goodbye.*
Buenas noches.   *Good night.*
Chau.   *Bye.*
Hasta luego.   *See you later.*
Hasta mañana.   *See you tomorrow.*
Nos vemos. / Hasta pronto.   *See you soon.*

Las presentaciones   *Introductions*
¿Cómo te llamas?   *What is your name? (informal)*
¿Cómo se llama usted?   *What is your name? (formal)*
¿Cuál es tu nombre?   *What is your name? (informal)*
¿Cuál es su nombre?   *What is your name? (formal)*
Me llamo… / Soy…   *My name is … / I'm …*

Mi nombre es…   *My name is …*
¿Quién es?   *Who is he/she?*
Es…   *He's/She's …*
Mucho gusto.   *Nice to meet you.*
Encantado. (*masc.*)/Encantada. (*fem.*)   *Pleased to meet you.*
El gusto es mío.   *Nice to meet you, too.*
Igualmente.   *Likewise. / Same for me.*
¿De dónde eres?   *Where are you from? (informal)*
¿De dónde es?   *Where are you from? (formal)/ Where is he/she from?*
Es de…   *He's/She's from …*
Soy de…   *I'm from …*

Los títulos   *Titles*
doctor (Dr.)   *male doctor*
doctora (Dra.)   *female doctor*
señor (Sr.)   *Mr.*
señora (Sra.)   *Mrs.*
señorita (Srta.)   *Miss or Ms.*
don   *(has no expressed meaning but used with a male's first name)*
doña   *(has no expressed meaning but used with a female's first name)*

Las expresiones de cortesía   *Expressions of courtesy*
(Muchas) Gracias.   *Thank you (very much).*
Por favor.   *Please.*
Lo siento (mucho).   *I'm (so/very) sorry (to hear that).*
De nada.   *You are welcome.*

Para contar   *Counting*
¿Cuántos/as…?   *How many …?*
Hay…   *There is … / There are …*

Los números del 0 al 29
Numbers from 0 to 29
0   *cero*
1   *uno*
2   *dos*
3   *tres*
4   *cuatro*
5   *cinco*
6   *seis*
7   *siete*
8   *ocho*
9   *nueve*
10   *diez*
11   *once*
12   *doce*
13   *trece*
14   *catorce*
15   *quince*
16   *dieciséis*
17   *diecisiete*
18   *dieciocho*
19   *diecinueve*
20   *veinte*
21   *veintiuno*
22   *veintidós*
23   *veintitrés*
24   *veinticuatro*
25   *veinticinco*
26   *veintiséis*
27   *veintisiete*
28   *veintiocho*
29   *veintinueve*

El alfabeto español   *The Spanish alphabet*

a	*a*
be	*b*
ce	*c*
de	*d*
e	*e*
efe	*f*
ge	*g*
hache	*h*
i	*i*
jota	*j*
ka	*k*
ele	*l*
eme	*m*
ene	*n*
eñe	*ñ*
o	*o*
pe	*p*
cu	*q*
erre	*r*
ese	*s*
te	*t*
u	*u*
uve	*v*
uve doble	*w*
equis	*x*
ye	*y*
zeta	*z*

Los países del mundo hispano
Spanish-speaking countries

Argentina
Bolivia
Chile
Colombia
Costa Rica
Cuba
Ecuador
El Salvador
España
Estados Unidos
Guatemala
Guinea Ecuatorial
Honduras
México
Nicaragua
Panamá
Paraguay
Perú
Puerto Rico
la República Dominicana
Uruguay
Venezuela

Resources

Vhlcentral

Online activities

OBJETIVOS DE APRENDIZAJE

By the end of this chapter, I will be able to...

- Identify personal descriptions in a video.
- Exchange information about personality, physical traits, and age.
- Compare products, practices, and perspectives from Mexico with my own community.
- Describe myself.

ENCUENTROS

El canal de Lucas: Cómo crear tu perfil personal

Este es mi país: México

EXPLORACIONES

Vocabulario

Las personas y la personalidad

Las nacionalidades
Los números del 30 al 100
Las características físicas
Las palabras interrogativas

Gramática

Subject pronouns and the verb **ser**
Gender and number of nouns, articles, and adjectives
The verb **tener**

EXPERIENCIAS

Cultura y sociedad: Orgullo mexicano

Intercambiemos perspectivas: *Las mejores cualidades para encontrar trabajo*

Blog: Cuernavaca y las escuelas de lengua

Proyectos: ¿Cómo eres?
Álbum de México

Encuentros — El canal de Lucas

Learning Objective:
Identify basic elements of personal description in a video.

Video: Story

Cómo crear tu perfil personal

Read and reflect about the learning strategy for this chapter. Then, watch Lucas create a personal online profile for an app to make friends.

Estrategia de aprendizaje: Using Opportunities to Speak Spanish

When first trying to speak a new language it can be intimidating for some, with all of the new sounds and words. The best thing to do, though, is to push yourself, take risks, and speak as much as possible. You will feel more confident! Try volunteering in class, even if you're not sure if everything you plan to say is correct.

Antes de ver

1 **Categorías** Based on what you know about Lucas so far, mark the categories that you predict he will mention in a video about personal descriptions.

actividades	educación	música favorita
amigos	familia	personalidad
descripción física	intereses	profesión

Mientras ves

2 **El perfil de Lucas** Identify the descriptions that Lucas uses to describe himself in the video.

___ estudiante   ___ optimista   ___ organizado

___ estatura mediana   ___ pelo corto y castaño   ___ tiene veintiún años

___ ojos de color café   ___ creativo   ___ extrovertido

Después de ver

3 **Lucas** In pairs, answer the questions about Lucas based on the video. Then, decide if you have things in common with him.

1. ¿Cuántos años tiene Lucas?   **21**   **19**   **20**

2. ¿Tiene barba y bigote?   **Sí**   **No**

3. ¿Cómo es Lucas?   **dinámico**   **creativo**

4. Lucas es de estatura…   **baja**   **mediana**   **alta**

☐ **I CAN** identify basic elements about personal description in a video.

Resources

Vhlcentral

Online activities

Map

MÉXICO

¿Qué onda? Me llamo Guadalupe Zamora González y soy de la ciudad de Puebla, en México. Mi país se llama oficialmente Estados Unidos Mexicanos y se divide en treinta y dos estados. Cada estado tiene una enorme variedad° cultural que se manifiesta° en las relaciones interpersonales, las normas sociales y las perspectivas. También es un país geográficamente diverso con numerosos ecosistemas. La Ciudad de México es una de las ciudades más grandes del mundo con aproximadamente veintidós millones de habitantes. El 16 de septiembre es un día importante para nosotros porque° celebramos la independencia de nuestro país de España. ¡Viva México!

La comida mexicana es considerada Patrimonio Cultural Inmaterial de la Humanidad° por la UNESCO. Todavía hoy° se usan ingredientes y técnicas tradicionales en platos populares como estos **tamales**.

La ciudad de **Puebla** es reconocida por su gran tradición gastronómica y por su valor° histórico y arquitectónico.

Tijuana

Ciudad Juárez

ESTADOS UNIDOS

MÉXICO

Golfo de México

León

Ciudad de México

Océano Pacífico

Puebla

Mar Caribe

BELICE

HONDURAS

GUATEMALA

Esta **cabeza olmeca** se encuentra° en la Ciudad de México. Allí se ve° la unión entre° el mundo moderno y el mundo antiguo.

La **zona arqueológica de Tulum** combina la belleza° de la naturaleza y las espectaculares edificaciones° mayas.

México en breve

Capital: Ciudad de México

Tipo de gobierno: república federal

Tamaño: 1.964.375 km², un poco menos de tres veces el estado de Texas

Población: 129.875.529 habitantes

Lenguas: español, maya, náhuatl y otras 66 lenguas indígenas

Moneda: peso mexicano

Nivel de alfabetización: 95%

Promedio de vida: 73 años

Expresiones y palabras típicas:

¿Qué onda?	Hey, what's up?
¿Quiubo?	What's up?
¡Qué padre!	How cool!

Fuente: The World Factbook, Central Intelligence Agency

---

(1) Comprensión Indicate whether each statement is **cierto (C)** or **falso (F)**.

1. El nombre oficial de México no es (*isn't*) México. .... C F

2. Hay 25 millones de personas en la capital mexicana. .... C F

3. En México hablan solo (*only*) una lengua: el español. .... C F

4. El 5 de mayo es el Día de la Independencia mexicana. .... C F

(2) ¿Y tú? In pairs, discuss these questions.

1. ¿Cuántos habitantes hay en tu ciudad?

2. ¿Qué platos (*dishes*) de la comida mexicana has probado (*have you tried*)?

3. ¿Qué ciudad o región mexicana te gustaría visitar (*would you like to visit*)?

(3) Para investigar Choose one of the topics in **Este es mi país** that has sparked your interest. Go online to learn more and be prepared to share your findings with a small group.

---

variedad *variety* **se manifiesta** *shows up* **porque** *because* **Patrimonio Cultural Inmaterial de la Humanidad** *Intangible Cultural Heritage of Humanity* **Todavía hoy** *Still today* **valor** *value* **se encuentra** *is found* **Allí se ve** *There you can see* **entre** *between* **belleza** *beauty* **edificaciones** *buildings*

☐ **I CAN** identify key products and practices from Mexico.

Las personas y la personalidad

Read the strategy and explore the vocabulary.

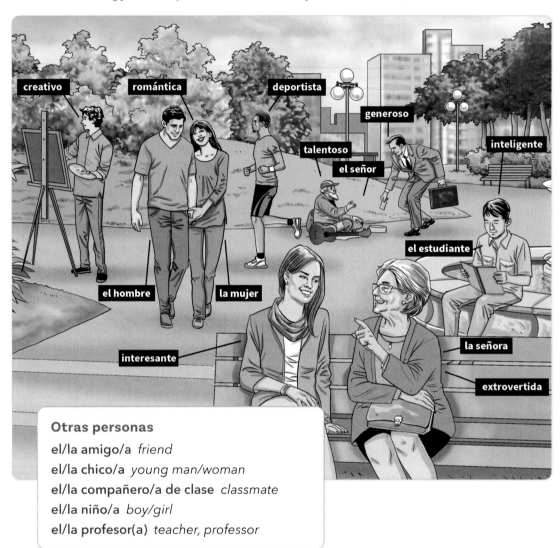

Otras personas

el/la **amigo/a** *friend*

el/la **chico/a** *young man/woman*

el/la **compañero/a de clase** *classmate*

el/la **niño/a** *boy/girl*

el/la **profesor(a)** *teacher, professor*

Estrategia de vocabulario: Noticing Patterns

Notice patterns in the words that describe personality traits, many of which end in **-able, -ivo/a, -nte, -oso/a,** or **-ista**. Can you guess what it means when someone is **responsable, creativo, elegante, generosa,** or **perfeccionista**? These word endings are common endings for adjectives, which often have close cognates in English. Use these patterns to help you understand additional adjectives that you encounter.

TIP

Spanish and English share many cognates. How many can you identify in this presentation? Pay attention to patterns and use cognates to expand your ability to communicate in Spanish.

▶ These adjectives may be used to describe a male or a female. Can you guess the meaning of each word?

arrogante	importante	optimista	popular
competente	independiente	paciente	rebelde
elegante	liberal	perfeccionista	responsable
idealista	materialista	pesimista	tradicional

Roberto es **popular**.   Susana es **popular**.

Marcos es **rebelde** y **optimista**.   Elena es **rebelde** y **optimista**.

▶ These adjectives may end in **-o** or **-a**. Use the **-a** ending to describe a female and the **-o** ending to describe a male.

activo/a	dramático/a	reservado/a
agresivo/a	impulsivo/a	serio/a
ambicioso/a	introvertido/a	sincero/a
apasionado/a	organizado/a	tímido/a
dinámico/a	religioso/a	tranquilo/a

Juan es organiza**d**o y genero**s**o.   Lola es organiza**d**a y genero**s**a.

▶ These adjectives end in **-r** or **-ra**. Use the **-r** ending to describe a male and the **-ra** ending to describe a female.

conservador(a)	hablador(a)	trabajador(a)
conservative	*talkative*	*hard-working*

Carlos es conservado**r**.   Elsa es conservado**ra**.

1 **Un actor famoso** You will listen to a description of the Mexican actor Gael García Bernal. Then write descriptions of other influential individuals.

Paso 1 Listen to the audio and select the personality descriptions that you hear.

trabajador	impulsivo	paciente	religioso
ambicioso	inteligente	organizado	apasionado

Paso 2 Complete the description of Gael.

Gael es un actor _____ . Es inteligente, _____ y _____.

Paso 3 Work with a partner to research three other influential Mexicans. Use **Paso 2** as a model to write three descriptions and present them to the class.

Gael García Bernal, actor mexicano

2 **Personalidades** Learn more about your classmates. Tell your partner about yourself. Then, share what you've learned with the class.

Paso 1 Greet your partner and tell him/her your name, where you are from, and what your personality is like, using at least four words you've learned in this lesson.

> **Modelo** *Hola. Soy David. Soy de Colorado, Estados Unidos, y soy optimista, trabajador, ambicioso y tímido.*

Paso 2 Now introduce your partner to the class.

> **Modelo** *Mi compañero de clase es David. Él es de...*

☐ **I CAN** exchange basic information about personalities.

Identifying and describing people and things: Subject pronouns and the verb *ser*

You have already used the verb **ser** (*to be*) to identify yourself and to talk about where you are from. **Ser** is used to describe essential qualities and characteristics of people and things. Just as the English verb *to be* has different forms for different subjects (*I am, you are, he/she/it is, we are, etc.*) so does the Spanish verb **ser**. Study the table to learn Spanish subject pronouns and the form of **ser** used with each one.

Subject pronouns and the verb *ser* (to be)	
yo (*I*)	**Soy** estudiante.
tú (*you, singular, informal*)	**Eres** mexicano/a.
usted (*you, singular, formal*)	**Es** trabajador(a).
él/ella (*he/she*)	**Es** profesor/profesora.
nosotros/nosotras (*we*)	**Somos** inteligentes.
vosotros/vosotras (*you, Spain, plural informal*)	**Sois** flexibles.
ustedes (*you, plural*)	**Son** responsables.
ellos/ellas (*they, masculine and feminine*)	**Son** organizados/organizadas.

Use the verb **ser**:

▶ to tell who or what a person is.

    María **es** estudiante.   *María is a student.*
    Soy Alejandra.   *I'm Alejandra.*

▶ to describe people and things.

    Es liberal y rebelde.   *She is liberal and rebellious.*
    La clase **es** interesante.   *The class is interesting.*

▶ to tell the origin of a person or thing.

    Ella **es** de Guadalajara.   *She is from Guadalajara.*
    El café **es** de Colombia.   *The coffee is from Colombia.*

To make a negative sentence, place **no** (*not*) before the verb.

    No soy Raúl.   *I am not Raúl.*
    Ellos **no** son impulsivos.   *They are not impulsive.*

TIP

The verb **ser** is the first of many verbs that you will learn in Spanish. It's important to learn verb forms in Spanish to accurately express what you want to say. Take the time to memorize the forms of **ser** in order to describe yourself and others.

¿Qué observas?

1. How many different forms of the verb **ser** do you notice?

2. Which forms of **ser** are used with more than one subject pronoun?

3. Which forms of **ser** correspond to only one subject pronoun?

¡ATENCIÓN!

The pronoun **elle** has been used in certain contexts to refer to people who do not identify with the binary of male/female. Currently, the use is not considered standard, although, as with any situation in which language is evolving, this could change if usage becomes widespread among people in the community.

In English it is always necessary to state the subject explicitly, often with a pronoun (*I, you, he, she, we, they*) before the verb. But there are many instances in Spanish when the subject pronoun can be eliminated because the context and the verb form make it clear. In these cases, the subject pronoun may be used for emphasis or contrast.

Soy activa y deportista.	*I am active and athletic.*
Yo soy activa y deportista, pero **tú** eres pasiva y reservada.	*I am active and athletic, but you are passive and reserved.*

There is more than one word meaning *you* in Spanish:

▶ **Tú** is informal and used when talking to someone on a first name basis (a friend, family member, a child, or someone around your age).

▶ **Usted** (abbreviated as **Ud.**) is formal and is used when talking to someone in a formal or respectful situation (a doctor, professor, someone you do not know well, or someone older than you).

▶ **Ustedes** (abbreviated as **Uds.**) is used when talking to a group of people in both formal and informal situations in Latin America. In Spain, it is mainly used in formal situations.

▶ **Vosotros/as** is used in Spain when talking to a group of friends or family members.

When to use **tú** and **usted** varies from region to region, and even from person to person. In a formal situation or when meeting someone new, it is best to use **usted** unless you are asked to use the informal **tú: Vamos a tutearnos.** or **Puedes tutearme.** Only at this point would it be appropriate for you to start using the informal **tú** for the rest of the conversation.

Male and female groups are distinguished in this manner:

▶ Nosot**ros**, vosot**ros** and ell**os** refer to a group of males only or to a mixed group of males and females.

▶ Nosot**ras**, vosot**ras** and ell**as** refer to two or more females.

CULTURA VIVA 🔊

Using *tú* and *usted* in Mexico In Mexico, like in other Spanish-speaking countries, people show respect for authority figures by addressing them by their titles and using formal Spanish. In academic settings, these conventions are more flexible when professors ask their students to call them by their first names. Professional titles, such as **doctor/doctora, ingeniero/ingeniera, licenciado/licenciada** and **arquitecto/arquitecta**, are commonly used at companies and universities. **How do titles used in your community compare to these titles in Spanish?**

Exploraciones

(1) **¿En serio?** Your friend Luis made some generalizations about you and people you know. Listen to his statements and set the record straight by responding with **¿En serio?** (*Seriously?*). Follow the model.

> **Modelo** **Luis:** *Tú eres muy impulsivo.*
> **Tú:** *¿En serio? No, yo no soy impulsivo.*

(2) **Ser o no ser** In pairs, you will discuss various people's personalities.

Paso 1 Read each statement. Then, identify the form of **ser** that is used and write it out.

> **Modelo** Soy tímido. *Soy*

1. Marta es religiosa. _____
2. Los niños son muy (*very*) impulsivos. _____
3. Mis amigos y yo somos personas serias. _____
4. Los profesores universitarios son conservadores. _____
5. Generalmente, yo soy optimista. _____
6. Mi compañero de clase es responsable. _____
7. Los estudiantes universitarios son rebeldes. _____
8. Julio, tú eres perfeccionista. _____

Paso 2 Review the statements and decide whether each one is true for you. Then, work with a partner to compare answers.

> **Modelo** **Estudiante A:** *Yo soy religioso.*
> **Estudiante B:** *Tú eres religioso pero (but) yo no soy religiosa. / Tú eres religioso y yo también (also) soy religiosa.*

Paso 3 In pairs, identify a person (someone in class or a well-known person) who matches each description. Share your examples with the class.

> **Modelo** *La profesora Martínez es muy responsable.*

☐ **I CAN** identify and describe people and things using simple expressions.

Resources

Vhlcentral

WebSAM

Classifying and describing people and things:
Nouns, articles, and adjectives

Unlike in English, in Spanish, all nouns are classified as masculine or feminine.

Biological gender

For nouns with biological gender, like humans, the masculine form corresponds
to males and the feminine form to females.

un amigo   *a male friend*   **una amiga**   *a female friend*

In general, words ending in **-o** are classified as masculine, while words ending in **-a**
are classified as feminine.

el tí**o**   *the uncle*   la tí**a**   *the aunt*

When the word referring to a male ends in **-r**, add **-a** to form the feminine.

el profeso**r**   *the (male) teacher*   la profeso**ra**   *the (female) teacher*

Some nouns, such as those ending in **-ista** or **-e**, may refer to males or females.

el art**ista**   *the (male) artist*   la art**ista**   *the (female) artist*

un estudiant**e**   *a (male) student*   una estudiant**e**   *a (female) student*

In some cases, the words referring to males and females are distinct.

la madre   *the mother*   el padre   *the father*

la mujer   *the woman*   el hombre   *the man*

Grammatical gender

All other nouns have grammatical gender, but there is no connection between
the word's meaning and its assigned grammatical gender. Fortunately, there are
some consistent patterns among masculine and feminine nouns. These patterns
can help you predict the grammatical gender of nouns you learn.

Masculine		Feminine	
most nouns ending in **-o**	el libr**o** *the book*	most nouns ending in **-a**	la cas**a** *the house*
most nouns ending in **-l**	el pape**l** *the paper*	most nouns ending in **-d**	la universida**d** *the university*
most nouns ending in **-r**	el colo**r** *the color*	most nouns ending in **-ión**	la conversac**ión** *the conversation*

Here are some common exceptions:

el día (*masc.*) *the day* **la mano** (*fem.*) *the hand* **el problema** (*masc.*) *the problem*

¿Qué observas?

1. Can you think of any
English nouns that
convey biological
gender?

2. Can you tell the gender of
a noun in Spanish by the
meaning of the word?

Exploraciones

Number of nouns

Form the plural of most nouns by adding **-s** if the word ends in a vowel, or **-es** if the word ends in a consonant.

el chico → los chico**s**   la universidad → las universidad**es**

When the noun ends in **-z**, change the **-z** to **-c** before adding **-es**.

la lu**z** (*the light*) → las lu**ces** (*the lights*)

¡ATENCIÓN!

As you learned in **Gramática 1**, the masculine plural form is typically used to refer to a group containing both males and females: **el chico y la chica → los chicos**.

Definite and indefinite articles

In both Spanish and English, definite articles refer to a specific person or object (**the** backpack), while indefinite articles refer to an unspecified person or object (**a** backpack, **some** backpacks). In Spanish, definite and indefinite articles have different forms corresponding to the gender and number of the noun they refer to.

	Definite article (*the*)		Indefinite article (*a, an, some*)	
	singular	plural	singular	plural
masculine	**el** chico	**los** chicos	**un** chico	**unos** chicos
feminine	**la** chica	**las** chicas	**una** chica	**unas** chicas

TIP

When you learn new nouns in Spanish, study them with their corresponding articles to help you remember the grammatical gender. In **Exploraciones**, nouns are listed with their singular definite articles in the glossary and end-of-chapter vocabulary lists. (**la luz, la clase, el chocolate**)

Adjective agreement

In Spanish, adjectives must "match" the people or things that they describe in grammatical gender and number. Adjectives are variable and invariable.

Variable adjectives have distinct masculine and feminine forms. Similar to nouns, these often end in **-o** in the masculine form and **-a** in the feminine form.

un hombre seri**o**   *a serious man*   una mujer seri**a**   *a serious woman*

For variable adjectives that end in a consonant, add **-a** to create the feminine form.

el profesor español   *the (male) Spanish teacher*
la profesora español**a**   *the (female) Spanish teacher*

Invariable adjectives, on the other hand, use the same form to describe both masculine and feminine nouns. These adjectives typically end in **-e**, **-ista**, or a consonant.

la estudiante inteligent**e**   *the intelligent (female) student*
un chico optim**ista**   *an optimistic boy*
el tío popula**r**   *the popular uncle*

Just as with nouns, form the plural of adjectives by adding **-s** to words ending with a vowel and **-es** to words ending in a consonant.

las personas generosa**s**   *the generous people*

¿Qué observas?

1. What do you notice about the placement of the adjectives relative to the nouns they describe?

2. Is this the same pattern as English or different?

TIP

When you learn new adjectives in Spanish, pay attention to whether they are variable or invariable. In **Exploraciones**, variable adjectives are listed with the **-o/-a** ending or the added **(a)** ending in the glossary and end-of-chapter vocabulary lists. (**generoso/a, español(a)**)

1 **¿Cómo son estas personas?** Listen to the descriptions of the people in each photo and write the corresponding number.

A.

B.

C.

D.

E.

2 **¿Cómo son?** Use the adjectives to describe each person or group. Pay attention to adjective agreement and follow the model.

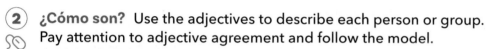

Modelo Gustavo
a. extrovertido **b.** competente **c.** popular **d.** reservado
Gustavo es extrovertido, competente y popular. No es reservado.

1. mi profesor(a)
   a. dinámico   **b.** paciente   **c.** serio   **d.** optimista

2. los compañeros de clase *(classmates)*
   a. independiente **b.** tradicional   **c.** optimista   **d.** creativo

3. mis amigos
   a. hablador   **b.** organizado   **c.** tranquilo   **d.** sincero

4. mi familia y yo
   a. activo   **b.** responsable   **c.** generoso   **d.** materialista

5. yo
   a. deportista   **b.** extrovertido   **c.** ambicioso   **d.** competente

6. tú (speaking directly to a particular friend; name that friend and continue)
   a. tranquilo   **b.** optimista   **c.** generoso   **d.** responsable

Exploraciones

3 **Yo soy... ¿y tú?** Think of five personality traits to describe yourself. Share your traits with a partner to find out if you have any in common. Follow the model.

> **Modelo** **Estudiante A:** *Soy muy extrovertido/a. ¿Eres extrovertido/a?*
> **Estudiante B:** *No, no soy extrovertido/a, pero Juan y Amelia son extrovertidos.*
> **Estudiante A:** *Somos similares./Somos muy distintos/as.*

4 **¿Verdad o mentira?** With a partner, you will share three statements. Then, try to guess which of your partner's statements is not true.

Paso 1 Individually, write three sentences about yourself: two that are true and one that is false.

> **Modelo** *Soy de Miami, Florida. Soy perfeccionista. No soy serio.*

Paso 2 In pairs, take turns sharing your statements. Choose the one you think is false and state the opposite, followed by **¿verdad?** (*right?*). Follow the model.

> **Modelo** **Estudiante A:** *No eres perfeccionista, ¿verdad?*
> **Estudiante B:** *No, no soy perfeccionista./Sí, soy perfeccionista, pero (but) no soy de Miami.*

5 **¿Cómo es?** Describe each item in the list using the descriptions provided or others you prefer. Follow the model.

> **Modelo** *Los automóviles son modernos.*

clásico	contemporáneo	importante	moderno
colombiano	delicioso	interesante	natural
complicado	fabuloso	italiano	tradicional

1. el problema
2. la música
3. el chocolate
4. los automóviles
5. las clases
6. las computadoras
7. la familia
8. la nación
9. los restaurantes
10. el arte
11. el café
12. las ideas

☐ **I CAN** describe people and things.

Las nacionalidades

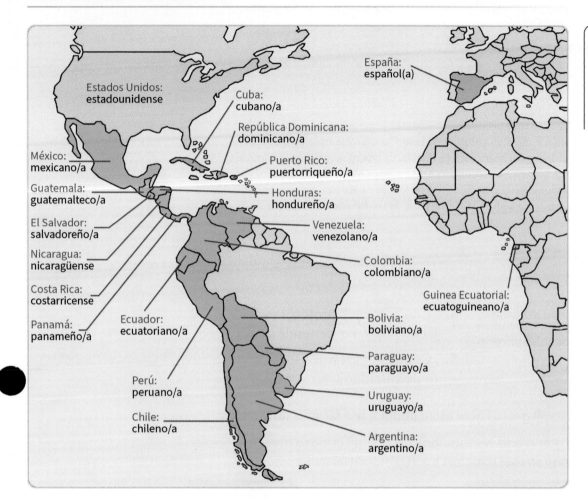

España:
español(a)

Estados Unidos:
estadounidense

Cuba:
cubano/a

República Dominicana:
dominicano/a

México:
mexicano/a

Puerto Rico:
puertorriqueño/a

Guatemala:
guatemalteco/a

Honduras:
hondureño/a

El Salvador:
salvadoreño/a

Venezuela:
venezolano/a

Nicaragua:
nicaragüense

Colombia:
colombiano/a

Costa Rica:
costarricense

Guinea Ecuatorial:
ecuatoguineano/a

Panamá:
panameño/a

Ecuador:
ecuatoriano/a

Bolivia:
boliviano/a

Paraguay:
paraguayo/a

Perú:
peruano/a

Uruguay:
uruguayo/a

Chile:
chileno/a

Argentina:
argentino/a

¡ATENCIÓN!
Unlike English, notice that nationalities are not capitalized in Spanish.

(1) Estudiantes internacionales You have volunteered to be a conversation partner at the Office of International Studies on your campus. Listen to the audio and match the name of each person with his/her nationality.

_____ **1.** Marisol   **a.** guatemalteco

_____ **2.** Manuel   **b.** chileno

_____ **3.** Alfredo   **c.** costarricense

_____ **4.** José   **d.** nicaragüense

_____ **5.** Bernardo   **e.** ecuatoguineano

_____ **6.** Flor   **f.** española

_____ **7.** Iris   **g.** paraguaya

_____ **8.** Luisa   **h.** uruguayo

Exploraciones

2 **Los profesores de Guadalupe** Read Guadalupe's e-mail and identify the words that Guadalupe uses to describe her professors. Then, answer the questions in full sentences.

✉ **Mensaje nuevo** ↩ ➡ 🗑 •••

Hola, Inés:

Este semestre, mis profesores son muy pacientes, inteligentes y competentes. Ellos tienen mucho interés° en la educación y son muy entusiastas. Tengo° una profesora muy interesante. La profesora González es cubana, pero ahora está en Puebla. Es una mujer sincera, optimista y muy dinámica. También tengo un profesor salvadoreño, el profesor Martínez. Es creativo y muy organizado. El profesor estadounidense, el profesor Patterson, es de Kansas. Es extrovertido y popular. Hay profesores muy buenos aquí en la Universidad de las Américas.

Nos vemos pronto,

Lupe

---

tienen mucho interés *they are very interested* **Tengo** *I have*

1. ¿Cómo es la profesora cubana?

2. ¿Cómo es el profesor salvadoreño?

3. ¿Cómo es el profesor estadounidense?

4. ¿Cómo son los profesores de Guadalupe, en general?

5. ¿Cómo son los profesores en tu universidad?

3 **Personas famosas** You will get to know more about a few famous **latinos/as.**

Paso 1 Using your best guess and without looking online, choose the description from each column that matches each famous person.

Sofía Huerta

Guillermo del Toro

Isabella Gómez

Bad Bunny

País	Profesión	Personalidad
Colombia	director de cine	abierta y extrovertida
Estados Unidos	rapero	creativo, artístico y apasionado
Puerto Rico	actriz	trabajadora, deportista y talentosa
México	futbolista	creativo y generoso

Paso 2 In pairs, compare your guesses by describing each person.

☐ **I CAN** identify nationalities in the Spanish-speaking world.

Resources

Ⓢ
Vhlcentral

📶
WebSAM

Los números del 30 al 100

Read and listen to the numbers.

30 **treinta**	35 **treinta y cinco**	40 **cuarenta**
31 **treinta y uno**	36 **treinta y seis**	50 **cincuenta**
32 **treinta y dos**	37 **treinta y siete**	60 **sesenta**
33 **treinta y tres**	38 **treinta y ocho**	70 **setenta**
34 **treinta y cuatro**	39 **treinta y nueve**	80 **ochenta**
		90 **noventa**
		100 **cien**

> **¡ATENCIÓN!**
>
> Notice that numbers from 16 to 29 are written as a single word: **diecisiete (17)**, **veinticuatro (24)**; while numbers 31 to 99 are written as separate words: **cuarenta y siete (47)**, **noventa y cuatro (94)**.

When talking about a number, as in an address or a phone number, use the article **el**.

Es **el** setenta y cinco.   *It's (number) seventy-five.*

Es **el** ochenta y uno.   *It's (number) eighty-one.*

When telling how many of something there are, use **hay** followed by the number and the object you are counting.

Hay sesenta y dos estudiantes.   *There are sixty-two students.*

For numbers ending in **uno**, match the gender of the object you are counting.

Hay treinta y **un** libros.   *There are thirty-one books.*

Hay cincuenta y **una** mochilas.   *There are fifty-one backpacks.*

(1) Series de números Write the last number of each series and read the sequence aloud.

1. 15, 30, 45, _____   **4.** 73, 76, 79, _____   **7.** 14, 21, 28, _____

2. 62, 64, 66, _____   **5.** 22, 32, 42, _____   **8.** 45, 55, 65, _____

3. 41, 36, 31, _____   **6.** 96, 92, 88, _____   **9.** 44, 43, 42, _____

(2) Bingo Create your own bingo card by filling in the grid with numbers between 30 and 100—use a different number for each box! Then, listen as your instructor calls out the numbers. When you have a diagonal, horizontal, or vertical bingo, call out **¡Bingo!**

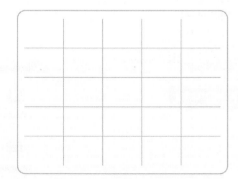

Exploraciones

3 **Intercambio de números** In small groups, exchange phone numbers with your classmates. When giving your number, group the digits as you would in a Spanish-speaking country so your classmate can write it that way. Follow the model.

> **Modelo** **Estudiante A:** *¿Cuál es tu (What is your) número de teléfono?*
> **Estudiante B:** *Es el 57-35-66-82-43.*
> **Estudiante A:** *Repite, por favor.*
> **Estudiante B:** *Es el 57-35-66-82-43.*

> **¡ATENCIÓN!**
>
> Phone numbers in Spanish are generally given in two digit groupings, such as 34-23-43. In the case of three numbers together, as in codes for a specific province or state, the first number is stated as a single digit and the last two are grouped together.
> 697-2133 → 6-97-21-33

4 **¿Cuál es el número de teléfono de...?** You and a friend made a list of restaurants to try in Mexico City and you each looked up half the phone numbers. Take turns asking each other for the phone numbers you are missing. Follow the model.

> **Modelo** **Estudiante A:** *¿Cuál es el número de teléfono del restaurante...?*
> **Estudiante B:** *Es el 52- 55-01-82-43.*

Estudiante A

La Casita: (52) 52824626
La Taquería Sahuayo: _____
La Taquería Gallito: (52) 553456
La Hacienda de los Morales: _____
Los Canarios: _____
La Carreta (52) 56725376: _____

Estudiante B

La Casita:
La Taquería Sahuayo: (52) 55349394
La Taquería Gallito: _____
La Hacienda de los Morales: (52) 50963000
Los Canarios: (52) 55267893
La Carreta: _____

Resources

Ⓢ

VhIcentral

📶

WebSAM

☐ **I CAN** exchange phone numbers in Spanish.

Las características físicas

Otras características físicas

el bigote *mustache*

los ojos azules *blue eyes*

los ojos de color café/marrones
brown eyes

los ojos verdes *green eyes*

atlético/a *trim, athletic*

guapo/a *handsome/
good-looking*

Exploraciones

1 **¿Cierto o falso?** Listen to the descriptions of people in the illustration in the vocabulary presentation. Then indicate whether each statement is **cierto (C)** or **falso (F)**.

1. **C F**   3. **C F**   5. **C F**   7. **C F**

2. **C F**   4. **C F**   6. **C F**   8. **C F**

2 **¿Quién es?** Listen to the descriptions of people in the illustration and write the name of each person being described.

1. _____   3. _____   5. _____

2. _____   4. _____

3 **¿Cómo es esta persona?** In pairs, list all of the words that describe each person, based on the photos.

1. Laura

2. Jorge

3. Sara y Rolando

4. Vanesa

4 **El español cerca de ti** Look online for a news article, headline, or photo of a prominent Hispanic figure in your local community, city, or state. Write a brief description of this individual and be prepared to share with the class.

☐ **I CAN** exchange information about physical traits.

Resources

VhlCentral

WebSAM

Describing physical traits: The verb *tener*

The verb **tener** (*to have*) is one of the most commonly used verbs in Spanish. As in English, not only is it used to express possession, but it is also used to describe various physical traits, such as hair and eye color.

Marta **tiene** el pelo negro.
Marta has black hair.

Mis hermanos **tienen** los ojos verdes.
My brothers have green eyes.

As you have seen with the verb **ser**, there are different forms of the verb **tener** depending on the subject. Study the forms in the table and try to memorize them.

Tener (*to have*)			
yo tengo	*I have*	nosotros/as tenemos	*we have*
tú tienes	*you have*	vosotros/as tenéis	*you have*
él, ella, usted tiene	*he/she has; you have*	ellos/as, ustedes tienen	*they have, you have*

Another important use of the verb **tener** is to talk about age. Use **tener** with the word **años** (*years*) to ask and tell how old someone is.

¿Cuántos años tienes?
How old are you?

Tengo veintisiete **años**.
I'm twenty-seven (years old).

¿Cuántos años tiene Luis**?**
How old is Luis?

Tiene tres **años**.
He's three years old.

(1) **Descripciones** Listen to the descriptions of people and write the number that corresponds to the photo that is described.

 A.

 B.

 C.

 D.

 E.

 F.

2 **Una persona famosa** In pairs, take turns describing the famous Latinos on the list. If you need to, research their physical characteristics and age online and take notes. Ask your partner to guess which person you described.

Modelo *Es interesante, romántico y popular. Tiene el pelo castaño y corto. Tiene barba y bigote también.*

Selena Gómez	Jorge Ramos	Jessica Alba
Salma Hayek	Lin-Manuel Miranda	Zoe Saldaña

3 **Comparaciones** You are creating a personal web page in Spanish.

Paso 1 Individually, fill in the **Yo** column with your information.

	Modelo	Yo	Mi compañero/a
Nombre	*Julián*		
Edad	29		
Pelo	*negro*		
Ojos	*azules*		
Personalidad	*extrovertido y trabajador*		

Paso 2 In pairs, take turns describing each other using the information that you wrote, following the model. As your partner describes himself/herself to you, fill in the column labeled **Mi compañero/a.**

Modelo *Yo soy Julián y tengo veintinueve años. Tengo el pelo negro y los ojos azules. Soy extrovertido y trabajador.*

Paso 3 Compare your description with that of your partner. Write the similarities and the differences in complete sentences. Follow the model.

Modelo *Mi compañero tiene ojos azules, pero yo tengo ojos marrones. Soy generoso y tranquilo, y mi compañero es extrovertido y trabajador. Los dos tenemos el pelo negro.*

Resources

Vhlcentral

WebSAM

☐ **I CAN** exchange information about physical traits.

Audio:
Vocabulary

Las palabras interrogativas

You may have noticed that certain words in Spanish are used to ask for information. These words are placed at the beginning of a question, are preceded by an inverted question mark, and are called interrogatives. For example:

¿**Cómo** te llamas?	*How are you?*
¿**Quién** es el chico?	*Who is the boy?*
¿**Cuál** es tu número de teléfono?	*What is your phone number?*

Las palabras interrogativas

¿Adónde?	*Where (to)?*	¿**Adónde** vas *(do you go)*?
¿Cómo?	*How?/What?*	¿**Cómo** estás?
		¿**Cómo** te llamas?
¿Cuál(es)?	*Which one(s)? / What?*	¿**Cuál** de ellos es Felipe?
		¿**Cuál** es la capital de Perú?
¿Cuándo?	*When?*	¿**Cuándo** es la clase de español?
¿Cuánto/a?	*How much?*	¿**Cuánto** es?
¿Cuántos/as?	*How many?*	¿**Cuántas** personas hay en la clase?
¿De dónde?	*From where?*	¿**De dónde** eres?
¿Dónde?	*Where?*	¿**Dónde** está Miguel?
¿Por qué?	*Why?*	¿**Por qué** eres estudiante?
¿Qué?	*What?*	¿**Qué** número es?
¿Quién(es)?	*Who?*	¿**Quién** es la chica de la foto?
		¿**Quiénes** son los chicos de la foto?

▶ The end of the interrogative **cuánto** will vary (**-o**, **-a**, **-os**, or **-as**) depending upon the gender of the noun and whether the noun is singular or plural.

¿Cuánt**os** libr**os** hay en la mochila?	*How many books are in the backpack?*
¿Cuánt**as** profesor**as** hay?	*How many professors are there?*

▶ **Quién** has both a singular and a plural form and is used to refer to people only.

¿**Quiénes** son los estudiantes?	*Who are the students?*

▶ **Cuál** has both a singular and a plural form and implies a choice or selection among people or things. It does not directly precede a noun.

¿**Cuáles** son tus clases favoritas?	*What are your favorite classes?*

Exploraciones

1 **Preguntas y respuestas** Listen to each statement and select the question that it answers.

_____ **a.** ¿Cómo te llamas?

_____ **b.** ¿Cómo es Elisa?

_____ **c.** ¿Cuántos estudiantes hay en la clase?

_____ **d.** ¿Cuál es la nacionalidad de Juan?

_____ **e.** ¿Cuántos años tienes?

_____ **f.** ¿De dónde eres?

2 **¿Cuál es la pregunta?** In pairs, take turns reading one of the statements from your lists. Then, your partner will create a question that corresponds to that statement.

Modelo **Estudiante A:** El estudiante se llama Andrés.
Estudiante B: _¿Cómo se llama el estudiante?_

Estudiante A

1. Carmen Salinas es de Puerto Rico.
_____

2. Tres más siete son diez. _____

3. Asunción es la capital de Paraguay.
_____

4. Hay veinte estudiantes en la clase de español. _____

Estudiante B

5. Es un diccionario de español.

6. Los compañeros de clase son simpáticos y generosos.
_____

7. El examen es mañana a las 8:30.
_____

8. Susana es mi mejor amiga.
_____

3 **Entrevista** Interview a partner, asking about these categories.

- tu (_your_) nombre
- tu edad (_age_)
- tu nacionalidad
- tu personalidad
- tu número favorito
- tu mejor amigo/a

4 **Situaciones** In pairs, take on the role of A or B to participate in the conversation.

A You are going to Mexico on a university exchange program. The family you will live with during your stay would like to know how to recognize you at the airport when you arrive. Describe yourself to your partner as if you were speaking by phone to the mother or the father of your Mexican family.

B You are the parent of the Mexican family who is about to host a university student from the United States. You call the student to get a physical description, since you are headed to the airport in Mexico City and want to know how to identify the student. Ask a few questions to clarify what the student tells you and describe yourself to the student.

Resources

Ⓢ

VhIcentral

WebSAM

☐ **I CAN** ask and answer basic questions.

Audio: Reading

Episodio #2: Guadalupe Zamora González

Estrategia de comprensión oral: Using Pauses to Your Advantage

All speakers pause when talking, sometimes briefly, sometimes for longer. Pauses are beneficial for speakers to gather their thoughts or take a breath, but also for listeners as they catch up with what was being said. They generally occur where a new idea is added or before a change in topic. Use pauses to ask for clarification or for something to be repeated.

Antes de escuchar

1 **Mi nombre es...** You will learn more about Guadalupe as she describes herself and her friend. Name three categories of information you expect her to include.

Mientras escuchas

2 **¿Cómo son?** Listen as Guadalupe describes herself and a friend. Take advantage of her pauses to take notes and complete the information in the table.

Nombre y apellidos:	Lupe Zamora González	
Personalidad:	optimista, independiente, tranquila	
Descripción física:		alto, delgado
País:		Estados Unidos
Nacionalidad:		estadounidense
Estudia:	psicología	

Después de escuchar

3 **Tu descripción** Prepare a presentation describing yourself, using Guadalupe's description as a model.

☐ **I CAN** give a detailed personal description.

Estrategia de lectura: Previous Knowledge

When we read, we use our previous experiences and knowledge about the world to comprehend the text in front of us. Think of the information you expect to find once you identify a text as an e-mail between friends, a recipe, a classified ad, a history textbook, or a photo caption. Our previous knowledge helps us anticipate the format and content of the reading and can make it easier for us to understand.

Antes de leer

(1) **Preparación** You will read about an innovative Instagram campaign. Read the strategy and look at the reading. What information do you expect to find in the text and photo captions?

Orgullo mexicano

La campaña #weareproudmexicans del fotógrafo Alan Vidali muestra los retratos de mexicanos que se sienten orgullosos de su cultura. ¿Qué es ser mexicano?° ¿Cómo son los mexicanos por dentro y por fuera°? ¿Cómo se describen° ellos en tres, cuatro o cinco palabras°? El fotógrafo y artista mexicano intenta° responder a estas preguntas con su proyecto viral. Intenta desafiar° las ideas y los estereotipos sobre° la gente mexicana en Estados Unidos. Su objetivo es iniciar un diálogo y causar empatía entre las personas. Después de todo, ¿al mirarnos a los ojos°, no somos todos° iguales?

Mira° estas fotos y descripciones de estudiantes mexicanos en Estados Unidos que están inspiradas en la campaña de Alan Vidali:

Ana Victoria: creativa, bondadosa°, divertida°

Linda: leal°, perseverante, detallista°, adaptable

Mandy: amable°, trabajadora, alegre°, sincera

Marcos: creativo, apasionado, orgulloso de mi herencia°

¿Qué es ser mexicano? *What does it mean to be Mexican?* **por dentro y por fuera** *inside and out* **se describen** *they describe themselves* **palabras** *words* **intenta** *tries to* **desafiar** *to challenge* **sobre** *about* **al mirarnos a los ojos** *when we look each other in the eye* **todos** *all* **Mira** *Look at* **bondadosa** *kind* **divertida** *fun* **leal** *loyal* **detallista** *detail-oriented* **amable** *nice* **alegre** *happy* **herencia** *heritage*

Después de leer

2 **Comprensión** Indicate whether each statement is **cierto (C)** or **falso (F)**.

1. Alan Vidali es estadounidense. .... **C F**

2. No hay diversidad racial en México. .... **C F**

3. Los retratos tienen descripciones de las personas fotografiadas. .... **C F**

4. La campaña de Vidali intenta transformar percepciones
   (*to change perceptions*) en Estados Unidos. .... **C F**

3 **A conversar** First, find a picture that you have of yourself or take a selfie and choose four words that describe you. In small groups, share the picture with your description and answer these questions.

1. ¿Representan (*Do they represent*) los retratos del grupo la diversidad de su (*your*) país?

2. ¿Desafían sus (*your*) descripciones los estereotipos?

3. ¿Cómo los retratos del artículo desafían los estereotipos de los mexicanos?

4 **A escribir** You are going to write a short profile about yourself to include on a site for professional networking. Read the strategy and follow the steps.

Estrategia de escritura: Brainstorming

A common way to begin the writing process is to simply get out as many ideas as possible related to the topic without worrying about organization or how the ideas are connected. At this stage, you don't want to get caught up in the details. For example, you might use brainstorming to note down general categories that could help you write a biographical sketch.

Paso 1 In pairs, brainstorm the categories of information you might include in a brief professional profile and jot them down. Then, individually take a few minutes to write your own profile of at least four sentences. When your writing is complete:

- review the adjectives by checking that you have chosen the correct form of each.

- check for the proper forms of the verbs **ser** and **tener**.

Paso 2 In pairs, take turns reading your descriptions to each other. After reading, give each other feedback.

Paso 3 Write your final profile incorporating your partner's feedback.

☐ **I CAN** identify cultural perspectives connected to diversity in Mexico.

Audio: Reading

Infografía: *Las mejores cualidades para encontrar trabajo*

You will read an infographic about personal qualities that are important in the workplace from the perspective of a Spanish energy company.

Estrategia intercultural: What is Intercultural Competence?

One of the learning outcomes of *Experiencias* is the ongoing development of intercultural competence. Think about situations in which you have interacted with someone from a different cultural background. What made your interaction successful?

The answer to this question is the basis for defining the concept of intercultural competence. Darla Deardorff (2006) studied five decades of publications and summarized the key elements to support effective and appropriate interaction in a variety of contexts. The table is the set of attitudes, skills, and behaviors that she proposed.

Attitudes	respect, openness, curiosity, withholding judgment, tolerating ambiguity
Knowledge	cultural self-awareness, understanding others' world views, understanding others' perspectives
Skills	observation, listening, interpreting, relating
Internal Outcomes	flexibility, adaptability, empathy, seeing the world through a new lens
External Outcomes	effective and appropriate communication and behavior

The use of the term *competence* can be misleading, because the development of intercultural competence is a life-long learning process that begins with self-awareness of one's own cultural positionality. Critically reflecting on your interactions is also an important tool that can lead to effective perspective exchanges and interactions.

Deardorff, D.K. (2006). The identification and assessment of intercultural competence as a student outcome of internationalization at institutions of higher education in the United States. *Journal of Studies in International Education*, 10(3), 241–266.

Antes de leer

(1) **Las cualidades esenciales** Have you thought about what qualities are desired to obtain and retain a job in your desired field? Before you review the infographic, make a list of four qualities in Spanish that you think are important. Share them with a partner. Did you come up with any of the same ideas?

Mientras lees

(2) **Las mejores cualidades para encontrar trabajo** As you read the infographic, consider: How does it compare to the list you and your partner created?

LAS MEJORES CUALIDADES PARA
ENCONTRAR TRABAJO

CREATIVIDAD
Las personas creativas pueden° resolver problemas. Muchas veces las personas generosas con sus ideas y perspectivas crean solidaridad° en el trabajo.

RESPONSABILIDAD
Ser responsable, dedicado/a y competente son elementos importantes para tener éxito° en el trabajo.

HONESTIDAD
Esta característica genera seguridad entre° las personas que trabajan juntas.

CURIOSIDAD
Es importante hacer preguntas. El deseo de aprender más° y mostrar° curiosidad es una característica positiva en el trabajo.

OPTIMISMO
Tener una mente abierta° a perspectivas nuevas y ser positivo/a son maneras de identificar con otras personas en el trabajo.

ENTUSIASMO
Si eres una persona apasionada por el trabajo, tu actitud es contagiosa.

Fuentes: Universia, Iberdrola

pueden *can* **solidaridad** *solidarity* **tener éxito** *to be successful* **abierta** *open* **entre** *among* **deseo de aprender más** *desire to learn more* **mostrar** *to show*

Después de leer

(3) Las mejores cualidades para... With a partner, discuss which qualities are most important in each situation.

¿Cuál es una cualidad importante para…

1. trabajar en grupos o equipos?
2. hacer un proyecto rápidamente?
3. hablar en público?
4. crear soluciones a un problema?

(4) Reflexión Reflect on the messages in the infographic related to qualities for success at work and compare the perspectives to the culture in which you live. Answer the questions on your own, then discuss your answers with a partner.

1. What cultural values might be represented in the infographic? Are there different attributes or scenarios you think are important?

2. Could there be multiple ways of perceiving success at work? What might they be?

3. How can self-awareness of attitudes, values, and views assist you as you examine different cultural practices, products and perspectives of the Spanish-speaking world?

Resources

VhlCentral

Online activities

☐ **I CAN** identify personal qualities that are important in a professional setting.

Cuernavaca y las escuelas de lengua

● ● ● www.el_blog_de_lucas/EscuelasdeLengua   Q ‹ ›

Sobre mí | Viajes | Mapas | Galería | Contacto

Cuernavaca y las escuelas de lengua

Para estudiar español en un lugar° estupendo, les recomiendo° la ciudad de Cuernavaca. En Cuernavaca hay muchos institutos de lengua. Mi favorito es Cemanahuac. En Cemanahuac, las clases son pequeñas, los profesores son inteligentes y muy pacientes, y las excursiones son populares e° interesantes. Mis amigos Charlie y Harriet son los directores del instituto. Charlie tiene un blog propio°, muy interesante. Escribe° en inglés sobre° varios aspectos de la cultura mexicana. ¡Qué padre!

Comunidad Educativa Cemanahuac en Cuernavaca, México

lugar *place* **les recomiendo** *I recommend to you* **e** *and* **propio** *his own* **Escribe** *He writes* **sobre** *about*

---

(1) **Estudiar español en México** You will learn more about options for
 studying Spanish in Mexico.

Paso 1 Read Lucas's blog and take notes about how he describes the classes, the teachers, and the excursions. Would you like to study there?

Paso 2 Research online to identify three locations in Mexico you would like to visit. Select a language institute in one of your chosen locations and answer the questions based on the information on its web site. Be prepared to share your findings with the class.

1. ¿Cuántos estudiantes hay en las clases?

2. ¿Cuántas semanas (*weeks*) de estudio son?

3. ¿Cuántos años tienen los estudiantes?

4. ¿Hay excursiones organizadas? ¿Adónde?

☐ **I CAN** identify aspects of studying abroad in Mexico.

Proyectos

Learning Objectives: Describe yourself.
Present information about Mexico.

(1) **¿Cómo eres?** You will present a description of yourself for a site to get to know other people. Read the strategy and follow the steps.

Estrategia para presentaciones: Simplifying Your Language

Many students become frustrated that they can't express their thoughts and opinions with as much detail in Spanish as they can in English. Ironically, the more we try to express elaborate messages with sophisticated language, the less intelligible our message becomes as we pause for long periods looking for just the right word or structure. You can still convey your general message, but be willing to use simpler language.

Paso 1 Review the vocabulary and structures from this chapter. Then, watch **Encuentros: *Cómo crear tu perfil personal*** to review tips and examples for developing a personal description. Take notes on any useful expressions you would like to include in your description.

Paso 2 In pairs, take turns practicing your personal description for each other. Be sure to include your name, age, a physical description, your personality, and where you are from.

Don't forget to greet your audience at the beginning and say goodbye at the end. Give your partner feedback on language that you do not understand, perhaps due to translations of complex structures. Also, offer suggestions for places your partner could use language you have learned so far in the course.

Paso 3 Present a description of yourself, using the details you shared with your partner in **Paso 2**. You may include images. Be prepared to share your presentation with the class.

> **¡ATENCIÓN!**
>
> Ask your instructor to share the **Rúbrica** to understand how your work will be assessed.

(2) **Álbum de México** Create a presentation based on what you learned about Mexico in this chapter and your own research. Then, share with a partner what you have learned and compare your findings.

1. información básica
2. estadísticas interesantes
3. dos lugares interesantes
4. observaciones culturales
5. enlaces interesantes
6. información que te hizo cambiar de opinión o que te hizo reflexionar

☐ **I CAN** describe myself.
☐ **I CAN** share personally meaningful information about Mexico.

Repaso

Repaso de objetivos

Reflect on your progress toward the chapter main goals.

I am able to...

	Well	Somewhat
• Identify personal descriptions in a video.	☐	☐
• Exchange information about personality, physical traits, and age.	☐	☐
• Compare products, practices, and perspectives from Mexico with my own community.	☐	☐
• Describe myself.	☐	☐

Vocabulary Tools

Repaso de vocabulario

La personalidad   *Personality*
activo/a   *active*
agresivo/a   *aggressive*
ambicioso/a   *ambitious*
apasionado/a   *passionate*
arrogante   *arrogant*
competente   *competent*
conservador(a)   *conservative*
creativo/a   *creative*
deportista   *athletic*
dinámico/a   *dynamic*
dramático/a   *dramatic*
elegante   *elegant*
extrovertido/a   *extroverted*
generoso/a   *generous*
hablador(a)   *talkative*
idealista   *idealistic*
importante   *important*
impulsivo/a   *impulsive*
independiente   *independent*
inteligente   *intelligent*
interesante   *interesting*
introvertido/a   *introverted*
liberal   *liberal*
materialista   *materialistic*
optimista   *optimistic*
organizado/a   *organized*
paciente   *patient*
perfeccionista   *perfectionist*
pesimista   *pessimistic*
popular   *popular*
rebelde   *rebellious*
religioso/a   *religious*
reservado/a   *reserved*
responsable   *responsible*
romántico/a   *romantic*
serio/a   *serious*
sincero/a   *sincere*

talentoso/a   *talented*
tímido/a   *timid*
trabajador(a)   *hard-working, industrious*
tradicional   *traditional*
tranquilo/a   *calm, tranquil*

Los números del 30 al 100
  Numbers from 30 to 100
  See page 43.
30   treinta
40   cuarenta
50   cincuenta
60   sesenta
70   setenta
80   ochenta
90   noventa
100   cien

Las características físicas   *Physical traits*
alto/a   *tall*
atlético/a   *athletic*
bajo/a   *short*
de estatura mediana   *medium height*
delgado/a   *thin*
gordo/a   *plump*
guapo/a   *handsome/good-looking*

El pelo   *Hair*
castaño   *brown*
corto   *short*
lacio   *straight*
largo   *long*
negro   *black*
ondulado   *wavy*
pelirrojo/a   *red-haired*
rizado   *curly*
rubio   *blonde*

Los ojos   *Eyes*
azules   *blue*
de color café   *brown*

marrones   *brown*
verdes   *green*

Otras características físicas
  Other physical characteristics
la barba   *beard*
el bigote   *mustache*

Las personas   *People*
el/la amigo/a   *friend*
el/la chico/a   *young person*
el/la compañero/a de clase   *classmate*
el/la estudiante   *student*
el hombre   *man*
la mujer   *woman*
el/la niño/a   *child*
el/la profesor(a)   *teacher, professor*
el señor   *man, Mr.*
la señora   *woman, Mrs.*

Las palabras interrogativas
  Interrogative words
¿Adónde?   *Where (to)?*
¿Cómo?   *How?/What?*
¿Cuál(es)?   *Which one(s) / What?*
¿Cuándo?   *When?*
¿Cuánto/a?   *How much?*
¿Cuántos/as?   *How many?*
¿De dónde?   *From where?*
¿Dónde?   *Where?*
¿Por qué?   *Why?*
¿Qué?   *What?*
¿Quién(es)?   *Who?*

Las nacionalidades   *Nationalities*
See page 41.

Repaso de gramática

1 Subject pronouns and the verb *ser*

Subject pronouns and the verb *ser* (to be)	
yo (*I*)	**Soy** estudiante.
tú (*you, singular, informal*)	**Eres** mexicano/a.
usted (*you, singular, formal*)	**Es** trabajador(a).
él/ella (*he/she*)	**Es** profesor/profesora.
nosotros/nosotras (*we*)	**Somos** inteligentes.
vosotros/vosotras (*you, Spain, plural informal*)	**Sois** flexibles.
ustedes (*you, plural*)	**Son** responsables.
ellos/ellas (*they, masculine and feminine*)	**Son** organizados/organizadas.

2 Nouns, articles, and adjectives

Masculine		Feminine	
most nouns ending in **-o**	el libr**o** *the book*	most nouns ending in **-a**	la cas**a** *the house*
most nouns ending in **-l**	el pape**l** *the paper*	most nouns ending in **-d**	la universida**d** *the university*
most nouns ending in **-r**	el colo**r** *the color*	most nouns ending in **-ión**	la conversac**ión** *the conversation*

	Definite article (*the*)		Indefinite article (*a, an, some*)	
	singular	**plural**	**singular**	**plural**
masculine	**el** chico	**los** chicos	**un** chico	**unos** chicos
feminine	**la** chica	**las** chicas	**una** chica	**unas** chicas

3 The verb *tener*

Tener (*to have*)			
yo tengo	*I have*	nosotros/as tenemos	*we have*
tú tienes	*you have*	vosotros/as tenéis	*you have*
él, ella, usted tiene	*he/she has; you have*	ellos/as, ustedes tienen	*they have, you have*

Resources

Vhlcentral

Online activities

Capítulo 3 | ¿Cómo es tu semana?

OBJETIVOS DE APRENDIZAJE

By the end of this chapter, I will be able to...

- Identify basic information about weekly and daily activities in a video.
- Exchange information about pastimes, sports, classes, likes, and dislikes.
- Compare products, practices, and perspectives from Puerto Rico and the Dominican Republic with my own community.
- Describe my weekly and daily activities.

ENCUENTROS

El canal de Lucas: Cómo organizar tu calendario
Este es mi país: Puerto Rico, la República Dominicana

EXPLORACIONES

Vocabulario

Los pasatiempos y los deportes
Las clases, los días de la semana y la hora
Los materiales y la tecnología para estudiar
Los lugares en la universidad

Gramática

The verb **gustar**
The verb **estar**
The present tense of **-ar** *verbs*

EXPERIENCIAS

Cultura y sociedad: Béisbol, el deporte rey
Intercambiemos perspectivas: *Bomba, una danza*
Blog: La bandera dominicana
Proyectos: ¿Cómo es tu semana?
Álbum de Puerto Rico y la República Dominicana

Encuentros

El canal de Lucas

Learning Objective:
Identify daily and free time activities in a video.

Video: Story

Cómo organizar tu calendario

Read and reflect on the learning strategy for this chapter.
Then, watch Lucas help his friend Elena organize her week.

Estrategia de aprendizaje: Being Optimistic and Realistic

You speak your first language without effort, so you might not think that learning a second language is a different process. To be successful, learning to communicate in another language requires dedication, yet it's also fun! Successful students set realistic goals, remain optimistic about their potential, and don't compare progress to their peers. Everyone learns at a different rate, so focus on your own progress to reach your goals!

Antes de ver

(1) Mis actividades Use your knowledge of cognates to figure out the meaning of each activity. Then, select those that you generally do.

conversar con los amigos	andar en bicicleta
visitar a la familia	usar la computadora
estudiar	practicar deportes
mirar videos	pasar tiempo en redes sociales

Mientras ves

(2) El calendario de Elena Select the activities that you hear in the video.

___ andar en bicicleta

___ hablar por teléfono

___ estudiar

___ nadar

___ pasar tiempo en redes sociales

___ jugar videojuegos

___ trabajar en la biblioteca

___ mirar videos

___ visitar a la familia

___ practicar el fútbol

___ conversar con los amigos

Después de ver

(3) Los momentos libres In pairs, compare notes on some of your favorite free time activities. Do you have any favorites in common?

Modelo *En mis momentos libres, prefiero mirar videos...*

Resources

Vhlcentral

Online activities

☐ **I CAN** identify daily and free time activities in a video.

Learning Objective:
Identify cultural products, practices, and perspectives from Puerto Rico.

 Map

PUERTO RICO

¡Hola, mis panas! Me llamo Francisco Figueroa Rivera y soy de Ponce, Puerto Rico. Puerto Rico es una de las islas del mar Caribe. Es un Estado Libre Asociado° de Estados Unidos, pero tiene su propia constitución. También tiene un representante en el congreso estadounidense, pero no puede votar°. Los habitantes originales de la isla eran° los taínos. Boriquén era el nombre de la isla antes de la llegada° de Cristóbal Colón y los españoles en 1493. Por eso° a los puertorriqueños también se les llama boricuas.

El coquí es una rana° nativa de la isla y es un símbolo de Puerto Rico.

La ciudad con más habitantes de Puerto Rico es su capital, **San Juan**. La parte más antigua de la ciudad es el Viejo San Juan, que fue fundado° en 1521.

ESTADOS UNIDOS

Océano Atlántico

Golfo de México

BAHAMAS

CUBA

MÉXICO

HAITÍ

PUERTO RICO

Mar Caribe

San Juan

JAMAICA

LA REPÚBLICA DOMINICANA

Resources

Vhlcentral

Online activities

El **béisbol** es el deporte más popular de Puerto Rico.

Puerto Rico tiene alrededor de° 300 millas de costa y sus **playas** sobresalen° por su belleza° natural.

Puerto Rico en breve

Capital: San Juan

Tipo de gobierno: Estado Libre Asociado de EE. UU.

Tamaño: 9.104 km², casi tres veces el tamaño de Rhode Island

Población: 3.057.311 habitantes

Lenguas: español (oficial), inglés (oficial)

Moneda: dólar estadounidense

Nivel de alfabetización: 92%

Promedio de vida: 81 años

Expresiones y palabras típicas:

¡Chévere!	¡Fantástico!
la guagua	el autobús
los panas	los amigos

Fuente: The World Factbook, Central Intelligence Agency

---

(1) **Comprensión** Indicate whether each statement is **cierto (C)** or **falso (F)**.

1. El coquí es el nombre de una playa famosa. .... **C F**

2. El deporte más popular en Puerto Rico es el fútbol. .... **C F**

3. En Puerto Rico se utiliza el dólar de Estados Unidos. .... **C F**

4. *Boricuas* es otro nombre para los puertorriqueños. .... **C F**

(2) **¿Y tú?** In pairs, discuss these questions

1. ¿Cuál es un deporte profesional popular en tu cultura o comunidad?

2. ¿Conoces (*Do you know*) a deportistas puertorriqueños en las Grandes Ligas de Béisbol (*Major League Baseball*)?

(3) **Para investigar** Choose one of the topics in **Este es mi país** that has sparked your interest. Go online to learn more and be prepared to share your findings with a small group.

Estado Libre Asociado *Free Associated State* **no puede votar** *cannot vote* **eran** *were* **llegada** *arrival* **Por eso** *That is why* **rana** *frog* **fue fundado** *was founded* **alrededor de** *around* **sobresalen** *stand out* **belleza** *beauty*

☐ **I CAN** identify key products and practices from Puerto Rico.

Audio: Vocabulary

Los pasatiempos y los deportes

Read the strategy and explore the vocabulary.

Estrategia de vocabulario: Identifying Collocations

A collocation is a pair or group of words that usually go together. To gain fluency and sound more natural, pay close attention to those little words, such as prepositions, that usually connect or collocate with verbs or nouns. For example, **andar en bicicleta, jugar al básquetbol, ir de compras**. Can you find others?

Los pasatiempos

jugar videojuegos

mirar videos

pasar tiempo en redes sociales

hablar por teléfono

salir con los amigos

conversar con los amigos

leer una novela

visitar a la familia

ir de compras

Los deportes y otras actividades

practicar deportes

jugar al fútbol americano

jugar al béisbol

jugar al vóleibol

nadar

andar en bicicleta

hacer ejercicio

jugar al fútbol

correr

jugar al básquetbol/baloncesto

jugar al golf

caminar

jugar al tenis

levantar pesas

Otras actividades

comer *to eat*	**estudiar** *to study*
comprar *to buy*	**ir a la playa** *to go to the beach*
descansar *to rest*	**ir al cine** *to go to the movies*
escuchar música *to listen to music*	**trabajar** *to work*

Exploraciones

1 **¿Cierto o falso?** Listen to each statement and indicate whether it is true (**cierto**) or false (**falso**), according to each image.

1. cierto falso **2.** cierto falso **3.** cierto falso **4.** cierto falso **5.** cierto falso

2 **Tipo de actividades** Many activities require a different amount of energy and effort. Decide whether each activity is **activa** or **pasiva**.

correr	conversar con amigos	levantar pesas	nadar
mirar videos	escuchar música	hablar por teléfono	ir al cine
descansar	jugar al fútbol	andar en bicicleta	caminar

Actividades activas	Actividades pasivas

3 **Preferencias** What type of activities are your favorites? In groups of three, ask each other about your preferences and share them with the class.

Tus actividades favoritas son actividades...	Estudiante A	Estudiante B	Estudiante C
¿en grupos grandes?			
¿en parejas?			
¿individuales?			

4 **Mis actividades favoritas** Choose three of your favorite activities and then share them with a partner. Be prepared to share with the class.

> **Modelo** *Mis actividades favoritas son...*

☐ **I CAN** exchange information about pastimes, sports, and other activities.

Expressing likes and dislikes: The verb *gustar*

Gustar is a common verb in Spanish used to express likes and dislikes. When you are first learning how to use **gustar**, it can be helpful to learn it as a "chunk" of language rather than translating directly between English and Spanish.

▶ To express what you like, use **me gusta** + [SINGULAR NOUN] or **me gustan** + [PLURAL NOUN].

Me gusta el baloncesto.	*I like basketball.*
Me gustan los videojuegos.	*I like video games.*

▶ To express what you like *to do*, use **me gusta** + [INFINITIVE FORM OF THE VERB].

Me gusta nadar.	*I like to swim.*
Me gusta jugar al fútbol.	*I like to play soccer.*

Notice that instead of using the subject pronoun **yo**, you use the indirect object pronoun **me** with **gustar.** These are the indirect object pronouns that you can use to express other people's likes and dislikes.

Gustar			
(A mí)	Me		escuchar música.
(A ti)	Te		leer una novela.
(A él, A ella, A usted)	Le	gusta	ir a la playa.
(A nosotros /as)	Nos		el básquetbol.
(A vosotros /as)	Os		la historia.
(A ellos, A ellas, A ustedes)	Les	gustan	los deportes. las matemáticas.

No matter who is doing the liking, always use **gusta** for an activity or a single item and **gustan** for multiple items.

▶ To ask someone you address as **tú** if he/she likes something, use **¿Te gusta(n)...?** and for someone you address as **usted** use **¿Le gusta(n)...?**

—¿**Te gusta** caminar (a ti)?	—¿**Le gustan** las clases (a usted)?
—Sí, **me gusta** caminar (a mí).	—Sí, **me gustan** las clases (a mí).

▶ To ask multiple people you address as **ustedes** if they like something, use **¿Les gusta(n)...?** and they would respond with **nos gusta(n).**

—¿**Les gusta** correr (a ustedes)?	—Sí, **nos gusta** correr (a nosotros).

▶ To report what another person likes, use **le gusta(n)** or if you are referring to more than one person use **les gusta(n).**

—**Le gusta** nadar (a David).	—**Les gusta** nadar (a ellos).

¡ATENCIÓN!

To ask what someone likes to do, use the verb **hacer** *(to do)*: **¿Qué te gusta hacer?** The person can then use the specific verb in the answer: **Me gusta conversar con los amigos.**

¿Qué observas?

Maybe you noted that some words in the examples were left in parentheses, as they are optional and are only used to clarify or emphasize who is being referred to. To what other portion of the sentence do you think these correspond? In which cases would it be necessary to clarify who is being referred to with one of these short phrases that begin with **a**?

Exploraciones

▶ To indicate that you or someone else does not like something, place **no** in front of **me**, **te**, **le**, **nos**, **os**, or **les: no me gusta(n).**

No me gusta ir al cine.

No les gusta caminar.

–¿Le gustan los videojuegos a Sofía?

–No, **no le gustan** los videojuegos.

(1) **¿Quién?** Examine the illustration and listen to each statement. Then, identify the name(s) of the person or people being described in each case.

los amigos

Esteban y Gregorio

Marta y Sandra

Chema y Elsa

Lucas

los amigos

Milagros

Mario y Sebastián

Javier y Marisa

José y Jennifer

Adela

(2) **Mis amigos** Think of the people you know and the activities they like to do.

Paso 1 Make a list in the table. Follow the model.

Personas	Actividades	Lugares
Mike y Jenny	jugar al tenis	la universidad

Paso 2 With a partner, share the information in your table. Follow the model.

Modelo *A mis amigos Mike y Jenny les gusta jugar al tenis en la universidad.*

Paso 3 Include yourself in the activities from **Paso 2** that you participate in with others. Share with your partner. Follow the model.

Modelo *A mis amigos Mike y Jenny y a mí nos gusta jugar al tenis en la universidad.*

(3) **Adivina quién es** In pairs, describe the pictures. Be sure to include a physical description and possible likes and dislikes of the people. Your partner will guess which one you are describing.

Modelo **Estudiante A:** *Es (Son)... y tiene(n) el pelo... Le(s) gusta...*
Estudiante B: *¡Es...! (¡Son...!)*

1. Ronaldo

2. Ana

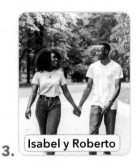
3. Isabel y Roberto

4. Raquel

5. los jóvenes

Exploraciones

4 **¿Qué te gusta?** You will take a survey (**encuesta**) about activities on campus and discuss your responses with a partner.

Paso 1 Answer the questions in the survey.

● ● ●   Experiencias ✕

← → ↻   www.experiencias_beginning/encuesta

Encuesta

1. ¿Qué te gusta hacer después (*after*) de clase?
   ☐ leer ☐ andar en bicicleta ☐ hacer ejercicio ☐ jugar videojuegos
   ☐ mirar videos/la televisión ☐ otras actividades

2. ¿Qué te gusta hacer durante las vacaciones?
   ☐ salir con los amigos ☐ descansar ☐ ir a la playa
   ☐ visitar a los amigos o a la familia ☐ otras actividades

3. ¿Te gusta hacer tu tarea en tu computadora? ☐ Sí ☐ No

4. ¿Te gusta comer en la cafetería de la universidad? ☐ Sí ☐ No

5. ¿Te gusta participar en las actividades de la universidad? ☐ Sí ☐ No

6. ¿Te gusta practicar deportes en gimnasio de la universidad? ☐ Sí ☐ No

7. ¿Te gusta andar en bicicleta? ☐ Sí ☐ No

8. ¿Te gusta tomar el autobús (*bus*)? ☐ Sí ☐ No

Paso 2 Share your answers with a partner. Keep track of the activities you both have in common and be prepared to report to the class.

> **Modelo** **Estudiante A:** *¿Te gusta _____?*
> **Estudiante B:** *Sí, me gusta _____ . / No, no me gusta _____ .*

5 **Los lugares** Think of your favorite activities and the places you associate with them. Then, in pairs, take turns asking and answering what each of you like to do in each of the places listed. Follow the model.

> **Modelo** **Estudiante A:** *¿Qué te gusta hacer en tu café local preferido?*
> **Estudiante B:** *Me gusta conversar con mis amigos.*

| el gimnasio | el parque | la universidad | la casa | el estadio |

6 **El tiempo libre en Puerto Rico** You will read and interpret the results of a survey on free time activities and discuss your preferences with a partner.

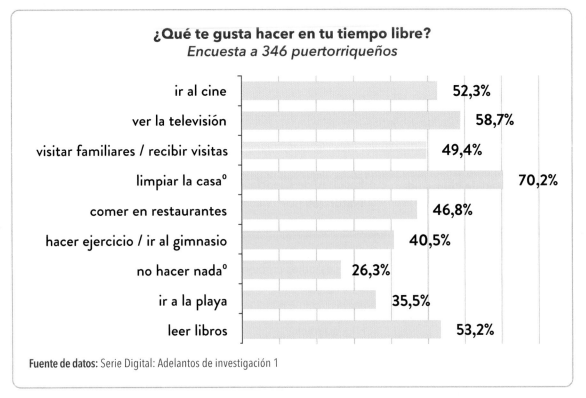

¿Qué te gusta hacer en tu tiempo libre?
Encuesta a 346 puertorriqueños

Actividad	Porcentaje
ir al cine	52,3%
ver la televisión	58,7%
visitar familiares / recibir visitas	49,4%
limpiar la casa°	70,2%
comer en restaurantes	46,8%
hacer ejercicio / ir al gimnasio	40,5%
no hacer nada°	26,3%
ir a la playa	35,5%
leer libros	53,2%

Fuente de datos: Serie Digital: Adelantos de investigación 1

casa *house* **nada** *anything/nothing*

Paso 1 Individually, answer the questions according to the survey:

1. ¿Cuáles son las tres actividades que les gusta hacer a más (*the most*) puertorriqueños en su tiempo libre?

2. En general, ¿a los puertorriqueños encuestados (*surveyed*) les gusta descansar en su tiempo libre?

3. En general, ¿a los puertorriqueños encuestados les gusta estar en casa?

Paso 2 In pairs, interview each other to find out whether you like to do any of the activities in the survey. Then, ask about three activities not included in the survey that you like to do. Share your results with the class.

> **Modelo** **Estudiante A:** *¿Te gusta hacer ejercicio?*
> **Estudiante B:** *Sí, me gusta (mucho) hacer ejercicio./ No, no me gusta hacer ejercicio.*

¡ATENCIÓN!

In many Spanish-speaking countries, a comma is used to separate whole numbers from decimals. To read the percentage 52,3% aloud, say **cincuenta y dos coma tres por ciento**.

☐ **I CAN** express likes and dislikes.

Las clases, los días de la semana y la hora

Las clases

UN → Inicio → Estudiar → Estudios   Español | Inglés | Buscar

UNIVERSIDAD NACIONAL

Una buena educación te hará
llegar más pronto a tu destino

UN
Gobierno
Centros
Servicios

Estudiar
Estudios
Admisión
Becas

Investigar
Bibliotecas
Laboratorios
Proyectos

Vida universitaria
Cultura
Deportes
Eventos

Facultad de Humanidades
- El arte
- La filosofía
- La historia
- La sociología
- Las lenguas/los idiomas:
  - El alemán
  - El árabe
  - El chino
  - El español
  - El francés
  - El inglés

Facultad de Ciencias Naturales
- La biología
- El cálculo
- Los estudios ambientales
- La física
- Las matemáticas
- La química

Facultad de Ciencias Sociales
- Las ciencias políticas
- La economía
- La educación
- La psicología
- El trabajo social

Facultad de Administración de Empresas
- La contabilidad
- Las finanzas
- El mercadeo

Facultad de Ingeniería
- La ingeniería civil
- La ingeniería eléctrica
- La ingeniería industrial
- La ingeniería informática

Para describir clases y actividades

aburrido/a *boring*	**grande** *big*
difícil *difficult*	**interesante** *interesting*
fácil *easy*	**pequeño/a** *small*

Los días de la semana

lunes	martes	miércoles	jueves	viernes	sábado	domingo
Monday	*Tuesday*	*Wednesday*	*Thursday*	*Friday*	*Saturday*	*Sunday*

▶ To express *on + a certain day of the week*, use these structures:

el lunes = *on Monday*   **este fin de semana** = *this weekend*

los lunes = *on Mondays*   **los fines de semana** = *on weekends*

CULTURA VIVA 🔊

El calendario The calendar in Spanish-speaking countries starts with Monday instead of Sunday as in the United States and Canada. Notice that the days of the week are not capitalized in Spanish, unless they begin a sentence. **Does your perspective change when you think of Monday rather than Sunday as the first day of the week?**

---

(1) El horario de Rosa María Listen to Rosa María explain her schedule. Then, write in the names of the classes she is taking this semester.

Estudiante: Rosa María Ramírez Gómez		**Número de estudiante:** 5078135
Cursos	Días	Hora
_____	lunes, viernes	8:30-9:30
_____	jueves	4:30-6:30
_____	miércoles	10:00-12:00
_____	martes, jueves	12:00-13:00

(2) ¿Qué día de la semana es? Individually, look at the calendar. Then in pairs, take turns asking and answering the questions.

> **Modelo** **Estudiante A:** *¿Qué día de la semana es el 2?*
> **Estudiante B:** *Es viernes.*

1. ¿Qué día de la semana es el 5?
2. ¿Qué día de la semana es el 23?
3. ¿Qué día de la semana es el 8?
4. ¿Qué día de la semana es el 27?
5. ¿Qué día de la semana es el 18?
6. ¿Qué día de la semana es el 14?

Exploraciones

(3) **Los cursos de la Universidad Nacional** You will compare the course listings of the Universidad Nacional and your college or university.

Paso 1 Compare the courses offered at the UN and your college or university.

> **Modelo** *En la Universidad Nacional hay cinco clases de idiomas.*
> *En mi universidad, solo (only) hay dos.*

Clases	Universidad Nacional	Mi universidad

 Paso 2 In pairs, take turns answering the questions.

1. En tu opinión, ¿qué cursos de la Universidad Nacional son interesantes?

2. ¿Cuáles son tres cursos que tiene tu universidad que no tiene la Universidad Nacional?

(4) **Opiniones** Soon after beginning the semester, students develop an opinion about their courses. In pairs, describe the courses you are taking using descriptive words, following the model.

> **Modelo** *Mi clase de filosofía es muy interesante. Es una clase pequeña.*

(5) **Entrevista** You will find out about your partner's classes and his or her favorite day. In pairs, take turns asking and answering the questions.

1. ¿Qué día es hoy?

2. ¿Qué día es mañana?

3. ¿Qué días tienes clase de español?

4. ¿Qué clases tienes los martes? ¿Y los jueves? ¿Y los viernes?

5. ¿Hay clases en la universidad los sábados?

6. ¿Cuál es tu día preferido? ¿Por qué?

La hora

▶ To tell *at what time* an event occurs, use **a la** or **a las** with the hour.

 Levanto pesas en el gimnasio **a las cinco.**
I lift weights at the gym at 5:00.

 A la una escucho música en casa.
At 1:00 I listen to music at home.

▶ To indicate a time after the hour up to half past or 30 minutes:

• add **y media** or **y treinta** to the stated hour for half past,

• add **y** + the number of minutes past the hour.

 Estudio matemáticas **a la una y media/treinta.**
I study math at 1:30.

 Tengo clase de inglés **a las diez y veinte.**
I have English class at 10:20.

▶ To indicate a time before the hour:

• state the hour approaching and **menos** + [THE NUMBER OF MINUTES].

• state the hour and **y** + [NUMBER OF MINUTES AFTER THE HOUR].

 Tengo clase de química **a las once menos diez.**
Tengo clase de química **a las diez y cincuenta.**
I have chemistry class at 10:50.

▶ To indicate a quarter past or a quarter till the hour, use **y cuarto** or **y quince** for quarter past, and **menos cuarto** or **cuarenta y cinco** for quarter till the hour.

 Tengo clase de ciencias políticas **a las ocho y cuarto/quince.**
I have political science class at 8:15.

 Tengo clase de inglés **a las diez menos cuarto/a las nueve y cuarenta y cinco.**
I have English class at 9:45.

▶ To indicate a.m. or p.m., use these expressions:

de la mañana	*in the morning*	(a.m.)
de la tarde	*in the afternoon*	(p.m.)
de la noche	*in the evening; at night*	(p.m.)

Tengo clase a las ocho de **la mañana.**
I have class at eight in the morning.

Veo la televisión a las once **de la noche.**
I watch TV at eleven at night.

Exploraciones

6 **¿A qué hora es la clase?** Listen to the student describe his schedule at the Universidad del Caribe. Write the name of the class under the clock that shows the scheduled time for each class.

_____   _____   _____   _____   _____

7 **Los relojes** Determine the time of each class, using the clocks. Then, in pairs, take turns asking and stating the time of each class aloud.

> **Modelo** **Estudiante A:** _¿A qué hora es la clase de arte?_
> **Estudiante B:** _La clase de arte es a las ocho y media..._

Modelo arte

9:15

1. filosofía

2. educación

10:45

3. informática

4. sociología

5. estudios ambientales

8 **Mis cursos y tus cursos** In pairs, discuss your class schedule to find a time to study together. Then write the day and time you can meet.

> **Modelo** **Estudiante A:** _¿Qué cursos tienes los lunes?_
> **Estudiante B:** _Tengo tres cursos. A las 10:00 tengo clase de finanzas, a las 12:00 tengo clase de psicología y a las 2:00 tengo clase de ingeniería civil..._

(9) Mi tiempo libre Taking time to enjoy a free moment is important. In pairs, ask each other what each of you like to do when you do not have classes or have to work. Then compare your answers. Do you have things in common?

> **¿Qué te gusta hacer...**
>
> ... los lunes a las ocho y media de la noche?   ... los miércoles a las cinco de la tarde?
>
> ... los sábados a las diez de la mañana?   ... los martes a las siete de la tarde?
>
> ... los domingos a la una de la tarde?   ... los viernes a las nueve de la noche?

(10) Los planes It's time for some free time plans. In pairs, discuss and agree upon three potential activities to do together in your free time. Then, take turns comparing your schedules to find a time to make your plans.

> **Modelo**   **Estudiante A:** *¿Qué te gusta hacer? A mí me gusta ir al cine y andar en bicicleta.*
> **Estudiante B:** *Hmm, no me gusta andar en bicicleta, pero me gusta ir al cine...*
> **Estudiante A:** *¿Cuándo tienes tiempo libre el lunes?*
> **Estudiante B:** *Tengo clases a las 3:00, a las 4:00 y a las 5:00. A las 6:00 tengo tiempo libre.*
> **Estudiante A:** *¡Perfecto!/Yo tengo clase a las 6:00. ¿A las 7:30 tienes tiempo?...*

CULTURA VIVA

Puerto Rican Pride Puerto Ricans are United States citizens, but, rather than refer to themselves as **estadounidenses,** many Puerto Ricans and people of Puerto Rican descent identify as **puertorriqueños** or **boricuas.** Before the arrival of the Spaniards, the island of Puerto Rico was called **Boriquén.** At the time the Spaniards arrived in 1493, it is estimated there were over 50,000 **taínos,** the native inhabitants of the island. The Puerto Rican community both on the island and around the world are proud of their cultural heritage, to the extent that even people of Puerto Rican descent who weren't born on the island refer to themselves as **boricuas. Is there a Puerto Rican community in your city or town? What words do they use to describe themselves?**

Exploraciones

11 **Los deportes en la televisión** Are you a sports enthusiast? In pairs, look at your corresponding TV sports schedules. Then, take turns asking each other what time the games (*partidos*) indicated on each of your lists are on TV.

Modelo **Estudiante A:** *¿Qué día es el partido entre los Yankees y los Dodgers?*
Estudiante B: *Es el...*
Estudiante A: *¿A qué hora es el partido?*
Estudiante B: *Es a...*

Estudiante A

Programación FOX Deportes				
Equipos	**Fecha**	**Hora**	**Lugar**	**Lanzadores**
Padres vs. Mets	domingo, 9 de octubre	7:07 p.m.	CITI Field, Queens, NY	Suárez vs. Díaz
Reales vs. Dodgers	miércoles, 12 octubre	4:35 p.m.	Dodger Stadium, Los Ángeles, CA	Morejón vs. Urias
Piratas vs. Padres	sábado, 15 de octubre	4:45 p.m.	Petco Park, San Diego, CA	Bednar vs. Martínez
Filis vs. Bravos	domingo, 16 de octubre	10:05 p.m.	Truist Park, Atlanta, GA	Alvarado vs. Minter

Estudiante B

Programación ESPN Deportes				
Equipos	**Fecha**	**Hora**	**Lugar**	**Lanzadores**
Guardianes vs. Yankees	martes, 11 de octubre	7:37 p.m.	Yankee Stadium, Bronx, NY	De los Santos vs. Cortés
Marineros vs. Astros	jueves, 13 de octubre	3:37 p.m.	Minute Maid Park, Houston, TX	Castillo vs. Garcia
Gigantes vs. Nacionales	sábado, 15 de octubre	6:35 p.m.	Nationals Park, Washington, D. C.	Doval vs. Corbin
Cubs vs. Filis	lunes, 17 de octubre	4:30 p.m.	Citizens Bank Park, Filadelfia, PA	Chávez vs. Nola

Estudiante A

1. Marineros vs. Astros: _____
2. Cubs vs. Filis: _____
3. Guardianes vs. Yankees: _____
4. Gigantes vs. Nacionales: _____

Estudiante B

1. Piratas vs. Padres: _____
2. Filis vs. Bravos: _____
3. Reales vs. Dodgers: _____
4. Padres vs. Mets: _____

☐ **I CAN** exchange information about classes and schedules.

Audio: Reading

Episodio #3: Francisco Figueroa Rivera

Estrategia de comprensión oral: Comprehending Spoken Spanish

You don't have to understand everything that is being said in Spanish. Instead, listen for cognates such as **nombre**, **béisbol**, **día**, and other words that you know, piece it together, and guess! You may have to listen several times, but that's normal. Focus on what you can understand, not on what you can't.

Antes de escuchar

(1) Predecir List three sports or pastimes that you think Francisco, a sports enthusiast, may talk about.

Mientras escuchas

(2) Francisco y sus actividades You are going to listen to Francisco talk about his activities.

Paso 1 Listen to Francisco describe his activities and write the cognates you hear.

Paso 2 Listen to Francisco one more time and select the option that best completes each statement.

1. Francisco es…
   a. activo y tímido.
   b. activo y paciente.
   c. deportista y activo.

2. Un pasatiempo favorito de Francisco es…
   a. levantar pesas.
   b. jugar videojuegos.
   c. conversar.

3. A Francisco le gusta salir con sus amigos…
   a. los domingos por la tarde.
   b. los sábados por la noche.
   c. los viernes por la tarde.

4. Los viernes le gusta…
   a. mirar videos.
   b. hacer ejercicio.
   c. pasar tiempo en redes sociales.

Después de escuchar

(3) Mis actividades Give a presentation about your own activities and pastimes. Answer the questions and follow the model of Francisco's story. Share at least five examples. **¿Cuáles son tus actividades y pasatiempos favoritos? ¿Qué días haces cada (each) actividad?**

Resources

Vhlcentral

Online activities

☐ **I CAN** describe my activities and pastimes.

Learning Objective: Identify cultural products, practices, and perspectives from the Dominican Republic.

Map

LA REPÚBLICA DOMINICANA

¡Saludos! Me llamo Ramona Sandoval Gómez y soy de Santiago de los Caballeros, la República Dominicana. Mi país comparte° la isla La Española con Haití y sus playas son una gran atracción turística. Durante los últimos 30 años, mi país ha crecido° mucho económicamente. Los habitantes originarios de la isla eran los taínos, igual que en Puerto Rico. Los dominicanos sentimos pasión por nuestra música y baile, que son el merengue y la bachata, así como también por nuestra gastronomía diversa, el béisbol, la familia y la hospitalidad.

La República Dominicana es uno de los principales exportadores de **plátanos** del mundo.

Santo Domingo es la ciudad más antigua° del continente americano. Hoy es una ciudad moderna y es el principal centro financiero° del país.

ESTADOS UNIDOS

Océano Atlántico

Golfo de México

BAHAMAS

CUBA

MÉXICO

Santiago de los Caballeros

HAITÍ

Santo Domingo

Mar Caribe

JAMAICA

LA REPÚBLICA DOMINICANA

PUERTO RICO

La Universidad Autónoma de Santo Domingo (UASD) fue fundada en 1538 y tiene más de 200 mil estudiantes en la actualidad°.

El Parque Duarte en Santiago de los Caballeros es el más grande de la ciudad.

La República Dominicana en breve

Capital: Santo Domingo

Tipo de gobierno: democracia representativa

Tamaño: 48.670 km², un poco más del doble del tamaño de New Hampshire

Población: 10.694.700 habitantes

Lenguas: español (oficial)

Moneda: peso dominicano

Nivel de alfabetización: 93%

Promedio de vida: 72 años

Expresiones y palabras típicas:

jugar pelota	*jugar al béisbol*
bacano	*excelente, magnífico*
¡Qué chulo!	*¡Fantástico!*

Fuente: The World Factbook, Central Intelligence Agency

---

(1) Comprensión Indicate whether each statement is **cierto (C)** or **falso (F)**.

1. Puerto Rico y la República Dominicana comparten La Española. .... **C F**

2. La Universidad Autónoma de Santo Domingo es muy antigua. .... **C F**

3. Los dominicanos tienen mucha pasión por la familia, la música, el baile y el béisbol. .... **C F**

4. Jugar pelota significa jugar al fútbol en la República Dominicana. .... **C F**

(2) ¿Y tú? In pairs, take turns answering these questions: **¿Te gusta bailar merengue o bachata? ¿Conoces algún/alguna** (*Do you know any*) **músico/a o deportista dominicano/a? ¿Qué aspectos de la información te sorprendieron** (*surprised you*)**? ¿Por qué?**

(3) Para investigar Choose one of the topics in **Este es mi país** that has sparked your interest. Go online to learn more and be prepared to share your findings with a small group.

---

comparte *shares* **ha crecido** *has grown* **más antigua** *oldest* **centro financiero** *financial center* **en la actualidad** *at present*

☐ **I CAN** identify key products and practices from the Dominican Republic.

Audio: Vocabulary

Los materiales y la tecnología para estudiar

la impresora
la computadora portátil
el teclado
la pantalla
el ratón
la silla
el papel
el micrófono
los audífonos
el cuaderno
la mochila
el libro
el escritorio
el lápiz
el bolígrafo
la calculadora

1 ¡A jugar! In small groups, you will play a round robin game. One student starts by completing this sentence with a vocabulary item from **Los materiales y la tecnología para estudiar**: *En el salón de clases, hay…* The other student must complete their sentence with an item of their choice plus the previous item(s), and so on until there are no more items to list.

> **Modelo** **Estudiante A:** *En el salón de clases, hay una silla.*
> **Estudiante B:** *En el salón de clases, hay una silla y un bolígrafo…*

2 ¿Cuántos hay? Look around the room. How many of each item do you see? With a partner, take inventory of the items in the classroom.

> **Modelo** **Estudiante A:** *¿Cuántos libros hay?*
> **Estudiante B:** *Hay quince libros.*

computadoras portátiles	libros	bolígrafos
impresoras	escritorios	mochilas
cuadernos	lápices	sillas

(3) De compras With a partner, you decide to rent a work space for a new business and you need some supplies to set up your office. Your budget is $120. Look at the ad and follow the steps.

Paso 1 Individually, list the items that you would like to buy with your budget. Practice saying out loud how much each item costs.

Paso 2 In pairs, take turns explaining to each other what items you each need to buy. Work together to agree on a final list of items within your budget.

> **Modelo** *Necesito (I need)...*

(4) ¿Qué hay en tu mochila? In pairs, take turns pulling out items from your backpack, briefcase, or bag and identifying some of them. Include the total number of each item. Use the verbs **hay** or **tengo** as in the model.

> **Modelo** *Hay un cuaderno en mi mochila. / Tengo un cuaderno en mi mochila.*
> *En mi mochila hay tres bolígrafos. / Tengo tres bolígrafos en mi mochila.*

Resources

Vhlcentral

Online activities

☐ **I CAN** exchange information about school supplies.

Exploraciones

Gramática 2

Learning Objective:
Express the location
of objects and people.

 Tutorial

Expressing location: The verb *estar*

In **Capítulo 1** you used the verb **estar** to answer the question **¿Cómo estás?** or **¿Cómo está usted?** and to tell how you were feeling, as in **Estoy bien/mal/ regular/muy bien.** Now you will use **estar** (*to be*) to express where things and people are located. Notice the written accent on four of the forms.

Singular			Plural		
yo	estoy	*I am*	nosotros/as	estamos	*we are*
tú	estás	*you are*	vosotros/as	estáis	*you are*
él, ella, Ud.	está	*he/she is, you are*	ellos, ellas, Uds.	están	*they are, you are*

¿Dónde está el coquí?

These expressions are used with the verb **estar** to express location.

debajo de

a la izquierda de...

encima de...

delante de...

enfrente de...

a la derecha de...

Otras expresiones

cerca de... *close to*

lejos de... *far from*

ventana *window* **sillón** *armchair*

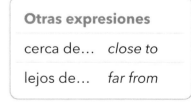

al lado de   detrás de

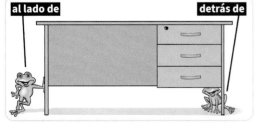

entre

Note that when **de** is followed by the article **el**, the two combine to form the contraction **del**. **De** does not contract with **la, los,** or **las.**

El coquí **está debajo del** escritorio.   El coquí **está enfrente de la** computadora.

1 **¿Dónde están los materiales?** Help your friend find the supplies he misplaced.

Paso 1 Look at the illustration of a desk. Then listen and write the name of each object as it is described.

1. _____

2. _____

3. _____

4. _____

5. _____

Paso 2 In pairs, take turns describing and guessing the location of three objects based on the illustration.

> **Modelo** **Estudiante A:** *Este objeto está a la derecha del escritorio.*
> **Estudiante B:** *¿Es la mochila?*

2 **La habitación de Carmen es un desastre** Look at Carmen's room and complete the **pasos**.

Paso 1 List some of the items in Carmen's room and tell how many there are of each item using **hay**.

> **Modelo** *Hay una mochila en la habitación de Carmen.*

Paso 2 Help Carmen find the items that she needs for her next class. Use the expressions with **estar** to indicate location.

> **Modelo** *la mochila*
> *La mochila está encima del escritorio.*

1. los libros

2. la computadora portátil

3. la calculadora

4. los bolígrafos

5. los papeles

3 **¿Son iguales?** Puzzler games can be a fun way to remember many items at once. In pairs, one student uses picture A and the other picture B. Place an index card or piece of paper over your partner's illustration.

Estudiante A

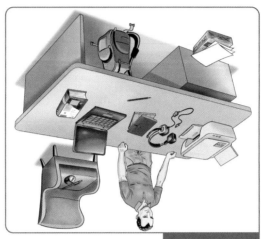

Paso 1 In pairs, take turns describing your illustration to your partner, including where things are located. Try to determine what you have in common.

Modelo **Estudiante A:** *El lápiz está al lado del libro.*
Estudiante B: *Sí, el lápiz está al lado del libro.*
Estudiante A or **Estudiante B:** *Son iguales.*

Paso 2 Now, review the items that are different in the two illustrations. Did you find all six differences?

4 **Mi escritorio** You will describe a study space that includes a desk. It could be your own space where you typically study or a study space you'd like to have. Find a photo or draw a sketch and follow the steps.

Paso 1 In pairs, take turns describing what is on your desk and where objects are in relation to others.

Modelo *En mi escritorio hay... Mi computadora portátil está...*

Paso 2 Decide which desk is more organized.

Modelo *El escritorio de Jessica está más (more) ordenado.*

☐ **I CAN** express the location of objects and people.

Los lugares en la universidad

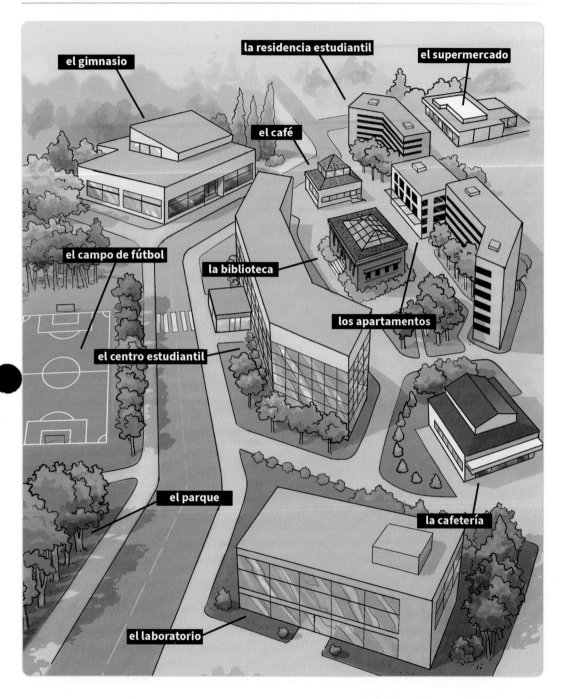

el gimnasio

la residencia estudiantil

el supermercado

el café

el campo de fútbol

la biblioteca

los apartamentos

el centro estudiantil

el parque

la cafetería

el laboratorio

---

1 **¿Cierto o falso?** Listen to the descriptions based on the illustration and indicate whether each statement is true (**cierto**) or false (**falso**). Your starting point is in front of the lab's entrance.

1. cierto falso   **4.** cierto falso

2. cierto falso   **5.** cierto falso

3. cierto falso   **6.** cierto falso

(2) **¿Dónde está...?** You will begin working for the Admissions Office at the Universidad Nacional and need to practice describing where various buildings are located for international guests. Refer to the map of the university campus and follow the steps.

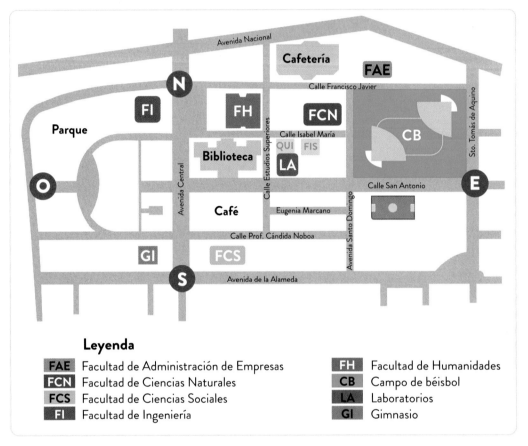

Leyenda

FAE	Facultad de Administración de Empresas		**FH**	Facultad de Humanidades
FCN	Facultad de Ciencias Naturales		**CB**	Campo de béisbol
FCS	Facultad de Ciencias Sociales		**LA**	Laboratorios
FI	Facultad de Ingeniería		**GI**	Gimnasio

Paso 1 In pairs, take turns describing the location of the buildings on the campus of the Universidad Nacional.

> **Modelo** **Estudiante A:** *¿Dónde está la Facultad de Ciencias Naturales?*
> **Estudiante B:** *Está enfrente del campo de béisbol, en la avenida Santo Domingo.*

Paso 2 With a partner, compare the map of Universidad Nacional to your own university's campus or another one you are familiar with. Tell what places can also be found at the university campus you chose.

Paso 3 Using a map of the university campus you chose, write eight sentences that tell where buildings are located. Practice saying your directions aloud so that you can share them with international guests.

☐ **I CAN** identify the places around campus.

Describing daily activities: The present tense of -ar verbs

In Spanish, all verbs are classified as belonging to one of three groups: **-ar**, **-er**, and **-ir**. For example, *hablar*, *comer*, *escribir*. When the **-ar**, **-er**, or **-ir** ending is removed from a verb, what remains is called the root, which carries the general meaning of the verb. When you *conjugate* a verb, you add an ending that corresponds to the person doing the action.

Most **-ar** verbs follow a regular pattern of conjugation. Once you learn this pattern, you can apply it to any regular **-ar** verb.

Look at the chart of the present-tense endings for the **-ar** verb group. In Spanish, the present tense can indicate what you do generally, what you are doing right at this moment, or what you will do in the near future.

Subject pronoun	Present tense endings -ar vebs
yo	**o**
tú	**as**
él, ella, usted	**a**
nosotros/as	**amos**
vosotros/as	**áis**
ellos, ellas, ustedes	**an**

¿Qué observas?

What vowel is present in five of the six forms of the -ar verb?

See the table with endings for the verb **comprar** (*to buy*).

Subject pronoun	Present tense	
yo	compr**o**	(I buy)
tú	compr**as**	(you buy)
él, ella, usted	compr**a**	(he/she buys; you buy)
nosotros/as	compr**amos**	(we buy)
vosotros/as	compr**áis**	(you buy)
ellos, ellas, ustedes	compr**an**	(they/you buy)

Exploraciones

Notice how the ending of each verb form indicates the subject or the doer of the action.

Prepar**o** mis clases.

I prepare my classes.

Tú trabaj**as** en un café cerca de la universidad.

You work at a coffee shop near the university.

En el café, convers**amos** mucho con los clientes.

In the café, we talk a lot with the customers.

José Luis estudi**a** para sus clases.

José Luis studies for his clases.

Forming yes/no questions

There are two ways to form a yes/no question from a statement.

▶ Without changing the order of the words, the speaker can raise the voice tone at the end of a statement to convert it to a question.

Statement: Juliana estudia literatura. *Juliana studies literature.*

Question: ¿Juliana estudia literatura? *Does Juliana study literature?*

▶ In addition to the rising voice tone at the end, the speaker can invert the order of the subject (the doer of the action) and the verb. In Spanish, there is no equivalent to the English auxiliary *does* or *do*.

Statement: Juliana estudia literatura. *Juliana studies literature.*

Question: ¿Estudia Juliana literatura? *Does Juliana study literature?*

(1) **Las actividades de los amigos** You will hear some information about various friends. Listen to each question or statement and select the person or people doing the action.

Modelo *You hear:* Trabajo en la biblioteca por la mañana.

You see: yo   tú y yo   ustedes   él

You select: *yo* (**yo** is the only subject that could be used with **trabajo**)

1. ellos	nosotros	él	yo
2. ustedes	ellas	tú	ella
3. yo	tú y yo	nosotras	usted
4. ella	yo	tú	ellos
5. tú	ellos	ella	nosotros

¿Qué observas?

1. What ending would you place on the verb stem if you were talking about your own activities? Would it be necessary to use **yo** to indicate the subject? Why or why not?

2. What ending would you place on the verb stem if you were talking about the activities of a particular friend? Would it be necessary to indicate the doer of the action by using **él, ella**, or a particular name of the doer? Why or why not?

(2) **El mensaje de Juliana** Read the e-mail message that Juliana Rivera sends to her family regarding her class schedule and that of her brother José Luis. Then follow the steps.

✉ **Mensaje nuevo**   ↩ ↪ 🗑 •••

Para: rivera609@codetel.net.do

Asunto: Hola

De: Juliana Rivera

Hola, mami y papi:

¿Qué tal? Este semestre mis clases son muy interesantes. Tengo clase de literatura a las diez de la mañana los lunes, miércoles y viernes; después, a las dos menos cuarto, tengo clase de historia latinoamericana. Los martes y los jueves tengo dos clases más, clase de antropología de nueve a once, y clase de inglés a las tres y cuarto. Leo y estudio mucho para mis clases y, también, trabajo en el laboratorio de computación.

José Luis no tiene clases los martes, así que trabaja en un café cerca de la universidad desde las once hasta las cuatro. En el café él conversa mucho con los clientes. Cuando no hay clientes, José Luis estudia para sus clases. Él tiene clases de matemáticas, ciencias políticas y economía tres días a la semana: los lunes, los miércoles y los viernes. Su primera clase es a las ocho de la mañana.

Hasta pronto,

Juliana

Paso 1 Select all of the **-ar** verbs in the e-mail message sent by Juliana Rivera.

Paso 2 Answer the questions.

1. When Juliana states that she reads, she says **Leo**… Identify two other activities that she shares about herself.

2. When she relates that her brother works, she says **José Luis trabaja en un café cerca de la universidad**. Identify two other activities or actions that she attributes to José Luis.

Paso 3 Answer the questions in complete sentences.

1. ¿Cuándo estudia Juliana historia?

2. ¿Cuántas clases tiene Juliana?

3. ¿Cuántos días a la semana tiene José Luis clase de ciencias políticas?

4. ¿A qué hora tiene Juliana clase de inglés?

5. ¿Qué hacen Juliana y José Luis cuando no tienen clases?

6. ¿Cuántas clases tiene José Luis los viernes?

Exploraciones

(3) Las actividades Describe the illustrations in writing by including the person's name, physical description, approximate age, and the activity they do.

Daniel

1.

Octavio

2.

Victoria y sus amigas

3.

Alfredo y su amigo

4.

(4) Como yo You will find out what activities you have in common with your classmates.

Paso 1 Individually, indicate whether you do each of these activities. Write **sí** or **no.**

1. caminar por el parque por las mañanas _____

2. escuchar música en español _____

3. andar en bicicleta a las clases _____

4. estudiar en la biblioteca _____

5. trabajar los fines de semana _____

6. mirar videos en internet todos los días (*every day*) _____

7. pasar mucho (*a lot*) tiempo en redes sociales _____

8. practicar un deporte _____

Paso 2 Based on **Paso 1**, write the activities on a separate sheet of paper, and interview your classmates. Ask and answer questions about the activities as in the model. If the person answers **sí**, ask for his/her signature (**firma aquí, por favor**). If the answer is **no**, you can say **¡Qué lástima!** (*Too bad!*). Try to find a different match for each activity.

> **Modelo** **Estudiante A:** *Yo camino por el parque por las mañanas.*
> *¿Caminas tú por el parque por las mañanas?*
> **Estudiante B:** *Sí,.../No,...*
> **Estudiante A:** *Estupendo, firma aquí, por favor./¡Qué lástima!*

Paso 3 Share your survey results with the class. What are your classmates' preferences? Do your results coincide with those of your classmates?

5 **Mi amigo y yo** You are required to submit a brief description of yourself for an online class. Write a short paragraph in which you talk about your classes and some of your activities during the week. Include similar information about a friend. Follow the model.

> **Modelo** *Este semestre tengo cinco clases. Los lunes tengo clase de biología.*
> *Es una clase muy difícil. Los viernes tengo clase de literatura. Es una*
> *clase aburrida, pero me gusta leer las novelas. Estudio mucho para*
> *todas las clases. Por otro lado, mi amigo Alejandro estudia psicología y*
> *trabaja en una oficina. Él tiene tres clases los miércoles y estudia mucho.*

6 **Entrevista de tres** In groups of three, each student will choose a role to carry out an interview.

- The interviewer: asks the questions in the chart.

- The interviewee: listens and responds in complete sentences.

- The note-taker: writes down the interviewee's answers and may ask for clarification such as: **repite, por favor; más despacio, por favor.** The note-taker should be prepared to report the information to the class.

> **1.** ¿Cómo te llamas?
>
> **2.** ¿De dónde eres?
>
> **3.** ¿Cuántos años tienes?
>
> **4.** ¿Qué estudias en la universidad?
>
> **5.** ¿Qué haces (*What do you do*) en la clase de español?
>
> **6.** ¿Practicas deportes?

7 **Las universidades** Your college or university has an exchange program with several universities in the Caribbean and you think it would be a great idea to spend a semester there to further your knowledge of Spanish! Investigate a university web site in Puerto Rico or the Dominican Republic and look at their course offerings and campus. Use these guiding questions and create a simple presentation to share your findings with the class.

- Does the university offer courses in your major or general studies that would count toward your degree?

- Are there buildings and activities that indicate it is a good match for you as a student?

- Why do you recommend the university to your classmates? (**Recomiendo la Universidad… porque es grande y moderna…**)

Exploraciones

8) Una encuesta Your Spanish and statistics instructors have teamed up to assign a project for both classes. You must create an online survey with at least six questions regarding university life, likes, and dislikes relevant to college students. Send it to at least 10 students who are studying Spanish or who are native speakers of Spanish. Prepare a brief presentation of the survey results and present your findings to the class.

9) El español cerca de ti Work with your instructor and classmates or any other source to identify a Spanish native speaker who might be willing to be interviewed, either in person or via videoconference. Ask the person his/her name, age, place of origin, classes, likes, dislikes, and typical activities. Write a paragraph describing the person.

> **TIP**
>
> Encounters with native speakers offer a unique opportunity for improving your language skills and cultural understanding. Realize that while some might be more open, patient, and willing to adjust their language when speaking to you, others may not be open to share and it is important to respect that as well. If you do have the opportunity to ask specific questions about language and culture, be careful not to make them feel interrogated.

10) Situaciones: Tu consejero/a In pairs, take on the role of A or B to participate in the conversation about academic advising.

A Your new academic advisor has sent you an e-mail message to meet you to get to know you better. As the meeting begins, greet your advisor. Be prepared to give him/her some background information about youself, such as your personality, your interests, and your schedule.

B You are the academic advisor. Comment on the student's information and ask follow-up questions. Also, ask the student what classes he/she is taking this semester and how things are going.

11) Situaciones: Un *tour* de tu universidad In pairs, take on the role of A or B to participate in the conversation.

A The Admissions Office at your institution has asked you to give a tour in Spanish to a prospective student. Be sure to include the main buildings, some interesting facts, and popular activities. Answer any questions the prospective student has.

B You are a student from a country in the Caribbean visiting universities in the United States for the first time. You want to learn as much as you can from the campus tour. Ask at least three questions about the university during the tour so that you feel more at ease integrating yourself into this new place.

☐ **I CAN** exchange information about daily activities.

 Audio: Reading

Episodio #4: Ramona Sandoval Gómez

Antes de escuchar

(1) **El horario de clases** You will listen to Ramona, an engineering major, talk about her class schedule. Which classes do you think she'll mention?

educación	economía	psicología
informática	física	ciencias políticas
cálculo	matemáticas	trabajo social

Mientras escuchas

(2) **El horario de Ramona** Listen and complete Ramona's class schedule.

hora	lunes	martes	miércoles	jueves	viernes
9:00					
10:00					
11:00					
12:00					

Después de escuchar

(3) **Mi horario** You will discuss your weekly schedule with a partner and then prepare a presentation based on Ramona's description.

Paso 1 In pairs, ask and answer questions about your class schedules, including which classes you have each day, at what time, and which is your favorite. Use the expressions in the list.

¿Qué clases tienes los lunes?	Los lunes tengo clase de...
¿A qué hora tienes la clase de…?	La clase de... es a las...
¿Cuál es tu clase favorita?	Mi clase favorita es...
¿Por qué?	Me gusta la clase de... porque (because)...

Paso 2 Individually, prepare a presentation about your weekly class schedule. Be sure to mention which classes you take, what days and times they meet, and which class is your favorite.

Resources

Vhlcentral

Online activities

□ **I CAN** describe my weekly class schedule.

Estrategia de lectura: Comprehend the Gist

When we read in English, we generally understand everything, including all the details. However, in many contexts, we often just need to understand the gist, or the overall message. Use cognates and context to help you comprehend the message in Spanish, especially words you do not know. It is not necessary to comprehend every word. Instead, focus on getting the gist of what you read.

Antes de leer

(1) Preparación Read the strategy. Then, read through the article about baseball once without stopping to look up any words. Make notes on what you understood, based on cognates, visuals, and data in the article.

Béisbol, el deporte rey°

Antonio es un joven dominicano y tiene un sueño°: cuando sea grande°, quiere° jugar al béisbol en las Grandes Ligas de Estados Unidos (MLB). Su papá y su mamá comparten° ese sueño.

Como Antonio, muchos jóvenes peloteros dominicanos practican todos los días en academias de béisbol con el sueño de ser jugadores profesionales con fama internacional. Y es que en la República Dominicana, como° en otros países del Caribe, el béisbol es el deporte rey, es decir, el deporte más importante y más popular. La pasión por este deporte es muy fuerte y se transmite de generación en generación°. Por ejemplo, el dominicano Juan Soto es jugador de equipos de las Grandes Ligas como los San Diego Padres y los Washington Nationals, y comparte con su padre la pasión por el béisbol.

Para proteger° a los niños que comienzan a jugar desde pequeños, la República Dominicana tiene una ley° que regula° la práctica del béisbol para jóvenes que quieren jugar en las Grandes Ligas. Por ejemplo, el jugador tiene que tener al menos 15 años y tiene que continuar su

Hay varias academias de béisbol para los jóvenes peloteros que quieren jugar profesionalmente.

educación académica hasta los 18 años. También la ley regula la salud° del jugador y su futuro económico.

Según ESPN, la República Dominicana es el mayor exportador de talento extranjero° al MLB. Desde 1956 hasta 2022 ha habido° más de 850 jugadores dominicanos en los equipos de las Grandes Ligas. Así, Antonio sueña con ser uno más.

rey *king* **sueño** *dream* **cuando sea grande** *when he is older* **quiere** *he wants* **comparten** *share* **como** *like* **de generación en generación** *from one generation to the next* **proteger** *protect* **ley** *law* **regula** *regulates* **salud** *health* **extranjero** *foreign* **ha habido** *there have been*

Después de leer

(2) **Comprensión** Identify the main idea of the text.

A A Antonio le gusta mucho jugar al béisbol y su sueño es ser famoso y jugar en una liga de Estados Unidos. Sus padres están de acuerdo.

B En la República Dominicana el béisbol es un deporte popular y muchos niños practican este deporte en academias que los preparan para ser jugadores profesionales.

C En la República Dominicana, el béisbol es el deporte más importante y más popular. Hay muchas academias para niños.

(3) **A conversar** In pairs, answer the questions.

1. ¿Te gusta el béisbol? ¿Qué características te gustan o no te gustan de él?

2. ¿Cuál es "el deporte rey" de tu ciudad o de tu comunidad? ¿Y de tu país?

3. ¿Quién es tu deportista (*athlete*) preferido? ¿Por qué es especial?

4. ¿Hay academias de béisbol o de otro deporte en tu comunidad para jóvenes con aspiraciones profesionales en el deporte? ¿Hay leyes que regulan el deporte profesional para las personas menores de edad en tu país?

(4) **A escribir** Read the strategy and follow the steps to write a simple paragraph about an athlete you admire.

Estrategia de escritura: Using Word Maps

Using word maps will help you to focus on the topic and to organize your ideas for writing. Start with the central idea for the task: for example, an athlete that you have chosen to feature. Then, draw bubbles off of the center with your ideas for the type of information you wish to include (e.g., personality, physical description, age, etc.). Fill in the bubbles with relevant details to begin focusing on the topic for the writing task.

Paso 1 Individually, choose an athlete and create a word map with details to organize your ideas. Look through the reading for ideas about the types of information you might include.

Paso 2 In pairs, share your word maps. Ask each other questions, and incorporate any additional ideas for relevant details or categories of information to include.

Paso 3 Use your updated word map to write a simple paragraph about an athlete you admire. Be ready to share your composition with the class.

Resources

Vhlcentral

Online activities

☐ **I CAN** compare perspectives and practices relating to sports in the Dominican Republic with my own community.

Experiencias

Intercambiemos perspectivas

 Video

Video: *Bomba, una danza de la diáspora africana*

You will watch a video about **la bomba**, an Afro-Puerto Rican dance created during colonial times by enslaved Africans living in Loíza, a town that is located on the north coast of Puerto Rico, a short distance from San Juan.

Estrategia intercultural: Developing Intercultural Competence

As you are exposed to cultural practices, products, and perspectives that are distinct from your own, try to cultivate your curiosity. Being curious means observing with an open mind and asking questions to try to learn more about aspects of a culture that are new and different for you. Find out more by doing your own research, talking to people from a specific cultural group, and participating in new experiences. Being curious means not being afraid to ask questions.

Antes de ver

1 **El tiempo libre y las raíces culturales** Mar began learning to dance the traditional dance of her heritage, **la bomba**, at the age of 22. Make a list of activities that you do in your free time and that connect you to your own cultural roots (**raíces culturales**).

Mientras ves

2 **¿Qué observas?** You will watch the video multiple times, paying attention to different aspects with each viewing.

Paso 1 First, watch the video without sound. Make a list of the things and people you observe.

Paso 2 Watch the video again. This time listen to the music and pay attention to the rhythms. Do they remind you of anything you've heard before? Explain.

Paso 3 Re-watch the first segment of the video. Select the cognates that you hear. Then, compare your answers with a partner.

familia	respetar	opresión
momento	expresarse	libertad
influencia	instrumento	antisistémica
ancestros africanos	inspirar	transformación
celebrar	rebelión	maracas
	concentración	hospitalidad

¡ATENCIÓN!

The term **antisistémica** is a cognate in English that means "anti-systemic". Some people use this term to describe movements or perspectives that seek to challenge or oppose dominant ideologies or structures of power. Even though in the video **antisistémica** is used to describe a dance, the term can be applied to a wide range of issues.

3 **Imágenes** Write the letter that corresponds to each quote.

Fuente: KQED Arts

1. ___ Lo pueden bailar en una tarima (*stage*), en una casa, donde sea (*wherever*).

2. ___ La bomba se bailaba (*was danced*) ... se tocaba (*was played*) ... nada más que (*only*) en familia.

3. ___ Es una manera de bailar bien libre (*free*).

Después de ver

4 **¿Cierto o falso?** Watch the video again and indicate whether each statement is **cierto (C)** or **falso (F)**. Use the cognates you identified to help you.

1. Loíza está muy lejos de San Juan. .... **C F**

2. La bomba es un baile (*dance*) exclusivo de mujeres adultas. .... **C F**

3. En la bomba se utilizan instrumentos de percusión. .... **C F**

4. Para las personas esclavizadas (*enslaved people*), la bomba representaba una forma de rebelión contra la opresión. .... **C F**

5 **Reflexión** Reflect on the messages in the video related to **la bomba** and compare the practices and perspectives in the video to your own culture. Then, discuss with a partner.

1. Why is this form of dance making a comeback in Puerto Rico?

2. Can you think of forms of art, dance, music, or other activities that represent your ancestors? Are they making a comeback where you live? Why?

3. How can an activity or hobby be anti-systemic or transformative but also serve as a peaceful and community-building activity at the same time?

Resources

Vhlcentral

Online activities

☐ **I CAN** compare practices and perspectives of the Afro-Puerto Rican community with my own community.

La bandera dominicana

Sobre mí | Viajes | Mapas | Galería | Contacto

La bandera dominicana

El símbolo patrio° que representa a un país es su bandera°. Y en la República Dominicana, el plato nacional, más tradicional y típico se llama *la bandera dominicana*. Esta *bandera* consiste en arroz blanco°, habichuelas°, carne°, ensalada y plátanos fritos. Constituye una comida saludable°, ya que combina todos los grupos alimenticios. El almuerzo° es la comida más importante del día y a esta hora la familia generalmente se reúne alrededor° de la mesa para compartir y comer.

La bandera de la República Dominicana

Plato de la bandera dominicana

símbolo patrio *national symbol* **bandera** *flag* **arroz blanco** *white rice*
habichuelas *beans* **carne** *meat* **saludable** *healthy* **almuerzo** *lunch*
se reúne alrededor *gathers around*

---

(1) **Mi propio blog** You will research traditional Caribbean dishes and write
 about a dish from your own community.

Paso 1 Find a video in Spanish about the dish **la bandera dominicana** online. Watch the video and write down the food items that are used for the dish.

Paso 2 Find a video in Spanish about a popular dish from Puerto Rico, such as **mofongo**. Watch the video and write down two ingredients you are familiar with. Does this dish share any ingredients with **la bandera dominicana**?

Paso 3 Write about a tradional dish from your own cultural community or country and include a photo. Discuss any similarities or ways to contrast it with the dishes from the Dominican Republic and Puerto Rico. Would you consider this dish **la bandera** of your country? Why or why not?

Resources

Ⓢ
Vhlcentral

📶
Online activities

☐ **I CAN** investigate traditional foods from Puerto Rico, the Dominican Republic, and my own country.

Proyectos

Learning Objectives: Describe your weekly and daily activities.
Present information about Puerto Rico and the Dominican Republic.

1 **¿Cómo es tu semana?** You will create and present your own schedule to organize your classes, work, and free time activities for the week. Read the strategy and follow the steps.

Estrategia de presentación: Practicing with Key Words

Have you ever wondered how people can present without looking at note cards or reading to their audience? It takes practice. Write down a key word to help you remember each sentence. Then practice aloud several times to get comfortable presenting without reading.

Paso 1 Review the vocabulary and structures from this chapter. Then watch the video **Encuentros: *Cómo organizar tu calendario*** to see how Lucas organizes his time and activities. Take notes on any useful expressions you would like to include in your calendar and in your presentation.

Paso 2 In pairs, discuss your weekly schedules. Take turns asking each other:

- What classes are you taking?

- What work, activities, or other obligations do you have on a weekly basis?

- What days and times do you typically do each of these things?

Paso 3 Based on your answers to these questions, create a weekly schedule for yourself, in Spanish, including as much detail as possible. Then, create a presentation describing your schedule. Practice your presentation before you give it, paying particular attention to pacing. Remember, it doesn't have to be perfect for you to get your point across!

> **¡ATENCIÓN!**
>
> Ask your instructor to share the **Rúbrica** to understand how your work will be assessed.

2 **Álbum de Puerto Rico y la República Dominicana** You will continue to compile useful and interesting information from Puerto Rico and the Dominican Republic. Create a presentation based on what you learned about Puerto Rico and the Dominican Republic in this chapter and your own research. Then, share with a partner what you have learned and compare your findings.

1. información básica
2. estadísticas interesantes
3. dos lugares interesantes
4. observaciones culturales
5. enlaces interesantes
6. información que te hizo cambiar de opinión o que te hizo reflexionar

☐ **I CAN** describe my weekly schedule and activities.
☐ **I CAN** share personally meaningful information about Puerto Rico and the Dominican Republic.

Resources

Vhlcentral

Online activities

Repaso

Repaso de objetivos

Reflect on your progress toward the chapter main goals.

I am able to...

	Well	Somewhat
• Identify basic information about weekly and daily activities in a video.	☐	☐
• Exchange information about pastimes, sports, classes, likes, and dislikes.	☐	☐
• Compare products, practices, and perspectives from Puerto Rico and the Dominican Republic with my own community.	☐	☐
• Describe my weekly and daily activities.	☐	☐

Vocabulary Tools

Repaso de vocabulario

Los pasatiempos *Pastimes*
conversar con (los) amigos *to converse/chat with friends*
descansar *to rest*
escuchar música *to listen to music*
hablar (por teléfono) *to speak/talk (on the phone)*
ir a la playa *to go to the beach*
ir al cine *to go to the movies*
ir de compras *to go shopping*
jugar videojuegos *to play videogames*
leer una novela *to read a novel*
mirar videos *to watch videos*
pasar tiempo en redes sociales *to spend time on social media*
salir con los amigos *to go out with friends*
visitar a la familia *to visit family*

Los deportes *Sports*
andar en bicicleta *to ride a bike*
caminar *to walk*
correr *to run*
hacer ejercicio *to exercise*
jugar al... *to play...*
  básquetbol/baloncesto *basketball*
  béisbol *baseball*
  fútbol *soccer*
  fútbol americano *football*
  golf *golf*
  tenis *tennis*
  vóleibol *volleyball*
levantar pesas *to lift weights*
nadar *to swim*
practicar deportes *to play sports*

Otras actividades *Other activities*
comer *to eat*
comprar *to buy*
estudiar *to study*
trabajar *to work*

Las clases *Classes*
el arte *art*
la biología *biology*
el cálculo *calculus*
las ciencias políticas *political science*
la contabilidad *accounting*
la economía *economics*
la educación *education*
los estudios ambientales *environmental studies*
la filosofía *philosophy*
la física *physics*
la historia *history*
la ingeniería...
  civil *civil engineering*
  eléctrica *electrical engineering*
  industrial *industrial engineering*
  informática *computer science*
las matemáticas *mathematics*
la psicología *psychology*
la química *chemistry*
la sociología *sociology*

Las lenguas/Los idiomas *Languages*
el alemán *German*
el árabe *Arabic*
el chino *Chinese*
el español *Spanish*
el francés *French*
el inglés *English*

Para describir clases y actividades
  Describing classes and activities
aburrido/a *boring*
difícil *difficult*
fácil *easy*
grande *big*
interesante *interesting*
pequeño/a *small*

Los días de la semana *Days of the week*
lunes *Monday*
martes *Tuesday*
miércoles *Wednesday*
jueves *Thursday*
viernes *Friday*
sábado *Saturday*
domingo *Sunday*
este fin de semana *this weekend*
los fines de semana *on weekends*

La hora *Time*
a la una *at one o'clock*
a las cinco *at five o'clock*
y media/treinta *half past*
cuarto *quarter (used for quarter past or quarter till the hour)*
menos *minus (used for telling minutes before the hour)*
de la mañana *in the morning (a.m.)*
de la tarde *in the afternoon (p.m.)*
de la noche *in the evening; at night (p.m.)*

Los materiales y la tecnología *Supplies and technology*
los audífonos *headphones*
el bolígrafo *pen*
la calculadora *calculator*
la computadora portátil *laptop computer*

el cuaderno   *notebook*
el escritorio   *desk*
la impresora   *printer*
el lápiz   *pencil*
el libro   *book*
el micrófono   *microphone*
la mochila   *backpack*
la pantalla   *screen*
el papel   *paper*
el ratón   *mouse*
la silla   *chair*
el teclado   *keyboard*

Expresiones que indican lugar
Expressions to indicate location
a la derecha de   *to the right of*
a la izquierda de   *to the left of*
al lado de   *next to*
cerca de   *close to*
debajo de   *under*
delante de   *in front of*
detrás de   *behind*
encima de   *on top of*
enfrente de   *facing*
entre   *between*
lejos de   *far from*

Los lugares   *Places*
el apartamento   *apartment*
la biblioteca   *library*
el café   *coffee shop*
la cafetería   *cafeteria*
el campo de fútbol   *soccer field*
el centro estudiantil   *student center*
el gimnasio   *gym*
el laboratorio   *lab*
el parque   *park*
la residencia estudiantil   *dorm*
el supermercado   *supermarket*

Repaso de gramática

1 The verb *gustar*

Gustar			
(A mí)	Me		escuchar música.
(A ti)	Te		leer una novela.
(A él, A ella, A usted)	Le	gusta	ir a la playa.
(A nosotros/as)	Nos		el básquetbol.
(A vosotros/as)	Os		la historia.
(A ellos, A ellas, A ustedes)	Les	gustan	los deportes.
			las matemáticas.

2 The verb *estar*

Singular			Plural		
yo	estoy	*I am*	nosotros/as	estamos	*we are*
tú	estás	*you are*	vosotros/as	estáis	*you are*
él, ella, Ud.	está	*he/she is, you are*	ellos, ellas, Uds.	están	*they are, you are*

3 The present tense of *-ar* verbs

The verb comprar (-ar verb)	
Subject pronoun	**Present tense**
yo	compr**o**
tú	compr**as**
él, ella, usted	compr**a**
nosotros/as	compr**amos**
vosotros/as	compr**áis**
ellos, ellas, ustedes	compr**an**

OBJETIVOS DE APRENDIZAJE

By the end of this chapter, I will be able to...

- Identify the musical preferences in a video.
- Talk about music and related activities.
- Compare products, practices, and perspectives from Cuba with my own community.
- Describe my favorite music.

ENCUENTROS

El canal de Lucas: Mi música preferida

Este es mi país: Cuba, La Pequeña Habana

EXPLORACIONES

Vocabulario

La música y las actividades

El calendario: Los meses del año, la fecha y los días feriados

Gramática

The present tense of **-er** *and* **-ir** *verbs*

Ir + **a** + *infinitive*

Indefinite words

Expressions with **estar**, **ser**, *and* **tener**

EXPERIENCIAS

Cultura y sociedad: El dúo electrónico PAUZA

Intercambiemos perspectivas: *La nueva música cubana*

Blog: El Carnaval en Santiago de Cuba

Proyectos: ¿Qué música te gusta? Álbum de Cuba

Encuentros

El canal de Lucas

 Video: Story

Mi música preferida

Read and reflect about the learning strategy for this chapter.
Then, watch Lucas describe his musical tastes.

> **Estrategia de aprendizaje: Using Opportunities to Speak Spanish**
>
> When first trying to speak a new language, some people can find it intimidating, with all of the new sounds and words. The best thing to do, though, is to push yourself, take risks, and speak as much as possible. You will feel more confident! Try volunteering in class, even if you're not sure if everything you plan to say is correct.

Antes de ver

(1) **La música preferida** Given what you know about Lucas, make predictions about his music and preferences. Choose all the options you think are true.

1. ¿Qué instrumento toca Lucas?

   a. la trompeta **b.** la guitarra **c.** el piano

2. A Lucas le gusta la música…

   a. *rock.* **b.** clásica. **c.** *country.*

3. A Lucas le gusta…

   a. escuchar música. **b.** tocar la trompeta. **c.** componer música.

Mientras ves

(2) **Las actividades y la música** Indicate what type of music Lucas prefers for each activity or mood.

1. ___ la música *rock* o alternativa
2. ___ el merengue, la salsa, el rap latino
3. ___ la música clásica
4. ___ el *blues* o el *jazz*

   a. hace ejercicio
   b. trabaja o estudia
   c. está contento
   d. tiene sueño

Después de ver

(3) **La música de Lucas** In pairs, answer the questions based on the video. Then, discuss what you have in common with Lucas.

1. ¿Cuál es la música preferida de Lucas? 2. ¿Cuál es tu música preferida?

 Resources

Vhlcentral

Online activities

☐ **I CAN** identify musical preferences described in a video.

CUBA

Hola, amigos y amigas. Asere, ¿qué bolá? Soy José Antonio Varela, y soy de Trinidad de Cuba. Cuba es una hermosa isla del Caribe con un clima agradable° durante todo el año. La tierra es muy fértil y produce una gran variedad de frutas tropicales, además de dos productos importantes para la economía: el azúcar° y el tabaco. ¡Me gusta mucho la música! Los cubanos tenemos una gran pasión por el ritmo y el baile. Nuestra música representa una mezcla° de las tradiciones de España y África. El son cubano, la salsa, el *jazz*, la timba, el rap, el danzón y la nueva trova son estilos populares acá.

El **bongó** cubano es un instrumento de percusión importante para el son cubano.

Trinidad, ubicada° cerca de la costa caribeña° de la isla, es una de las ciudades más antiguas de Cuba, conocida por sus calles adoquinadas° y su arquitectura colonial.

ESTADOS UNIDOS

Florida

Océano Atlántico

Golfo de México

BAHAMAS

La Habana

Trinidad

CUBA

MÉXICO

Camagüey

Holguín

Guantánamo

REPÚBLICA DOMINICANA

Santiago de Cuba

Mar Caribe

HAITÍ

PUERTO RICO

JAMAICA

La trova cubana típicamente incluye un cantante° y una guitarra. Las canciones° pueden ser de amor°, de protesta o una celebración de la vida.

El Gran Teatro de La Habana es un ícono cultural y arquitectónico de la antigua Habana y de Cuba. Se fundó° en 1838.

Cuba en breve

Capital: La Habana

Tipo de gobierno: estado comunista

Tamaño: 110.860 km², un poco más pequeño que el estado de Pensilvania

Población: 10.985.974 habitantes

Lenguas: español, criollo haitiano, lucumí

Moneda: peso cubano

Nivel de alfabetización: 99,8%

Promedio de vida: 79 años

Expresiones y palabras típicas:

Asere, ¿qué bolá?   ¿Qué tal, amigo?

¡Bárbaro!   ¡Chévere!

Fuente: The World Factbook, Central Intelligence Agency

1 **Comprensión** Indicate whether each statement is **cierto (C)** or **falso (F)**.

1. Trinidad es la capital de Cuba.............. **C F**

2. El Gran Teatro de La Habana tiene más de 175 años.................................. **C F**

3. La trova es una fruta tropical. .... **C F**

4. La música cubana tiene influencia española y africana................................. **C F**

2 **¿Y tú?** In pairs, discuss these questions.

1. ¿Conoces (*Do you know*) la música de Celia Cruz, Compay Segundo, Silvio Rodríguez u otros cantantes (*singers*) cubanos?

2. ¿Cómo es su música? ¿Te gusta?

3. ¿Qué platos de comida cubana conoces? ¿Hay algún restaurante cubano en tu comunidad?

3 **Para investigar** Choose one of the topics in **Este es mi país** that has sparked your interest. Go online to learn more and be prepared to share your findings with a small group.

agradable *pleasant* azúcar *sugar* mezcla *mixture* ubicada *located* caribeña *Caribbean* adoquinadas *cobblestoned* cantante *singer* canciones *songs* amor *love* se fundó *was founded*

☐ **I CAN** identify key products and practices from Cuba.

Audio: Vocabulary

La música y las actividades

Estrategia de vocabulario: Deriving Meaning from the Word Root

Just like English, many Spanish words have a root form that is used in other words. The root conveys the essential meaning while the ending often indicates the word class: noun, adjective, verb, etc. Once you identify the root form, you have understood most of the word's meaning. The verb **bailar** appears in the noun **bailarina** (*person*) and the verb **cantar** in the noun **cantante** (*person*). Root forms will help you understand related words.

Los cognados

el auditorio	la música: popular, clásica,	el teatro
la flauta	latina, *country*, *rock*, *hip hop*,	el violín
el instrumento	alternativa, *blues*	producir
la melodía	el ritmo	recibir

Learning Objective: Exchange information about activities relating to music and the arts.

1 En el conservatorio Rosa is telling you about all of her friends at the music conservatory. Listen to her descriptions and look at the picture in **Vocabulario 1**. Write down the name of each person she describes.

1. _____   3. _____   5. _____   7. _____

2. _____   4. _____   6. _____

2 Preferencias What are your experiences with music? In groups of three, ask each other about your experiences with music. Follow the model, and be prepared to report your findings to the class.

> **Modelo**   **Estudiante A:** ¿Tocan un instrumento?
> **Estudante B:** Sí, toco el piano.
> **Estudiante C:** No, yo no toco un instrumento. Y tú, ¿tocas un instrumento?

	Estudiante A	Estudiante B	Estudiante C
¿Qué estilo de música escuchas?			
¿Tocas un instrumento? ¿Cuál?			
¿Cantas? ¿En un coro, una banda o un conjunto?			
¿Bailas? ¿Qué estilo?			

CULTURA VIVA

El son cubano **El son cubano** is a style of music and dance that originated in Cuba and incorporates both Spanish and African influences. A **son** is usually built around a strong **clave** rhythm and includes a call-and-response structure, with a section called the **montuno**, in which the singer improvises in a back-and-forth with a chorus. In addition to the **clave**, **son cubano** often features the **tres**, which is related to a guitar, and percussion by **bongós**, **maracas**, or **congas**. Find an example of a **son** online and listen to it. **Can you identify the** *montuno* **section? Do you hear the** *clave* **rhythm? What other instruments do you hear?**

3 Mis actividades Write a brief paragraph describing music that you listen to, dance to, write, or play. Include as much detail as possible.

> **Modelo**   *Escucho música rock y también música clásica. En mi tiempo libre me gusta tocar el piano. También canto en el coro de la universidad. No canto en una banda.*

Resources

Vhlcentral

WebSAM

□ **I CAN** exchange information about music and the arts.

Describing daily activities: The present tense of -er and -ir verbs

In **Capítulo 3**, you learned to use verbs in the **-ar** group to talk about daily activities, and you saw that the verb endings change to match the verb's subject following a predictable pattern.

You may have noticed that not all verbs end in **-ar**. There are also regular sets of endings for verbs ending in **-er** and **-ir**. Look at the chart and compare the present-tense endings for regular **-ar**, **-er**, and **-ir** verbs.

Subject pronouns	-ar endings	-er endings	-ir endings
yo	o	o	o
tú	as	es	es
él, ella, usted	a	e	e
nosotros/as	amos	emos	imos
vosotros/as	áis	éis	ís
ellos/as, ustedes	an	en	en

¿Qué observas?

1. What do the three groups of **-ar**, **-er**, and **-ir** verbs have in common?

2. How are the three groups different?

As with **-ar** verbs, when you conjugate **-er** and **-ir** verbs, drop the **-er** or **-ir** ending from the base form of the verb and add the ending that matches the verb's subject. Look at the chart to see full conjugations of **cantar** (*to sing*), **aprender** (*to learn*) and **escribir** (*to write*) and read the example sentences.

Regular present-tense -ar, -er, and -ir verbs			
Subject pronouns	-ar	-er	-ir
	cantar	**aprender**	**escribir**
yo	cant**o**	aprend**o**	escrib**o**
tú	cant**as**	aprend**es**	escrib**es**
él, ella, usted	cant**a**	aprend**e**	escrib**e**
nosotros/as	cant**amos**	aprend**emos**	escrib**imos**
vosotros/as	cant**áis**	aprend**éis**	escrib**ís**
ellos/as, ustedes	cant**an**	aprend**en**	escrib**en**

¡ATENCIÓN!

The patterns you see here apply to *regular* verbs, that is, verbs whose conjugation follows a predictable pattern. You've already learned some important irregular verbs: **ser, estar**, and **tener**. In **Capítulo 5**, you will learn more about common patterns for irregular verbs.

José Antonio y yo **aprendemos**
nuevas técnicas de música.

*José Antonio and I learn new
music techniques.*

Tú **escribes** la letra de las canciones
de *rock*.

You write the lyrics to rock songs.

Ustedes **escriben** canciones nuevas
para el coro de la universidad.

*You (all) write new songs for the
university choir.*

Here are several regular **-er** and **-ir** verbs you've learned that follow these patterns.

aprender	comer	correr	escribir	leer	recibir

And some additional useful regular verbs:

asistir (a) *to attend*	beber *to drink*	vivir *to live*

Carmen **bebe** café por la mañana.

Carmen drinks coffee in the morning.

Miguel y yo **vivimos** en La Habana.

Miguel and I live in Havana.

Los estudiantes **asisten** a la clase
de baile.

The students attend dance class.

When using **aprender** to express learning how to do something, use the
conjugated form of **aprender**, followed by the preposition **a** (*to*) and the base
form of the action you are learning.

Marisol **aprende a** tocar el piano.

Marisol learns how to play the piano.

You've seen that the Spanish present tense is equivalent to the English present
tense, to express an action that occurs at this moment or recurs (*she reads, we
receive*).

In Spanish, the present tense is also used to express ongoing actions (*she
is reading*) or actions that will occur in the near future (*she will read*). Thus,
depending on context, a phrase like **Martín ensaya** can mean:

Martín rehearses.   *Martín is rehearsing.*   *Martín will rehearse.*

¡ATENCIÓN!

Use the expressions of time
that you learned in **Capítulo
3**, such as **los lunes** (*on
Mondays*), **este fin de semana**
(*this weekend*) to express
when or how frequently you do
something. **Los lunes asisto
a los ensayos**. *On Mondays
I attend rehearsals.*

Exploraciones

1 **¿Quién?** Listen as Rubén describes what several people in his community are doing. Write the number of the description by the corresponding photo.

A.

B.

C.

D.

E.

F.

2 **Un correo electrónico de José Antonio** Read the e-mail from José Antonio to his friend at Universidad de La Habana. Then follow the steps.

¡ATENCIÓN!

Both **correo electrónico** and **correo** are commonly used to refer to e-mail in Spanish. Some native speakers also use the English term *email*.

✉ **Mensaje nuevo**   ↩ ↪ 🗑 •••

Para: humbertico@uh.cu

Asunto: ¿Qué bolá?

De: José Antonio Varela

Hola, Humbertico:

¿Cómo estás? Yo estoy bien aquí, pero estoy muy ocupado° con mis actividades y obligaciones universitarias. Estudio mucho. Esta semana, en mi clase de historia de Cuba, escribo composiciones sobre la independencia y leo muchos poemas de José Martí.

Generalmente, no tengo tiempo para preparar la comida y, por eso, mis amigos y yo comemos en la cafetería cerca de nuestro edificio. Mi amiga Lucía me invita a° comer en la casa de su familia mañana. Ellos viven cerca.

Me gustan mis clases, pero mi actividad favorita es tocar con la banda. Mis amigos siempre ensayan en mi apartamento. Tocamos los fines de semana en el club Siete Cinco, donde muchos jóvenes bailan, conversan y beben cerveza o refrescos°. Recibimos muchos aplausos de las personas que asisten a estos eventos. Estoy muy orgulloso de la banda.

Bueno, eso es todo por ahora. Aprendo a tocar el bongó y tengo mi lección ahora. Espero° recibir noticias tuyas.

Hasta luego,

JA

ocupado *busy* **me invita a** *invites me to* **refrescos** *soft drinks* **Espero** *I hope to*

Paso 1 Read José Antonio's e-mail and select all the verbs he uses.

Paso 2 Indicate whether each statement is true (**cierto**) or false (**falso**). Then, correct the false statements.

1. _____ José Antonio escribe poemas sobre José Martí.

2. _____ Come en su apartamento todos los días.

3. _____ Baila y canta en el club Siete Cinco.

4. _____ Su banda recibe muchos aplausos cuando tocan.

5. _____ Aprende a tocar la trompeta.

Paso 3 Write your own e-mail to a friend, using José Antonio's message as a model. Tell your friend about your daily activities and how you spend your weekends. Your e-mail should be at least five sentences long.

(3) **Una entrevista** Learn more about your classmates and their habits. In pairs, take turns asking and answering these questions. Can you find similarities? Be prepared to share your answers with the class. Do your individual preferences coincide with those of the rest of the class?

¿Aprendes a tocar algún instrumento?

1. ¿Aprendes a tocar algún instrumento? ¿Cuál?

2. ¿Lees libros de ciencia ficción? ¿De poesía? ¿De terror?

3. ¿Bebes café todos los días?

4. ¿Escribes con lápiz o bolígrafo?

5. ¿Vives cerca del centro estudiantil de la universidad?

6. ¿Cuántos correos electrónicos recibes cada (*each*) día?

7. ¿Asistes a clase cuando estás enfermo/a (*sick*)?

8. ¿Alguna vez comes platos (*dishes*) cubanos?

Exploraciones

(4) **¿Dónde está Graciela?** You and your partner are trying to meet with your mutual friend Graciela. You each have some information about her daily schedule. Ask and answer questions to fill out her schedule and find out when she has some free time.

Paso 1 Look at the information you have. Ask your partner questions to find the missing information. Follow the model.

Modelo **Estudiante A:** *¿Qué tiene a las nueve de la mañana?*
Estudiante B: *A las nueve de la mañana asiste a la clase de...*

Estudiante A

7:00	beber café con Elisa
9:00	
11:00	
1:00	asistir a la clase de baile
3:00	ensayar con la banda
5:00	correr en el gimnasio
7:00	
9:00	

Estudiante B

escribir correos electrónicos	9:00
	7:00
	5:00
ensayar con la banda	3:00
	1:00
comer con Ramón	11:00
asistir a la clase de música	9:00
	7:00

Paso 2 Now that you have a better idea of Graciela's schedule, what time is she free to get together?

CULTURA VIVA

Cuban sandwich The Cuban sandwich, or "**Cubano**", is a pressed sandwich made with marinated pork, ham, cheese, mustard and a pickle on slightly sweet Cuban bread, made on a press called a **plancha**. It's popular throughout Florida, especially Tampa and Miami. **Have you ever tried a *Cubano*? Are there places in your community that have *Cubanos* on the menu?**

Resources

Vhlcentral

WebSAM

☐ **I CAN** exchange information about daily activities.

Podcast

Learning Objective: Reflect on your progress related to talking about music.

Audio: Reading

Episodio #5: José Antonio Varela

Estrategia de comprensión oral: The Power of Prediction

Have you noticed when you watch a movie or read a book that you wonder, and even predict, what might happen next? As you listen to Spanish, try to use a similar strategy by predicting not only what might happen next in a story, but what specific words and structures you might hear. Making predictions will help you to focus on the message in a different way and increase your understanding of spoken Spanish.

Antes de escuchar

(1) Predicciones You will learn more about José Antonio and his passion for music. Knowing that he is from Trinidad de Cuba and he loves music, what do you expect him to talk about? Consider these questions and write down your ideas: **¿Qué hace José Antonio en sus momentos libres? ¿Toca algún (any) instrumento? ¿Qué tipo de música le gusta?**

Mientras escuchas

(2) José Antonio y su música Look over the statements and then listen to the podcast. Select the best option to complete each sentence.

1. José Antonio asiste a la universidad y estudia...
   a. música.   **b.** economía.   **c.** inglés.

2. El instrumento musical que toca es...
   a. la flauta.   **b.** el saxófono.   **c.** la guitarra.

3. El estilo de música que toca José Antonio es...
   a. la trova cubana   **b.** el *jazz*.   **c.** el merengue.

4. Este fin de semana, José Antonio y sus amigos...
   a. asisten a un concierto.   **b.** participan en un concierto.

Después de escuchar

(3) Mis gustos musicales Compare your activities with those that José Antonio shares in the podcast. Are there any similarities? Then, add a few additional activities of your own.

> **Modelo**   *José Antonio toca la guitarra en una banda. Yo no toco la guitarra, pero toco la batería. No toco en una banda, pero me gusta ir a conciertos.*

Resources

VhlCentral

Online activities

☐ **I CAN** describe experiences relating to music.

Encuentros
Este es mi país

Learning Objective:
Identify products, practices, and perspectives from Little Havana.

 Map

BARRIO: LA PEQUEÑA HABANA

Hola, compañeros y compañeras. Soy Manuela Navarrete. Bienvenidos a mi barrio, la Pequeña Habana. Este rincón° de Miami tene una población de más de 60.000 personas y cerca del 90% de nosotros somos latinos. Es como estar en La Habana. ¡Tienen que verlo°! Hay artesanos° que hacen puros° a mano. Hay música en vivo en las calles. Los restaurantes cubanos sirven platos típicos de Cuba y mi favorito: el café cubano, un café bien fuerte° con bastante° azúcar. Y hasta hay° un parque donde se reúnen° los amigos para jugar al dominó. Muchos cubanos dicen que° estar en la Pequeña Habana es como estar en Cuba.

El dominó, juego nacional de Cuba, es un evento social. Muchos amigos se reúnen para jugar al dominó en el parque Máximo Gómez.

La Pequeña Habana es uno de los barrios° más conocidos de Miami.

ESTADOS UNIDOS

Miami

Cayo Hueso

BAHAMAS

La Habana

Mar Caribe

CUBA

ALLAPATTAH

calle NW 20th

calle NW 17th

calle NW N River

836

Av. NW 37th

calle NW 7th

953

LA PEQUEÑA HABANA

calle W. Flagler

968

WEST FLAGLER

calle Ocho
Paseo de la Fama

Av. NW 32nd

NW 32nd

9

Parque Máximo
Gómez

933

CORAL WAY

Río Miami

La Calle Ocho es la famosa calle principal de la Pequeña Habana, llena de esculturas°, negocios° y restaurantes.

En el **Paseo de la Fama** hay estrellas° con los nombres de cubanos y latinos famosos, desde Celia Cruz hasta Gloria Estefan.

El **café cubano** es un café exprés fuerte con azúcar, disponible° en los restaurantes elegantes y las pequeñas cafeterías° de la Pequeña Habana.

El tercer° viernes de cada mes son los **Viernes Culturales** en la Pequeña Habana. Hay música, arte, comida, baile y partidas de dominó.

---

(1) Comprensión Indicate whether each statement is **cierto (C)** or **falso (F)**.

1. La Pequeña Habana está en Cuba........... **C F**

2. El dominó es un juego popular............... **C F**

3. El café cubano es muy fuerte. .... **C F**

4. El Viernes Cultural es un concierto cada (*each*) semana... **C F**

(2) ¿Y tú? In pairs, discuss these questions.

1. ¿Te interesa (*Are you interested in*) ir a los Viernes Culturales? ¿Por qué?

2. ¿Qué estrellas esperas ver (*do you expect to see*) en el Paseo de la Fama?

(3) Para investigar Choose one of the topics in **Este es mi país** that has sparked your interest. Go online to learn more and be prepared to share your findings with a small group.

rincón *corner* **tienen que verlo** *you have to see it* **artesanos** *artisans* **puros** *cigars* **fuerte** *strong* **bastante** *quite a bit of* **hasta hay** *there's even* **se reúnen** *get together* **dicen que** *say that* **barrios** *neighborhoods* **esculturas** *sculptures* **negocios** *shops* **estrellas** *stars* **disponible** *available* **cafeterías** *coffee shops* **tercer** *third*

☐ **I CAN** identify key products and practices from Little Havana.

Gramática 2

Expressing future plans: *Ir* + *a* + infinitive

Use the irregular verb **ir** to tell where you are going and what you are going to do.

Ir (*to go*)					
yo	voy	*I go*	nosotros/as	vamos	*we go*
tú	vas	*you go*	vosotros/as	vais	*you all go*
él, ella, Ud.	va	*he/she goes, you go*	ellos/as, Uds.	van	*they/you all go*

Unlike the verbs you studied in **Gramática 1**, **ir** is an irregular verb. This means that it does not follow the pattern for regular **-ir** verbs, but there are still some patterns you can observe. When you conjugate **ir**, the stem becomes **v-**. Note that, except for the **yo** form, the endings follow the pattern of a regular **-ar** verb.

¿Qué observas?
What spelling pattern does a form of **ir** have in common with both **ser** and **estar**?

To say where someone is going, use a conjugated form of **ir** followed by **a** (*to*) and the destination.

Vamos a Miami.   *We are going to Miami.*

When **a** appears before the article **el**, the words form the contraction **al**.

a + el → al

Sandra va **al** concierto.   *Sandra goes to the concert.*

The verb **ir** has another very important use: to express what someone is going to do in the future. To express a future action, use a conjugated form of **ir** + **a** + *infinitive*.

Rolando y Carlota **van a asisitir** a   *Rolando and Carlota are going*
 una clase de baile.   *to attend a dance class.*

Yo **voy a cantar** en el coro de la   *I am going to sing in the*
 universidad.   *university choir.*

(1) Los sueños de un músico Listen to Beto talk about his plans to pursue a career in music. Number the plans in the order he describes them (1-6).

_____ Va a ir a Miami.

_____ Va a aprender a tocar la flauta.

_____ Va a estudiar música en la universidad.

_____ Va a comprar otra guitarra.

_____ Va a tocar con sus amigos en un concierto en La Habana.

_____ Va a organizar un tour con su banda.

2 **¿Adónde van?** Look at the activities everyone is going to do. With a partner, discuss where they will go to do each activity. Follow the model.

> **Modelo** Noemí va a levantar pesas. *Va al gimnasio.*

1. Raúl va a jugar al fútbol con los amigos.
2. Carlos y Sofía van a tomar un café.
3. Yo voy a asistir a la clase de historia.
4. Vamos a comer con la familia.
5. La Sra. González va a estudiar.
6. Julieta va a tocar el piano.

3 **¿Qué van a hacer?** Look at the scenes from Cuba and say what you think will happen.

Paso 1 Individually, make notes about two things you think the people in each photo are doing, and what you think they will do next.

Paso 2 With a partner, compare your ideas. Together, write three sentences describing what you think the people will do next. Follow the model.

> **Modelo** María va a bailar. Luego (Then), va a cantar...

1.

2.

3.

4.

Exploraciones

4 **¿Qué planes tienes para...?** You and a classmate have decided to hang out together over the weekend. Take turns asking each other questions regarding possible weekend plans. Follow the model.

> **Modelo** **Estudiante A:** *¿Qué planes tienes para el viernes por la tarde?*
> **Estudiante B:** *El viernes por la tarde voy a jugar al vóleibol con mis amigas. ¿Te gusta el vóleibol?*

1. el viernes por la tarde
2. el viernes a las diez de la noche
3. el sábado por la mañana
4. el sábado a las cuatro
5. el domingo al mediodía
6. el domingo por la tarde

5 **El arte de Jorge Arche** Look at a painting by Cuban artist Jorge Arche depicting a favorite pastime of many Cubans. Study the painting and write a description.

> Q Jorge Arche Jugadores de dominó

Paso 1 Complete the sentences based on the painting by Jorge Arche.

1. Hay _____.
2. Los tres hombres son _____.
3. Tienen más o menos _____ años.
4. Los tres hombres están _____.
5. El pasatiempo de los tres hombres es _____.
6. Los tres hombres no _____.
7. Después de jugar, van a _____.
8. Luego, van a _____.

Paso 2 Write a descriptive paragraph about the painting, using your answers from **Paso 1** as a guide.

6 **Situaciones** Select part A or B to participate in the conversation with your partner.

A You are writing a short article for the university newspaper, featuring a new graduate student from Cuba. You need to find out his/her: name, origin, nationality, age, schedule, activities, and plans for the semester.

B You are a graduate student from Cuba who has just arrived to study at the university. A student has asked to interview you for the university newspaper. Answer the questions to help the student with the article. Ask the student questions about local culture or his/her activities.

Resources

Ⓢ

Vhlcentral

📶

WebSAM

☐ **I CAN** exchange information about future plans.

 Tutorial

Making affirmative and negative statements: Indefinite words

You already know how to describe a precise situation in Spanish (e.g., **Carlos estudia en la biblioteca**.

In order to express a more general, or undefined situation, use indefinite words. In English, words such as *always*, *something*, and *someone* are indefinite words, and their Spanish equivalents are **siempre**, **algo**, and **alguien**. These expressions add information without providing specifics.

Negative words, such as **nunca**, **nada**, and **nadie** (*never*, *nothing*, and *nobody*) are used to express the opposite meaning.

Look at the pictures and their captions to see the use of indefinite and negative words in Spanish.

Carlos **siempre** estudia en la biblioteca.

Gabriela **nunca** estudia en la biblioteca. Ella **siempre** estudia en casa.

Carlos tiene **algo** en la mochila.

Gabriela **no** tiene **nada** en la mochila.

Hay **alguien** en la casa de Carlos ahora.

No hay **nadie** en la casa de Gabriela ahora.

El amigo de Carlos va a un concierto y Carlos **también**.

El amigo de Gabriela **no** va a un concierto y Gabriela **tampoco**.

Exploraciones

It is helpful to learn indefinite expressions as affirmative and negative pairs. Look at the summary in the chart.

Indefinite words			
Affirmative		**Negative**	
algo	something	**nada**	nothing
todo	all, everything		
alguien	someone, anyone	**nadie**	nobody
todos	everybody, all		
siempre	always	**nunca**	never
a veces	sometimes		
también	also	**tampoco**	neither
algún, alguno(s)/a(s)	some, any, several	**ningún, ninguno/a**	no, not any, none

Negative statements can be formed in two ways:

1. [NEGATIVE WORD] + verb

Nunca corro en el parque.   *I never run in the park.*

2. **No** + [VERB] + [NEGATIVE WORD]

No corro **nunca** en el parque.   *I never run in the park.*

Unlike in English, in Spanish, it is acceptable to use two (or more!) negative words in a sentence. This structure is required and the "double negative" does not make the statement positive.

No tengo **nada** en la mochila.   *I don't have anything in my backpack.*

Nunca va **nadie** al gimnasio el domingo por la mañana.   *Nobody ever goes to the gym on Sunday mornings.*

¿Qué observas?

What do you notice about the English equivalents of a Spanish "double negative"?

Note that **alguno** follows the forms of indefinite article **un**, and must agree in gender and number with the noun it modifies. **Ninguno/a** is always singular, and should match in gender.

¿Tienes **algunas** ideas para la fiesta?   *Do you have any ideas for the party?*

No, no tengo **ninguna** (idea).   *No, I don't have any.*

The adverbs of frequency **siempre, a veces**, and **nunca** can be placed either before or after a verb to tell how often the action takes place.

Ángel escucha música **siempre**.   *Angel always listens to music.*

A veces escucha música electrónica.   *Sometimes he listens to electronic music.*

No escucha **nunca** música clásica.   *He never listens to classical music.*

Nunca escucha música clásica.

Use the word **cada** (*each*) to talk about repeated actions on a daily, weekly, monthly basis, and so on.

Cada mes escucha a un nuevo artista.   *Every month he listens to a new artist.*

(1) Las actividades de Ana Listen to the statements about Ana's activities and indicate whether each statement is **afirmativo** (affirmative) or **negativo** (negative).

1. _____   3. _____   5. _____   7. _____

2. _____   4. _____   6. _____   8. _____

(2) Encuesta Learn a bit more about your classmates by asking them questions about their activities.

Paso 1 Individually, read the statements and write down whether each one is true for you. Then write down the question you need to ask to find out if it is true for someone else. Follow the model.

> **Modelo**   No hace nada los sábados por la noche.
> *¿Haces (Do you do) algo los sábados por la noche?*

1. Siempre come en restaurantes elegantes.

2. Va al parque con alguien.

3. No hace nada los sábados por la noche.

4. A veces va a la biblioteca.

5. También los domingos baila en un club.

6. Nadie más va al club.

7. Siempre bebe mucho café.

8. Va al centro comercial (*mall*), pero no compra nada.

Paso 2 In groups, interview your classmates using the questions you prepared in **Paso 1**. Can you find someone for each statement?

Exploraciones

3 **¿Cuándo?** In pairs, take turns interviewing each other to find out how often you do each of these activities. Do you have similar habits? Be prepared to share your answers with the class.

Modelo **Estudiante A:** *¿Cuándo escuchas música clásica?*
Estudiante B: *Escucho música clásica a veces.*
Estudiante A: *¿Cuándo bebes refrescos (soft drinks)?*
Estudiante B: *Nunca bebo refrescos. / No bebo refrescos nunca.*

a veces	cada fin de semana	nunca
cada día	cada mes	siempre

1. pasear por el parque

2. ir a un partido de béisbol

3. correr dos kilómetros

4. bailar en un club

5. tocar un instrumento

6. hablar por teléfono

7. asistir a la clase de español

8. leer una novela

9. escuchar música

4 **Situaciones** Select part A or B to participate in the conversation with a partner.

A You have one friend who is always negative. It is a drag, but you want to respond to all of the negative comments and ask questions to find something you agree on. Your current conversation is about music, concerts, and pastimes.

B You are talking to your friend who is always positive about everything. The conversation revolves around music and famous musicians, but your friend asks too many questions and makes too many positive statements. You are in a bad mood and answer all of the questions in a negative way. You end the conversation before making any plans together.

Resources
Ⓢ
VhlCentral

WebSAM

☐ **I CAN** exchange information about activities.

Audio: Vocabulary

El calendario:
Los meses del año, la fecha y los días feriados

Use the months of the year to identify dates and talk about events such as holidays and birthdays. Read the presentation.

Las celebraciones
la cena
el cumpleaños
el día feriado
la fecha
la fiesta
el/la invitado/a
el pastel
el refresco
el regalo

Los meses del año

enero	abril	julio	octubre
febrero	mayo	agosto	noviembre
marzo	junio	septiembre	diciembre

Note that in Spanish, unlike in English, the names of the months are not capitalized.

¿Qué día es hoy?	*What day is today?*
¿Cuál es la fecha de hoy?	*What is the date?*

▶ To say the date in Spanish, use the formula:

Es el (*day*) **de** (*month*).

Es el 26 de marzo.	*It's March 26ᵗʰ.*

▶ To express the first day of the month, use **primero**.

Es el **primero** de julio.	*It's July 1ˢᵗ.*

¡ATENCIÓN!

When writing out dates in numerical format in Spanish, write the day first, then the month, matching the order in which the date is pronounced. Thus, in a Spanish-language context, **4/5/24** is **el 4 de mayo de 2024**, not April 5!

1 **¿Qué día feriado es?** Look at the list of U.S. holidays and their names in Spanish. Then listen to the descriptions and write the number of the description next to the corresponding holiday.

Días feriados en Estados Unidos	
Año Nuevo	1 de enero
Día de Martin Luther King, Jr.	tercer (*third*) lunes de enero
Día de los Presidentes	tercer lunes de febrero
Día de la Conmemoración de los Caídos	último (*last*) lunes de mayo
Juneteenth	19 de junio
Día de la Independencia	4 de julio
Día del Trabajo	primer (*first*) lunes de septiembre
Día de la Raza	12 de octubre
Día de los Veteranos	11 de noviembre
Día de Acción de Gracias	cuarto (*fourth*) jueves de noviembre
Navidad	25 de diciembre

Exploraciones

2 ¿Qué día es...? In pairs, review the days of the week. Look at the calendar for the month of July and take turns asking and answering questions about what day of the week different dates fall on. Follow the model.

> **Modelo** **Estudiante A:** *¿Qué día es el siete?*
> **Estudiante B:** *Es domingo.*
> **Estudiante B:** *¿Qué día es el veinte?*
> **Estudiante A:** *Es sábado.*

Julio

Lunes	Martes	Miércoles	Jueves	Viernes	Sábado	Domingo
1	2	3	4	5	6	7
8	9	10	11	12	13	14
15	16	17	18	19	20	21
22	23	24	25	26	27	28
29	30	31				

3 **Mi día especial** Interview five classmates to learn when their birthdays are and what plans they have to celebrate this year. Follow the model and be prepared to share your group's answers with the class.

> **Modelo** **Estudiante A:** *¿Cuándo es tu cumpleaños?*
> **Estudiante B:** *Es el 23 de marzo.*
> **Estudiante A:** *¿Cómo vas a celebrar?*
> **Estudiante B:** *Voy a cenar con algunos amigos en mi casa.*

CULTURA VIVA

Patronal feasts In many Spanish-speaking countries, Catholic tradition celebrates individuals who share the name of a saint on that saint's feast day. You may hear people exchange well wishes for their **santo**. Likewise, many towns, cities, and countries have a patron saint in the Catholic church, and this saint's feast day is an occasion for celebrations including processions, food, music, and parties. The patron saint of Cuba is **Nuestra Señora de la Caridad del Cobre**, whose feast day is September 8. On the same day in the Afro-Cuban Yoruba religion, there is a **fiesta de Orisha** for the goddess Oshún. **Are traditions related to people's names celebrated in your culture, whether religious or secular? If so, how are they celebrated?**

CULTURA VIVA

Birthday celebrations In Cuba, as in many parts of Latin America, a girl's fifteenth birthday is rather special. Their family presents fifteen-year-old girls to society as they make their transition from childhood to womanhood. The traditional celebration song for **los quince** is sung to honor the young lady:

> Felicidades (*name of the person*) en tu día
>
> Que la pases con sana alegría
>
> Muchos años de paz y armonía
>
> Felicidad, felicidad, felicidad.

A party is organized for the **quinceañera** where all her friends and family are invited. Some Cuban families also organize a photo session and **un baile,** a choreographed and rehearsed dance as part of the celebration. **Did you have, or have you attended, a *quinceañera* celebration? What other coming-of-age traditions are celebrated in your community?**

---

(4) **La fiesta de quinceañera** Read the invitation to a **quinceañera** party and answer the questions.

- ¿Cómo se llama la chica? ¿Y sus padres?

- ¿Quiénes son sus padrinos (*godparents*)?

- ¿Cuándo es la celebración?

- ¿Dónde es la celebración?

- ¿Te gustaría (*Would you like to*) asistir a una fiesta de una quinceañera? ¿Por qué?

El Sr. y la Sra. Morales tienen el honor de invitar a usted
y a su familia a la celebración de los 15 años de su hija

Laura Morales

Padrinos de honor: el Sr. y la Sra. Sánchez

La santa misa en su honor es el sábado
diecinueve de octubre de dos mil veinticuatro,
a las tres de la tarde, en la Iglesia Santa María.

Recepción inmediatamente después de la ceremonia
en el restaurante María Teresa

Resources

Ⓢ
VhlCentral

WebSAM

☐ **I CAN** express dates.

Expressing feelings: Expressions with *estar*, *ser*, and *tener*

Expressions with *estar*

To express feelings and moods in Spanish, use the verb **estar** + *adjective* to respond to the question **¿Cómo estás?** Remember that the adjective should match the person or people you are describing in gender and number. Read the descriptions in the picture.

enfermo   triste   cansado   contentos   alegre   feliz   aburrido   de buen humor

Daniela y Mario

los padres de Daniela

Lola

Héctor

Maya

estresada, nerviosa, preocupada   ocupada   de mal humor, enojado

Ser and *estar* with adjectives

Many adjectives can be used with either **ser** or **estar**. The use of **ser** or **estar** with the same adjective reflects a different perspective in the speaker's mind and sometimes a different meaning. Consider the questions:

¿Cómo **es**?   *What is he/she like?*

¿Cómo **está**?   *How is he/she (doing/feeling)?*

Ser identifies and classifies nouns according to an essential or innate quality or characteristic.

Julio **es nervioso**.

Julio is an anxious person.

Estar comments on or expresses an opinion regarding a condition or state, or how someone feels.

Manuel **está nervioso** porque tiene un examen.

Manuel is feeling nervous today.

Expressions with *tener*

In Spanish, many common expressions of states of being are formed with the verb **tener**. These expressions are *idiomatic*, meaning that they don't have a word-for-word translation to English.

Look at the illustration and read the labels.

tiene sueño · tiene prisa · tiene sed · tiene hambre · tiene miedo · tiene suerte

Expresiones adicionales

tener calor	*to be hot*
tener frío	*to be cold*

To use these expressions with **tener**, use the conjugated form of **tener** followed by the noun **sueño**, **hambre**, **prisa**, etc. Note that these nouns do not change form depending on the person being described.

Manuela **tiene hambre** y come un sándwich cubano.

Manuela is hungry and she eats a Cuban sandwich.

Los estudiantes **no tienen hambre** hoy.

The students are not hungry today.

Ana y yo **tenemos prisa**. ¡El concierto empieza en diez minutos!

Ana and I are in a hurry. The concert starts in ten minutes!

(1) La profesora de música Listen to Amanda, a music instructor, describe her life and her family.

Paso 1 For each statement, write the form of **ser** or **estar** that you hear.

1. _____   5. _____

2. _____   6. _____

3. _____   7. _____

4. _____

Paso 2 Listen again and write one or two of the words that follow **ser** and **estar** for each statement you hear.

1. _____   5. _____

2. _____   6. _____

3. _____   7. _____

4. _____

(2) Preguntas With a partner, take turns asking and answering the questions. Take notes about what your partner says to share with the class. Are there any common themes among the class?

1. ¿Tienes miedo cuando lees novelas de terror?

2. ¿Qué comes cuando tienes hambre por la mañana?

3. Típicamente, ¿tienes sueño a las once de la noche?

4. ¿Bebes agua cuando tienes sed?

5. ¿Tienes frío o calor ahora?

6. ¿Tienes prisa por la mañana?

7. Generalmente ¿tienes suerte?

Típicamente, ¿tienes sueño a las once de la noche?

3 **Cuando estoy feliz...** With a partner, discuss what you like to do when you feel different emotions. Follow the model and take notes in the chart.

> **Modelo**   **Estudiante A:** *¿Qué te gusta hacer cuando estás contento/a?*
> **Estudiante B:** *Cuando estoy contento/a me gusta conversar con amigos, pasear en el parque o ir a bailar. ¿Y tú?*

Emociones	Yo	Mi compañero/a de clase
aburrido/a		
cansado/a		
contento/a		
estresado/a		
feliz		
nervioso/a		
preocupado/a		
triste		

4 **Un(a) amigo/a** A friend is coming to visit and you want to tell your classmates what he/she is like.

Paso 1 Individually, identify the person and write about what he/she is like, expressing some specific qualities and characteristics, including his/her physical appearance, personality, interests, and nationality.

Paso 2 Write how you think the person is feeling today and why.

Paso 3 In small groups, read your work aloud as your group members listen for answers to these questions:

¿Cómo es? *What is he/she like (his/her essence)?*

¿Cómo está? *How is he/she feeling? What is his/her state/condition? How does the person appear or seem to be?*

Exploraciones

5) Versos sencillos These are some of the verses to José Martí's famous poem, *Versos sencillos*. In them, Martí describes himself and the poetry. Read his verses and select the cognates.

Versos sencillos

Yo soy un hombre sincero
De donde crece la palma.
Y antes de morirme quiero
Echar mis versos del alma.

Yo vengo de todas partes,
Y hacia todas partes voy:
Arte soy entre las artes,
En los montes, monte soy.

Yo sé los nombres extraños
De las yerbas y las flores,
Y de mortales engaños,
Y de sublimes dolores.

José Martí es el Héroe Nacional de Cuba. Nació en La Habana el 28 de enero de 1853. Es famoso por su lucha (*fight*) por la independencia de Cuba contra (*against*) España. Con su poesía abre el camino (*he paves the way*) al movimiento modernista. Era (*He was*) un visionario de su época.

6) Tu propio poema Martí was an exceptional poet who contributed to society not only as a poet but also as a highly respected statesman. In his *Versos sencillos* he explains who he is. Use the outline to write a poem to express your own feelings and tell about who you are. Think of a context or a place you would like to be.

Yo soy _____

de _____.

Yo soy _____.

En el futuro me gustaría (*I would like to*) _____.

Soy como (*like*) un(a) _____.

Cuando estoy en _____,

mi vida (*life*) es _____ y _____.

Porque tú, amigo/a, estás _____.

Resources

Ⓢ

VhlCentral

🛜

WebSAM

☐ **I CAN** exchange information about feelings and states of being.

Podcast

Learning Objective:
Reflect on your progress related to talking about music and pastimes.

Audio: Reading

Episodio #6: Manuela Navarrete Ramos

Antes de escuchar

(1) **La historia de Manuela** You will learn more about Manuela as she describes herself and her hobbies. Think about what you learned about Manuela in **Este es mi país** and try to predict these details. Then compare your predictions with a partner.

- edad
- profesión
- ciudad de origen
- pasatiempos favoritos

Mientras escuchas

(2) **El juego nacional de Cuba** Listen to the podcast again and complete the sentences as Manuela talks about her favorite pastime.

1. El pasatiempo favorito de Manuela es _____.

2. El _____ es el juego nacional de _____.

3. Mientras juega al dominó, a Manuela le gusta tomar _____.

4. Esta noche, Manuela y sus amigas van a _____.

5. En el futuro, Manuela va a _____ un torneo de dominó.

> **¡ATENCIÓN!**
> Use the irregular verb **jugar** to talk about playing sports and games. The conjugated forms of **jugar** are: **yo juego, tú juegas, él/ella/usted juega, nosotros/nosotras jugamos, vosotros/vosotras jugáis, ellos/ellas/ustedes juegan**. You will learn more about this type of verb in **Capítulo 5**.

Después de escuchar

(3) **Mi pasatiempo favorito** Is there a game that plays an important role in your family or your community? Prepare a presentation describing this game or pastime. Use these sentences to help you structure the presentation, and add two additional details. Be prepared to share your presentation with the class.

1. El juego se llama _____.

2. _____ y _____ participan en el juego.

3. Mi(s) amigos/familia/compañeros de clase y yo siempre jugamos a/al _____, pero nunca jugamos a/al _____.

4. Me gusta jugar a /al _____ cuando estoy _____ o _____.

5. Hay un torneo (*tournament*) de _____ en julio/mi cumpleaños/Navidad, etc. Voy a _____.

6. ¿...?

□ **I CAN** describe a favorite pastime.

Estrategia de lectura: Rereading

One of the most effective reading strategies is to simply reread a text multiple times. This allows you to review the vocabulary and grammar, helping you pick up more information each time. Like watching a movie again, you notice more details the second time. If after several times you need a dictionary, go ahead and use it. Rereading offers you the opportunity to rethink the message of the text.

Antes de leer

1 **Preparación** Electronic music has grown in popularity in Cuba in recent years. Learn more about this type of music and some pioneering female DJs who are leading the way. Go over the article and mark all of the cognates and all of the verbs that you can find. Then, use that information to write down a few ideas about what you think the text will be about.

El dúo electrónico PAUZA

Paula Fernández y Zahira Sánchez forman el dúo de DJ cubanas PAUZA.

La música electrónica es cada vez más° popular en Cuba, donde hay una población lista° para escucharla y experimentarla°. El dúo de DJ cubanas PAUZA está formado por dos mujeres pioneras que ya son famosas en el ambiente electrónico de la isla y hacen presentaciones en diferentes países como México, Panamá y Turquía. PAUZA es la unión de los nombres de las DJ Paula y Zahira. En el año 2012, las dos mujeres se conocen° en el Laboratorio Nacional de Música Electroacústica (LNME) en La Habana. Luego, ese año, las dos asisten a un taller° organizado por el LNME para aprender más sobre el trabajo de DJ y la música electrónica. Allí descubren que tienen intereses musicales muy similares y deciden juntarse° para formar el dúo PAUZA. Su música es muy original porque combina el estilo electrónico con la música tradicional afrocubana: "Nos gusta componer música con alma° cubana para enseñar al mundo".

Paula y Zahira cuentan que° el trabajo de DJ ha sido° tradicionalmente una industria dominada por los hombres, pero ellas quieren cambiar° esto en Cuba. Quieren° ser ejemplos para otras mujeres que tienen interés en intentar algo nuevo. Paula y Zahira son el primer dúo de DJ femenino en Cuba y esperan seguir entreteniendo° al público por muchos años: "Esperen mucha música que viene°".

cada vez más *more and more* **lista** *ready* **experimentarla** *to experience it* **se conocen** *meet each other* **taller** *workshop* **juntarse** *join up* **alma** *soul* **cuentan que** *tell that* **ha sido** *has been* **quieren cambiar** *they want to change* **Quieren** *They want* **esperan seguir entreteniendo** *they hope to keep entertaining* **que viene** *to come*

Después de leer

(2) **Comprensión** Indicate whether each statement is **cierto (C)** or **falso (F)**.

1. El dúo se llama PAUZA por la combinación de dos nombres.............. **C F**

2. Su música es una combinación de música electrónica con salsa......... **C F**

3. Las PAUZA son consideradas pioneras de la música electroacústica..... **C F**

4. Hay muchas mujeres que son DJ de música electrónica...................... **C F**

(3) **A conversar** Go online to find a sample of electronic music by the dúo PAUZA and share your impressions with a partner. Do you share the same opinion? Are there any artists in your community who are trying to break stereotypes in the industry? Who can you think of? What are they doing to change the conversation?

> 🔍 dúo PAUZA Cuba

> **Modelo** *Me gusta mucho el ritmo de la música del dúo Pauza. Es muy original...*

(4) **A escribir** Read the strategy and write a brief description about a band or artist you like.

Estrategia de escritura: Using Linking Words

Linking words help combine sentences and thoughts to make your writing flow smoothly. They also make your sentences easier to read, more cohesive, and less choppy. Here are common linking words in Spanish. Addition: **y, también, además**; Contrast: **pero, por otro lado**; Reason: **porque, pues**; Restating: **es decir, en otras palabras**; Result: **por eso, pues, luego, así que, a causa de**; Summary: **por fin, finalmente**; Time: **cuando, entonces, después de**.

Paso 1 Reread the text to identify words and expressions that you would like to use in your description.

Paso 2 Write a brief description of your favorite band or musician.

Paso 3 In pairs, take turns reading each other's descriptions. Then, ask your partner three questions about his/her description and offer suggestions for how he/she might improve the flow by incorporating linking words. Review your writing, taking your partner's feedback into account. Are there additional details you can add or transitions that can be made clearer?

Resources

Vhlcentral

Online activities

☐ **I CAN** compare perspectives relating to music between Cuba and my own community.

Video: *La nueva música cubana*

Music is a part of the cultural identity of Cuba, with a variety of musical influences. You will watch a video featuring some of the contemporary music and rhythms of the island.

Estrategia intercultural: Challenging Judgments, Generalizations, and Stereotypes

Making judgments based on appearances, or relying on stereotypes and generalizations can consciously or unconsciously affect the way we view people from our own or other cultures. Whether you like it or not, you have fixed ideas about others, and your brain will unconsciously try to classify just about everything it encounters. When learning a language, it's a good idea to try to withhold judgment until you get to know someone better, interact with them, and learn about their practices, products, and perspectives. Being curious, asking questions, and keeping an open mind will help you to learn more than you ever imagined!

Cuba es una isla de música

Antes de ver

(1) **Cuba es una isla de música** In the video, you will hear some of the rhythms of Cuba and see musicians performing. Make a list of the types of music you have studied in this chapter. Which ones do you anticipate hearing in the video? What instruments do you expect to see? How might this connect to your own pre-judgments, generalizations, or even stereotypes of Cuba?

Mientras ves

(2) **El tesoro de Cuba** While you watch the video, try to set aside any preconceived notions you may have about Cuba and Cuban culture.

Paso 1 Write a list in Spanish of the instruments you see. Were there any that you did not anticipate?

Paso 2 Watch the video again, this time paying attention to the written messages. Select the cognates that you see.

los estilos	el saxofonista	afrocubanas
el público	las habilidades	el espacio
géneros	los agitadores	el laboratorio
el espectáculo	fusionar	el compositor

Paso 3 Look at these scenes from the video. What do you think is the meaning of the words in bold?

1. La **descarga** habanera se repite cada día.

2. Hay espacio para el **lucimiento** de todos los músicos.

Después de ver

(3) **¿Cierto o falso?** Watch the video again and decide whether each statement is **cierto (C)** or **falso (F)**. Use the cognates you identified to help you.

1. La Habana es como un laboratorio para la música. .... **C F**

2. La nueva música de Cuba es la salsa. .... **C F**

3. En Cuba, la música es una parte integral de la vida en la isla.............. **C F**

4. Hay oportunidades para todos los músicos y las músicas de demostrar sus habilidades.. **C F**

5. La música ofrece la oportunidad de la reivindicación de las raíces afrocubanas. .... **C F**

(4) **Reflexión** Reflect on the messages about the role of music in Cuban life as shown in the video and compare the practices and perspectives to your own culture. Answer the questions on your own, then discuss with a partner.

1. Why do you think the video refers to **la nueva música** in Cuba?

2. Was there anything in the video that surprised you? Did it challenge any of your preconceived notions about Cuba?

3. How do you feel when you hear the music in the video? Explain your answer.

4. What are some opportunities in your community for musicians of all abilities to perform?

5. The pianist is described as an **agitador cultural**. What does that mean? How might this role be important for the development of new art forms?

6. Do you think music can serve to raise awareness of historical cultural roots and connections? Explain your response.

Resources

Vhlcentral

Online activities

☐ **I CAN** compare practices and perspectives relating to music in Cuba and in my own community.

Experiencias Blog

Learning Objective: Investigate music festivals in Cuba and your community.

El Carnaval en Santiago de Cuba

● ● ●   www.el_blog_de_lucas.com/CarnavalenSantiago

Sobre mí | Viajes | Mapas | Galería | Contacto

El Carnaval en Santiago de Cuba

¡Hola a todos! Mi amigo José Antonio se prepara para las fiestas del carnaval en julio, porque va a tocar para el público en Santiago de Cuba durante esas fiestas. Es una oportunidad magnífica para él y necesita ensayar mucho. Durante las fiestas, la gente baila, canta y come mucho. ¡Es increíble! En Cuba, el carnaval casi siempre cae° en el mes de julio. Este año, el carnaval es del 17 al 27 de julio, alrededor del día feriado del 26 de julio. En esa fecha los cubanos tienen su fiesta nacional y hay muchos desfiles en las calles y la gente celebra mucho. Es una semana muy, muy divertida.

cae *falls*

Un grupo de músicos toca durante el carnaval de Santiago de Cuba.

(1) Festival de música You will learn about the music in Santiago's Carnaval and write about a music festival in your own community.

Paso 1 Read Lucas's blog and take notes about how he describes Carnaval in Santiago. Would you like to go to Santiago's Carnaval celebration? Share your impressions with a partner.

Paso 2 Research online to find three festivals featuring music in your community.

Paso 3 Select one of these festivals and write a description of it following the model of Lucas's blog. Consider these questions, and be prepared to share your findings with the class.

1. ¿Cómo se llama el festival?

2. ¿Cuándo es el festival?

3. ¿Se celebra (*Is it celebrated*) en la misma fecha todos los años?

4. ¿Qué tipo de música hay? ¿Cuáles son algunos músicos o conjuntos que van al festival este año?

5. ¿Qué hace la gente en el festival?

☐ **I CAN** investigate a music festival in my community.

Proyectos

Learning Objectives: Describe your favorite music. Present information about Cuba.

1 **¿Qué música te gusta?** You will create a presentation about your favorite music. Read the strategy and follow the steps.

Estrategia para presentaciones: Using Intonation to Clarify your Message

Have you ever been confused whether someone was asking you a question or making a statement? In Spanish and English it is common to use "rising" intonation (i.e., low to high pitch) on the last word when asking a question and "falling" intonation (i.e., high to low) when making a statement. Try to make your intonation match your intention so others can understand you quickly and accurately.

Paso 1 Review the vocabulary and structures related to music from this chapter. Then, watch the video **Encuentros:** *Mi música preferida* to review tips and examples for describing your taste in music. Take notes of any useful expressions you would like to include in your description.

Paso 2 In pairs, take turns practicing describing your favorite music to each other. Be sure to include:

• a description of the music, including the genre and why you like it

• when and where you listen to music

• any experience you have playing or performing music

• any future plans to listen to music, attend a concert, or perform

Pay attention to your partners' use of intonation, and offer suggestions for times when he/she might adjust intonation to improve understanding.

Paso 3 Create a presentation about your favorite music, using the details you shared with your partner in **Paso 2**. Be prepared to share your presentation with the class.

2 **Álbum de Cuba** Create a presentation based on what you learned about Cuba in this chapter and your own research. Then, share with a partner what you have learned and compare your findings.

1. información básica

2. estadísticas interesantes

3. dos lugares interesantes

4. observaciones culturales

5. enlaces interesantes

6. información que te hizo cambiar de opinión o que te hizo reflexionar

☐ **I CAN** describe my favorite music.
☐ **I CAN** share personally meaningful information about Cuba.

Repaso

Repaso de objetivos

Reflect on your progress toward the chapter main goals.

I am able to...

	Well	Somewhat
• Identify the musical preferences in a video.	☐	☐
• Talk about music and related activities.	☐	☐
• Compare products, practices, and perspectives from Cuba with my own community.	☐	☐
• Describe my favorite music.	☐	☐

Vocabulary Tools

Repaso de vocabulario

La música   *Music*
el auditorio   *auditorium*
el bailarín/la bailarina   *dancer*
la banda   *band*
la canción   *song*
el/la cantante   *singer*
el conjunto musical   *musical group*
el coro   *chorus*
la melodía   *melody*
el/la músico/a   *musician*
el ritmo   *rhythm*
el teatro   *theater*

Los estilos de música   *Music styles*
el *jazz*   *jazz*
la música
    alternativa   *alternative*
    blues   *blues*
    clásica   *classical*
    country   *country*
    hip hop   *hip-hop*
    latina   *Latin*
    popular   *pop*
    rock   *rock*
el merengue   *merengue*
el rap   *rap*
la salsa   *salsa*

Las actividades   *Activities*
aprender   *to learn*
asistir (a)   *to attend*
bailar   *to dance*
beber   *to drink*
cantar   *to sing*
celebrar   *to celebrate*
componer   *to compose*
dirigir   *to direct, to conduct*
ensayar   *to practice, to rehearse*

enseñar   *to teach*
escribir   *to write*
escuchar   *to listen*
grabar   *to record*
ir   *to go*
leer   *to read*
producir   *to produce*
recibir   *to receive*
tocar   *to play (an instrument)*
vivir   *to live*

Los instrumentos musicales
    Musical instruments
la batería   *drum set*
el contrabajo   *bass*
la flauta   *flute*
la guitarra   *guitar*
el piano   *piano*
la trompeta   *trumpet*
el violín   *violin*

Las celebraciones   *Celebrations*
la cena   *dinner*
el cumpleaños   *birthday*
el día feriado   *holiday*
la fecha   *date*
la fiesta   *party*
el/la invitado/a   *guest*
el pastel   *cake*
el refresco   *soft drink*
el regalo   *gift*

Los meses del año   *Months of the year*
enero   *January*
febrero   *February*
marzo   *March*
abril   *April*
mayo   *May*
junio   *June*

julio   *July*
agosto   *August*
septiembre   *September*
octubre   *October*
noviembre   *November*
diciembre   *December*

Las descripciones   *Descriptions*
aburrido/a   *bored/boring*
alegre   *happy*
cansado/a   *tired*
contento/a   *content/happy*
de buen/mal humor   *in a good/bad mood*
enfermo/a   *ill*
enojado/a   *angry*
estresado/a   *stressed*
feliz   *happy*
nervioso/a   *nervous*
ocupado/a   *busy*
preocupado/a   *worried*
triste   *sad*

Las expresiones con *tener*
    Expressions with **tener**
tener calor   *to be hot*
tener frío   *to be cold*
tener hambre   *to be hungry*
tener miedo   *to be afraid*
tener prisa   *to be in a hurry*
tener sed   *to be thirsty*
tener sueño   *to be sleepy*
tener suerte   *to be lucky*

Repaso de gramática

1 The present tense of -er and -ir verbs

Subject pronouns	-ar	-er	-ir
	cantar	aprender	escribir
yo	canto	aprendo	escribo
tú	cantas	aprendes	escribes
él, ella, usted	canta	aprende	escribe
nosotros/as	cantamos	aprendemos	escribimos
vosotros/as	cantáis	aprendéis	escribís
ellos/as, ustedes	cantan	aprenden	escriben

2 Ir + a + infinitive

Ir (*to go*)					
yo	voy	*I go*	nosotros/as	vamos	*we go*
tú	vas	*you go*	vosotros/as	vais	*you all go*
él, ella, Ud.	va	*he/she goes, you go*	ellos/as, Uds.	van	*they/you all go*

To express the future, use **ir** + **a** + *infinitive*.

3 Indefinite words

Affirmative		Negative	
algo	*something*	**nada**	*nothing*
todo	*all, everything*		
alguien	*someone, anyone*	**nadie**	*nobody*
todos	*everybody, all*		
siempre	*always*	**nunca**	*never*
a veces	*sometimes*		
también	*also*	**tampoco**	*neither*
algún, **alguno(s)/a(as)**	*some, any,* *several*	**ningún,** **ninguno/a**	*no, not any,* *none*

4 Expressions with estar, ser, and tener

Ser identifies and classifies nouns according to an essential or innate quality.

Estar expresses a subjective opinion regarding a condition or state.

Idiomatic expressions with **tener** are commonly used to describe certain feelings and states.

Resources

Vhlcentral

Online activities

Capítulo 5 | ¿Cómo es tu familia?

OBJETIVOS DE APRENDIZAJE

By the end of this chapter, I will be able to...

- Identify basic information about family and professions described in a video.
- Exchange information about special people and my relationship to them.
- Compare products, practices, and perspectives from Panama and Costa Rica with my own community.
- Describe special people in my life.

ENCUENTROS

El canal de Lucas: Cómo hacer un árbol genealógico

Este es mi país: Panamá, Costa Rica

EXPLORACIONES

Vocabulario

La familia

Las profesiones y los oficios

El tiempo y las estaciones del año

Gramática

Possessive adjectives

Stem-changing verbs

Yo *form variations*

Saber and **conocer**

EXPERIENCIAS

Cultura y sociedad: Soda Mis Dos Tierras

Intercambiemos perspectivas: *#BetweenTwoWorlds*

Blog: El Parque Ecológico Veragua

Proyectos: ¿Cómo es tu familia?, Álbum de Panamá y Costa Rica

Cómo hacer un árbol genealógico

Lee y reflexiona sobre la estrategia de aprendizaje de este capítulo.
Luego mira el video de Lucas.

Estrategia de aprendizaje: Avoiding Perfectionism

Are you worried about saying things incorrectly? Do you stay quiet in class to avoid making errors? If you do, you are actually slowing down your goal of communicating in Spanish! The only way to progress is by taking risks, speaking, and not worrying about being perfect. The road to communicating in another language is paved with a million errors, so the sooner you start taking risks and making them, the better!

Antes de ver

(1) Observaciones En este video vas a aprender a hacer un árbol genealógico (*family tree*). ¿Qué información se incluye (*is included*) en un árbol genealógico?

Mientras ves

(2) Generaciones Mira el video y selecciona los parientes (*relatives*) que Alberto y Lucas mencionan e incluyen en su árbol genealógico.

la abuela	la prima	el tío
el abuelo	la madrastra	la hermana
el yerno	los hijos	el hermano
la madre	el sobrino	el hermanastro
el padre	los nietos	el suegro

Después de ver

(3) Todas las familias son diferentes Contesta las preguntas y compara tu familia con la de un(a) compañero/a. Si prefieres (*If you prefer*), puedes inventar una familia.

1. ¿Cuántas personas hay en tu familia?

2. ¿Tienes hermanos o hermanas? ¿Cuántos/as?

3. ¿Dónde vive tu familia?

4. ¿Cuál es la profesión de tu hermano, tu hermana u otra persona de tu familia?

TIP

You may have noticed that activity instructions are now in Spanish, but you'll get used to this! Look for key words and cognates, and remember that you do not have to understand every word in the instructions to get the idea of what to do; read the activity title and examine the model. After a while this too will get easier as you gain more experience!

Resources

Vhlcentral

Online activities

☐ **I CAN** identify the elements of a family tree.

Learning Objective:
Identify cultural products, practices, and perspectives from Panama.

 Map

PANAMÁ

¡Saludos desde Panamá! ¿Qué xopá? Me llamo María Elena y vivo en Ciudad de Panamá con mi familia. Mi país es muy especial porque sirve como puente°: une dos regiones geográficas, Sudamérica y América Central. También tiene el famoso Canal de Panamá, que facilita el paso de más de 14.000 barcos° cada año, y conecta a Oriente y Occidente. El canal es muy importante para nuestra economía. Otro aspecto bonito de mi país es su ecosistema diverso. Hay muchos parques ecológicos, y a mi familia y a mí nos gusta un pocotón disfrutar° de la naturaleza. ¿Sabías que mi ciudad está rodeada de selva° tropical? Por eso, en Panamá hay centros de investigación° de enfermedades° tropicales. Qué chévere es mi país, ¿no?

Panamá tiene más de 1.000 **tipos de pájaros**. Esto incluye ocho especies de tucanes, como este tucán de pecho amarillo°.

NICARAGUA

Mar Caribe

COSTA RICA

Canal de
Panamá

• Islas San Blas

Arraiján •
☆ Ciudad de
Panamá

PANAMÁ

Océano
Pacífico

Bahía Piña •

COLOMBIA

Ciudad de Panamá es la capital del país. Tiene cerca de dos millones de habitantes en su área metropolitana.

El Canal de Panamá es una vía de navegación entre el mar Caribe y el océano Pacífico, de 80 kilómetros (50 millas) de longitud°.

Las molas son una expresión artística de los indígenas kunas que viven en las islas San Blas.

Panamá en breve

Capital: Ciudad de Panamá

Tipo de gobierno: república presidencial

Tamaño: 75.420 km², un poco más pequeño que Carolina del Sur

Población: 4.404.108 habitantes

Lenguas: español, inglés, ngäbe, kuna, emberá

Moneda: balboa, dólar estadounidense

Nivel de alfabetización: 95%

Promedio de vida: 78 años

Expresiones y palabras típicas:

Buenas	*forma de saludar: Hola*
un pocotón	*muchísimo*
¿Qué xopá?	*¿Qué tal?*

Fuente: The World Factbook, Central Intelligence Agency

---

(1) Comprensión Indica si cada oración es **cierta** (**C**) o **falsa** (**F**).

1. El Canal de Panamá une América del Norte y América Central.................... **C F**

2. Panamá es una isla del Caribe.................. **C F**

3. En Panamá se utiliza el dólar de Estados Unidos.................................. **C F**

4. Panamá tiene muchas investigaciones sobre historia. .... **C F**

(2) ¿Y tú? En parejas, conversen sobre estas preguntas.

1. ¿Cuántas personas viven en tu comunidad? ¿Es más o menos grande (*bigger or smaller*) que Ciudad de Panamá?

2. ¿Conoces (*Do you know*) una ciudad con dos millones de personas? ¿Cómo se llama?

3. ¿Conoces alguna ciudad con mucha naturaleza? ¿Cómo se llama? ¿Cómo es?

(3) Para investigar Elige un tema de **Este es mi país** que te interese o llame la atención. Investígalo en internet para aprender más y comparte la información con un grupo pequeño.

---

puente *bridge* **barcos** *ships* **disfrutar** *enjoy* **selva** *jungle* **investigación** *research* **enfermedades** *diseases* **amarillo** *yellow* **longitud** *length*

☐ **I CAN** identify key cultural products and practices from Panama.

La familia

> **Estrategia de vocabulario: What it Means to "Know" a Word**
>
> Some beginners think that to "know" a word is simply to know its pronunciation and translation. Words often have multiple meanings, differ across dialects, and appear more frequently with some words than others. They might not have an equivalent in your language, or be part of expressions whose meaning can't be detected from the individual words. This is important to remember as you encounter different uses of the same word.

La familia de María Elena

Mi **madre**, Rosa María Guzmán Reyes, 60 años, y mi **padre**, Vicente Álvarez Santiago, 65 años; Rosa María es **la abuela** y Vicente es **el abuelo** de Lola, Patricia, Ana María y Cristina, **las nietas**, y de Álex y Sami, **los nietos**. Los seis niños son **primos**.

Mi **hermana**, Carmen Álvarez Guzmán, 32 años, y su **hija**, mi **sobrina**, Lola Reyes Álvarez, 2 años.

Mi **hermano mayor**, Esteban Álvarez Guzmán, tiene 38 años y la **esposa** de Esteban, Ana Torres de Vigo, tiene 35 años. Mi **sobrina**, Patricia Álvarez Torres, tiene 8 años y mi otra **sobrina**, Ana María Álvarez Torres, tiene 6 años, y es **hermana** de Patricia. Patricia y Ana María son **nietas** de Rosa María y Vicente.

Mi **hermano menor**, Alejandro Álvarez Guzmán, 30 años, y su segunda **esposa**, mi **cuñada**, Juanita Mantero Hernández; ella tiene 25 años y es la **madrastra** de Cristina. Cristina Álvarez Sánchez tiene 3 años y es la **hijastra** de Juanita y la **media hermana** de Álex Álvarez Mantero, el bebé.

Mi **tía**, Rosalía Guzmán Fernández, 65 años, y mi **primo**, Jaime González Guzmán, de 33 años. Mi tía Rosalía es la **hermana** de mi mamá.

Mi **esposo**, Samuel Campos Meza, tiene 35 años, y yo, María Elena Álvarez Guzmán, tengo 34 años. Samuel es el **yerno** de mis **padres**. Estamos con Sami, nuestro **hijo** precioso de 5 años. A Sami le gusta mucho nadar en la piscina los fines de semana. Mis **suegros** se llaman Ernesto y Teresa.

Otras personas de la familia

el/la **hermanastro/a** *step-brother/ step-sister*

el **padrastro** *step-father*

el/la **suegro/a** *father-in-law/ mother-in-law*

la **nuera** *daughter-in-law*

el **yerno** *son-in-law*

(1) **¿Cierto o falso?** Para repasar la información sobre la familia de María Elena, mira otra vez las fotos y decide si las oraciones que escuchas son **ciertas (C)** o **falsas (F)**.

1. ___   3. ___   5. ___   7. ___

2. ___   4. ___   6. ___   8. ___

(2) **¿Quién es?** A continuación hay varias descripciones de las personas de la familia de María Elena. Sigue los pasos para determinar a quién se describe en cada una de ellas.

Paso 1 Lee cada descripción e indica la persona que corresponde.

> **Modelo** Esta persona es la hija de Esteban y Ana. Es la hermana de Patricia y la sobrina de María Elena. ¿Quién es?
> *Es Ana María.*

1. Esta persona es el hermano menor de María Elena. También es el padre de Cristina y Álex, y el esposo de Juanita. Es el tío de Sami.

2. Esta persona es la madre de Jaime y la tía de Carmen. También es la hermana de Rosa María.

3. Esta persona es la hija de Esteban y Ana, y la nieta de Vicente. Es la hermana de Ana María y la prima de Cristina.

4. Esta persona es el abuelo de Sami y el padre de María Elena. También es el esposo de Rosa María.

5. Esta persona es el hijo de Rosalía y el primo de María Elena. También es el sobrino de Vicente y Rosa María.

6. Esta persona es la sobrina de Esteban y la hija de Carmen. También es la prima de Sami y la nieta de Vicente.

7. Esta persona es la madrastra de Cristina y la esposa de Alejandro. También es la madre de Álex.

Paso 2 En parejas, cada uno/a escribe tres descripciones originales sobre la familia de María Elena y tu compañero/a tiene que decir quién es.

¡ATENCIÓN!

There is no apostrophe (') in Spanish. You cannot literally say "María's brother." Instead you must say *el hermano de María*, literally "the brother of Mary."

Exploraciones

(3) Los apellidos hispanos En el mundo hispano, es común tener dos apellidos, el apellido del padre y el apellido de la madre. Mira el árbol genealógico de María Elena. Con un(a) compañero/a contesta las preguntas.

1. ¿Cuáles son los dos apellidos de Sami?

2. El primer apellido del padre de Lola es _____.

3. Los hijos de Alejandro (Cristina y Álex) tienen apellidos diferentes porque _____.

4. ¿Cómo te llamas tú según este sistema de apellidos? Escribe tus dos apellidos.

5. ¿Hay alguna persona en tu universidad con dos apellidos? ¿Cómo se llama?

(4) El español cerca de ti Como sabes, algunos hispanos tradicionalmente usan dos apellidos. Investiga el sistema de apellidos de la comunidad donde tú vives. Contesta las preguntas y prepara tu información para la clase.

1. En tu universidad, ¿hay profesores con apellidos hispanos? ¿Cómo se llaman estas personas? ¿Qué enseñan? ¿En qué departamento están?

2. ¿Conoces (Do you know) a algún/alguna hispanohablante en tu comunidad? ¿Usa dos apellidos? ¿Cómo se llama?

3. Si en tu comunidad no hay hispanos, busca en la red a un(a) hispano/a famoso/a con dos apellidos. ¿Quién es?

4. ¿Hay otras personas con dos apellidos en tu comunidad? ¿Por qué piensas que usan dos apellidos?

5 **Los tipos de familias** El concepto de la familia es complejo. Sigue los pasos para aprender más sobre los tipos de familias que existen.

Paso 1 Examina los diez tipos de familias según la gráfica y pronuncia el nombre de cada uno.

10 Tipos de *familia*

 DE ORIGEN

 EXTENSA

 NUCLEAR

 RECONSTITUIDA

 MONOPARENTAL

 NUMEROSA

 HOMOPARENTAL

 ADOPTIVA

 DE ACOGIDA

 SIN HIJOS/AS

Fuente: Adaptación de Psicología-Online

 Paso 2 En parejas, contesten las preguntas.

1. ¿Cuáles son los tipos de familias que existen en tu comunidad?

2. ¿Hay otros tipos de familias que no son parte de la gráfica?

3. ¿Con qué familia te identificas más?

4. ¿Qué significa para ti la palabra **familia**?

5. En el futuro, ¿piensas que las familias van a evolucionar? ¿Cómo?

6. En tu opinión, ¿existen varias perspectivas sobre las familias?

Resources

Vhlcentral

WebSAM

☐ **I CAN** exchange information about family members.

Expressing possession: Possessive adjectives

Possessive adjectives are used to indicate who owns something and are placed before nouns. Study the forms and answer the questions in **¿Qué observas?**.

Los adjetivos posesivos	
mi(s)	*my*
tu(s)	*your (informal)*
su(s)	*your, his, her*
nuestro(s), nuestra(s)	*our*
vuestro(s), vuestra(s)	*your (informal you plural used in Spain)*
su(s)	*your, their*

¿Qué observas?

1. Which possessive adjectives have forms that reflect gender?

2. Which possessive adjectives can indicate possession by one or many people?

▶ There is a singular form and a plural form for all possessive adjectives. The plural is formed by adding an **-s**.

Mi sobrina Lola vive en Ciudad de Panamá.	*My niece Lola lives in Panama City.*
Mis sobrinas Patricia y Ana María viven en Arraiján.	*My nieces Patricia and Ana María live in Arraiján.*
Tu primo trabaja en Panamá.	*Your cousin works in Panama.*
Tus primos trabajan en Panamá.	*Your cousins work in Panama.*

▶ Possessive adjectives **nuestro/a** and **vuestro/a** reflect the grammatical gender of the person or thing that is possessed.

Nuest**ro** hij**o** se llama Sami.	*Our son's name is Sami.*
Nuest**ra** famili**a** es muy grande.	*Our family is very large.*
Vuest**ro** hij**o** tiene cinco años.	*Your son is five years old.*
Vuest**ra** tí**a** vive en Panamá.	*Your aunt lives in Panamá.*

▶ **Su** and **sus** have more than one meaning: *his, her, its, your,* and *their.*

   Su prima = *his, her, your,* or *their cousin*

▶ To clarify the meaning of **su(s)** and to avoid ambiguity, use **de** + [POSSESSOR] after the noun.

Su sobrino es panameño.	= *El sobrino de María Elena es panameño.*
	El sobrino de María Elena y Samuel es panameño.
Sus sobrinos son panameños.	= *Los sobrinos de María Elena son panameños.*
	Los sobrinos de María Elena y Samuel son panameños.

▶ The plural form ending in **-s** matches multiple people or things being possessed, not multiple "possessors."

los sobrinos de María Elena = *sus* sobrino**s**

el sobrino de María Elena = *su* sobrino

(1) ¿A quién(es) se refiere? Jaime, el primo de María Elena, describe a unas personas de su familia. Escucha las descripciones y escribe los nombres de las personas que Jaime describe.

1. _____
2. _____
3. _____
4. _____
5. _____
6. _____
7. _____
8. _____

Rosa María, Vicente y sus nietos

María Elena, Samuel y Sami

Carmen y Lola

Esteban, Ana, Patricia y Ana María

Rosalía y Jaime

Alejandro, Juanita, Cristina y Álex

(2) Mi amigo/a Para muchas personas, nuestros amigos son nuestra familia elegida (*chosen*). En parejas, háganse preguntas sobre un(a) amigo/a importante en su vida para aprender la siguiente información. Prepárate para compartir las respuestas de tu compañero/a con la clase.

Modelo **Estudiante A:** *¿Como se llama tu amigo/a?*
Estudiante B: *Mi amiga se llama Ana.*

1. su nombre
2. dónde vive y con quién
3. cómo es su familia
4. cómo es

Exploraciones

(3) **Comparaciones** Cada familia es diferente. Investiga sobre una familia famosa del mundo hispano. Compara la familia que seleccionas con la que selecciona un(a) compañero/a.

La familia _____ Las dos familias La familia _____

Paso 1 Escribe tu información en el círculo de la izquierda.

- Descripción de la familia: grande, pequeña, unida, etc.
- Nombre de la madre/madrastra
- Nombre del padre/padrastro
- Número de hermanos/hermanas
- Número de tíos/tías
- Edad de los hermanos
- Estado/Provincia/País donde residen
- Número de abuelos

Paso 2 Con tu compañero/a, haz preguntas para aprender algo de la familia que investigó (*that he/she researched*) y escribe su información en el círculo de la derecha.

- ¿Cómo es el/la _____?
- ¿Dónde _____?
- ¿Cuántos _____ hay?
- ¿Quién es el/la _____ de _____?

Paso 3 En el centro del diagrama de Venn, escriban las cosas que tienen en común y compartan con la clase las similitudes y las diferencias entre las dos familias.

Paso 4 Escribe un mínimo de cinco oraciones completas comparando las dos familias.

Modelo *La familia _____ es pequeña y la familia _____ es grande. La familia _____ vive en _____. Sus hijos se llaman _____.*

☐ **I CAN** exchange information about possession and describe how people are related.

Audio: Reading

Episodio #7: María Elena Álvarez Guzmán

Estrategia de comprensión oral: Visualize the Scene of a Narration

As you listen to someone narrate in Spanish, do your best to take what information you understand and visualize the scene in your mind. You might ask yourself basic *Wh*-questions such as: *Who are they talking about?*, *What is happening?*, *What are they describing?* Ask yourself those questions when the speaker pauses, in order to better visualize the scene.

Antes de escuchar

1 **La familia de María Elena** María Elena va a hablar de su familia. Identifica el tipo de información que crees que ella va a incluir. Después, escucha el podcast y verifica la información.

sus parientes	las actividades	la personalidad	los nombres	dónde viven
el trabajo	los estudios	los planes	la edad	¿otras cosas?

Mientras escuchas

2 **El árbol genealógico** Escucha y completa el árbol genealógico.
¿Fueron (*Were*) algunas de tus predicciones de la actividad anterior ciertas?

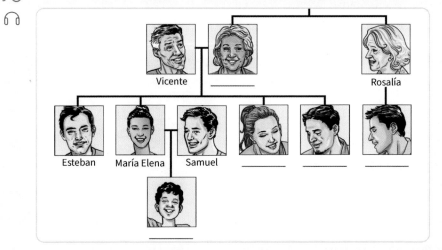

Vicente _____ Rosalía

Esteban   María Elena   Samuel   _____   _____   _____

_____

Después de escuchar

3 **Tu propia familia** Crea tu propio árbol genealógico siguiendo el modelo de María Elena. Puede ser tu familia biológica o elegida (*chosen*). Luego, en parejas, compartan su árbol genealógico y describan a cada uno de sus parientes.

☐ **I CAN** describe my family.

Resources

Vhlcentral

Online activities

Encuentros

Este es mi país

Learning Objective:
Identify cultural products, practices, and perspectives from Costa Rica.

 Map

COSTA RICA

¿Cómo va todo, mae? Soy Ernesto. Mi país, Costa Rica, está en Centroamérica, entre Nicaragua y Panamá. Yo soy de la capital, San José, una ciudad moderna y cosmopolita. Actualmente tiene un quinto° de la población total del país. Mi país es famoso por su dedicación a la democracia y a la paz°, y por no tener un ejército militar°. Pura vida, ¿no? Otro detalle importante de mi país es que tiene un alto nivel° de alfabetización y muchos programas educacionales y sociales. Costa Rica es un país de una gran belleza natural con mucha tierra protegida°. ¡Cerca del 25% de nuestro territorio está protegido dentro de parques nacionales o reservas! Mis favoritos son el Parque Nacional Volcán Arenal y la Reserva Monteverde. El ecoturismo y el turismo son industrias muy importantes aquí.

El café de Costa Rica es una parte integral de la cultura y una tradición muy importante en el país.

NICARAGUA

Mar Caribe

Liberia

COSTA RICA

Puntarenas
San José
Puerto Limón
Cartago

Océano Pacífico

PANAMÁ

Canal de Panamá

La ciudad de **San José** es la capital del país. Es un lugar agradable para vivir por la variedad de actividades que ofrece.

COLOMBIA

El río Celeste se encuentra dentro del **Parque Nacional Volcán Tenorio**. Sus aguas presentan un color celeste gracias a una reacción química.

En Costa Rica, **una soda** es un restaurante pequeño, o minicafé, donde se venden comida casera y bebidas.

Costa Rica en breve

Capital: San José

Tipo de gobierno: república presidencial

Tamaño: 51.100 km², un poco más pequeño que el estado de Virginia Occidental

Población: 5.256.612 habitantes

Lenguas: español (oficial), inglés

Moneda: colón costarricense

Nivel de alfabetización: 98%

Promedio de vida: 79 años

Expresiones y palabras típicas:

apapachar	abrazar
mae	compañero/a: Hola, mae.; ¿Cómo va todo, mae?
Pura vida.	Todo está muy bien.

Fuente: The World Factbook, Central Intelligence Agency

① **Comprensión** Indica si cada oración es **cierta** (**C**) o **falsa** (**F**).

1. En Costa Rica la democracia y la paz son importantes. .... C F

2. Una industria muy importante en Costa Rica es la minería. .... C F

3. En Costa Rica se utiliza el dólar de Estados Unidos. .... C F

4. Costa Rica tiene mucha belleza natural. .... C F

② **¿Y tú?** En parejas, conversen sobre estas preguntas.

1. ¿Cuántos parques nacionales hay en tu país?

2. ¿Conoces (*Do you know*) un parque nacional de tu país o un parque en tu comunidad?

③ **Para investigar** Elige un tema de **Este es mi país** que te interese o llame la atención. Investígalo en internet para aprender más y comparte la información con un grupo pequeño.

quinto *fifth* **paz** *peace* **ejército militar** *army* **alto nivel** *high level* **tierra protegida** *protected land*

☐ **I CAN** identify key cultural products and practices from Costa Rica.

Tutorial

Describing daily activities: Stem-changing verbs

In previous chapters, you were introduced to present-tense forms of **-ar**, **-er**, and **-ir** verbs. There are other Spanish verbs that use the same endings, but have a vowel change in the stem. Remember that the stem is what is left of the verb after the **-ar**, **-er**, or **-ir** ending has been removed. There are three categories of stem changes:

e:ie	p**e**nsar (*to think*)	yo pi**e**nso
o:ue	c**o**ntar (*to count*)	yo cu**e**nto
e:i	p**e**dir (*to ask for*)	yo p**i**do

Study the charts and note the vowel changes.

Verbs with *e:ie* stem change					
-ar verbs		**-er** verbs		**-ir** verbs	
pensar (*to think*)		**querer** (*to want*)		**preferir** (*to prefer*)	
pi**e**nso	pensamos	qui**e**ro	queremos	prefi**e**ro	preferimos
pi**e**nsas	pensáis	qui**e**res	queréis	prefi**e**res	preferís
pi**e**nsa	pi**e**nsan	qui**e**re	qui**e**ren	prefi**e**re	prefi**e**ren

Ernesto **prefiere** hablar inglés y **quiere** conversar con sus estudiantes en el instituto. Ernesto **quiere** comprar un carro, pero no **tiene** dinero suficiente.

Verbs with *o:ue* stem change					
-ar verbs		**-er** verbs		**-ir** verbs	
almorzar (*to eat lunch*)		**volver** (*to return*)		**dormir** (*to sleep*)	
alm**ue**rzo	almorzamos	v**ue**lvo	volvemos	d**ue**rmo	dormimos
alm**ue**rzas	almorzáis	v**ue**lves	volvéis	d**ue**rmes	dormís
alm**ue**rza	alm**ue**rzan	v**ue**lve	v**ue**lven	d**ue**rme	d**ue**rmen

Ernesto **vuelve** a las dos y **almuerza** con sus padres y sus hermanos a las dos y media. Ernesto **puede** caminar fácilmente al instituto para ir a trabajar.

Verbs with *e:i* stem change	
pedir (*to ask for, to order*)	
p**i**do	pedimos
p**i**des	pedís
p**i**de	p**i**den

¿Qué observas?

1. What similarities do you notice between the endings of these verbs and the regular present tense verbs you have already learned?

2. For each stem-changing verb, which forms have a change in the stem? Which do not?

¡ATENCIÓN!

Note that the verb **pedir** is followed directly by the item you are asking for, with no need to add an equivalent of the word *for*:

Pido un café. = *I ask for a coffee.*

Ernesto y sus amigos **piden** limonadas después de jugar al fútbol porque **prefieren** bebidas frías.

▶ The verb **jugar** is a special case; it as a **u:ue** stem change:

Jugar (u:ue) (*to play*)	
juego	jugamos
juegas	jugáis
juega	**jue**gan

Ernesto **juega** al fútbol con sus amigos en el parque.

Mis amigos y yo **jugamos** al fútbol los domingos.

Other common verbs with stem-vowel changes		
e:ie	**o:ue**	**e:i**
cerrar (*to close*)	**encontrar** (*to find*)	**corregir** (*to correct*)
empezar (*to begin*)	**poder** (*to be able to, can*)	**decir** (*to say, to tell*)
entender (*to understand*)	**probar** (*to try*)	**elegir** (*to choose, to elect*)
perder (*to lose*)	**volar** (*to fly*)	**seguir** (*to follow, to continue*)
tener (*to have*)		
venir (*to come*)		

Expressing plans and obligations

Some stem-changing verbs can be used to talk about plans and obligations.

▶ To express an obligation or something you have to do, use a form of **tener** + **que** + [INFINITIVE]:

Tengo que asistir a una reunión en el trabajo.	*I have to attend a meeting at work.*
Carmen **tiene que** estudiar en la biblioteca para su examen de biología.	*Carmen has to study in the library for her biology exam.*

▶ To state or express your plans, use a form of **pensar** + [INFINITIVE]:

Ernesto **piensa** jugar al fútbol con sus amigos cada domingo por la tarde.	*Ernesto plans to play soccer with his friends every Sunday afternoon.*

Exploraciones

▶ To express a preference or a desire,

- use a form of **preferir** + [INFINITIVE]:

  Jaime **prefiere** correr por el parque con sus perros este domingo. — *Jaime prefers to run in the park with his dogs this Sunday.*

- use a form of **querer** + [INFINITIVE]:

  Samuel **quiere** jugar con su hijo Sami esta tarde. — *Samuel wants to play with his son Sami this afternoon.*

- use a form of **tener + ganas de** + [INFINITIVE]:

  Tengo ganas de salir con mis amigos, pero tengo que trabajar hoy. — *I feel like going out with my friends but I have to work today.*

1 **Las fotos de María Elena** María Elena tiene varias fotos de su familia. Escucha sus descripciones y escribe el número de la descripción debajo de la foto que le corresponde.

A. ___

B. ___

C. ___

D. ___

E. ___

F. ___

2 **Un fin de semana perfecto** Ernesto es una persona muy activa. Lee la información sobre el fin de semana de Ernesto y selecciona todos los verbos con un cambio en la raíz (*stem-changing*).

> A Ernesto le gusta practicar surf, y Costa Rica tiene las condiciones perfectas para hacerlo. Los fines de semana, Ernesto viaja a Puntarenas para visitar a su amigo Guillermo. Normalmente, su fin de semana empieza el viernes por la tarde cuando toma el autobús a la casa de su amigo. El sábado, los dos practican surf todo el día. También vuelan cometas cuando las condiciones de viento son buenas. Al mediodía, almuerzan en una soda cerca de la playa, prueban platos típicos costarricenses y duermen una siesta. Después, encuentran a sus amigos y todos juegan al vóleibol. Finalmente vuelven a la casa de Guillermo y descansan. Ernesto siempre prefiere volver a San José el domingo por la mañana.

3 **¿Qué solución hay?** En las familias siempre hay algún dilema.

Paso 1 Inventa una solución para cada situación. Usa estos verbos para crear tus soluciones: **pensar, tener que, preferir, poder, querer**.

> **Modelo** Miguel, el hermano de Ernesto, saca malas notas (*grades*) en matemáticas.
> *Miguel **piensa** hablar con su profesor y asistir a todas las clases.*

1. Tú estás cansado/a hoy y es difícil trabajar. Tú…

2. La bicicleta de Sami no funciona bien. Sami y su padre…

3. Tenemos que escribir un informe para nuestra clase de historia. Nosotros…

4. Jaime tiene mucho trabajo en su oficina y no puede ir a casa para almorzar con su mamá. Jaime…

5. No puedo hacer toda la tarea para la clase de mañana porque tengo que trabajar. Yo…

6. Rosalía vuelve a casa, pero no tiene las llaves (*keys*). Rosalía…

7. La mamá de María Elena no tiene mucha energía. La mamá…

8. Mi madre y mi padre tienen ganas de pasar más tiempo con los nietos. Mis padres…

Paso 2 En parejas, cada uno/a inventa un problema más y el/la compañero/a tiene que ofrecer una solución.

Exploraciones

4 **¿Qué excursión prefieres hacer?** Tú y un(a) compañero/a tienen unos días de vacaciones y piensan ir a Costa Rica o Panamá con un presupuesto (*budget*) de $500 por persona. Lee las descripciones de varias excursiones.

Paso 1 Identifica los verbos **pensar**, **poder** y **tener**.

Visita el Bosque Nuboso de Monteverde en Costa Rica, una reserva biológica privada. Este bosque es una atracción turística muy popular. Puedes ver la cascada y hacer el tour de canopy. En esta excursión, tienes que caminar mucho porque hay senderos (*trails*) y puentes colgantes. Esta excursión incluye transporte en microbús, almuerzo, tour de canopy y admisión a la reserva por solo $159 por persona.

En Panamá existen más de 1.000 especies de aves. Para descubrirlas, tienes que salir de Ciudad de Panamá a las 5:30 de la mañana para llegar al Parque Nacional Soberanía, cerca del Canal de Panamá, a las 6:00. En el parque puedes observar varias especies de aves. Esta excursión dura cuatro horas. Incluye transporte, guía especializado y admisión al parque por solo $50.

Si piensas pescar (*go fishing*), este es el viaje para ti. Un lugar de pesca muy popular en Panamá es Bahía Piña, en la provincia de Darién. Puedes pescar excelentes ejemplares (*specimens*) de pez vela y pez marlín. También puedes ver animales acuáticos como defines, tiburones (*sharks*) y ballenas (*whales*). Tienes que salir a las 5:00 de la mañana y el viaje dura cinco horas. El precio incluye viaje en autobús, bote con capitán, equipo (*equipment*) de pesca y almuerzo por solo $385.

Observa la naturaleza exótica en el Parque Nacional Corcovado, en la península de Osa, Costa Rica. Puedes ver fauna variada, como monos araña (*spider monkeys*), aves, mariposas (*butterflies*), cocodrilos y tortugas. También puedes participar en deportes acuáticos. Para esta excursión, tienes que caminar mucho porque hay un programa educativo con un guía turístico. La excursión de dos días incluye transporte desde Puerto Jiménez y hotel con 3 comidas al día por $300 por persona.

Paso 2 Para cada excursión, toma notas de estos detalles:

- Lugar de la excursión
- ¿Qué tienes que hacer?
- ¿Qué puedes hacer?
- ¿Qué incluye?
- Precio

Paso 3 En parejas, decidan qué excursión o excursiones piensan hacer juntos/as. Prepárense para compartir su decisión con el resto de la clase.

> **Modelo** *Prefiero hacer la excursión a Monteverde porque quiero caminar por el bosque y visitar la cascada. Pienso hacer el tour de canopy, y también me gusta el precio.*

(5) Situaciones Haz el papel de A o B con un(a) compañero/a para participar en la conversación.

A You are going to meet the family of a friend for the first time. Talk to him/her in order to prepare for the visit and learn details about his/her family. You want to plan some activities to do together. Listen to the description and ask questions about the family members. Then, propose two activities to do with them.

B In anticipation of your family's visit, your friend has offered to plan some fun activities to do with your family. You give information about your family, including a physical description of relatives, their personalities, and activities they like to do. Then, answer any questions your partner has because you both want to make sure your family enjoys their visit. React to your friend's proposal and decide which activities you will do together.

CULTURA VIVA

Ticos, los más felices **Ticos** (the name Costa Ricans call themselves) are known world-wide as the happiest people in recent years, having ranked as #1 in the World Database of Happiness and the Happy Planet Index, and having abolished its army in 1948. Costa Rica fosters gender equality and invests in education and environmental preservation. **Ticos** cultivate family relationships and have positive attitudes regarding health and education. These cultural attitudes, along with incredible scenery, result in the happiest people on the planet! **Where does your country rank on the Happy Planet Index? Do you agree with the metrics used to measure happiness? Would you take any other factors into account?**

Resources

Vhlcentral

WebSAM

☐ **I CAN** exchange information about daily activities and plans.

 Tutorial

Describing daily activities: Yo form variations

Yo form variations with g

Like **tengo**, the **yo** form of the verb **tener**, these verbs also include a **g** in the **yo** form: **decir, hacer, poner, salir, seguir, traer, venir**.

Yo forms with g		
decir (e:i)	*to say, to tell*	di**g**o
hacer	*to do, to make*	ha**g**o
poner	*to put, to set*	pon**g**o
salir	*to go out*	sal**g**o
seguir (e:i)	*to follow*	si**g**o
tener (e:ie)	*to have*	ten**g**o
traer	*to bring*	trai**g**o
venir (e:ie)	*to come*	ven**g**o

TIP

Memorizing these patterns can help you know how to conjugate new verbs you encounter. Can you guess what the **yo** form of **proponer** (*to propose*) is? It follows the same pattern as **poner**, so the **yo** form is **propongo**.

▶ All other forms for these verbs follow the expected pattern of regular or stem-changing verbs as noted.

Yo **traigo** los regalos y Javier **trae** los refrescos.	*I bring the gifts and Javier brings the soft drinks.*
Yo **tengo** tres hermanas pero Marcos **tiene** solo una.	*I have three sisters but Marcos only has one.*

▶ **Hacer** is a very common verb meaning *to do* or *to make* and is used in many idiomatic expressions, as you learned in **Capítulo 3** with **hacer ejercicio**.

Hacer (*to do, to make*)			
yo	ha**g**o	nosotros/as	hacemos
tú	haces	vosotros/as	hacéis
él, ella, usted	hace	ellos, ellas, ustedes	hacen

Hago mi tarea en la biblioteca.	*I do my homework in the library.*
¿Qué **hace** Marta?	*What is Marta doing?*
Hace ejercicio en el gimnasio.	*She's exercising at the gym.*

▶ **Venir** is an **e** to **ie** stem-changing verb. But in the **yo** form, the stem does not change.

Venir (e:ie) (to come)			
yo	ven**g**o	nosotros/as	venimos
tú	vi**e**nes	vosotros/as	venís
él, ella, usted	vi**e**ne	ellos, ellas, ustedes	vi**e**nen

No **vengo** a clase mañana.   *I'm not coming to class tomorrow.*

▶ **Decir** and **seguir** are **e** to **i** stem-changing verbs.

Decir and *seguir* (e:i)			
decir (*to say, to tell*)		**seguir** (*to follow, to continue*)	
di**g**o	decimos	si**g**o	seguimos
di**c**es	decís	sigues	seguís
di**c**e	dicen	sigue	siguen

Siempre **sigo** las reglas y siempre   *I always follow the rules and I always*
   digo la verdad.   *tell the truth.*

▶ The meaning of **salir** changes slightly depending on the preposition that follows it.

salir = *to leave or to go out*

Salgo esta noche.   *I'm going out tonight.*

salir de = *to leave a place*

Salgo de casa a las tres.   *I leave home at three.*

salir con = *to go out with someone*

Salgo con mis amigos el viernes.   *I go out with my friends on Friday.*

Other *yo* form variations

Not all irregular **yo** forms include a **g**. You have already seen the examples of **ser** and **estar**, whose **yo** forms are **soy** and **estoy**, respectively.

Exploraciones

▶ **Dar** (*to give*) and **ver** (*to see*) are two very common verbs that also have **yo** forms that do not follow the regular pattern.

Dar and ver (irregular *yo* forms)			
dar (*to give*)		**ver** (*to see*)	
doy	damos	**veo**	vemos
das	dais	ves	veis
da	dan	ve	ven

No **veo** a Miguel. ¿Tú lo **ves**?   *I don't see Miguel. Do you see him?*

▶ In addition, verbs with certain endings have consistent changes in the **yo** form. Verbs whose infinitives end in **-cer** or **-cir**, such as **producir** (*to produce*), have a **yo** form ending in **-zco**.

Producir (*to produce*)	
produ**zco**	producimos
produces	producís
produce	producen

▶ These are some other common verbs that follow this pattern: **conocer** (*to know*), **conducir** (*to drive*), **ofrecer** (*to offer*), **pertenecer** (*to belong*).

No **conozco** a tu hermano, pero   *I don't know your brother, but we*
 pertenecemos al mismo club.   *belong to the same club.*

▶ Verbs whose infinitives end in **-ger** or **-gir**, such as **dirigir** (*to direct*), have a spelling change of **g** to **j** in the **yo** form.

Dirigir (*to direct*)	
diri**jo**	dirigimos
diriges	dirigís
dirige	dirigen

▶ These are some other common verbs that follow this pattern: **corregir** (*to correct*), **elegir** (*to choose, to elect*), **proteger** (*to protect*).

Cuando vemos la televisión, yo   *When we watch TV, I always choose*
 siempre **elijo** el programa.   *the program.*

① **La fiesta de cumpleaños** María Elena prepara una fiesta de cumpleaños para su hijo Sami. Mira los dibujos y sigue los pasos.

A. ____

B. ____

C. ____

D. ____

E. ____

F. ____

G. ____

Paso 1 Escribe el número de la descripción que escuchas debajo del dibujo que le corresponde.

Paso 2 En parejas, escriban los planes para la fiesta de un(a) amigo/a suyo/a (*of yours*). Usen las fotos de María Elena como guía.

Exploraciones

(2) Los buenos hábitos Piensa en tus hábitos relativos a la clase de español.

Paso 1 Completa la tabla según la frecuencia con la que haces estas actividades.

Actividades	Siempre	Con frecuencia	A veces	Nunca
Llego diez minutos temprano a la clase de español.	☐	☐	☐	☐
Hago la tarea de todas las clases.	☐	☐	☐	☐
Traigo mi tarea para el/la profesor(a).	☐	☐	☐	☐
Digo muchas palabras nuevas en español.	☐	☐	☐	☐
Salgo temprano de la clase.	☐	☐	☐	☐
Traigo el libro, un cuaderno y un bolígrafo.	☐	☐	☐	☐
Pongo mis cosas en la mochila al terminar la clase.	☐	☐	☐	☐
Traigo un sándwich para almorzar después de la clase.	☐	☐	☐	☐
Tengo mi computadora portátil en la clase.	☐	☐	☐	☐

Paso 2 En parejas, comparen sus respuestas.

Modelo **Estudiante A:** *Yo siempre traigo mi tarea ya hecha (done) a la clase. ¿Y tú?*
Estudiante B: *No siempre, pero yo traigo mi tarea ya hecha a la clase con frecuencia.*

Paso 3 Comparte con la clase lo que tienen en común tu compañero/a y tú.

CULTURA VIVA

Los ticos People from Costa Rica often refer themselves as **ticos**. Most people believe that the origin of this name comes from the fact that in Costa Rica, it is common for people to use the word ending **-ico** or **-ica** to signify small or to indicate affection.
So you might hear words like **gatico** (*small cat*), **chiquitica** (*very small*), or **patico** (*little duck*).
Are there particular words or phrases that your town or community is known for using? What are they?

Resources

Vhlcentral

WebSAM

☐ **I CAN** exchange information about daily activities.

Las profesiones y los oficios

el/la abogado/a

María Elena y su primo Jaime son **abogados**.

el/la amo/a de casa

La mamá de María Elena, Rosa María, es **ama de casa**.

el/la contador(a)

Esteban, el hermano mayor de María Elena, es **contador**.

el/la dependiente/a

Carmen, la hermana de María Elena, es **dependienta** en una tienda.

el/la ingeniero/a

Vicente, el padre de María Elena, es **ingeniero**.

el/la maestro/a

Alejandro, el hermano menor de María Elena, es **maestro.**

el/la periodista

Samuel, el esposo de María Elena, es **periodista.**

el/la médico/a

Ana, la cuñada de María Elena, es **médica**.

Exploraciones

Las profesiones y los oficios		Los cognados
el/la bibliotecario/a	*librarian*	el/la arquitecto/a
el/la cajero/a	*cashier*	el/la científico/a
el/la camarero/a	*waiter/waitress, server*	el/la dentista
el/la cocinero/a	*chef/cook*	el/la mecánico/a
el/la consejero/a	*counselor*	el policía; la (mujer) policía
el/la enfermero/a	*nurse*	el/la profesor(a)
el/la gerente	*manager*	el/la programador(a)
el hombre/la mujer de negocios	*business man/woman*	el/la psicólogo/a
el/la peluquero/a	*hairdresser*	el/la psiquiatra
el/la vendedor(a)	*salesperson*	el/la recepcionista
		el/la secretario/a
		el/la técnico/a
		el/la veterinario/a

1 **La feria de trabajo** Estás en una feria de trabajo. Escucha a las personas que hablan de sus profesiones y selecciona la profesión que corresponde a cada descripción.

1. abogada   mujer de negocios   dentista   recepcionista

2. cajero   psicólogo   secretario   arquitecto

3. ingeniero   técnico   artista   camarero

4. veterinaria   dependienta   psiquiatra   médica

5. consejero   programador   maestro   bibliotecario

6. cocinera   peluquera   enfermera   ama de casa

2 **Planes para el futuro** ¿Qué profesión u ocupación piensas tener en el futuro? Completa las oraciones. Prepárate para compartir tus respuestas con la clase. ¿Alguien más piensa hacer lo mismo que tú?

En el futuro, voy a ser _____ porque _____.

Por eso estudio _____ y _____.

3 **Juego de preguntas** Vas a inventar preguntas para adivinar (*guess*) una profesión. En un grupo de tres, una persona selecciona en secreto una profesión de la lista de vocabulario. Las otras personas hacen preguntas de tipo sí/no para adivinar qué profesión es. La persona que adivine la profesión continúa con el juego y selecciona otra profesión.

> **Modelo** **Estudiante A:** *¿Trabajas en un hospital?*
> **Estudiante B:** *¡No!*
> **Estudiante C:** *¿Trabajas en una escuela?*
> **Estudiante B:** *¡Sí!*
> **Estudiante A:** *¿Eres maestro?*
> **Estudiante B:** *¡Sí!*

4 **Francisco Amighetti** El arte puede representar diferentes perspectivas culturales. Busca en internet el mural al fresco *Medicina rural,* del famoso pintor costarricense Francisco Amighetti. En un grupo pequeño, conversen sobre la pintura. Utilicen las preguntas como guía y contesten con oraciones completas.

> 🔍 Medicina rural Francisco Amighetti

1. ¿Cuántas personas hay en el mural?

2. ¿Cuántos años tienen?

3. ¿Qué hace la mujer?

4. ¿Cuál es la profesión de la mujer?

5. ¿Qué más ves en esta obra?

6. ¿Qué piensas de la pintura como arte visual?

5 **Situaciones** Haz el papel de A o B con un(a) compañero/a para participar en la conversación.

A You live in Panama and you need to find work in order to make some money. You applied for a position you saw advertised online and have been called in for an interview. During the interview, answer the supervisor's questions. You should ask questions to find information about salary, schedule, and vacation days.

B You are the supervisor for a job that was posted online and you interview a candidate. You need to find out if this is the right person for the job. Ask for the person's age and about his/her experience, studies, talents, activities, interests, and personality. Answer any questions the candidate has during the interview.

6 **Busco empleo** Necesitas un trabajo para ayudar con los gastos (*expenses*) de la universidad. Lee los anuncios del periódico (*newspaper*).

Recepcionista

Requisitos:

- Manejo de equipo de oficina
- Conocimientos de programas de computación
- Nivel intermedio de inglés
- Atención al cliente

Busco profesor(a)
particular de inglés

para 2 niños de 5 y 7 años

3 tardes/semana

Camarero/a de buena presencia

Conocimientos en la preparación de:

sándwiches, hamburguesas, comida rápida

Para trabajar en diferentes horarios

Promotor(a) de ventas°

Requisitos:

Atención al cliente
Experiencia en ventas
Dinámico/a
Buena presencia

Enviar currículum y foto

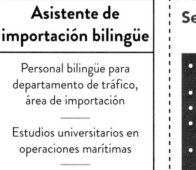

Asistente de importación bilingüe

Personal bilingüe para departamento de tráfico, área de importación

Estudios universitarios en operaciones marítimas

Con experiencia o sin ella

Servicio al cliente, bilingüe

- Puesto en un banco multinacional
- Proyecto temporal
- Sin experiencia
- Buen dominio del idioma inglés
- Orientación al cliente y estudios secundarios
- Salario en balboas

ventas *sales*

Paso 1 Lee los anuncios y decide qué puesto (*position*) te interesa.

Paso 2 Escribe un párrafo explicando por qué prefieres ese puesto y por qué no quieres los otros puestos.

Paso 3 En parejas, compara tu selección y tu explicación con la selección y explicación de tu compañero/a. Juntos/as, contesten las preguntas.

- ¿Estos anuncios panameños son iguales o diferentes a los estadounidenses?

- ¿Piensas que el periódico es una buena forma de buscar (*look for*) trabajo?

- ¿Qué otras formas hay de encontrar (*find*) trabajo hoy día?

- En tu experiencia, ¿qué tipo de trabajo prefieren los estudiantes universitarios?

☐ **I CAN** exchange information about jobs and professions.

El tiempo y las estaciones del año

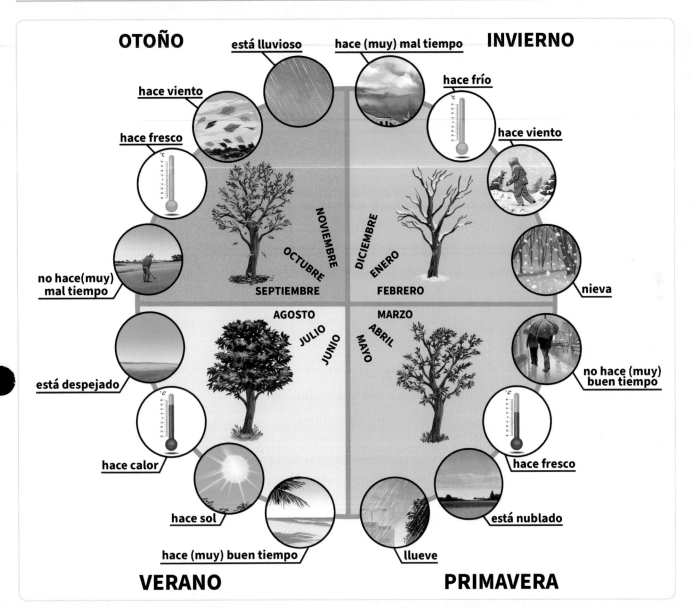

OTOÑO

está lluvioso

hace (muy) mal tiempo

INVIERNO

hace viento

hace frío

hace fresco

hace viento

NOVIEMBRE
OCTUBRE
SEPTIEMBRE

DICIEMBRE
ENERO
FEBRERO

no hace (muy) mal tiempo

nieva

está despejado

AGOSTO
JULIO
JUNIO

MARZO
ABRIL
MAYO

no hace (muy) buen tiempo

hace calor

hace fresco

hace sol

está nublado

hace (muy) buen tiempo

llueve

VERANO

PRIMAVERA

Hacer expressions

Use **hace** with nouns:

▶ to describe weather conditions that can be felt, such as wind and temperature.

Hace (mucho) **frío** en invierno.   Hace (mucho) **viento** en primavera.

Hace (mucho) **calor/sol** en verano.   Hace **fresco** en otoño.

▶ to make a general comment about the weather, such as good or bad weather.

Hace (muy) **buen tiempo**.   Hace (muy) **mal tiempo**.

Exploraciones

Estar

▶ Use **está** with adjectives to comment about a weather condition that can usually be seen. The subject **el cielo** (*the sky*) or **el día** (*the day*) is usually implied, but you can choose to include these ideas for clarity or specificity.

Está **nublado** hoy.	*It's cloudy today.*
El cielo está **despejado**.	*The sky is clear.*
El día está **lluvioso**.	*It's a rainy day.*

Weather verbs

▶ The verbs **llover** (*to rain*) and **nevar** (*to snow*) both have stem-changes. They are typically used only in the singular forms **llueve** and **nieva**.

No vamos al parque cuando **llueve**.	*We don't go to the park when it rains.*
En mi ciudad, **nieva** mucho en enero.	*In my city, it snows a lot in January.*

Weather nouns

▶ **Nouns** can state a weather concept, such as rain, snow, or sun.

La lluvia es común en mayo.	*Rain is common in May.*
A mis hijos les gusta **la nieve**.	*My children like the snow.*
El sol está muy fuerte hoy.	*The sun is very strong today.*

> **¡ATENCIÓN!**
>
> Use the expressions **hace calor/frío** to describe the temperature around you, and **tener calor/frío** to describe how you feel.
>
> **¡Hace frío hoy!** = *It's cold out today.*
>
> **Tengo frío hoy.** = *I'm (I feel) cold today.*

(1) **¿Qué tiempo hace?** Cada persona tiene una reacción diferente según la temperatura y el tiempo. Escucha y escribe qué tiempo hace, según cada situación.

1. _____
2. _____
3. _____
4. _____

5. _____
6. _____
7. _____

CULTURA VIVA

Temperatura y estaciones en Costa Rica y Panamá In many countries, including Panama and Costa Rica, a Celsius scale is utilized for giving the temperature. Convert the Celsius temperature to Fahrenheit using this formula: __ °C x 9/5 + 32 = __. A helpful rule of thumb is that 28 °C is about the same as 82 °F. Costa Rica has a moderate subtropical climate with only two seasons: the dry season, which runs from December to April, and the wet season from May to November. Panama has a rainy season from May to January, and a dry season from January through May. The school calendar has school vacations from mid-December through February. **Have you utilized the Celsius scale? Check the temperature in Panama and Costa Rica and compare it to the temperature where you live using the Celsius scale.**

2 **Las actividades y el tiempo** Las personas hacen diferentes actividades según el tiempo. Mira las fotos y descríbelas.

1.

2.

3.

4.

5.

Paso 1 Explica dónde están las personas, qué tiempo hace y cómo se sienten.

> **Modelo** *El hombre y la mujer están en la ciudad. El día está lluvioso y tienen frío.*

Paso 2 En parejas, túrnense para explicar cómo se sienten cuando hace el tiempo que ven en las fotos. ¿Prefieren el mismo tiempo?

> **Modelo** *Cuando hace frío, estoy triste y no salgo de casa. La nieve es bonita, pero no me gusta el frío.*

3 **¿Qué prefieres hacer cuando...?** A veces el tiempo afecta las actividades que haces. En parejas, conversen sobre qué prefieren hacer en cada situación.

1. Cuando hace sol y no hace mucho calor...

2. Cuando hace mal tiempo y llueve...

3. Cuando hace mucho calor...

4. Cuando nieva...

5. Cuando hace buen tiempo y hace fresco...

6. Cuando hace mucho frío...

☐ **I CAN** exchange information about seasons and the weather.

Expressing what you know: *Saber* and *conocer*

Two common verbs, **saber** and **conocer**, are used in Spanish to discuss things that you know of or are familiar with in different contexts. Both verbs are often translated as *to know* in English, but they cannot be used interchangeably. Look at the examples for each verb and read the explanation.

¿Qué observas?

Look at the examples of how **saber** and **conocer** are used.

1. Which word would you use followed by a verb?

2. Which word would you use followed by a person's name?

▶ In **Gramática 3**, you learned that **conocer** has an irregular **yo** form, **conozco**. **Saber** also has an irregular **yo** form, **sé**. Look at the full conjugations in the charts.

Saber = *to know (facts, information); to know how to (do something)*			
yo	**sé**	nosotros/as	sabemos
tú	sabes	vosotros/as	sabéis
él, ella, usted	sabe	ellos, ellas, ustedes	saben

Conocer = *to know (someone); to be acquainted or familiar with (a person or place)*			
yo	cono**zco**	nosotros/as	conocemos
tú	conoces	vosotros/as	conocéis
él, ella, usted	conoce	ellos, ellas, ustedes	conocen

▶ Use **saber** to talk about skills or abilities, to express that you know how to do something. With this meaning, use **saber** + [INFINITIVE].

Sé tocar la guitarra.   *I know how to play the guitar.*

¿Sabes hablar francés?   *Do you know how to speak French?*

▶ Use **saber** to express that you know facts or information.

Sé la capital de Panamá.	*I know what the capital of Panama is.*
Joaquín **sabe** la respuesta.	*Joaquín knows the answer.*

▶ Use **saber** + **que** to express the facts that you know.

Sé que la capital de Panamá es Ciudad de Panamá.	*I know that the capital of Panama is Panama City.*
Joaquín **sabe que** la respuesta es tres.	*Joaquín knows that the answer is three.*

▶ Use **conocer** to express familiarity or acquaintance with someone or some place.

Mis padres **conocen** las islas San Blas.	*My parents know the San Blas Islands.*
No **conozco** a tu primo.	*I don't know your cousin.*

▶ When using **conocer** to refer to a person or people, you must include the word **a** before the name or word referring to people. This **a** does not have a direct translation in English. Remember to form the contraction **al** between **a** and the definite article **el**.

Silvia conoce **a** la profesora de biología.	*Silvia knows the biology professor.*
Mis hermanos conocen **a** Elisa.	*My brothers know Elisa.*
No conocemos **al** padre de Ana.	*We don't know Ana's father.*

(1) **¿Saber o conocer?** Escucha las descripciones e indica si cada una se refiere a información, una habilidad (*ability*) o familiaridad (*familiarity*). Luego indica si tienes que usar el verbo **saber** o **conocer** en cada situación.

	Información	Habilidad	Familiaridad
1. _____	☐	☐	☐
2. _____	☐	☐	☐
3. _____	☐	☐	☐
4. _____	☐	☐	☐
5. _____	☐	☐	☐
6. _____	☐	☐	☐
7. _____	☐	☐	☐
8. _____	☐	☐	☐

Exploraciones

(2) Preguntas y respuestas Vas a contestar unas preguntas para compartir tus conocimientos y habilidades con la clase.

Paso 1 Contesta las preguntas.

1. ¿Conoces la capital de Costa Rica?
2. ¿A qué persona de la clase conoces bien?
3. ¿Sabes tocar un instrumento musical?
4. ¿Qué lugar turístico conoces bien?
5. ¿Sabes jugar bien a algún deporte?
6. ¿Sabes quién es el/la presidente/a de la universidad?
7. ¿Sabes qué colores tiene la bandera de Panamá?

Paso 2 En parejas, túrnense para contestar las preguntas del **Paso 1**. Luego, cada uno/a inventa tres preguntas más, según el modelo.

> **Modelo**
> *1. Sé _____ (verbo) muy bien. ¿Tú sabes _____ muy bien?*
> *2. Conozco a _____ (nombre de persona). ¿Conoces tú a _____?*
> *3. Conozco _____ (nombre de ciudad). ¿Conoces tú _____ (nombre de ciudad)?*

Paso 3 Prepárate para compartir las respuestas de tu compañero/a con la clase.

(3) Situaciones Haz el papel de A o B con un(a) compañero/a para participar en la conversación.

A A student from Panama will study at your university next semester. You have a big family and want to offer your home to the student. Explain why you think your home is perfect. Tell the student about your family members, including their professions, personalities, and favorite activities. Explain what they will do to make the exchange student feel welcome. Ask the student about his/her own family and answer his/her questions.

B You are an exchange student from Panama who is planning to study at your university next semester. Talk to a member of a prospective host family and ask questions about their family, what they are like, and what they like to do. Share information about your own family and your expectations for the semester as well.

Resources

Vhlcentral

WebSAM

☐ **I CAN** express what I know and what I am familiar with.

Audio:
Reading

Episodio #8: Ernesto Montes Marín

Antes de escuchar

(1) **¿Quién es Ernesto?** Vas a conocer a Ernesto, un joven maestro de Costa Rica. ¿Qué tipo de información piensas que va a incluir Ernesto sobre él? Mira su foto y escribe tres ideas.

Mientras escuchas

(2) **Sobre Ernesto** Escucha la historia de Ernesto para aprender sobre su vida, su familia y sus actividades.

Paso 1 Lee la lista e indica las cosas que Ernesto incluye en su descripción.

Personalidad	Actividades	Lugares de interés
trabajador	leer	el instituto
optimista	escribir poemas	el gimnasio
serio	jugar al fútbol	la soda
conservador	trabajar	el parque
	salir con sus hermanos	
	conversar con su familia	
	mirar las noticias de la televisión	

Paso 2 Con la información del **Paso 1**, y en oraciones completas, escribe una descripción de Ernesto y sus actividades.

Después de escuchar

(3) **¿Qué haces tú?** Prepara una presentación breve sobre tu vida, tus actividades, y tu familia o amigos. Usa las preguntas como guía y la descripción de Ernesto como modelo. Luego, comparte tu presentación con un(a) compañero/a. ¿Tienen algo en común?

- ¿Cuál es tu profesión u ocupación?
- ¿Qué actividades haces durante la semana según el tiempo y las estaciones?
- ¿Con quién haces esas actividades?
- ¿Haces actividades con tu familia?

Resources

Vhlcentral

Online
activities

☐ **I CAN** describe my work and weekly routine.

Estrategia de lectura: Scanning

Scanning involves searching a text for helpful words like cognates and familiar vocabulary that will help you quickly identify the main idea of a passage. As your eyes scan over a reading passage, focus on words for people and activities and their relationships. Utilizing this strategy prior to completing a thorough reading of the selection will assist with your comprehension of any reading passage.

Antes de leer

1   **Preparación**   Vas a leer un texto sobre dos mujeres que abrieron (*opened*) una soda en Costa Rica. Lee la estrategia. Luego, escanea el texto y elige cinco palabras que no conozcas para buscar en un diccionario. Comparte con un(a) compañero/a las cinco palabras que tienes y pídele que comparta contigo sus cinco palabras.

Soda Mis Dos Tierras

Para muchas personas, la palabra soda es sinónimo de refresco, pero no es así en Costa Rica. Allí, una soda es un restaurante familiar donde se sirven los platos más típicos del país a precios económicos.

Para Juanita y Perla, madre e hija, la soda Mis Dos Tierras no es solamente un negocio familiar, sino° una forma de mantener sus dos culturas: nicaragüense y costarricense. Hace 25 años, Juanita emigra a Costa Rica desde Nicaragua para buscar trabajo. Luego, por la pandemia del COVID-19, pierde su puesto. Un día, al ver° un pequeño local en venta°, decide abrir su propia soda: Mis Dos Tierras, llamada así por sus raíces nicaragüenses y costarricenses.

Juanita trabaja con su hija, Perla, quien es estudiante de derecho y madre también. Ellas hacen comidas típicas de los dos países, como los asados, la sopa de res de Nicaragua y las empanadas de Costa Rica. Según ellas, la mitad° de sus clientes son de Nicaragua y la otra mitad, de Costa Rica. Hay más de 400.000 inmigrantes de Nicaragua en Costa Rica y conforman cerca del 10% de la población.

Juanita Moreno y su hija Perla son las propietarias de una soda, Mis Dos Tierras, en San José, Costa Rica.

Juanita dice: "A mí me fascina° ser parte de dos países, somos hermanos, compartimos culturas algo° similares y eso es importante".

sino *but also*   **al ver** *when she saw*   **en venta** *for sale*   **mitad** *half*   **me fascina** *I love*   **algo** *somewhat*

Después de leer

2 **Comprensión** Elige la respuesta correcta según la lectura.

1. ¿De dónde es Juanita?
   a. Panamá   **b.** Costa Rica   **c.** Nicaragua

2. ¿Qué es una soda en Costa Rica?
   a. un restaurante   **b.** un refresco   **c.** una comida típica

3. ¿Qué estudia la hija de Juanita?
   a. derecho   **b.** gastronomía   **c.** administración

4. ¿Cuántos nicaragüenses hay en Costa Rica?
   a. 200.000   **b.** 300.000   **c.** 400.000

3 **Mi propia comunidad** En parejas, hablen de la experiencia de los inmigrantes en sus comunidades.

1. ¿Sabes si buscar trabajo es una razón común para emigrar a tu comunidad? ¿Qué otras razones pueden ser?

2. ¿Qué tipos de negocios tienen los inmigrantes en tu comunidad? ¿Haces compras en esos negocios? ¿Son negocios familiares?

3. Para Juanita, Mis Dos Tierras es una forma de mantener sus dos culturas: nicaragüense y costarricense. ¿Cómo? Busca un ejemplo del texto.

4 **A escribir** Vas a proponer (*propose*) un nuevo negocio familiar.

> **Estrategia de escritura: Organizing Your Ideas for Writing**
>
> Once you have identified the main ideas of your writing by using a word map or other graphic organizer, it can be helpful to use a table with various columns where you can write down the verbs you might need and the nouns that will serve as subjects of those verbs. You might also have a column for descriptions of people, places, and things, and other concrete vocabulary you want to include.

Paso 1 Decide qué tipo de negocio te interesa y prepara una lluvia de ideas (*brainstorm*) sobre los verbos, sustantivos y adjetivos que necesitas para describir tu negocio familiar. Puedes crear una tabla con las tres categorías.

Paso 2 Usando las palabras de tu lista, escribe una descripción del negocio. Describe lo que vas a vender, quiénes son los empleados y por qué es un buen negocio familiar.

Paso 3 En parejas, túrnense para leer sus textos. Después, comenten dos cosas buenas de cada texto y dos sugerencias para mejorarlos.

☐ **I CAN** compare perspectives about family-run businesses in Costa Rica and my own community.

Resources

Vhlcentral

Online activities

Video: *#BetweenTwoWorlds*

Vas a ver un video con varias personas de herencia latina que viven en Estados Unidos. El video sirve como publicidad para la empresa AT&T. Las personas hablan de sus perspectivas sobre los conceptos de la familia, la distancia y la identidad.

Estrategia intercultural: Self-Awareness and Identity

Have you ever wondered, "How does my identity affect how I interact with others?" Experts recommend that a first step in developing intercultural competence is to reflect on your own cultural identity and values. (UNESCO, 2017) Try mapping the different identities of who you are, including age, religion, preferred pronouns, language(s), education, and location. Critically reflect on the interrelatedness of your identities, how they have changed over time, and how they can influence your interactions with others.

UNESCO. (2017). *Competencias interculturales: Marco conceptual y operativo.* Bogotá: Cátedra UNESCO-Diálogo intercultural, Universidad Nacional de Colombia.

Antes de ver

1 **Somos todos humanos** Haz una lista de las cosas que tenemos en común como seres humanos. Después compara tu lista con la de un(a) compañero/a.

Mientras ves

2 **Somos de muchas partes** Mira el video y sigue los pasos.

Paso 1 Identifica los países de donde vienen las personas.

Bolivia	Cuba	Panamá	Puerto Rico
Colombia	España	Paraguay	República Dominicana
Costa Rica	México	Perú	Venezuela

Paso 2 Empareja las ideas de las personas del video con la imagen de cada una.

1. ___ Mi familia extensa es de Paraguay.

2. ___ Es importante estar conectada a la familia.

3. ___ Tengo una familia gigante: siete hermanos y como cien primos.

4. ___ Mis padres me enseñan tradiciones dominicanas.

Después de ver

(3) Tres perspectivas En el video, estas tres personas tienen perspectivas distintas sobre la conexión entre su familia y su identidad.

Paso 1 Empareja las ideas con la imagen de la persona.

A   B   C

1. ___ Soy dominicana y soy estadounidense y por eso tengo más que decir…

2. ___ Me siento más paraguaya por los valores […] la idiosincrasia de la familia y de mi país.

3. ___ Más de sentirme como americano o puertorriqueño, me siento como una persona.

Paso 2 En parejas, comenten estas perspectivas. ¿Cuál te parece más interesante? ¿Alguna refleja tu experiencia y perspectiva?

(4) A conversar Piensa en tus identidades y contesta las preguntas. Luego, con un(a) compañero/a, comparte las respuestas con las cuales te sientas cómodo/a. ¿Hay semejanzas y diferencias entre sus identidades?

1. Elige tres identidades que son las más importantes para ti. ¿Cuáles son? ¿Por qué las seleccionaste (*did you choose them*)?

2. ¿Con qué identidad te sientes más cómodo/a? ¿Por qué?

3. ¿De qué identidad estás más orgulloso/a?

4. ¿Con qué identidad te sientes menos cómodo/a? ¿Por qué?

5. Si alguien quiere conocerte mejor, ¿Cómo debe empezar? ¿Cuál es la mejor manera de conocerte?

(5) Reflexión Reflexiona con un(a) compañero/a sobre la conexión entre la familia y la identidad. Utiliza estas preguntas para guiar su reflexión.

1. ¿Qué productos, prácticas y perspectivas observas en el video?

2. ¿Qué valores o perspectivas aprendes de tu familia, de tu comunidad o de tu país? ¿Cómo forman parte de tu identidad?

3. ¿Por qué piensas que es una ventaja tener dos identidades, como en el caso de la chica dominicana y estadounidense?

4. ¿Por qué piensas que la última persona del video prefiere identificarse como *una persona* en vez de una nacionalidad específica?

□ **I CAN** reflect on the connection between family and cultural identity.

El Parque Ecológico Veragua

● ● ●   www.el_blog_de_lucas.com/ParqueEcologicoVeragua   🔍 ‹ ›

Sobre mí | Viajes | Mapas | Galería | Contacto

El Parque Ecológico Veragua

Si piensan hacer un viaje a Costa Rica, conozco un buen lugar que les puedo recomendar. Hay un parque en Costa Rica que se llama Veragua y está cerca de Limón y el Parque Internacional La Amistad. De ruta a° Puerto Escondido, una playa al sur de Limón, puedes parar en Veragua y pasar un día maravilloso. El parque Veragua es mi parque preferido porque hay muchas actividades y puedo disfrutar de la naturaleza con mis amigos. Tiene un tour de *canopy* estupendo, senderos°, una estación biológica, un jardín de mariposas°, una exposición de ranas°, góndolas para el trayecto aéreo, un jardín de colibríes°, un insectario y también una exposición de reptiles. Es increíblemente bonito.

En el Parque Ecológico Veragua se puede disfrutar de la naturaleza de muchas formas.

De ruta a *On the way to*   **senderos** *trails*   **mariposas** *butterflies*   **ranas** *frogs*   **colibríes** *hummingbirds*

---

(1) **Un parque ecológico** Vas a investigar el ecoturismo en Costa Rica.

Paso 1 Lee el blog de Lucas y toma apuntes sobre su descripción del Parque Ecológico Veragua. ¿Te interesa visitarlo? Comparte tu opinión con un(a) compañero/a.

Paso 2 Busca información en internet sobre el Parque Ecológico Veragua u otro parque ecológico de Costa Rica. Contesta las preguntas.

1. ¿Dónde está? ¿Cómo se llega desde la capital, San José?

2. ¿Qué tiempo hace allí en diferentes meses del año?

3. ¿Qué actividades ofrece?

4. ¿Qué paquetes o tours ofrece?

Paso 3 Escribe una descripción de una excursión que piensas hacer a un parque ecológico, incluyendo tus respuestas del **Paso 2**. Explica tus preferencias y qué te interesa hacer allí. Prepárate para compartir tu descripción con el resto de la clase.

☐ **I CAN** identify key aspects about travel to an ecopark in Costa Rica.

Proyectos

Learning Objectives: Describe your family.
Present information about Panama and Costa Rica.

1 ¿Cómo es tu familia? Vas a crear una presentación para describir a tu familia, biológica o elegida (*chosen*). Lee la estrategia.

Estrategia para presentaciones: Silent Pronunciation Practice

Sometimes we come across certain words that seem to trip us up, and we stumble to pronounce them. If there is a word that you struggle to pronounce for your presentation, try mouthing the word after you hear it pronounced. Imagine yourself pronouncing it correctly as you hear it in your brain. Then exaggerate your pronunciation. You will find it easier to tackle a difficult word once you've tried this strategy.

Paso 1 Repasa el vocabulario y las estructuras del capítulo. Luego, mira el video **Encuentros: *Cómo hacer un árbol genealógico*** para ver un ejemplo de cómo Lucas describe a su familia. Toma notas de palabras y expresiones para incluir en el video.

Paso 2 Prepara una lista de las personas que son parte de la familia que eliges (*that you choose*) para describir. Escribe el nombre y una descripción corta (*brief*) de cada persona.

> **Modelo** *Esta es mi hermana Chris. Es muy simpática. Tiene 20 años. Es estudiante de la Universidad de Minnesota. A mi hermana le gusta jugar al fútbol.*

Paso 3 Practica tu presentación con un(a) compañero/a. Toma notas de lo que dice tu compañero/a y dale (*give him/her*) sugerencias para mejorar (*improve*) su trabajo.

Paso 4 Presenta la descripción de tu familia. Incluye imágenes y prepárate para compartir tu proyecto con el resto de la clase.

¡ATENCIÓN!

Ask your instructor to share the **Rúbrica** to understand how your work will be assessed.

2 Álbum de Panamá y Costa Rica Usando la información del capítulo e internet, crea una presentación con los siguientes puntos sobre Panamá y Costa Rica. Luego, compara la información con un(a) compañero/a y compartan algo nuevo que aprendieron.

1. información básica
2. estadísticas interesantes
3. dos lugares interesantes
4. observaciones culturales
5. enlaces interesantes
6. información que te hizo cambiar de opinión o que te hizo reflexionar

☐ **I CAN** describe my family.
☐ **I CAN** share personally meaningful information about Panama and Costa Rica.

Repaso de objetivos

Reflect on your progress toward the chapter main goals.

I am able to...

	Well	Somewhat
• Identify basic information about family and professions described in a video.	☐	☐
• Exchange information about special people and my relationship to them.	☐	☐
• Compare products, practices, and perspectives from Panama and Costa Rica with my own community.	☐	☐
• Describe special people in my life.	☐	☐

Repaso de vocabulario

Vocabulary Tools

La familia *Family*
el/la abuelo/a   *grandfather/grandmother*
el/la cuñado/a   *brother-in-law/sister-in-law*
el/la esposo/a   *husband/wife*
el/la hermanastro/a   *stepbrother/sister*
el/la hermano/a   *brother/sister*
el/la hijastro/a   *stepson/stepdaughter*
el/la hijo/a   *son/daughter*
la madrastra   *stepmother*
la madre   *mother*
mayor   *older*
el/la medio/a hermano/a   *half brother/sister*
menor   *younger*
el/la nieto/a   *grandson/granddaughter*
la nuera   *daughter-in-law*
el padrastro   *stepfather*
el padre   *father*
los padres   *parents*
los parientes   *relatives*
el/la primo/a   *cousin*
el/la sobrino/a   *nephew/niece*
el/la suegro/a   *father-in-law/mother-in-law*
el/la tío/a   *uncle/aunt*
el yerno   *son-in-law*

Las profesiones y los oficios   *Professions and jobs*
el/la abogado/a   *lawyer*
el/la amo/a de casa   *housewife, househusband, home manager*
el/la arquitecto/a   *architect*
el/la bibliotecario/a   *librarian*
el/la cajero/a   *cashier*
el/la camarero/a   *waiter/waitress, server*
el/la científico/a   *scientist*
el/la cocinero/a   *chef/cook*
el/la consejero/a   *counselor*

el/la contador(a)   *accountant*
el/la dentista   *dentist*
el/la dependiente/a   *sales clerk*
el/la enfermero/a   *nurse*
el/la gerente   *manager*
el hombre/la mujer de negocios   *businessman/woman*
el/la ingeniero/a   *engineer*
el/la maestro/a   *teacher*
el/la mecánico/a   *mechanic*
el/la médico/a   *doctor*
el/la peluquero/a   *hairdresser*
el/la periodista   *journalist*
el policía; la (mujer) policía   *police officer*
el/la profesor(a)   *professor, teacher*
el/la programador(a)   *programmer*
el/la psicólogo/a   *psychologist*
el/la psiquiatra   *psychiatrist*
el/la recepcionista   *receptionist*
el/la secretario/a   *secretary*
el/la técnico/a   *technician*
el/la vendedor(a)   *salesperson*
el/la veterinario/a   *veterinarian*

Las actividades   *Activities*
almorzar (o:ue)   *to eat lunch*
cerrar (e:ie)   *to close*
conducir   *to drive*
conocer   *to know*
contar (o:ue)   *to count*
corregir (e:i)   *to correct*
dar   *to give*
decir (e:i)   *to say, to tell*
dormir (o:ue)   *to sleep*
elegir (e:i)   *to choose, to elect*
empezar (e:ie)   *to begin*
hacer   *to do, to make*

ofrecer   *to offer*
pedir (e:i)   *to ask for, to request*
pensar (e:ie)   *to think, to intend to do something*
perder (e:ie)   *to lose*
pertenecer   *to belong*
poder (o:ue)   *can, to be able to do something*
poner   *to put, to set*
preferir (e:ie)   *to prefer*
probar (o:ue)   *to try*
proteger   *to protect*
querer (e:ie)   *to want*
salir   *to leave, to go out*
seguir (e:i)   *to follow, to continue*
traer   *to bring*
venir (e:ie)   *to come*
ver   *to see*
volar (o:ue)   *to fly*
volver (o:ue)   *to return*

Las estaciones del año   *Seasons*
la primavera   *spring*
el verano   *summer*
el otoño   *fall*
el invierno   *winter*

El tiempo   *Weather*
la lluvia   *rain*
la nieve   *snow*
el sol   *sun*
despejado/a   *clear (skies)*
lluvioso/a   *rainy*
nublado/a   *cloudy*
llover (o:ue)   *to rain*
nevar (e:ie)   *to snow*
(no) hace (muy) buen tiempo   *it's (not) (very) nice weather*
hace (mucho) calor   *it's (very) hot*

| hace fresco _it's cool_ | (no) hace (muy) mal tiempo _it's (not) (very)_ | hace sol _it's sunny_ |
| hace (mucho) frío _it's (very) cold_ | _bad weather_ | hace (mucho) viento _it's (very) windy_ |

Repaso de gramática

1 Possessive adjectives

Possessive adjectives are placed before nouns and are used to indicate ownership.

mi(s)	my
tu(s)	your (informal)
su(s)	your, his, her
nuestro(s), nuestra(s)	our
vuestro(s), vuestra(s)	your (informal plural used in Spain)
su(s)	your, their

2 Stem-changing verbs

Subject pronouns	pensar (e:ie)	volver (o:ue)	pedir (e:i)
yo	pienso	vuelvo	pido
tú	piensas	vuelves	pides
él, ella, usted	piensa	vuelve	pide
nosotros/as	pensamos	volvemos	pedimos
vosotros/as	pensáis	volvéis	pedís
ellos, ellas, ustedes	piensan	vuelven	piden

3 Yo form variations

Common verbs that include a **g** in the **yo** form: **decir (digo), hacer (hago), poner (pongo), salir (salgo), seguir (sigo), traer (traigo), tener (tengo), venir (vengo)**

Common verbs with a **c:zc** change in the **yo** form: **conocer (conozco), conducir (conduzco), ofrecer (ofrezco), pertenecer (pertenezco), producir (produzco)**

Common verbs with a **g:j** change in the **yo** form: **corregir (corrijo), dirigir (dirijo), elegir (elijo), proteger (protejo)**

Other common verbs with irregular **yo** forms: **dar (doy), ver (veo)**

4 _Saber and conocer_

Saber = _to know a fact, to know how to do something_

Conocer = _to know a person, to be acquainted with a place_

Capítulo 6 | ¿Cómo es tu hogar?

OBJETIVOS DE APRENDIZAJE

By the end of this chapter, I will be able to...

- Identify information about a house described in a video.
- Exchange information about homes, house chores, and daily activities.
- Compare products, practices, and perspectives from Guatemala and El Salvador with my own community.
- Describe my home or personal space.

ENCUENTROS

El canal de Lucas: Cómo encontrar un buen apartamento

Este es mi país: Guatemala, El Salvador

EXPLORACIONES

Vocabulario

La casa, los muebles y los electrodomésticos
Los números hasta 900.000.000
Los quehaceres de la casa

Gramática

Comparatives

Deber, **necesitar**, **tener que** + *infinitive*
Reflexive constructions
Present progressive

EXPERIENCIAS

Cultura y sociedad: Desigualdad en las tareas domésticas

Intercambiemos perspectivas: *Diferencia entre una casa y un hogar*

Blog: El lago Ilopango

Proyectos: ¿Cómo es tu hogar?, Álbum de Guatemala y El Salvador

Encuentros El canal de Lucas

Learning Objective:
Identify information about homes described in a video.

Video: Story

Cómo encontrar un buen apartamento

Lee y reflexiona sobre la estrategia de aprendizaje de este capítulo.
Luego mira el video de Lucas.

Estrategia de aprendizaje: Reflect on Your Growth and Progress

It's time to reflect on your growth and progress in learning to communicate in Spanish. Check back on your earlier recordings from the beginning of this journey. Take a look at an early writing assignment. Now, pat yourself on the back for all the progress you have made so far! The progress you notice will motivate you to continue engaging with others to speak Spanish!

Antes de ver

(1) **Las prioridades** Cuando quieres buscar un lugar nuevo para vivir (una casa, un apartamento, un cuarto), ¿cuáles son los elementos más importantes para ti? Anota cuatro prioridades. Luego, comparte tus ideas con un(a) compañero/a. ¿Tienen algo en común?

Mientras ves

(2) **El apartamento que desea Elena** Mira el video y selecciona las prioridades que menciona Elena para su apartamento nuevo.

precio	un baño con una bañera	un lugar para estudiar
una sala con un televisor	cinco habitaciones	una cocina moderna
cerca de la universidad	un balcón	muchas ventanas

Después de ver

(3) **Decisiones difíciles** En parejas, contesten las preguntas.

1. ¿Dónde vive Lucas? ¿Cómo es su apartamento?
2. ¿Por qué Elena quiere cambiar de casa?
3. Al final del video, ¿dónde decide vivir Elena?
4. ¿Por qué piensas que toma esa decisión?
5. ¿Estás de acuerdo con su decisión? Explica tu respuesta.

Resources
VhIcentral

Online activities

☐ **I CAN** identify basic information about homes in a video.

Encuentros

Este es mi país

Learning Objective:
Identify cultural products, practices, and perspectives from Guatemala.

 Map

GUATEMALA

¡Hola! Mi nombre es Tita y te quiero presentar mi lindo país, Guatemala. Es un país multilingüe y multicultural con una herencia de pueblos originarios° muy importante. La cultura maya representa casi el 40 por ciento de la población. En mi país también se hablan° más de 20 lenguas indígenas y se practican muchas de las tradiciones mayas. Yo, por ejemplo, hablo kaqchiquel en casa con mi familia y español en mi trabajo. Fíjate también que mi país tiene una belleza natural que incluye más de 30 volcanes, cuatro de ellos activos. El volcán de Fuego es uno de los volcanes activos y lo puedo ver desde mi casa en Chimaltenango. El lago más profundo° de América Central, el lago Atitlán, es maravilloso. Nosotros, los guatemaltecos, nos referimos a nosotros mismos como *chapines*.

Tikal es uno de los sitios arqueológicos y centros urbanos más grandes e importantes de la civilización maya precolombina.

Golfo de México

MÉXICO

Tikal

BELICE

Mar Caribe

GUATEMALA

Chichicastenango   Chimaltenango

Quetzaltenango

Antigua   Ciudad de Guatemala

HONDURAS

Escuintla

Océano Pacífico

EL SALVADOR

NICARAGUA

Antigua, construida al lado del impresionante volcán de Agua, es un importante destino turístico por su legado colonial.

Chimaltenango se encuentra° en la región central de Guatemala. Está a 1.800 metros sobre el nivel del mar°.

La marimba es el instrumento nacional de Guatemala. El 20 de febrero es el Día Nacional de la Marimba en Guatemala.

Guatemala en breve

Capital: Ciudad de Guatemala

Tipo de gobierno: república presidencial

Tamaño: 108.889 km², un poco más pequeño que Pensilvania

Población: 17.980.803 habitantes

Lenguas: español 70%, lenguas mayas 30% (23 reconocidas oficialmente)

Moneda: quetzal

Nivel de alfabetización: 83,3%

Promedio de vida: 73 años

Expresiones y palabras típicas:

patojo/a	niño/a
cuajarse	tomar una siesta
¡Fíjese!	¿Sabe que…?

Fuente: The World Factbook, Central Intelligence Agency

(1) Comprensión Indica si cada oración es **cierta (C)** o **falsa (F)**.

1. El lago Janitzio es el lago más profundo de América Central. .... **C F**

2. En Guatemala, solo hablan español. .... **C F**

3. Los chapines son el instrumento nacional de Guatemala. .... **C F**

4. Guatemala tiene más de 30 volcanes...... **C F**

(2) ¿Y tú? En parejas, conversen sobre estas preguntas.

1. ¿Hablan otro idioma en tu comunidad?

2. ¿Conoces a alguien de Guatemala que vive en tu comunidad?

3. ¿Conoces el sonido (*sound*) de la marimba? ¿Cómo es?

(3) Para investigar Elige un tema de **Este es mi país** que te interese o llame la atención. Investígalo en internet para aprender más y comparte la información con un grupo pequeño.

pueblos originarios *indigenous peoples* **se hablan** *are spoken* **más profundo** *deepest* **se encuentra** *is located* **nivel del mar** *sea level*

☐ **I CAN** identify key cultural products and practices from Guatemala.

Audio: Vocabulary

La casa, los muebles y los electrodomésticos

Estrategia de vocabulario: Using Mnemonic Devices

You may have used mnemonic devices to memorize lists of information. *Mnemonic* means "related to memory." A mnemonic device can help you commit things to memory because it connects new information with something your brain already recognizes. Using mnemonic devices can help you quickly access information from memory. The more you access the new information, the less you will need to use the mnemonic device!

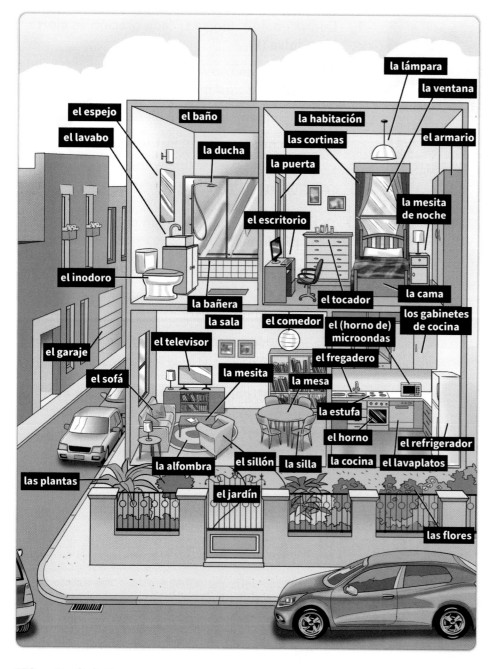

la lámpara
la ventana
el espejo
el baño
la habitación
el armario
el lavabo
las cortinas
la ducha
la puerta
la mesita de noche
el escritorio
el inodoro
el tocador
la cama
la bañera
los gabinetes de cocina
la sala
el comedor
el (horno de) microondas
el televisor
el fregadero
el garaje
el sofá
la mesita
la mesa
la estufa
el horno
el refrigerador
la alfombra
el sillón
la silla
la cocina
el lavaplatos
las plantas
el jardín
las flores

Vocabulario adicional
el desván *attic*
el patio *patio, courtyard*
el sótano *basement*

1 **¿Lógico o ilógico?** Escucha las descripciones de una casa y decide si cada oración es **lógica** o **ilógica**.

1. _____   4. _____   6. _____

2. _____   5. _____   7. _____

3. _____

2 **La casa y los muebles** Tus amigos y tú piensan alquilar una casa muy cerca de la universidad, pero la casa no tiene todos los muebles y aparatos eléctricos necesarios. Decidan si la casa realmente es adecuada.

Paso 1 Lee esta descripción y haz una lista de las cosas que tus amigos y tú necesitan comprar.

Se alquila casa en zona universitaria

La casa es bastante grande. Tiene una cocina con un fregadero y un lavaplatos. También hay gabinetes, pero nada más. En la sala hay una alfombra y una lámpara en el techo. La casa tiene tres habitaciones. Cada habitación tiene una alfombra y unas cortinas en las ventanas, pero ninguna tiene una lámpara en el techo. Hay un cuarto de baño con una ducha, una bañera, un inodoro y un lavabo.

Paso 2 Ahora habla con dos compañeros/as de clase. Decidan qué muebles y aparatos son necesarios y pueden obtener con un presupuesto (*budget*) total de 800 dólares. ¿Hay algo que tienen que comprar? ¿Tienen suficiente dinero? Decidan si realmente es una buena idea alquilar esta casa.

3 **Un(a) compañero/a nuevo/a** El próximo semestre tu compañero/a de cuarto/casa va a estudiar en Guatemala y necesitas un(a) nuevo/a compañero/a. Haz un dibujo de tu habitación y descríbela a un(a) compañero/a de clase, a ver si quiere compartir el cuarto contigo. Incluye los muebles, los electrodomésticos y donde está cada cosa en la habitación.

> **Modelo** *Tengo una cama en mi habitación. Está entre dos ventanas al lado de la mesita de noche. También tengo un tocador. Está al lado de la puerta.*

4 **Juego de preguntas** En parejas, van a hacer preguntas para adivinar un mueble o un electrodoméstico. Una persona piensa en un objeto de la casa y la otra hace preguntas de sí o no para ayudarle a adivinar la respuesta. Aquí tienes ejemplos de preguntas que te ayudan a jugar:

- ¿Está en la cocina?
- ¿Usas el objeto para preparar comida?
- ¿Es un mueble?
- ¿Generalmente hay más de uno en la casa?

- ¿Tiene agua?
- ¿Está dentro/fuera de la casa?
- ¿Tienes que lavar o limpiar este objeto?
- ¿...?

Exploraciones

(5) **Vamos a mudarnos** Imagina que compartes una casa con un(a) 🔗 compañero/a y deciden mudarse (*to move*) a otra casa más grande con dos compañeros/as más. Escribe una lista de todos los muebles y aparatos que tienen en cada cuarto de la casa donde viven ahora antes de mudarse.

Paso 1 Escribe las cosas que hay en cada cuarto de la casa.

Los cuartos	Los muebles	Los electrodomésticos
La sala		
El comedor		
La habitación #1		
La habitación #2		
El baño		
La cocina		
El sótano		

Paso 2 En parejas, miren sus listas juntos/as y decidan dónde van a poner todos los muebles y electrodomésticos en la casa nueva. ¿Falta algo? (*Is anything missing?*) ¿Sobra algo? (*Is there too much of anything?*) La casa nueva tiene una sala, tres habitaciones, dos baños, una cocina y un desván.

Resources

(S) Vhlcentral

WebSAM

☐ **I CAN** exchange information about houses, furniture, and appliances.

Los números hasta 900.000.000

100	cien	5	cinco
101	ciento uno	15	quince
200	doscientos	50	cincuenta
300	trescientos	500	quinientos
400	cuatrocientos	5.000	cinco mil
500	**quin**ientos	50.000	cincuenta mil
600	seiscientos	500.000	quinientos mil
700	**sete**cientos	5.000.000	cinco millones
800	ochocientos	50.000.000	cincuenta millones
900	**nove**cientos	500.000.000	quinientos millones
1.000	mil	900.000.000	novecientos millones
1.000.000	un millón		
2.000.000	dos millones		

> **TIP**
>
> A great way to learn numbers in Spanish is by using your environment. As you go about your day, when you see a number on a sign, billboard, online advertisement or while reading, try to say the number aloud in Spanish. In no time at all, you will have learned the numbers and you will be able to understand when you hear them in Spanish.

▶ To express numbers 101 to 199, use **ciento**:

ciento quince = 115

▶ To say *100 thousand* or *100 million*, use **cien**:

cien mil = 100.000
cien millones = 100.000.000

▶ Use **cien** before a noun.

cien personas   *one hundred people*

▶ When counting items, the hundreds 200 through 900 must agree in gender with the noun that follows.

trescient**os** apartamentos   *three hundred apartments*
 y quinient**as** casas   *and five hundred houses*

Exploraciones

1 **¿Qué sabes de los siglos XIX y XX?** Tienes un examen en la clase de historia y quieres repasar. Escucha la descripción e indica en qué año ocurre cada evento.

Evento	Fecha
A. El primer televisor	___ 1860
B. El primer dibujo animado de Mickey Mouse	___ 1886
C. El primer estadounidense en el espacio	___ 1925
D. El primer perrito caliente	___ 1928
E. El nacimiento de la música *rock-n-roll*	___ 1928
F. El desarrollo de la penicilina	___ 1951
G. El primer televisor en color	___ 1956
H. El primer carro	___ 1961

> **¡ATENCIÓN!**
>
> In Spanish, centuries (**siglos**) are typically written using Roman numerals. So to talk about the twentieth century, write **el siglo XX** and say **el siglo veinte.**

2 **¿Cuáles son los gastos en tu universidad?** Tu escuela secundaria te invita a dar una presentación en un programa informativo sobre la vida universitaria.

Paso 1 Para organizar tu presentación, escribe tu información siguiendo este guion.

  I. Mis estudios y mi especialización: *¿Qué estudias?*

  II. La vida estudiantil: *¿Cómo es la vida de un(a) estudiante típico/a?*

  III. Los gastos: *¿Cuáles son los gastos típicos en la universidad?*

    A. Precio de la matrícula (*tuition*): por semestre, por año

    B. Precio de la vivienda: la residencia estudiantil, un apartamento

    C. Precio de la comida: la cafetería, otras opciones

    D. Precio de los libros: por semestre, por año

    E. Costos adicionales: las actividades, los servicios tecnológicos

    F. Ingresos (*Income*): trabajos en campus, becas (*scholarships*)

Paso 2 Comparte tu información con un(a) compañero/a. ¿Calculan los mismos gastos?

Resources

Vhlcentral

WebSAM

☐ **I CAN** exchange information about quantities and price.

Gramática 1 | **Learning Objective:** Express degrees of similarity between people, objects, and actions.

 Tutorial

Making comparisons: Comparatives

There are several different types of comparisons and the ways to express them vary in Spanish.

Comparisons of inequality

▶ When comparing qualities (adjectives) and things (nouns) use:

más/menos + [ADJECTIVE] + **que**   *more/less _____ than*

Mi casa es **más bonita que** tu casa, pero mi casa es **menos moderna que** tu casa.

más/menos + [NOUN] + **que**   *more/less _____ than*

Mi casa tiene cuatro habitaciones y tu casa tiene solamente tres. Mi casa tiene **más habitaciones que** tu casa.

▶ When comparing actions (verbs) or how actions are done (adverbs), use:

[VERB] + **más/menos** + **que** + [OTHER PERSON'S NAME]   *more/less than*

Antonia trabaja ocho horas cada día. Ella **trabaja más que** Paula.

[VERB] + **más/menos** + [ADVERB] + **que** + [OTHER PERSON'S NAME]   *more/less than*

Carlos ayuda a veces, pero Carlos **limpia más despacio que** Miguel.

Comparisons of equality

▶ To state a relationship of the sameness of a quality or characteristic, use:

tan + [ADJECTIVE] + **como**   *as _____ as*

La casa blanca es **tan bonita como** la casa azul.
Mi habitación es **tan grande como** tu habitación.

▶ To state a relationship regarding equal numbers or amounts of things, use:

[VERB] + **tanto/tanta/tantos/tantas** + [NOUN] + **como**   *as much/as many as*

La casa azul **tiene tantas ventanas como** la casa blanca.
Elisa **gana tanto dinero como** Ricardo.

▶ When comparing quantity of actions (verbs) or how actions are done (adverbs), use:

[VERB] + **tanto como** + [PERSON'S NAME]   *as much as*

Roberta trabaja ocho horas y su amiga Elena trabaja ocho horas también. Roberta **trabaja tanto como** Elena.

[VERB] + **tan** + [ADVERB] + **como**   *as _____ as*

A los señores Pérez les gusta estar en buena forma. El señor Pérez corre cada mañana y la señora Pérez corre cada tarde. Él **corre tan frecuentemente como** ella.

¿Qué observas?

1. In the first example of comparisons of equality, what ending does the adjective **bonita** have, and why?

2. In the second example of comparisons of equality, what ending does the adjective **tantas** have, and why?

Exploraciones

Irregular comparative forms

The common comparatives to express *better*, *worse*, *older*, and *younger* are irregular in Spanish.

▶ With nouns when comparing the quality of two things (*better/worse*), use:

[SUBJECT 1] + **es** + **mejor/peor** + **que** + [SUBJECT 2]   *better/worse than*

Este televisor **es mejor que** tu televisor.

Este sofá **es peor que** el sofá de mi amigo.

▶ When comparing how actions are done, use:

[SUBJECT 1] + [ACTION/VERB] + **mejor/peor** + **que** + [SUBJECT 2] *better/worse than*

Mi mamá **plancha** la ropa **mejor que** yo porque ella tiene más experiencia.

Yo **cocino peor que** mi mamá porque no me gusta cocinar.

▶ When comparing the ages of two people, use:

[PERSON 1] + **es** + **mayor/menor** + **que** + [PERSON 2]   *older/younger than*

Mi mamá tiene 75 años y yo tengo 30; por lo tanto, ella **es mayor que** yo.

Mi hija tiene 6 años, así que ella **es menor que** yo.

Óscar y Olga **son mayores que** Daniel.

Daniel y Lolita **son menores que** Óscar.

¿Qué observas?

1. In the examples, when is **mayores** plural?

2. In the examples, when is **menor** singular?

(1) Comparamos nuestras casas Escucha la información sobre las casas de Marta y Teresa y elige la comparación correcta.

1. **a.** La casa de Marta es mejor que la casa de Teresa.
   b. La casa de Teresa tiene tantas habitaciones como la casa de Marta.

2. **a.** La casa de Marta tiene más baños que la casa de Teresa.
   b. La casa de Marta tiene menos baños que la casa de Teresa.

3. **a.** La cocina de Teresa es más grande que la cocina de Marta.
   b. La cocina de Marta es más grande que la cocina de Teresa.

4. **a.** La sala de Marta tiene tantas mesitas como la sala de Teresa.
   b. La sala de Marta tiene más mesitas que la sala de Teresa.

5. **a.** Teresa limpia más que Marta.
   b. Marta limpia más que Teresa.

6. **a.** Hay más televisores en la casa de Marta.
   b. Hay menos televisores en la casa de Marta.

7. **a.** La casa de Teresa tiene tantos años como la casa de Marta.
   b. La casa de Marta tiene más años que la casa de Teresa.

2 **Las comparaciones** Ana y Jorge Mendoza viven en Guatemala y buscan una casa nueva con todas las comodidades para su familia, pero es difícil decidir. Lee su conversación y sigue los pasos.

Paso 1 Identifica todas las comparaciones en la conversación. Compara tu información con la de un(a) compañero/a.

Jorge: La casa roja es más elegante que la casa azul y está más lejos del tráfico de la ciudad que la casa azul.

Ana: Sí, pero la casa azul es más moderna que la casa roja y está más cerca de la casa de mamá y de los centros comerciales que la casa roja.

Jorge: De acuerdo, pero en el campo (*country*), con el aire fresco, podemos descansar mejor que en la ciudad.

Ana: Pues, mi amor, el sistema de transporte público es peor que el sistema de la ciudad y también en el campo hay menos tiendas donde comprar que en la ciudad.

Jorge: Sí, de acuerdo, pero existen más lugares donde nuestros hijos pueden jugar y correr.

Ana: En mi opinión, nuestros hijos tienen que estudiar más y jugar menos. Y, además, las mejores escuelas están en la ciudad. Ay, ¿cómo puedo convencerte? Y la casa azul cuesta menos que la casa roja.

Jorge: Posiblemente debemos quedarnos (*stay*) aquí en la misma casa de siempre y pensarlo bien.

Paso 2 Explícale a tu compañero/a qué casa crees que es mejor para los Mendoza y por qué. ¿Están de acuerdo? (*Do you agree?*)

> **Modelo** *En mi opinión, la casa roja es mejor para Ana y Jorge porque tiene más espacio para los niños. Además...*

CULTURA VIVA

The Guatemalan household In some Guatemalan households in the large cities, it is common to hire a woman from a small town in the area to help the family with household tasks, like cleaning, cooking, and childcare. The job may include room and board (three meals a day). Some of the helpers may go to school in the afternoons and have Sundays off for personal activities. **In your community, are people hired to help with cooking, cleaning, or child care in some households? What are the terms of employment?**

Exploraciones

(3) La vivienda maya José Antonio González Escobar es un pintor de arte maya tzutuhil de Guatemala. Busca en internet su pintura *Actividades en la orilla del lago* y sigue los pasos.

> Q José Antonio González Escobar Actividades en la orilla del lago

Paso 1 En parejas, miren la pintura y contesten las preguntas.

1. ¿Qué hay en la pintura?

2. ¿Dónde tiene lugar la pintura?

3. ¿Qué actividades hacen las personas?

4. ¿Cómo son las casas?

Paso 2 Busquen una foto de otra casa en Ciudad de Guatemala. Comparen la casa de la foto con las casas de la pintura de González Escobar. Pueden usar palabras descriptivas como: **grande o pequeña, cara o barata, elegante o tradicional, moderna o antigua**. ¿En qué casa prefieren vivir? ¿Por qué? ¿Alguna de las casas les sorprendió (*surprised you*)?

Paso 3 Escribe un resumen de tu investigación, incluyendo lo que sabes de la pintura, el pintor y la cultura maya tzutuhil.

(4) Se busca casa Tu amiga se muda a San Salvador con su familia. Busca una casa adecuada, pero no habla español y te pide ayuda para entender los anuncios de casas.

Paso 1 Lee los anuncios de casas en El Salvador y organiza la información en la tabla.

> **¡ATENCIÓN!**
>
> A **vara** is a unit of measurement commonly used for land area in several Central American countries. **Una vara cuadrada** (square vara) is about 7/10 of a square meter, or slightly smaller than a square yard.

Anuncio	1	2	3
Ubicación (*Location*)			
Número de teléfono			
Número de habitaciones			
Número de baños			
¿Tiene garaje?			
Número de cuartos en total			
Tamaño del terreno			
Precio			

1. Venta de casa en 2.ª Avenida Norte, San Salvador

Casa grande rodeada de jardines y árboles frutales, 5 habitaciones completas, 3 baños, 2 salas, 2 comedores, cocina grande completa, área de servicio, jardín con barbacoa, cochera para 4 vehículos, etc. Zona fresca, tranquila y segura.
Detalles específicos:
Área de construcción: 280 m² **Área del terreno:** 780 varas²
Habitaciones: 5 **Baños:** 3 **Precio:** U.S. $175.000 (negociable)
Más información en el teléfono: (503) 7564-2739

2. Venta de casa en Boulevard Constitución, San Salvador

Casa grande en urbanización privada con vigilancia 24 horas, consta de una sola planta. La casa cuenta con sala, comedor, cocina, cuarto para juegos, terraza, patio con piso cerámico, área de servicio completa, baño social, cochera techada para un vehículo, cisterna. También tiene una habitación principal con un armario grande, baño y jacuzzi, tres habitaciones con armarios, sala familiar, baño compartido.

Detalles específicos:
Área de construcción: 220 m² **Área del terreno:** 175 varas²
Habitaciones: 4 **Baños:** 3 **Teléfono:** 7210-1694
Precio: U.S. $125.000 (negociable)

3. Venta de casa en Colonia Miguel Palacios, San Salvador

Casa de una planta con las siguientes características: una sola planta con sala, comedor, cocina independiente; cochera cerrada para 2 vehículos, 2 baños completos, área de lavandería y lavadora, 4 habitaciones (con clósets de madera), patio interior con sus muros. Extras: cielo falso, parque recreativo en colonia con canchas de básquetbol y fútbol, bonito ambiente natural y fresco. Zona cerca del transporte público, colegios, clínicas, centros comerciales, supermercados, etc.
Detalles específicos:
Área de construcción: 181 m² **Área del terreno:** 215 varas²
Habitaciones: 4 **Baños:** 2 **Precio:** U.S. $57.000
Mayor información en el teléfono: 7092-3196

Paso 2 En parejas, hagan al menos seis comparaciones entre las casas. Luego, escriban preguntas para hacerle a su amiga y así ayudarla a elegir una casa adecuada.

5 **¿Es necesario?** Algunas veces compramos más de lo que realmente necesitamos. Sigue los pasos para explorar este tema.

Paso 1 Decide si cada objeto es **necesario, no necesario pero útil** (*useful*) o **innecesario, de lujo** (*luxury*).

la cafetera	las cortinas	la licuadora	el sofá
la cama	el espejo	el microondas	el televisor

necesario	no necesario pero útil	innecesario, de lujo

Paso 2 En parejas, túrnense para hacer comparaciones sobre las cosas. Utilicen palabras descriptivas como **necesario/a, caro/a, barato/a, importante, de lujo**. ¿Comparten los/las dos las mismas prioridades?

> **Modelo** *La licuadora es tan necesaria como la cafetera porque me gustan los jugos y el café.*

6 **Situaciones** Haz el papel de A o B con un(a) compañero/a para participar en la conversación.

A Your younger sibling is trying to decide where to go to college. You have all the right reasons that he/she should attend where you are currently studying, but your sibling has another university in mind. In order to convince him/her, compare your university to another that he/she thinks is better. Discuss tuition, number of students, distance from home or major cities, clubs, number of majors, study abroad, and other topics that you think are important.

B Your older sibling is trying to convince you to attend college where he/she does, but you have a different university in mind. Listen to his/her comments and explain why you think the other university is a better fit for you.

Resources

Ⓢ

Vhlcentral

🛜

WebSAM

Audio: Reading

Episodio #9: Roberta Morales Amado

Estrategia de comprensión oral: Hearing What a Native Speaker Hears

In Spanish, the endings of words often carry important information, particularly verbs since they indicate who is doing the action and when. When you hear the word **trabajo**, pay attention to the **-o** ending telling you that the person speaking is the one who is working. When you hear **trabajamos**, the **-amos** ending tells you that the person speaking as well as others are working. Listen carefully for these cues to help you comprehend meaning.

Antes de escuchar

① **¿Dónde vive Roberta?** Roberta nos habla de su casa en Guatemala. Antes de escuchar la descripción, adivina (*guess*) la información para contestar estas preguntas.

1. ¿Cuántos cuartos en total piensas que hay en la casa donde vive Roberta?

2. ¿Piensas que Roberta es la dueña (*owner*) de la casa?

Mientras escuchas

② **La casa donde vive Tita** Escucha a Roberta (Tita) mientras ella describe la casa donde vive. Mientras escuchas, marca los cuartos o espacios que hay en la casa donde vive Tita.

balcón	comedor	jardín	sala
baño	desván	medio baño	sótano
cocina	habitación	patio	

Después de escuchar

③ **Tu propia casa** Vas a describir tu propia (*own*) casa.

Paso 1 Haz un dibujo detallado de tu casa o tu apartamento.

Paso 2 En parejas, túrnense para mostrar el dibujo y describir su casa. Luego, haz tres comparaciones entre tu casa/apartamento y la casa donde vive Tita.

Resources

Vhlcentral

Online activities

☐ **I CAN** describe my home.

Learning Objective:
Identify cultural products, practices, and perspectives from El Salvador.

 Map

EL SALVADOR

¡Hola! Me llamo Nohemí y quiero presentarles el país más pequeño de América Central: El Salvador. Mi país es el único de la región sin° costas en el mar Caribe, pero nuestra costa Pacífica es muy popular entre los surfistas. A El Salvador le dicen *el país de la media hora* porque en poco tiempo puedes conocer lugares increíbles. Aunque° es un país pequeño, está densamente poblado. Por ejemplo, donde yo vivo, en la capital, San Salvador, hay aproximadamente 1.775.000 habitantes. El Salvador tiene mucha diversidad natural, con volcanes, lagos, montañas y selva. Nosotros los *guanacos* somos gente amable, genuina y generosa. Siempre queremos ayudar a las personas que visitan nuestro país, o al menos eso dicen° nuestros amigos de otros países.

La pupusa es una comida deliciosa de El Salvador, típicamente hecha con una masa° de maíz y con un relleno° de frijoles y queso.

GUATEMALA

HONDURAS

Santa Ana

San Salvador ⊛• Soyapango

San Miguel

EL SALVADOR

Océano Pacífico

San Salvador es la capital del país. Tiene cerca de dos millones de habitantes en el área metropolitana.

NICARAGUA

Cuscatlán es un departamento en la zona central. Su nombre viene de tiempos precolombinos y significa "tierra de joyas y collares".

La playa El Tunco es una de las playas más famosas del país y uno de los mejores lugares para surfear.

El Salvador en breve

Capital: San Salvador

Tipo de gobierno: república presidencial

Tamaño: 21.041 km², más o menos el mismo tamaño que Nueva Jersey

Población: 6.602.370 habitantes

Lenguas: español (oficial), náhuatl

Moneda: dólar estadounidense

Nivel de alfabetización: 89%

Promedio de vida: 75 años

Expresiones y palabras típicas:

cipotes	*niños*
guanacos	*salvadoreños*
mis tatas	*mis padres*

Fuente: The World Factbook, Central Intelligence Agency

---

(1) Comprensión Indica si cada oración es **cierta (C)** o **falsa (F)**.

1. Los salvadoreños utilizan la expresión *guanacos* para referirse a sí mismos. ...... **C F**

2. Los tamales son una comida típica de El Salvador. .... **C F**

3. En El Salvador, usan el dólar de Estados Unidos. .... **C F**

4. La costa de El Salvador es muy popular entre los surfistas. .... **C F**

(2) ¿Y tú? En parejas, conversen sobre esta pregunta.

Nohemí dice que los salvadoreños son amables y genuinos. ¿Por qué características es famosa la gente de tu cultura o comunidad?

(3) Para investigar Elige un tema de **Este es mi país** que te interese o llame la atención. Investígalo en internet para aprender más y comparte la información con un grupo pequeño.

---

sin *without* **Aunque** *Even though* **eso dicen** *that's what they say* **masa** *dough* **relleno** *filling*

☐ **I CAN** identify key cultural products and practices from El Salvador.

Los quehaceres de la casa

En la casa de los Recino, cada persona hace algo para mantener limpia la casa. La abuela María Dolores **hace la cama** en la habitación. En el sótano, la mamá Ángela **lava**, **seca** y **plancha la ropa**. En el baño, la mamá Ángela **limpia el baño** y Victoria **barre el suelo**. En la cocina, Nelson **saca la basura**, Carlos **lava los platos** y Jennifer los **seca**. Nelson también **corta el césped** en el jardín. En la sala, el papá David **pasa la aspiradora** y Jennifer **quita el polvo de los muebles**. Victoria **pone la mesa** en el comedor para la próxima comida.

1 **¿Quién hace los quehaceres?** Escucha la descripción del dibujo de los quehaceres en casa de los Recino y decide si cada oración es **cierta** o **falsa**.

1. _____   3. _____   5. _____

2. _____   4. _____   6. _____

2 **Tareas domésticas** Consulta la lista de los quehaceres. Escribe los que no te gusta hacer y explica por qué. También escribe los quehaceres que prefieres hacer. Después, comparte tu información con un(a) compañero/a.

> **Modelo** *No me gusta planchar la ropa porque es aburrido. Prefiero cortar el césped.*

	Los quehaceres	Por qué
Los quehaceres que no me gusta hacer		
Los quehaceres que prefiero hacer		

3 **¿Cuándo haces los quehaceres?** Lee la lista de quehaceres e indica con qué frecuencia haces cada uno de los quehaceres en tu casa. Después, con un(a) compañero/a, comparen sus respuestas. ¿Quién trabaja más en la casa?

Los quehaceres	Todos los días	Una vez a la semana	Una vez al mes	Nunca
lavar el carro	☐	☐	☐	☐
limpiar el baño	☐	☐	☐	☐
pasar la aspiradora	☐	☐	☐	☐
poner la mesa	☐	☐	☐	☐
lavar los platos	☐	☐	☐	☐
hacer la cama	☐	☐	☐	☐
sacar la basura	☐	☐	☐	☐
cortar el césped	☐	☐	☐	☐

4 **El español cerca de ti** Investiga los anuncios de empleo. En tu comunidad o en internet, busca un periódico publicado en español. Después busca anuncios para puestos de trabajo en el servicio doméstico. Elige un anuncio y anota el nombre del puesto y las responsabilidades. ¿Qué tienes que hacer para solicitar el empleo? ¿Qué responsabilidades incluye el puesto? Prepárate para compartir la información con la clase.

Resources

Vhlcentral

WebSAM

Expressing obligations:
Deber, necesitar, tener que + infinitive

Deber (*to ought to, should*), **necesitar** (*to need to*), and **tener que** (*to have to*) are frequently used to express the level of obligation one feels to do something. You have already learned the conjugated forms of **tener**. **Deber** and **necesitar** are regular **-er** and **-ar** verbs, respectively.

These are some ways to express obligations.

deber + [INFINITIVE]	*(should)*	Miguel **debe** limpiar el garaje porque hay mucha basura allí.
necesitar + [INFINITIVE]	*(need(s) to)*	Mónica y Alicia **necesitan** poner la mesa.
tener que + [INFINITIVE]	*(has/have to)*	Yo **tengo que** arreglar la cama y quitar el polvo de los muebles en mi habitación.

deber	necesitar	tener que
(least obligation)	*(moderate obligation)*	*(most obligation)*

Though all three of these verbs express obligation to some degree, it can be helpful to place them on a continuum from the least amount of obligation (**deber**) to a moderate sense of obligation (**necesitar**) to the strongest sense of obligation (**tener que** + *infinitive*).

However, be aware that some Spanish speakers may use **necesitar** and **tener que** nearly interchangeably, so pay close attention to the context and the speaker's voice to detect just how much obligation they feel.

(1) **Situaciones y obligaciones** Tomás está haciendo muchos preparativos para una fiesta de aniversario para sus padres. Escucha las situaciones y escribe lo que Tomás necesita hacer.

1. _____

2. _____

3. _____

4. _____

5. _____

6. _____

7. _____

8. _____

2 **¡Rosa necesita hacer algo!** El trabajo de Rosa es limpiar casas, pero su propia habitación está muy desordenada. Mira el dibujo y sigue los pasos.

Paso 1 Mira el dibujo de la habitación de Rosa. Para ordenar (*clean up*) su habitación, ¿qué tiene que hacer Rosa? ¿Qué necesita hacer? ¿Qué debe hacer? Completa la tabla con instrucciones para Rosa.

Tiene que...	Necesita...	Debe...

Paso 2 En parejas, expliquen qué tareas tienen en su lista para Rosa. ¿Qué obligaciones tienen en común?

Paso 3 Piensa en tu habitación, tu casa o tu apartamento y comenta estas preguntas con tu compañero/a.

- ¿Cuáles son tus obligaciones?
- ¿Cuáles son las obligaciones de tus compañeros/as?
- ¿Cuáles son las obligaciones que comparten (*share*)?

(3) **División del trabajo** Para ahorrar dinero, una familia decide dividir los quehaceres para mantener limpia la casa.

Paso 1 Mira el dibujo y lee las descripciones de los miembros de la familia. Luego, anota los quehaceres que hay que hacer en cada cuarto de la casa. Finalmente, asigna dos quehaceres a cada persona, según su situación.

Esteban (el padre): Es profesor en la Universidad del Valle de Guatemala. Trabaja todos los días de 8:00 a 16:00. Le gusta hacer las compras, pero no le gusta limpiar los baños.

Elisa (la madre): Es periodista y trabaja para Prensa Libre. Trabaja todos los días de 9:00 a 15:00. Prefiere cocinar. No le gusta quitar el polvo de los muebles.

Enrique (el hijo): Es estudiante de 9 años. Puede barrer, hacer su cama y pasar la aspiradora, pero no le gusta hacer los quehaceres.

Elena (la hija): Es estudiante de 6 años. Le gusta jugar después de la escuela.

Cuartos de la casa	Quehaceres en cada cuarto	Miembro de la familia

Paso 2 En parejas, túrnense para describir sus propuestas (*proposals*) de quién tiene que hacer cada tarea. ¿Tienen ideas en común?

☐ **I CAN** exchange information about things that must be done.

Resources

Ⓢ
Vhlcentral

📶
WebSAM

Describing daily routines: Reflexive constructions

To describe a daily routine, some common Spanish verbs may be used *reflexively*. This means that the person doing the action also "receives" the action, such as when you say "I wash myself." Compare:

Lavo los platos en el fregadero.	*I wash the dishes in the sink.*
Me lavo por la mañana.	*I bathe (myself) in the morning.*

These verbs often appear in the dictionary ending in **-se**, like **lavarse**.

In Spanish, reflexive verb forms are stated with their accompanying *reflexive pronouns*. Study the reflexive pronouns that correspond to each subject pronoun.

Lavarse *(to wash, to bathe)*			
yo	**me** lavo	nosotros/as	**nos** lavamos
tú	**te** lavas	vosotros/as	**os** laváis
él, ella, Ud.	**se** lava	ellos, ellas, Uds.	**se** lavan

Common reflexive verbs			
acostarse (o:ue)	*to go to bed*	lavarse	*to wash, to bathe*
afeitarse	*to shave*	levantarse	*to get up*
arreglarse	*to get ready*	peinarse	*to comb one's hair*
bañarse	*to bathe*	ponerse	*to put on (as in clothing)*
cepillarse el pelo/los dientes	*to brush one's hair/teeth*	quitarse	*to take off*
despertarse (e:ie)	*to wake up*	sentarse (e:ie)	*to sit down*
dormirse (o:ue)	*to fall asleep*	vestirse (e:i)	*to get dressed*

Place the reflexive pronoun immediately before the conjugated verb.

Rafael **se despierta** a las seis.	*Rafael wakes up at six.*
No **se afeita** todos los días.	*He doesn't shave every day.*

In constructions such as **tener que** + *infinitive*, **ir a** + *infinitive*, or **necesitar** + *infinitive*, place the reflexive pronoun before the conjugated verb or at the end of the infinitive. Be sure to use the reflexive pronoun that corresponds to the verb's subject.

Carmen y yo tenemos que levantar**nos** pronto.	Carmen y yo **nos** tenemos que levantar pronto.
Gabriel va a lavar**se** las manos.	Gabriel **se** va a lavar las manos.

¡ATENCIÓN!

Notice that some of these verbs also include a stem-change. The stem change is noted in parentheses. Don't forget to make the change in all forms except **nosotros/as** and **vosotros/as**.

La rutina diaria

A: Normalmente, ¿a qué hora **te despiertas** en la mañana?

B: Pues, normalmente **me despierto** a las 6:15.

A: Generalmente, ¿a qué hora **te levantas**?

B: **Me levanto** a las 6:30.

A: ¿**Te lavas** el pelo en la mañana o en la noche?

B: **Me lavo** el pelo en la mañana.

A: ¿Qué ropa (*clothes*) **te pones** cuando hace frío?

B: Cuando hace frío, **me pongo** pantalones largos, un suéter y un abrigo.

A: ¿Cuándo **se levanta** tu familia los fines de semana?

B: Mis padres **se levantan** temprano en la mañana, pero yo **me levanto** más tarde.

(1) **Los ejemplos** Vas a contestar las preguntas con tu propia información.

Paso 1 Con un(a) compañero/a, lee las preguntas y respuestas en **La rutina diaria**. Túrnense para contestar las preguntas con su propia información.

Paso 2 Anota tus respuestas y las de tu compañero/a en la tabla.

Actividad	Yo	Mi compañero/a
despertarse		
levantarse		
lavarse el pelo		
ponerse la ropa		
levantarse los fines de semana		

2 **Los hábitos y la rutina diaria** Cada persona establece sus propios hábitos y rutina. Escucha las comparaciones que ofrece Pablo sobre su rutina y la de su compañero de cuarto.

Paso 1 Completa el párrafo con la información sobre la rutina de Pablo y su compañero.

Pablo: Me despierto a la(s) _____ de la _____ (mañana / tarde / noche). Mi compañero de cuarto se despierta a la(s) _____ de la _____ (mañana / tarde / noche). Me levanto de la cama en _____ minutos. Mi compañero de cuarto se levanta de la cama en _____. Me baño en _____ minutos. Mi compañero de cuarto se baña en _____ minutos. Estudio por _____ horas en la tarde, pero mi compañero de cuarto estudia por media hora y después _____. Me acuesto a las _____ de la noche, pero mi compañero no se acuesta hasta la(s) _____ de la _____ (mañana / tarde / noche).

Paso 2 Compara los hábitos y rutina de Pablo con los de su compañero y completa cada oración con la información necesaria.

1. El compañero de cuarto de Pablo _____ (me / te / se / nos) despierta más _____ (temprano / tarde) que él.

2. Pablo _____ (me / te / se / nos) levanta de la cama en _____ (más / menos) tiempo que su compañero de cuarto.

3. Es _____ (cierto / falso) que _____ (se / nos) bañan en el mismo tiempo.

4. Pablo estudia por _____ (más / menos) tiempo que su compañero.

5. Su compañero de cuarto _____ (me / te / se / nos) acuesta más _____ (temprano / tarde).

6. Sus hábitos _____ (son / no son) iguales.

3 **¿Qué tenemos en común?** Habla con un(a) compañero/a para averiguar (*find out*) a qué hora hace estas actividades. Después, decide qué tienen en común.

1. Normalmente, ¿a qué hora te despiertas los fines de semana?

2. ¿Te peinas antes o después de vestirte?

3. ¿Te lavas el pelo todos los días?

4. ¿Te cepillas los dientes después de tomar café?

5. ¿Cuándo se acuestan tus amigos/as los fines de semana?

6. Y ¿cuándo te acuestas tú los fines de semana?

7. ¿_____?

Resources

Vhlcentral

WebSAM

☐ **I CAN** exchange information about daily routines.

Describing actions in progress: Present progressive

To describe an activity that is in progress at the same moment that you are talking, the present progressive can be used.

Ana María no escucha el teléfono; **está pasando** la aspiradora.

Ana María doesn't hear the phone; she's vacuuming.

Claudio y Luis **están comiendo** en la cocina.

Claudio and Luis are eating in the kitchen.

The present progressive consists of a conjugated form of the verb **estar**, followed by the *present participle* of the verb that represents the action.

To form the present participle, add the ending **-ando** to the stem of **-ar** verbs and **-iendo** to the stem of **-er** and **-ir** verbs.

Present participle				
lav**ar**	lav	+ -ando	**lavando**	*washing*
pon**er**	pon	+ -iendo	**poniendo**	*putting*
escrib**ir**	escrib + -iendo		**escribiendo**	*writing*

Note the **-ando/-iendo** ending corresponds to the *-ing* ending in English, and does not vary with the subject of the sentence. The form of **estar** indicates the doer of the action, and the verb with the **-ando/-iendo** ending tells you the action that is in progress.

Read the example questions and responses.

¿Qué **estás haciendo**?

Estoy lavando los platos.
Estoy poniendo la mesa.

¿Qué **está haciendo** el profesor?

Está escribiendo en la computadora.
Está leyendo una novela.

Hijos, ¿qué **están haciendo**?

Estamos limpiando, mamá.

Did you notice the present participle **leyendo**? For **-er** and **-ir** verbs whose stem ends in a vowel, the **-iendo** ending becomes **-yendo**. Other common verbs that follow this patterns include:

caer	ca**yendo**	ir	**yendo**
incluir	inclu**yendo**	traer	tra**yendo**

When a reflexive pronoun is needed, the pronoun can be attached to the **-ndo** form. In this case, a written accent must be placed on the a of **-ando**, or the **e** of **-iendo**.

Estoy **lavándome** la cara.

Estamos **levantándonos** porque vamos a otra clase.

Rosa está **vistiéndose** para ir a la fiesta, ¿no?

1 **¿Dónde estamos?** Los miembros de la familia de Nohemí hacen muchas actividades durante el día. Escucha la descripción de la rutina de la mañana y escribe en qué cuarto está cada persona.

1. _____

2. _____

3. _____

4. _____

5. _____

6. _____

2 **Ahora mismo** A veces es divertido pensar en las actividades que otras personas están haciendo ahora mismo.

Paso 1 Piensa en tus amigos/as y otros conocidos. Adivina (*Guess*) quién está haciendo cada actividad y escribe su nombre en el espacio en blanco.

Seguramente…

1. _____ está leyendo un libro.

2. _____ está mirando televisión.

3. _____ están jugando videojuegos.

4. _____ está limpiando el apartamento.

5. _____ están durmiendo.

6. _____ están estudiando.

7. _____ está comiendo.

> **¡ATENCIÓN!**
>
> Did you notice that the present participle of **dormir** is **durmiendo**? **Dormir** has an **o:u** stem change in the present participle.

Paso 2 Piensa en las personas que NO están haciendo ciertas actividades y completa las oraciones con los nombres de las personas.

Seguramente…

1. _____ no está cortando el césped.

2. _____ no está lavando el carro.

3. _____ no están bailando en casa.

4. _____ no está viajando a Europa.

5. _____ no está limpiando el baño.

6. _____ no está pasando la aspiradora.

(3) **¿Qué están haciendo?** En parejas, miren las fotos y describan qué está haciendo cada persona. Usen el presente progresivo.

1. _____

2. _____

3. _____

4. _____

5. _____

6. _____

(4) **Un mensaje de texto** Un(a) amigo/a te escribe un mensaje de texto para ver si puede pasar por tu casa. Contesta su mensaje y explícale si puede visitarte o no y por qué. En tu mensaje, menciona por lo menos cinco actividades que están haciendo las otras personas en tu casa.

> **Modelo** *Uff, no es buen momento. La casa está muy desordenada y estamos todos preparándonos para la visita de los abuelos. Mi padre está arreglando la sala, mi hermana está quitando el polvo de los muebles...*

(5) **Situaciones** Haz el papel de A o B con un(a) compañero/a para participar en la conversación.

A You are watching a movie or video when your friend calls you. He/She asks you to tell him/her what is going on right now in the film because the power went off in his/her apartment.

B You are watching a movie and the power goes out. You're curious to know what is happening in the movie so you call your friend who is watching it also. You ask him/her to explain. You ask some clarification questions so you can find out if you want to see the rest of the movie yourself later.

Resources

Vhlcentral

WebSAM

☐ **I CAN** exchange information about actions that are happening right now.

Audio: Reading

Episodio #10: Nohemí Castro Amaya

Antes de escuchar

① **Mi rutina diaria** Tu amigo/a de El Salvador te pregunta sobre un día típico en la universidad. Escribe una lista de tus actividades diarias en un mensaje de texto.

Mientras escuchas

② **La rutina de Nohemí** Escucha a Nohemí mientras describe su rutina diaria. Ordena las actividades que hace según su historia.

___ Se acuesta a las 22:00 normalmente.

___ Desayuna café con su mamá en la cocina.

___ Se ducha.

___ Se cepilla los dientes.

___ Se maquilla.

___ Se pone la ropa.

___ Se duerme enseguida.

___ Se despierta a las 6:30.

___ Después de la cena, lava y seca los platos.

___ Se lava el pelo.

Después de escuchar

③ **Comparaciones** Vas a comparar tu rutina diaria con la de Nohemí.

Paso 1 Usa el diagrama de Venn para escribir tus actividades y las de Nohemí.

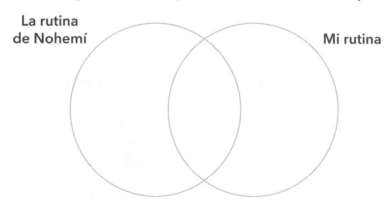

La rutina de Nohemí

Mi rutina

Paso 2 En parejas, conversen sobre las diferencias y similitudes entre sus rutinas diarias y la de Nohemí.

Paso 3 Escribe un párrafo y explica cuáles son las diferencias y similitudes entre tu rutina, la de Nohemí y la de tu compañero/a.

Resources

Vhlcentral

Online activities

☐ **I CAN** describe my daily routine.

Audio: Reading

Estrategia de lectura: Using the Structure of the Text

Before you begin reading, take notice of the structure of the passage. Does anything specific catch your eye? Is it written in paragraphs and, if so, do they have headings or numbers? Does the text contain dialogue? If there is a title, skim the passage for words from it or related to it. Take note of these ideas to prepare for this reading. It will help you comprehend better.

Antes de leer

1 **Las tareas domésticas** Contesta las preguntas con un(a) compañero/a. ¿Quién hace la mayoría de las tareas domésticas en tu casa? ¿Quién decide en tu casa quién hace cada tarea doméstica? ¿Recibes dinero por hacer las tareas domésticas? ¿Por qué?

Desigualdad en las tareas domésticas

Hoy todavía, en muchos lugares del mundo, las mujeres pasan más tiempo que los hombres con tareas domésticas sin recibir dinero. En Estados Unidos, por ejemplo, las mujeres dedican dos horas más que los hombres cada día haciendo este tipo de actividades. Y, en España, las mujeres dedican 26,4 horas por semana, en comparación con las 14 horas de los hombres. La situación en Guatemala es similar: al comparar el promedio° de horas dedicadas a diferentes actividades domésticas, las mujeres pasan unas 19,1 horas por semana en el cuidado de los niños y los hombres solamente 9,7. En cuanto a° la preparación de la comida, las mujeres pasan 10,9 horas semanales con esta tarea y los hombres solo 6,5.

Esta desigualdad puede afectar los salarios de las mujeres y sus oportunidades individuales de trabajo, pero también influye en las economías nacionales. Se estima que° las tareas domésticas de las mujeres pueden representar hasta un 6,6% del producto interno bruto (PIB°) mundial. Por otro lado, algunos países de

¿Cuántas horas dedican las mujeres y los hombres guatemaltecos a las tareas domésticas por semana?

Cuidado de los niños:
- Hombres: 9,7 horas
- Mujeres: 19,1 horas

Lavado de ropa:
- Hombres: 3,6 horas
- Mujeres: 5,4 horas

Preparación de comida:
- Hombres: 6,5 horas
- Mujeres: 10,9 horas

Limpieza:
- Hombres: 4,1 horas
- Mujeres: 6,1 horas

Reparaciones:
- Hombres: 2,6 horas
- Mujeres: 3,5 horas

Cuidado de adultos mayores:
- Hombres: 9,3 horas
- Mujeres: 11,7 horas

Cuidado de personas enfermas:
- Hombres: 8,9 horas
- Mujeres: 13,3 horas

8 MARZO
#DíaDeLaMujer

Fuente: INE, ENEI 2-2018

la región cierran poco a poco la brecha de género° y son referente mundial: Nicaragua y Costa Rica están en las posiciones 7 y 12 del Índice Global de la Brecha de Género, respectivamente.

---

promedio *average* **En cuanto a** *In terms of* **Se estima que** *It is estimated that* **PIB** *GDP* **la brecha de género** *gender gap*

Después de leer

2 **Comprensión** Estas oraciones son falsas. Corrige las oraciones con la información correcta según la lectura.

1. En Guatemala, las mujeres pasan 25 horas por semana cuidando de los niños.

2. En España, las mujeres pasan 14 horas semanales haciendo tareas domésticas no renumeradas.

3. En Estados Unidos, las mujeres pasan cada día cuatro horas más que los hombres haciendo tareas domésticas no renumeradas.

4. Las tareas domésticas de las mujeres suman el 10,9% del PIB mundial.

5. Los hombres guatemaltecos pasan 9,7 horas semanales cuidando de personas enfermas.

6. Estados Unidos ocupa la posición 7 del Índice Global de la Brecha de Género.

3 **La desigualdad** En parejas, túrnense para hablar de las razones de la desigualdad entre las mujeres y los hombres en relación con las tareas domésticas no renumeradas. ¿Crees que esta desigualdad está cambiando hoy en día? ¿Ves esta desigualdad en tu familia, en tu comunidad, en tu país? Da ejemplos.

4 **A escribir** Lee la estrategia y sigue los pasos.

> **Estrategia de escritura: Write What You Know How to Say in Spanish**
>
> This is likely your first semester of Spanish, so be realistic about your writing abilities. At this stage, the important thing is to write what you know how to say and not attempt to translate complex forms or fancy words from English. This may not seem very adult-like, but there are many things you can write that pertain to everyday life, like lists, schedules, and e-mails.

Paso 1 Escribe una lista de cinco oraciones con ideas para evitar la desigualdad en las tareas domésticas no remuneradas en tu país.

Paso 2 En parejas, túrnense para leer sus textos. Después, hazle tres preguntas a tu compañero/a sobre su texto y sus propuestas (*proposals*). ¿Estás de acuerdo con las ideas de tu compañero/a?

Resources

S

Vhlcentral

Online activities

☐ **I CAN** compare perspectives about gender equality in domestic chores in Guatemala and my own community.

Video: *Diferencia entre una casa y un hogar*

Vas a mirar un video de una red social en el que una mujer comparte sus perspectivas sobre la diferencia entre una casa y un hogar.

Estrategia intercultural: Cultural Values

Your personal values are influenced by nature and nurture. In other words, some of your cultural values are affected by personality and personal needs. Others are developed based on exposure and interaction with family, organizations like school and work, and social relationships with peers. Some values develop based on life events or experiences. Your values can change over time. Identifying your own core values and why they are important to you will support your growth in cultural self-awareness, and help you understand how they affect your interactions with others.

Fuente: Sagiv, L. & Schwartz, S. H. (2022). Personal values across cultures. *Annual Review of Psychology*, 73: 517-546.

Antes de ver

(1) Mis valores culturales Lee la estrategia y piensa en tus valores culturales. Haz una lista de tus cinco valores más importantes. Puedes usar opciones de la lista o agregar otras ideas. Luego, escribe una breve explicación de lo que significan estos valores para ti.

la familia	la disciplina
la honestidad	la libertad
la educación	el amor
la responsabilidad	la naturaleza
la justicia	la salud
la sinceridad	la seguridad
el respeto	la seguridad económica
la solidaridad	la alegría

Hay una diferencia entre una casa y un hogar 🏠

(2) El concepto de una casa Escribe una lista de las características de una casa que son importantes para ti. Comparte tu lista con un(a) compañero/a. ¿Tienen ideas similares?

Mientras ves

(3) **La casa y el hogar** Mientras ves el video, selecciona las ideas que escuchas.

- ☐ Una casa puede ser grande, hermosa y bella.
- ☐ Una casa debe costar mucho dinero.
- ☐ Una casa necesita tener dos baños.
- ☐ Una casa puede ser humilde.
- ☐ Un hogar tiene amor.
- ☐ Un hogar es perfecto.

Después de ver

(4) **La diferencia entre una casa y un hogar** Con un(a) compañero/a, crea una lista de las características y los conceptos opuestos sobre una casa y un hogar que presenta la persona en el video.

La casa exquisita	La casa humilde	El hogar

(5) **Reflexión** Reflexiona sobre el mensaje del video y compáralo con tus propias perspectivas. Contesta las preguntas con un(a) compañero/a.

1. ¿Cómo puede ser diferente tu concepto de casa de la perspectiva de una persona de otra comunidad?

2. ¿Cómo influyen tus valores culturales en tus definiciones de *casa* y *hogar*?

3. Las apariencias engañan (*Looks can be deceiving*). ¿Cómo puede engañarte la apariencia de una casa?

4. ¿Es posible tener muchos objetos de lujo en tu casa, pero no tener un hogar? Explica tu respuesta.

5. Para ti, ¿qué significa un hogar?

Resources

Vhlcentral

Online activities

☐ **I CAN** examine cultural perspectives and values related to the concept of house and home.

El lago de Ilopango

● ● ●   www.el_blog_de_lucas.com/LagoDeIlopango   Q < >

Sobre mí | Viajes | Mapas | Galería | Contacto

El lago de Ilopango

Si piensas viajar a El Salvador, no puedes perder la oportunidad de bucear° en el lago de Ilopango, un lago de origen volcánico. Este lago tiene varias islas con aves maravillosas. Hay viajes en canoa durante los cuales se puede observar la naturaleza. También hay un centro de turismo llamado Apulo, con piscinas, restaurantes y una torre. Desde la parte superior de la torre puedes apreciar la vista del lago. Hay varios deportes acuáticos, pero para mí bucear en el lago es la actividad más aventurera y espectacular. El agua del lago tiene una temperatura de 78 °F, o 26 °C. Para algunas personas, esta temperatura es perfecta, pero si no te gusta el frío, recomiendo un traje isotérmico°. Hay varios cerros sumergidos° para ver durante el buceo, como el "Cerro la Caldera", de donde sale agua caliente a más de 120 °F, o 49 °C. Algo bonito del buceo también son los habitantes del lago: una especie de cangrejo°, cerca de diez especies de peces, varias especies de algas y esponjas° de agua dulce.

Vista del lago de Ilopango

bucear *to scuba dive*   **traje isotérmico** *wetsuit*   **cerros sumergidos** *underwater mountains*   **cangrejo** *crab*   **esponjas** *sponges*

---

(1) Mi propio blog Piensas hacer una excursión al turicentro Apulo y al lago de Ilopango. Sigue los pasos para planificar el viaje.

Paso 1 Busca en internet mapas del volcán de Ilopango, el lago y el turicentro Apulo. Luego, investiga qué excursiones existen para llegar allí, cuánto cuestan y qué actividades y paquetes especiales ofrece el centro. Organiza tu excursión por transporte público o con una agencia. Incluye esta información:

1. Cómo llegar
2. Precio
3. Actividades
4. Paquetes especiales

Paso 2 Escribe todos los detalles para tu excursión al turicentro Apulo y el lago de Ilopango. Explica tus preferencias y qué te interesa hacer allí. Prepárate para compartir tu descripción con el resto de la clase.

☐ **I CAN** identify key aspects of travel to a nature park in El Salvador.

Proyectos

(1) **¿Cómo es tu hogar?** Quieres compartir (*share*) tu espacio con un(a) amigo/a, o necesitas encontrar un(a) compañero/a de cuarto, y vas a describir el espacio a posibles compañeros/as. Lee la estrategia y sigue los pasos. Si no quieres mostrar el espacio real, puedes compartir fotos de un espacio que te gusta.

Estrategia: Using Gestures to Complement Your Language

Gestures can be culture-specific, but they can also help beginners communicate efficiently. Gestures accompanied by short phrases can be effective, such as extending your arms wide as you say **grande**. Make your gestures as transparent as possible while providing as much relevant language as possible and you are likely to get your message across.

Paso 1 Repasa el vocabulario y las estructuras del capítulo. Luego, mira el video **Encuentros:** *Cómo encontrar un buen apartamento* para ver un ejemplo de cómo Lucas describe una casa. Toma notas de palabras y expresiones para incluir en tu descripción.

> **¡ATENCIÓN!**
>
> Ask your instructor to share the **Rúbrica** to understand how your work will be assessed.

Paso 2 Prepara una lista de los detalles que quieres incluir sobre tu casa o espacio preferido. Considera:

- ¿Dónde está el espacio especial?
- ¿Cómo es? ¿Qué estilo tiene?
- ¿Qué muebles hay en tu espacio?
- ¿Qué electrodomésticos tiene?
- ¿Hay algún objeto especial?
- ¿Por qué es tu espacio preferido?

Paso 3 Practica tu presentación con un(a) compañero/a. Toma notas de lo que dice tu compañero/a y dale (*give him/her*) sugerencias para mejorar su trabajo. Fíjate especialmente en el uso de gestos y haz sugerencias para incorporar gestos durante la descripción.

Paso 4 Presenta la descripción de tu espacio preferido. Incluye imágenes y prepárate para compartir tu proyecto con el resto de la clase.

(2) **Álbum de Guatemala y El Salvador** Usando la información del capítulo e internet, crea una presentación con los siguientes puntos sobre Guatemala y El Salvador. Luego, compara la información con un(a) compañero/a y compartan algo nuevo que aprendieron.

1. información básica
2. estadísticas interesantes
3. dos lugares interesantes
4. observaciones culturales
5. enlaces interesantes
6. información que te hizo cambiar de opinión o que te hizo reflexionar

---

☐ **I CAN** describe my favorite space.
☐ **I CAN** share personally meaningful information about Guatemala and El Salvador.

Repaso

Repaso de objetivos

Reflect on your progress toward the chapter main goals.

I am able to...

	Well	Somewhat
• Identify information about a house described in a video.	☐	☐
• Exchange information about homes, house chores, and daily activities.	☐	☐
• Compare products, practices, and perspectives from Guatemala and El Salvador with my own community.	☐	☐
• Describe my home or personal space.	☐	☐

Vocabulary Tools

Repaso de vocabulario

La casa   *The house*
el balcón   *balcony*
el baño   *bathroom*
la cocina   *kitchen*
el comedor   *dining room*
el desván   *attic*
las flores   *flowers*
el garaje   *garage*
la habitación   *bedroom*
el jardín   *garden*
el patio   *patio, courtyard*
las plantas   *plants*
la sala   *living room*
el sótano   *basement*

Los muebles y los electrodomésticos
   Furniture and appliances
la alfombra   *rug*
el armario   *closet*
la bañera   *bathtub*
la cama   *bed*
las cortinas   *curtains*
la ducha   *shower*
el escritorio   *desk*
el espejo   *mirror*
la estufa   *stove*
el fregadero   *sink*
los gabinetes de cocina   *kitchen cabinets*
el horno   *oven*
el (horno de) microondas   *microwave*
el inodoro   *toilet*
la lámpara   *lamp*
el lavabo   *bathroom sink*
el lavaplatos   *dishwasher*
la mesa   *table*
la mesita   *end table*

la mesita de noche   *nightstand*
la puerta   *door*
el refrigerador   *refrigerator*
la silla   *chair*
el sillón   *overstuffed/easy chair*
el sofá   *sofa*
el televisor   *television set*
el tocador   *dresser*
la ventana   *window*

Los números hasta 900.000.000
100   cien
101   ciento uno
200   doscientos
300   trescientos
400   cuatrocientos
500   quinientos
600   seiscientos
700   setecientos
800   ochocientos
900   novecientos
1.000   mil
1.000.000   un millón
2.000.000   dos millones
5   cinco
15   quince
50   cincuenta
500   quinientos
5.000   cinco mil
50.000   cincuenta mil
500.000   quinientos mil
5.000.000   cinco millones
50.000.000   cincuenta millones
500.000.000   quinientos millones
900.000.000   novecientos millones

Los quehaceres de la casa
   Household chores
barrer el suelo   *to sweep the floor*
cortar el césped   *to mow the lawn*
hacer/tender la cama   *to make the bed*
lavar la ropa/los platos
   to wash clothes/dishes
limpiar (el baño)   *to clean (the bathroom)*
ordenar (la casa)   *to tidy up (the house)*
pasar la aspiradora   *to vacuum*
planchar la ropa   *to iron clothes*
poner la mesa   *to set the table*
quitar el polvo de los muebles   *to dust
   the furniture*
sacar la basura   *to take out the trash*
secar la ropa/los platos   *to dry clothes/dishes*

La rutina diaria   *Daily routine*
acostarse (o:ue)   *to go to bed*
afeitarse   *to shave*
arreglarse   *to get ready*
bañarse   *to bathe*
cepillarse el pelo/los dientes
   to brush one's hair/teeth
despertarse (e:ie)   *to wake oneself up*
dormirse (o:ue)   *to fall asleep*
lavarse   *to wash, to bathe*
levantarse   *to get up*
peinarse   *to comb one's hair*
ponerse   *to put on (as in clothing)*
quitarse   *to take off of oneself*
sentarse (e:ie)   *to sit oneself down*
vestirse (e:i)   *to get dressed*

Repaso de gramática

1 Comparatives

Comparisons of equality

1. When comparing qualities (adjectives), use: **tan** _____ **como**

2. When comparing numbers or amounts of people or items (nouns), use:
   tanto/tanta/tantos/tantas _____ **como**

3. When comparing quantity of actions (verbs) OR how actions are done (adverbs),
   use: [VERB] + **tanto como** + [PERSON'S NAME]   [VERB] + **tan** [ADVERB] **como**

Irregular comparative forms

1. With nouns when comparing the quality of two things (_better/worse_), use:

   [SUBJECT 1] + **es** + **mejor/peor** + **que** + [SUBJECT 2]   _better/worse than_

2. When comparing how actions are done use:

   [SUBJECT 1] + [ACTION/VERB] + **mejor/peor** + **que** + [SUBJECT 2] _better/worse than_

3. When comparing the ages of two people, use:

   [PERSON 1] + **es** + **mayor/menor** + **que** + [PERSON 2]   _older/younger than_

2 _Deber, necesitar, tener que_ + infinitive

deber + [INFINITIVE] (_should_)   **tener que** + [INFINITIVE] (_has/have to_)

necesitar + [INFINITIVE] (_need(s) to_)

3 Reflexive constructions

Some common verbs may be used _reflexively_ in Spanish to talk and ask about daily
routines. Reflexive verb forms are stated with their accompanying _reflexive pronouns_:

Lavarse (_to wash, to bathe_)			
yo	**me** lavo	nosotros/as	**nos** lavamos
tú	**te** lavas	vosotros/as	**os** laváis
él, ella, Ud.	**se** lava	ellos, ellas, Uds.	**se** lavan

4 Present progressive

To tell an activity that is in progress at the same moment that you are talking, use a
form of **estar** followed by the present participle.

Present participle			
lav**ar**	lav	+ -ando	**lavando**	_washing_
pon**er**	pon	+ -iendo	**poniendo**	_putting_
escrib**ir**	escrib + -iendo		**escribiendo**	_writing_

¿Cómo es tu estilo personal?

OBJETIVOS DE APRENDIZAJE

By the end of this chapter, I will be able to...

- Identify information about clothing and style in a video.
- Exchange information about clothing, colors, and parts of the body.
- Compare products, practices, and perspectives from Nicaragua and Honduras with my own community.
- Describe my personal style.

ENCUENTROS

El canal de Lucas: Cómo la ropa refleja tu personalidad

Este es mi país: Nicaragua, Honduras

EXPLORACIONES

Vocabulario

La ropa y los colores

Las partes del cuerpo

Gramática

Demonstrative adjectives and pronouns

Fixed expressions with **por** *and* **para**

EXPERIENCIAS

Cultura y sociedad: Ropa usada, pacas y redes sociales

Intercambiemos perspectivas: *Ropa de segunda mano*

Blog: Esperanza en acción

Proyectos: ¿Cómo es tu estilo personal?, Álbum de Nicaragua y Honduras

El canal de Lucas

Learning Objective: Identify recommended clothing for different personalities and events.

Video: Story

Cómo la ropa refleja tu personalidad

Lee y reflexiona sobre la estrategia de aprendizaje de este capítulo. Luego mira el video de Lucas en el que explica cómo la ropa refleja tu personalidad.

> **Estrategia de aprendizaje: Setting Goals**
>
> The beginning of the semester is a good time to create personal learning goals. Aside from getting a good grade, write down three goals you would like to accomplish this semester and at least two strategies you will apply regularly to achieve your goals. Maybe you plan to listen to a new song and learn the lyrics every other week, or play video games in Spanish. Having a plan will help you reach your goals.

Antes de ver

(1) Los eventos y las situaciones Lucas va a explicar qué ropa (*clothes*) debes llevar en diferentes situaciones. Haz una lista de las situaciones y los eventos que requieren diferentes prendas de ropa.

Mientras ves

(2) La personalidad y la ropa Mira el video e indica qué ropa recomienda Lucas para cada personalidad.

1. ___ tradicional
2. ___ relajada
3. ___ excéntrica
4. ___ creativa

a. unos pantalones, una camisa, unos zapatos negros y una corbata de un color intenso

b. una chaqueta de cuero y un sombrero divertido

c. un suéter y un abrigo de colores oscuros

d. unos vaqueros, una camiseta y una chaqueta

Después de ver

(3) Opiniones Lucas tiene opiniones muy precisas sobre la ropa. ¿Estás de acuerdo con estas ideas y opiniones de Lucas? Explica tus respuestas.

1. Es importante vestirse de manera apropiada para cada ocasión.
2. La ropa que llevas expresa tu personalidad.
3. Es importante estar cómodo/a.

Resources

Vhlcentral

Online activities

□ **I CAN** identify articles of clothing mentioned in a video.

Learning Objective:
Identify cultural products, practices, and perspectives from Nicaragua.

 Map

NICARAGUA

¡Hola! Me llamo Kenia Fuentes. ¿Idiay, vos? Les presento mi lindo país, Nicaragua, tierra de lagos y volcanes. Nosotros los nicas, o nicaragüenses, vivimos en el país más grande de América Central y en uno de los más ricos del continente: la unión de pueblos, nuestra expresión cultural y gastronómica, y la variada geografía son nuestro tesoro° más grande. Tenemos costas en el océano Pacífico y el mar Caribe, y fronteras° con Costa Rica y Honduras. A unos 30 kilómetros de Managua, que es la capital del país y donde vivo yo, está Masaya. Allí tengo un puesto en el gran mercado de artesanías°, y créeme° cuando te digo que tienes que visitarlo. En el mercado encuentras ropa bordada°, figuras talladas° a mano, instrumentos musicales y mucho más. ¡Espero verlos allí!

Los raspados son muy populares en Nicaragua y muy refrescantes en los días calurosos.

HONDURAS

EL SALVADOR

NICARAGUA

Mar Caribe

Lago de Managua

León

Masaya

Managua ✪

Granada

Bluefields

Lago de Nicaragua

COSTA RICA

Océano Pacífico

PANAMÁ

Granada, una ciudad colonial, tiene una plaza muy bonita en el centro, con la catedral, museos, tiendas y cafés.

El mirador de Catarina está en una de las colinas° más altas que rodea° la laguna de Apoyo.

El Mercado de artesanías de Masaya es un lugar ideal para comprar artesanías hechas a mano° y ver de cerca la cultura nicaragüense.

Nicaragua en breve

Capital: Managua

Tipo de gobierno: república presidencial

Tamaño: 130.370 km², un poco más pequeño que el estado de Nueva York

Población: 6.359.689 habitantes

Lenguas: español, inglés y lenguas amerindias

Moneda: córdoba

Nivel de alfabetización: 83%

Promedio de vida: 75 años

Expresiones y palabras típicas:

¿Idiay, vos?	¿Qué tal?
un maje	una persona
un(a) nica	una persona nicaragüense

Fuente: The World Factbook, Central Intelligence Agency

① Comprensión Indica si cada oración es **cierta (C)** o **falsa (F)**.

1. Nicaragua tiene fronteras con Panamá y Honduras. .... **C F**

2. Nicaragua es el país más pequeño de América Central. .... **C F**

3. Granada es famosa por su arquitectura colonial. .... **C F**

4. Un raspado contiene trozos de hielo rallado (*shaved*). .... **C F**

② ¿Y tú? En parejas, conversen sobre estas preguntas.

1. ¿Conoces las artesanías típicas de Nicaragua?

2. ¿Te gustan los mercados de artesanías?

3. ¿Cuáles son algunos productos artesanales de tu comunidad o región?

③ Para investigar Elige un tema de **Este es mi país** que te interese o llame la atención. Investígalo en internet para aprender más y comparte la información con un grupo pequeño.

---

tesoro *treasure* **fronteras** *borders* **artesanías** *crafts* **créeme** *believe me* **bordada** *embroidered* **talladas** *carved* **colinas** *hills* **rodea** *surrounds* **hechas a mano** *handmade*

☐ **I CAN** identify key cultural products and practices from Nicaragua.

Audio:
Vocabulary

La ropa y los colores

Estrategia de vocabulario: Connecting Words and Actions

Your brain makes a connection to the physical movement accompanied by new information. When you commit new words to memory, try to associate each word with an action. Do the action while you say the word aloud. You will be surprised by the number of words you can incorporate into your communication.

La ropa

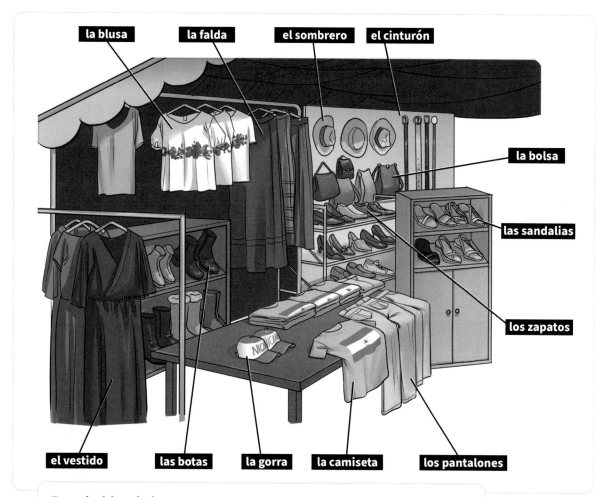

la blusa · la falda · el sombrero · el cinturón · la bolsa · las sandalias · los zapatos · el vestido · las botas · la gorra · la camiseta · los pantalones

Para hablar de la ropa

barato/a *inexpensive*
caro/a *expensive*
llevar *to wear*
ponerse *to put on*
probarse (o:ue) *to try on*

quedar(me, te, le) bien/mal *to fit (well/poorly)*, i.e. **Me queda bien**; **No me queda**.
vender *to sell*
vestirse (e:i) *to get dressed*

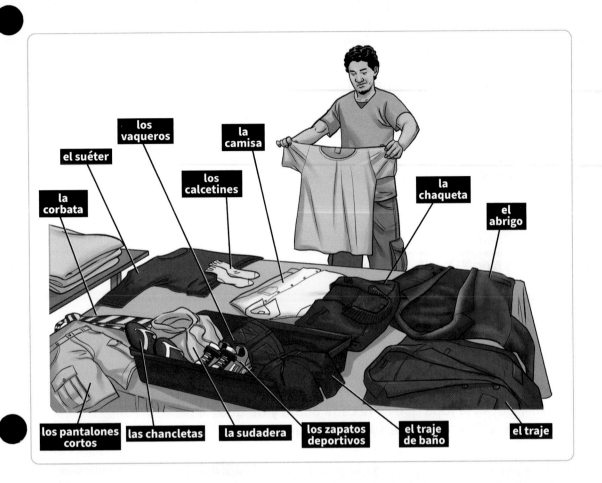

el suéter

los vaqueros

la camisa

los calcetines

la corbata

la chaqueta

el abrigo

los pantalones cortos

las chancletas

la sudadera

los zapatos deportivos

el traje de baño

el traje

Los colores

ROSADO/A

ROJO/A

ANARANJADO/A / NARANJA

AMARILLO/A

VERDE

AZUL

MORADO/A

BEIGE

MARRÓN / (COLOR) CAFÉ

BLANCO/A

GRIS

NEGRO/A

TIP

One way to learn the colors and clothing faster in Spanish is to identify the clothing aloud as you take it out of your closet to get dressed in the morning, or as you put it away after you do the laundry. The more you use the language in context, the easier it will be to remember.

1 **Escucha e identifica** Kenia describe una foto de su grupo de amigos. Escucha su descripción e identifica a cada persona.

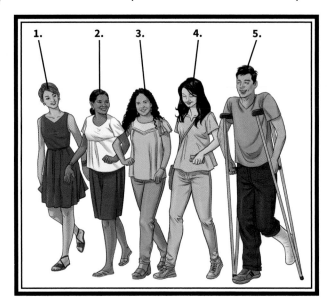

Antonio ____

Carla ____

Kenia ____

María José ____

Stephanie ____

2 **¿Qué llevan mis compañeros/as?** En parejas, preparen descripciones de tres compañeros/as de clase. Incluyan la ropa que lleva cada uno/a y de qué color es. Lean las descripciones a la clase para que adivinen de qué persona se trata.

> **Modelo** *Esta persona lleva vaqueros, una camiseta gris, zapatos deportivos azules y calcetines blancos.*

TIP

Do you like to people watch? You can practice your Spanish at the same time! The next time you are at the cafeteria, mall, or park when someone walks by, think of how to describe their clothing in Spanish. You'll be surprised how much this helps you speak!

3 **La ropa adecuada** ¿Qué ropa llevas en distintas situaciones?

Paso 1 Describe tu ropa favorita para cada situación y compara tus respuestas con las de un(a) compañero/a. ¿Tienen estilos similares o diferentes?

1. cuando vas a clase

2. cuando te quedas en casa

3. cuando vas a una fiesta

4. cuando haces ejercicio

5. cuando vas a una entrevista (*interview*)

6. cuando hace frío

7. cuando hace calor

8. cuando quieres vestirte elegante

Paso 2 Compartan sus respuestas con la clase. ¿Hay tendencias comunes entre todos/as?

4 **¿Qué ropa debo llevar?** Mónica, la hermana de Kenia, va a Estados Unidos para estudiar inglés y quiere tus consejos. Escríbele un correo electrónico con una lista de la ropa que debe llevar según cada situación.

1. Piensa ir al parque con sus amigos. Hace sol y mucho calor. Van a tener un pícnic.

2. En abril hace viento, hace fresco y llueve. Tiene que caminar para ir a las clases.

3. Cada invierno nieva y hace mucho frío. Necesita caminar para tomar el autobús.

4. Va a la playa con su amigo y su familia. Hace mucho calor.

5. Hay un gimnasio en la universidad que ofrece clases de yoga. Piensa tomar una.

6. Trabaja en el laboratorio de química. Hace calor, pero en el laboratorio hay aire acondicionado.

7. Un amigo la invita a pasar las vacaciones en las montañas. Puede aprender a esquiar.

8. Piensa ir de compras con las amigas al centro comercial. No está muy lejos de la universidad.

9. Tiene una entrevista para trabajar en la oficina del departamento de inglés.

10. Sus amigos van a un partido de fútbol americano en la universidad. Es por la tarde. Hay sol, pero hace fresco.

CULTURA VIVA

En el mercado Roberto Huembes, de Managua, Nicaragua

Los mercados de Managua In a city of almost 1,100,000 inhabitants, Managua has many markets. The **Mercado Oriental** is the largest, taking up over 80 hectares, selling everything from food, flowers, clothing, shoes, and hardware at low prices. The **Mercado Roberto Huembes** is large, colorful, tourist-friendly and the most accessible of all the big markets in Managua. You'll find everything from food to hardware items here. There is also an extensive section of arts and crafts stalls. In the **Mercado Oriental** alone, there are approximately 20,000 merchants and around 100,000 Nicaraguans who shop there daily. **Do you ever do your shopping at markets? What sort of items do you buy there? Why might people prefer markets to large stores for these items?**

Exploraciones

5 **¿Cuánto cuesta la ropa en Nicaragua?** Carla busca ropa nueva. Sabe que los cumpleaños de Stephanie y de su papá son el mes que viene y también quiere ropa para la universidad y para las clases de educación física. Va al centro comercial en Managua con sus amigas y encuentra algunas cosas que le gustan.

Todo a la moda

Vestido negro
625 córdobas

Camiseta
200 córdobas

Pantalones azules
585 córdobas

Zapatos deportivos
1000 córdobas

Vaqueros
520 córdobas

Blusa rosada
400 córdobas

Falda nueva, color azul
340 córdobas

Traje de baño
450 córdobas

Paso 1 Identifica los precios de cada artículo de ropa en la lista. ¿Cuánto cuesta la ropa en dólares estadounidenses?

Paso 2 Con un(a) compañero/a, compara los precios de la ropa en Nicaragua con los de Estados Unidos en tu tienda de ropa favorita.

Paso 3 Si Carla tiene 2.000 córdobas, ¿qué debe comprar? ¿Por qué?

CULTURA VIVA

Las compras en Nicaragua Shopping for clothing in Nicaragua includes a variety of options for different styles and budgets. There are several malls in Managua similar to malls in the United States. They have food courts with fast food chains you might find in the U.S. In addition, it is common to shop for second-hand clothing at shops called **pacas,** a name that refers to the packages that goods are shipped in. Some **pacas** have nicely arranged name-brand used clothing, while other **pacas** have clothing laid on tables and in bins that customers sort through in search of good finds. **What are some shopping options where you live? Are they compatible with different styles and budgets?**

Metrocentro es un centro comercial de Managua con diversas tiendas.

☐ **I CAN** exchange information about clothing and colors.

Gramática 1

Learning Objective: Express where objects are in relation to you.

Tutorial

Identifying objects: Demonstrative adjectives and pronouns

Demonstrative adjectives

Demonstrative adjectives indicate the relative position of an item in terms of the distance from the speaker: *this* dress, *that* jacket. Demonstratives in English are *this, that, these,* and *those.* In Spanish, demonstrative adjectives are placed before the noun they describe, and their endings must match the noun that follows in number (singular or plural) and gender (masculine or feminine). Look at the forms of the demonstrative adjectives and note that Spanish has two different words to express *these/those,* depending on the relative distance of the item from the speaker.

Demonstrative adjectives				
	Singular		**Plural**	
Near to the speaker (**aquí**)	**este** vestido	*this dress*	**estos** zapatos	*these shoes*
	esta corbata	*this tie*	**estas** faldas	*these skirts*
A short distance from the speaker (**ahí**)	**ese** vestido	*that dress*	**esos** zapatos	*those shoes*
	esa corbata	*that tie*	**esas** faldas	*those skirts*
A far distance from the speaker (**allí** or **allá**)	**aquel** vestido	*that dress (over there)*	**aquellos** zapatos	*those shoes (over there)*
	aquella corbata	*that tie (over there)*	**aquellas** faldas	*those skirts (over there)*

Exploraciones

Spanish demonstratives are frequently used with the adverbs **aquí** (*here*), **ahí** (*there, nearby*), **allí** (*there*), or **allá** (*there*), to further clarify the distance from the speaker and which item someone is referring to.

–¿Quieres estos zapatos de **aquí**?   –*Do you want these shoes here?*

–No, me gustan aquellas sandalias de **allá**.   –*No, I like those sandals over there.*

Demonstrative pronouns

Demonstrative pronouns replace the noun being referred to so that word doesn't have to be repeated. Demonstrative pronouns are identical to demonstrative adjectives and reflect the gender and number of the noun they replace. Look at the example and note the use of the demonstrative pronoun.

–¿Quieres comprar **estos** pantalones azules?   –*Do you want to buy these blue pants?*

–No, prefiero **estos** que están aquí.   –*No, I prefer these over here.*

Demonstrative pronouns				
	Singular		**Plural**	
Near to the speaker (**aquí**)	este	*this one*	estos	*these (ones)*
	esta		estas	
A short distance from the speaker (**ahí**)	ese	*that one*	esos	*those (ones)*
	esa		esas	
A far distance from the speaker (**allí** or **allá**)	aquel	*that one (over there)*	aquellos	*those (ones) (over there)*
	aquella		aquellas	

1 **¿Qué puesto?** Kenia describe la ropa que vende en su puesto en el mercado de Masaya y también habla de la ropa en otros dos puestos. Indica qué puesto describe Kenia según el dibujo.

1. _____

2. _____

3. _____

4. _____

5. _____

6. _____

(2) **Kenia va de compras** Kenia y Stephanie están en su tienda favorita, donde buscan un vestido nuevo para Kenia. Lee la conversación y selecciona los adjetivos y pronombres demostrativos que encuentres.

Kenia: ¿Te gusta esta blusa verde?

Stephanie: Sí, me gusta, pero no me gusta el color para ti. ¿Por qué no te pruebas esa de color azul?

Kenia: Esa es muy conservadora. Creo que me gusta más aquella, cerca de la colección de pantalones. También necesito comprar un vestido. ¿Te gusta este?

Stephanie: No, realmente prefiero este. Es muy lindo y no cuesta mucho.

Kenia: Aquellos vestidos son muy caros.

Stephanie: Sí, y no son muy bonitos. ¿Por qué no te pruebas aquel que tienen allá?

Kenia: Está bien. Y después vamos a tomar un café en aquel restaurante de la esquina.

Stephanie: De acuerdo. Buena idea.

(3) **Necesito zapatos** Kenia va a la zapatería para comprarse unos zapatos y le pide ayuda a su amiga María José. Completa el diálogo con adjetivos y pronombres demostrativos.

Kenia: _____ botas rosadas son muy bonitas. ¿Qué te parecen? ¿Te gustan?

María José: No sé. _____ color rosado es muy brillante. Prefiero las botas rojas que están al lado de las rosadas. _____ son mejores en mi opinión.

Kenia: Pues, creo que tienes razón. Quiero mirar _____ botas negras de allí arriba. Son más altas y más elegantes, ¿no crees?

María José: Mira, hay otros zapatos allá, al otro lado de la tienda. Son de muchos colores bonitos y tienen un buen precio.

Kenia: Sí. Voy a ver _____. Me gusta mucho el estilo.

CULTURA VIVA

El gesto "allá" In Latin America, some native speakers do not point with their finger to indicate someone or something across the room. Instead, they purse their lips and move their head upward in the direction of what they would like to indicate. **What other gestures do you use or have you seen to indicate where something is?**

Una mujer indica "allá" con los labios.

Exploraciones

(4) En el mercado de Masaya Piensas comprar varios regalos para tu familia durante tu viaje a Nicaragua. Mira el dibujo de los tres puestos del mercado en la **actividad 1: ¿Qué puesto?** para hacer tus compras.

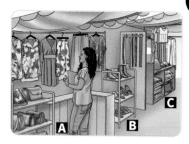

Paso 1 Mira los tres puestos y escribe una lista de las cosas que te gustan. Incluye al menos un artículo de cada puesto.

Paso 2 Mira el mercado desde donde está parada (*is standing*) Kenia. Con un(a) compañero/a, describe qué artículos prefieres comprar.

Paso 3 Hazle preguntas a tu compañero/a para aclarar dudas sobre el artículo exacto y para saber por qué quiere comprarlo. ¿Les gustan los mismos artículos?

> **Modelo** **Estudiante A:** *Voy a comprar esta blusa en el puesto de Kenia.*
> **Estudiante B:** *¿Cuál? ¿Esta roja y amarilla?*
> **Estudiante A:** *No, esa gris con flores. Es para mi madre.*

(5) Situaciones Haz el papel de A o B con un(a) compañero/a para participar en la conversación.

A You have decided to travel to Nicaragua to meet up with your virtual conversation partner from the Universidad Centroamericana in Managua. Describe what you'll be wearing at the airport and ask about what he/she will be wearing, so that you can recognize each other. Ask your new friend some questions about Nicaragua and the activities he/she has planned so that you know what clothes to pack. You don't want to take a big suitcase so be sure to clarify what items you really need.

B Your virtual conversation partner from the United States has decided to visit you in Managua. Be sure to tell him/her what you'll be wearing when you travel to the airport so that he/she can recognize you in the crowd. Also, tell your friend about some of the activities and places you have planned to visit, so that he/she will know what to pack and will be prepared for the trip.

(6) El español cerca de ti La mayoría de la ropa en Estados Unidos es fabricada en otros países. Por ejemplo, Nicaragua y Honduras tienen una industria importante y exportan gran parte a Estados Unidos. Vas a investigar el origen de tu ropa.

Paso 1 Toma diez minutos para investigar dónde está hecha tu ropa. ¿Tienes prendas (*garments*) hechas en estos dos países? ¿Cuántas?

Paso 2 Investiga en internet en qué país hacen la ropa de tu marca favorita. Después, investiga dónde hay fábricas en ese país y cuántas hay en total. Comparte tu información con un(a) compañero/a o con la clase.

☐ **I CAN** indicate where things are in relation to me.

Podcast

Learning Objective: Reflect on your progress using language related to clothing and shopping.

Audio:
Reading

Episodio #11: Kenia Fuentes Rivera

Estrategia de comprensión oral: The Importance of Backchanneling

Have you ever noticed that if you remain completely silent while listening to someone on the phone, the other person often asks, "Are you there?" The short verbal interjections we make while others are speaking, like "Right?", "I know," or "Really?" help them know that we are listening and engaged. Pay close attention to how native speakers "backchannel" and be careful to not overuse "**Sí, sí,**" if you don't understand!

Antes de escuchar

1 **Un mercado de artesanías** Vas a escuchar la historia de Kenia sobre el mercado de Masaya, Nicaragua. Piensa en un mercado al aire libre (*open-air*) en tu comunidad y contesta las preguntas.

    1. ¿Qué productos venden en el mercado?

    2. ¿Te gusta ir de compras al mercado? ¿Por qué sí o por qué no?

Mientras escuchas

2 **El mercado de Masaya** Escucha a Kenia mientras ella nombra lo que se vende en el mercado y selecciona los artículos que escuchas.

☐ vestidos	☐ cerámica	☐ flores	☐ camisetas
☐ cinturones	☐ sombreros	☐ zapatos	☐ libros
☐ abrigos	☐ calcetines	☐ blusas	☐ botas
☐ hamacas	☐ CD	☐ bolsas	☐ videos

Después de escuchar

3 **Un diagrama de Venn** Usa un diagrama de Venn para comparar el mercado de Masaya con un mercado que conozcas.

Paso 1 En un círculo, escribe la información del mercado de Masaya, y en el otro, la información de un mercado en tu comunidad. Luego, en el centro, anota los detalles que tienen en común.

Paso 2 Compara tus respuestas con las de un(a) compañero/a. Usa expresiones como **¿Sí?, ¿Verdad?, ¡Interesante!** mientras habla para demostrar que estás escuchando.

☐ **I CAN** describe clothing and markets.

Learning Objective:
Identify cultural products, practices, and perspectives from Honduras.

 Map

HONDURAS

Hola, amigos. Soy Carlos Marlón García, y trabajo de enfermero en Tegucigalpa, Honduras. Mi país es el más montañoso de América Central, con montañas en el 80% de su territorio. Las aguas de Honduras también incluyen parte del segundo arrecife° de coral más grande del mundo. ¡Es macanudo! Este sistema de arrecifes se extiende por la costa Caribe hasta México y es hábitat de cientos de especies de peces, corales, tortugas marinas, manatíes y ballenas°. También en la costa caribeña, la lengua, cultura y música de la comunidad de los garífunas, descendientes de los africanos esclavizados° y de los pueblos originarios, son consideradas Patrimonio° Cultural Inmaterial de la Humanidad por la UNESCO. ¿Y saben qué? Mi país tiene un sitio arqueológico de la antigua civilización maya en el departamento occidental° de Copán. ¡Mi país tiene muchas cosas que lo hacen único!

La orquídea Brassavola es la flor nacional de Honduras desde el 25 de noviembre de 1969. También se conoce como la "Orquídea de la Virgen" por su belleza°.

MÉXICO

BELICE

Mar Caribe

GUATEMALA

La Ceiba

San Pedro Sula

HONDURAS

Comayagua

Tegucigalpa

EL SALVADOR

Océano Pacífico

NICARAGUA

Rodeada de montañas, la ciudad de **Tegucigalpa** es la capital de Honduras, y la ciudad más poblada.

Desde la isla de **Roatán** es posible ver una gran variedad de **especies marinas**.

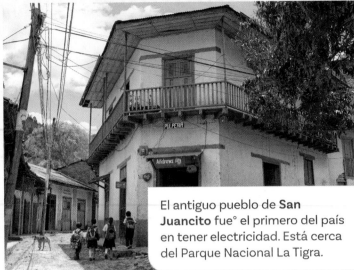

El antiguo pueblo de **San Juancito** fue° el primero del país en tener electricidad. Está cerca del Parque Nacional La Tigra.

Honduras en breve

Capital: Tegucigalpa

Tipo de gobierno: república presidencial

Tamaño: 112.090 km², un poco más grande que Tennessee

Población: 9.571.352 habitantes

Lenguas: español, dialectos amerindios

Moneda: lempira

Nivel de alfabetización: 89%

Promedio de vida: 75 años

Expresiones y palabras típicas:

el/la catracho/a   *el/la hondureño/a*

el pisto   *el dinero*

macanudo/a   *maravilloso/a*

Fuente: The World Factbook, Central Intelligence Agency

(1) Comprensión Indica si cada oración es **cierta** (**C**) o **falsa** (**F**).

1. Honduras es el país menos montañoso de Centroamérica.................. **C F**

2. Puedes ver tortugas y ballenas en aguas hondureñas............................ **C F**

3. Tikal es un sitio arqueológico maya en Honduras. .... **C F**

4. La cultura garífuna está reconocida por la UNESCO. .... **C F**

(2) ¿Y tú? En parejas, conversen sobre estas preguntas.

1. ¿Cuál es un sitio que se considera único en tu comunidad?

2. ¿Conoces lugares en tu país que se consideran Patrimonio de la Humanidad por la UNESCO?

(3) Para investigar Elige un tema de **Este es mi país** que te interese o llame la atención. Investígalo en internet para aprender más y comparte la información con un grupo pequeño.

---

arrecife *reef* **ballenas** *whales* **esclavizados** *enslaved* **Patrimonio** *Heritage* **occidental** *western* **belleza** *beauty* **fue** *was*

☐ **I CAN** identify key cultural products and practices from Honduras.

Las partes del cuerpo

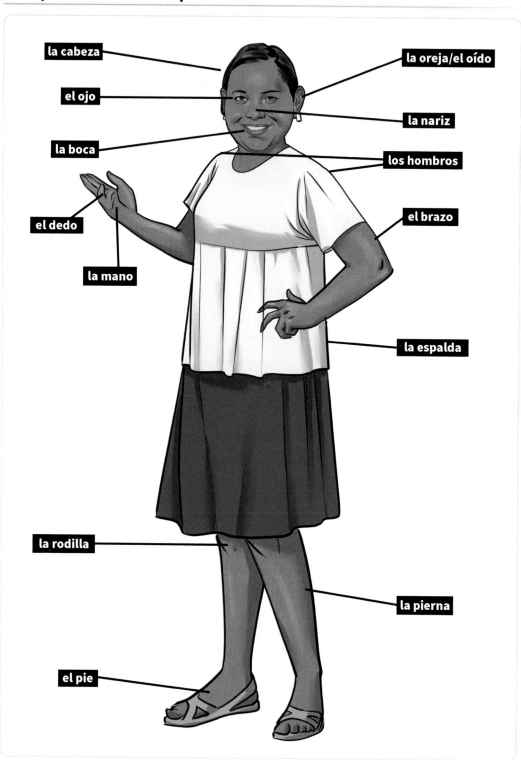

la cabeza

el ojo

la boca

el dedo

la mano

la rodilla

el pie

la oreja/el oído

la nariz

los hombros

el brazo

la espalda

la pierna

¡ATENCIÓN!

Note that in Spanish, the words **oreja** and **oído** refer to different parts of the ear. **La oreja** is the outer ear, what you can see, while **el oído** is the inner ear, responsible for the sense of hearing.

(1) ¿Qué parte del cuerpo? Escucha las descripciones que hace Carla durante un juego con su hermanita Catalina. Escribe la parte del cuerpo que describe Carla.

1. _____   4. _____   6. _____

2. _____   5. _____   7. _____

3. _____

(2) Las medidas Kenia decide comprar ropa nueva en internet por lo que tiene que tomarse las medidas (*take her measurements*) en casa.

Paso 1 Anota las partes del cuerpo que asocias con cada artículo de ropa.

Ropa	Talla	Partes del cuerpo
el sombrero	pequeño	
la blusa	mediana	
los pantalones	73 cm	
los zapatos	37	

Paso 2 Busca en internet una tabla con las medidas de las tallas estadounidenses. ¿Qué talla tiene Kenia en ropa de EE.UU.? Compara tus respuestas con un(a) compañero/a. ¿Encontraron la misma información?

(3) Las adivinanzas Carla y Catalina juegan a las adivinanzas. Trabaja con un(a) compañero/a. ¿Puedes adivinar qué parte del cuerpo describe cada una?

1. Uno larguito,
   dos más bajitos
   otro chico y flaco
   y otro gordo.

2. Con ella vives,
   con ella hablas,
   con ella comes,
   y hasta bostezas (*yawn*).

3. Unas son redondas,
   otras ovaladas
   unas piensan mucho,
   otras no.

4. Puedes tocarlo,
   puedes cortarlo,
   pero no puedes contarlo.

5. Juntos vienen,
   juntos van
   uno va adelante,
   otro va detrás.

6. Si los abro, veo,
   si los cierro, sueño.

(4) Nuestras actividades En parejas, hablen de sus actividades preferidas y qué partes del cuerpo utilizan para realizar cada actividad. Mencionen al menos tres actividades cada uno/a.

Modelo *Para jugar al vóleibol utilizo los brazos, las piernas y las manos.*

Resources

Vhlcentral

WebSAM

☐ **I CAN** exchange information about parts of the body.

 Tutorial

Expressing specific ideas:
Fixed expressions with *por* and *para*

The Spanish prepositions **por** and **para** are both often translated to English as *for*, but they are not interchangeable. By now you have already seen and used **por** and **para** in some common expressions, such as **por favor** and **por la mañana**. **Por** and **para** are used in several useful expressions in Spanish. Study the expressions and try to incorporate them into your speaking and writing.

Fixed expressions with *por*			
por ahora	*for now*	por fin	*finally*
por casualidad	*by chance*	por la mañana/ tarde/noche	*in the morning/ afternoon/night*
por cierto	*by the way*		
por ejemplo	*for example*	por lo menos	*at least*
por eso	*therefore*	por supuesto	*of course*
por favor	*please*	por todas partes	*everywhere*

Fixed expressions with *para*	
para bien/mal	*for better/worse*
para nada	*for nothing*
para siempre	*forever*

¿Qué observas?

1. Which of the fixed expressions with **por** and **para** have you seen or used before?

2. Which expressions are new to you?

Usually, a Spanish-English dictionary gives the meaning of both **por** and **para** as *for* and this holds true in many cases.

por and *para* = for		
Compro un suéter azul **para** mi hija.	*I'm buying a blue sweater for my daughter.*	*for the recipient/ receiver*
Compro este vestido elegante **para** la fiesta.	*I'm buying this elegant dress for the party.*	*intended for/used for*
Tengo que pagar $80 **por** el vestido.	*I have to pay $80 for the dress.*	*in exchange for*
Voy a estar ocupado/a **por** tres horas.	*I'll be busy for three hours.*	*for a certain duration/ amount of time*

Now, look at some examples where **por** and **para** would not be translated as *for* in English.

por and para ≠ for		
Vamos **para** el centro comercial porque necesitamos comprar ropa nueva.	*We're going **to** the mall because we need to buy some new clothes.*	*para = to/toward a destination*
Vamos **por** el centro comercial y buscamos zapatos deportivos.	*We're going **throughout** the mall looking for some athletic shoes.*	*por = through/ throughout a place*
Vamos a Honduras y Nicaragua **para** aprender más sobre los dos países.	*We're going to Honduras and Nicaragua **in order to** learn more about these two countries.*	*para = in order to/ purpose*
Compro ropa usada **por** su bajo costo.	*I buy used clothing **because of** the low price.*	*por = reason/ because of*

Review these expressions and uses, and pay attention to how **por** and **para** are used in the Spanish you read and hear, and you will become more confident in your choices.

(1) Haciendo planes para viajar Tu amigo te llama por teléfono para contarte sus ideas sobre su viaje a Honduras, pero su teléfono no funciona bien y tú no puedes oír todo lo que dice. Escucha sus ideas y selecciona la palabra o frase más lógica para completarlas.

1. a. bicicleta.
   b. comer comida tradicional de Honduras.
   c. uno o dos meses.

2. a. conocer el país.
   b. todo el país.
   c. casualidad.

3. a. conocer a gente de todo el país.
   b. tres días.
   c. su ayuda.

4. a. visitar también ese país centroamericano.
   b. mi hermana que vive en Nicaragua.
   c. volver a Estados Unidos.

5. a. siempre.
   b. supuesto.
   c. conocer algo de su historia.

6. a. poco dinero.
   b. la noche.
   c. las montañas.

7. a. bien.
   b. siempre.
   c. nada.

8. a. el invierno.
   b. comprar regalos para mi familia.
   c. favor.

Exploraciones

2 **Preguntas con *por o para*** Tus compañeros/as y tú necesitan solicitar información para planear bien sus actividades para el fin de semana.

Paso 1 Usa la información de cada columna para formar y escribir cinco preguntas interesantes y creativas.

¿Necesitas	estudiar en la biblioteca	para	el centro de la ciudad?
¿Prefieres	buscar regalos	por	tus exámenes?
¿Quieres	ir de compras		la tarde?
¿Te gusta	comprar ropa nueva		el centro comercial?
¿Vas a	llevar zapatos deportivos		nuestras vacaciones?
	llevar una bolsa grande		ir de compras?
	caminar		la fiesta?
	descansar		tu mamá?

Paso 2 Usa tus preguntas para obtener información de cinco compañeros/as diferentes. Después, sugiere un plan para algo que van a hacer juntos/as.

> **Modelo** *Reggie, Clara y David quieren buscar regalos para la fiesta. ¿Por qué no caminamos por el centro para ir de compras en el centro comercial?*

3 **Situaciones** Haz el papel de A o B con un(a) compañero/a para participar en la conversación.

A You would like to get some new clothes for the colder weather and you have asked a friend to go shopping with you. You'd like to go to the large mall about 30 minutes from campus, because it has the most stores. Agree on the mall where you will go with your friend, and how much time you'll spend shopping. Tell your friend the clothing items you'd like to buy.

B Your friend has asked you to tag along shopping at the mall this weekend. You don't have anything in particular to buy and don't have money to spend right now on clothes. You agree to go along, but you don't want to be gone long because you have a lot of work for your classes. Negotiate where you'll shop and how long you'll stay.

4 **¿Qué ropa necesito para mi viaje?** Eres presidente del club ecológico de la universidad y quieres organizar un viaje a Honduras. Utiliza la información de este capítulo e internet para preparar una lista de ropa y accesorios que son apropiados en Honduras. Luego, presenta al club tus consejos para el viaje.

☐ **I CAN** express specific ideas using **por** and **para**.

Resources

Ⓢ

VhIcentral

📶

WebSAM

Podcast | **Learning Objective:** Reflect on your progress using language related to parts of the body.

Audio: Reading

Episodio #12: Carlos Marlón García

Antes de escuchar

1 **El trabajo de Carlos** Carlos realiza un trabajo de servicio en las escuelas públicas. ¿Qué piensas que nos va a explicar sobre su trabajo? Escribe tres ideas para compartir con un(a) compañero/a.

Mientras escuchas

2 **¿Entendiste bien?** Escucha a Carlos y decide si las oraciones son **ciertas (C)** o **falsas (F)**.

1. Carlos a veces trabaja de voluntario en las escuelas. .... **C F**

2. Carlos es médico y trabaja en el hospital de Tegucigalpa. .... **C F**

3. Carlos enseña las mismas lecciones a todos los niños del primer grado al sexto grado. .... **C F**

4. Su trabajo consiste en hablarles a los niños sobre la importancia de la higiene personal. .... **C F**

5. Una de sus lecciones habla de la importancia de lavarse las manos para evitar (*avoid*) las enfermedades. .... **C F**

6. Carlos va a las escuelas porque los padres no les hablan a sus niños sobre la higiene personal. .... **C F**

Después de escuchar

3 **Trabajo en la comunidad** Te interesa saber más sobre los programas de salud pública (*public health*) que ayudan a los niños en tu comunidad.

Paso 1 Busca un programa que ayuda a los niños en tu comunidad o en las escuelas. Anota información importante sobre este programa.

1. ¿Cuál es el nombre del programa?

2. ¿Cuál es la dirección del programa?

3. ¿Cómo ayuda a los niños? ¿Por qué necesitan ayuda?

4. ¿Cuál es el trabajo que hacen los voluntarios para este programa?

5. ¿Para qué grupos o personas está diseñado (*designed*) el programa?

Paso 2 Comparte la información con un(a) compañero/a. Compara tu programa con el de tu compañero/a.

Resources

Vhlcentral

Online activities

☐ **I CAN** use language for body parts to talk about health and hygiene.

Estrategia de lectura: How to Use a Bilingual Dictionary Effectively

Only use the dictionary when an unknown word is preventing you from understanding the meaning of the sentence. Don't look up every word you don't know. When you do look up a word, review all possible translations and then check in the English side to see if it matches the original Spanish word. Confirm that the part of speech (verb, noun, adjective, etc.) matches for the Spanish and English word.

Antes de leer

(1) La ropa usada Lee la estrategia y busca el significado de estas palabras en un diccionario. Luego, compara tus respuestas con las de un(a) compañero/a. ¿Cuál es la definición más lógica en el contexto de una lectura sobre la ropa usada?

> el almacén   la cadena   el crecimiento   la marca

Ropa usada, pacas y redes sociales

La venta de ropa usada o, mejor dicho, "semi nueva", forma una parte cada vez más importante de la economía nicaragüense. A este país centroamericano llegan pacas de ropa de todo el mundo, pero la gran mayoría es de su vecino del norte, Estados Unidos. Las camisas, los vestidos, los pantalones, entre otras prendas°, llegan en grandes paquetes, o *pacas*, que contienen ropa de marcas° muy conocidas, además de otras menos famosas. También llega ropa nueva de grandes cadenas de almacenes que, después de no poder venderla, la ofrecen a diferentes países, adonde llega todavía con su etiqueta° original. Según datos° del gobierno de Nicaragua, actualmente 80 de cada 100 habitantes compran en tiendas de ropa usada, y es una industria que está creciendo. De hecho, varios vendedores dicen que personas con diferentes presupuestos° buscan ropa de segunda mano.

Los comerciantes de Nicaragua traen pacas de ropa de diferentes partes del mundo para vender en su país. Esta ropa tiene un precio reducido.

Debido a° la pandemia y a los avances en la tecnología, muchas de las tiendas de pacas venden su ropa a través de las redes sociales como Instagram, TikTok y Facebook. La tienda Paca Loca dice que sus ventas crecieron un 400% en unos pocos meses, gracias al uso de las redes sociales. El crecimiento de este tipo de tiendas avanza a un paso extraordinario porque beneficia tanto a las personas que compran como a las que venden.

prendas *garments* **marcas** *brands* **etiqueta** *label* **datos** *data* **presupuestos** *budgets* **Debido a** *Due to*

Después de leer

(2) **Comprensión** Elige la respuesta correcta.

1. ¿De dónde viene la mayoría de la ropa usada que se vende en Nicaragua?
   a. Estados Unidos   **b.** China   **c.** México

2. ¿Cuál es el porcentaje de personas que compran ropa usada en Nicaragua?
   a. 20%   **b.** 50%   **c.** 80%

3. La venta de ropa en Paca Loca creció más de _____ veces en pocos meses.
   a. 2   **b.** 3   **c.** 4

(3) **A conversar** Se estima que el sector de venta de ropa usada va a crecer 16 veces más rápido que la venta de ropa nueva en los próximos años en Estados Unidos. Con un(a) compañero/a, reflexiona sobre este dato y contesta las preguntas.

1. ¿Compras ropa usada o de segunda mano? ¿Dónde? ¿Por qué? ¿De dónde viene esa ropa?

2. ¿Cuáles son los beneficios de comprar ropa usada? Considera el medioambiente (*environment*), el precio, el estilo, etc.

3. ¿Cómo facilitan las redes sociales la venta de ropa usada en tu comunidad? ¿Hay similitudes y diferencias con las prácticas en Nicaragua?

(4) **A escribir** Lee la estrategia y sigue los pasos.

> **Estrategia de escritura: Identifying Your Target Audience**
>
> As you organize your thoughts for a writing task, consider who will read your final product. Identifying your reader will help you establish the appropriate format, tone, and content for your piece. Think about how the overall tone would differ in an e-mail sent to friends versus a prospective employer. Think carefully about your audience to help you plan and organize your writing project.

Paso 1 Tú y tus amigos/as deciden organizar una venta de garaje virtual. Elige cinco prendas de ropa tuyas (*of yours*) que quieres vender y escribe una descripción de cada una, incluyendo el color, el precio deseado (*desired*) y para qué situaciones sería (*it would be*) apropiada. Crea un anuncio para publicar en las redes sociales.

Paso 2 En grupos pequeños, túrnense para leer sus anuncios y dar sugerencias para hacerlos más atractivos para los posibles compradores. ¿Hay alguna prenda que te interese comprar?

☐ **I CAN** compare perspectives about secondhand clothing shopping in Nicaragua and my own community.

Resources

Ⓢ

Vhlcentral

Online activities

Video

Video: *Ropa de segunda mano*

There are many places to shop in Honduras and Nicaragua: malls, markets, **pacas**, and even online. You will watch a video from a social media website in which a woman shares the second-hand finds from her recent shopping experiences in a **paca** in Honduras.

Estrategia intercultural: Openness to New Practices and Perspectives

Learning to communicate across cultures requires you to be open to new practices and perspectives. Really being open-minded and flexible will help you to realize that not everyone does things or thinks the way you do. You may learn a different approach to thinking about a topic or a new way to do something that you have never thought of before. Being flexible will broaden your perspective, opening your mind to new possibilities. As you learn about practices, products, and perspectives in *Experiencias*, be open to new ideas and trying new things.

Fuente: Deardorff, D.K. (2006). The identification and assessment of intercultural competence as a student outcome of internationalization at institutions of higher education in the United States. *Journal of Studies in International Education*, 10(3), 241-266.

Antes de ver

1 **El concepto de la ropa de segunda mano** Escribe una lista de ropa que necesitas o deseas comprar. Comparte tu lista con un(a) compañero/a. ¿Tienen prendas similares en su lista?

Mientras ves

2 **Las prendas nuevas** Mientras ves el video, identifica las prendas que muestra la muchacha en el video.

una bolsita para poner su bolsa negra	un suéter negro con líneas en la manga
una faja o cinturón	un sombrero
una bolsa roja	unos pantalones blancos
una camisa azul	unos vaqueros/*jeans*

Después de ver

(3) **Imágenes** Indica a qué imagen corresponde cada cita del video.

A   B   C   D

1. _____ Puede elevar cualquier *look* muy fácilmente.

2. _____ Me queda un poquito grande.

3. _____ Esta es la vibra para verano.

4. _____ Creo que el color está muy *cool*.

(4) **Cuestión de gustos** Con un(a) compañero/a, contesta las preguntas.

1. ¿Qué le gusta más del sombrero a la chica?

2. ¿Cuál es la palabra que utiliza la chica para *bolsa*? ¿Por qué crees que existen diferentes palabras para el mismo objeto?

3. ¿Para qué sirve la bolsita blanca que muestra la chica?

4. ¿Qué le gusta más del suéter negro?

5. ¿Qué opinas de las compras de la chica?

(5) **Reflexión** Reflexiona sobre la práctica de comprar ropa y compárala con tus propias perspectivas. Contesta las preguntas con un(a) compañero/a.

1. ¿Es mejor para el medioambiente comprar ropa de segunda mano? Explica tu respuesta.

2. ¿Cuáles son las ventajas de comprar ropa de segunda mano?

3. ¿Qué palabras en inglés utiliza la chica en el video? ¿Por qué crees que utiliza esas palabras en inglés?

☐ **I CAN** examine cultural practices and perspectives related to second-hand clothes shopping.

Esperanza en acción

www.el_blog_de_lucas.com/EsperanzaEnAccion

Sobre mí | Viajes | Mapas | Galería | Contacto

Esperanza en acción

Conozco una organización en Managua llamada Esperanza en acción. Esta organización sin fines de lucro° establece programas para los artesanos de pueblos aislados° en Nicaragua. Su misión es el comercio justo° y la educación de los artesanos. Con estos dos objetivos quiere mejorar la vida de los nicaragüenses, educarnos a todos en cuanto al efecto de nuestras acciones y transformar el sistema económico a uno más justo para todos. En la pequeña tienda de la organización, hay mucha mercancía hecha a mano de muy buena calidad, toda a un

Yamileth Pérez es la directora del programa de artesanía.

precio justo por las horas que requiere producir cada objeto. Allí venden cerámica, bolsas tejidas a mano, pinturas, mochilas y canastas. Si viajas a Nicaragua, recomiendo que los visites porque su trabajo es muy interesante y valioso.

sin fines de lucro *non-profit* **aislados** *isolated* **comercio justo** *fair trade*

---

(1) El comercio justo Vas a investigar sobre una organización sin fines de lucro que promueve el comercio justo.

Paso 1 Lee el blog de Lucas y toma apuntes sobre su descripción de la organización Esperanza en acción. ¿Te interesa visitar la tienda? Comparte tu opinión con un(a) compañero/a.

Paso 2 Busca información en internet sobre Esperanza en acción u otra organización que promueve el comercio justo en Nicaragua. Contesta las preguntas.

1. ¿Dónde está basada?

2. ¿A qué comunidad o comunidades busca ayudar?

3. ¿Qué productos ofrece?

4. ¿Qué beneficios hay para los artesanos o productores?

Paso 3 Escribe una descripción de la organización, incluyendo tus respuestas del **Paso 2**. Explica por qué te parece una organización interesante y valiosa. Prepárate para compartir tu descripción con el resto de la clase.

☐ **I CAN** investigate fair trade nonprofits in Nicaragua.

Proyectos

Learning Objectives: Describe your personal style.
Present information about Nicaragua and Honduras.

1 **¿Cómo es tu estilo personal?** Vas a describir tu estilo personal. Lee la estrategia y sigue los pasos.

Estrategia para presentaciones: Practice Your Presentation

Presentations in Spanish class can be stressful if you are not prepared or prepare inappropriately. Try to avoid memorizing your speech, as you can quickly go blank by just forgetting one word. If you practice enough beforehand, a notecard with key terms should be sufficient to keep you on track. Alter the intonation of your voice so the audience stays engaged and the presentation feels almost like a conversation.

Paso 1 Repasa el vocabulario y las estructuras del capítulo. Luego, mira el video **Encuentros: *Cómo la ropa refleja tu personalidad*** para ver un ejemplo de cómo Lucas describe su estilo. Toma notas de palabras y expresiones para incluir en tu presentación.

Paso 2 Prepara una lista de los detalles que quieres incluir sobre tu estilo personal. Considera:

- ¿Cuál es tu estilo personal? ¿Hay una expresión o palabra específica para describirlo?
- ¿Qué conjuntos de ropa (*outfits*) reflejan ese estilo? Piensa en al menos dos conjuntos.
- ¿Cuándo y dónde usas tus conjuntos preferidos?
- ¿Qué colores prefieres llevar? ¿Por qué?

Paso 3 Practica tu presentación con un(a) compañero/a. Usa tarjetas con palabras clave (*key words*) en vez de memorizarla palabra por palabra. Toma notas de lo que dice tu compañero/a y dale sugerencias para mejorar su trabajo.

Paso 4 Presenta la descripción de tu estilo personal. Incluye imágenes y prepárate para compartir tu proyecto con el resto de la clase.

> **¡ATENCIÓN!**
> Ask your instructor to share the **Rúbrica** to understand how your work will be assessed.

2 **Álbum de Nicaragua y Honduras** Usando la información del capítulo e internet, crea una presentación con los siguientes puntos sobre Nicaragua y Honduras. Luego, compara la información con un(a) compañero/a y compartan algo nuevo que aprendieron.

1. información básica
2. estadísticas interesantes
3. dos lugares interesantes
4. observaciones culturales
5. enlaces interesantes
6. información que te hizo cambiar de opinión o que te hizo reflexionar

☐ **I CAN** describe my personal style.
☐ **I CAN** share personally meaningful information about Nicaragua and Honduras.

Repaso

Repaso de objetivos

Reflect on your progress toward the chapter main goals.

I am able to...

	Well	Somewhat
Identify information about clothing and style in a video.	☐	☐
Exchange information about clothing, colors, and parts of the body.	☐	☐
Compare products, practices, and perspectives from Nicaragua and Honduras with my own community.	☐	☐
Describe my personal style.	☐	☐

Vocabulary Tools

Repaso de vocabulario

Los colores *Colors*
amarillo/a *yellow*
anaranjado/a /naranja *orange*
azul *blue*
beige *beige*
blanco/a *white*
gris *gray*
marrón/(color) café *brown*
morado/a *purple*
negro/a *black*
rojo/a *red*
rosado/a *pink*
verde *green*

La ropa *Clothing*
el abrigo *coat*
la blusa *blouse*
la bolsa *purse*
las botas *boots*
los calcetines *socks*
la camisa *shirt*
la camiseta *t-shirt*
las chancletas *flip flops*
la chaqueta *jacket*
el cinturón *belt*
la corbata *tie*
la falda *skirt*
la gorra *cap*
los pantalones *pants*
los pantalones cortos *shorts*
las sandalias *sandals*
el sombrero *hat*
la sudadera *sweatshirt*
el suéter *sweater*

el traje *suit*
el traje de baño *bathing suit*
los vaqueros *jeans*
el vestido *dress*
los zapatos *shoes*
los zapatos deportivos *athletic shoes*

Para hablar de ropa *To talk about clothing*
barato/a *inexpensive*
caro/a *expensive*
llevar *to wear*
ponerse *to put on*
probarse (o:ue) *to try on*
quedar(me, te, le) bien/mal *to fit (well/poorly)*
vender *to sell*
vestirse (e:i) *to get dressed*

Las partes del cuerpo *Parts of the body*
la boca *mouth*
el brazo *arm*
la cabeza *head*
el dedo *finger*
la espalda *back*
los hombros *shoulders*
la mano *hand*
la nariz *nose*
el ojo *eye*
la oreja/el oído *ear/inner ear*
el pie *foot*
la pierna *leg*
la rodilla *knee*

Repaso de gramática

1 Demonstrative adjectives and pronouns

Demonstrative adjectives and pronouns				
	Singular		**Plural**	
Near to the speaker (**aquí**)	**este**	*this one*	**estos**	*these (ones)*
	esta		**estas**	
A short distance from the speaker (**ahí**)	**ese**	*that one*	**esos**	*those (ones)*
	esa		**esas**	
A far distance from the speaker (**allí** or **allá**)	**aquel**	*that one (over there)*	**aquellos**	*those (ones) (over there)*
	aquella		**aquellas**	

2 Fixed expressions with *por* and *para*

por and *para* = for		
Compro un suéter azul **para** mi hija.	*I'm buying a blue sweater **for** my daughter.*	*for the recipient/ receiver*
Compro este vestido elegante **para** la fiesta.	*I'm buying this elegant dress **for** the party.*	*intended for/used for*
Tengo que pagar $80 **por** el vestido.	*I have to pay $80 **for** the dress.*	*in exchange for*
Voy a estar ocupado/a **por** tres horas.	*I'll be busy **for** three hours.*	*for a certain duration/ amount of time*

por and *para* ≠ for		
Vamos **para** el centro comercial porque necesitamos comprar ropa nueva.	*We're going **to** the mall because we need to buy some new clothes.*	*para = to/toward a destination*
Vamos **por** el centro comercial y buscamos zapatos deportivos.	*We're going **throughout** the mall looking for some athletic shoes.*	*por = through/ throughout a place*
Vamos a Honduras y Nicaragua **para** aprender más sobre los dos países.	*We're going to Honduras and Nicaragua **in order to** learn more about these two countries.*	*para = in order to/ purpose*
Compro ropa usada **por** su bajo costo.	*I buy used clothing **because of** the low price.*	*por = reason/ because of*

Resources

Vhlcentral

Online activities

¿Cuál es tu plato favorito?

OBJETIVOS DE APRENDIZAJE

By the end of this chapter, I will be able to...

- Identify information about a recipe described in a video.
- Exchange information about food, meals, and nutrition.
- Compare products, practices, and perspectives from Spain with my own community.
- Describe my favorite dish.

ENCUENTROS

El canal de Lucas: Cómo preparar una tortilla española

Este es mi país: España

EXPLORACIONES

Vocabulario

Los alimentos y la nutrición

El restaurante

Las pequeñas tiendas tradicionales

Gramática

Uses of **ser** *and* **estar**

Se *construction*

Direct object pronouns

EXPERIENCIAS

Cultura y sociedad: Ir de tapas en España

Intercambiemos perspectivas: *Las comidas y el tiempo en España*

Blog: El concurso de pinchos en San Sebastián

Proyectos: ¿Cual es tu plato favorito?, Álbum de España

Encuentros

El canal de Lucas

Learning Objective:
Identify key ingredients and steps in a recipe.

Video: Story

Cómo preparar una tortilla española

Lee y reflexiona sobre la estrategia de aprendizaje de este capítulo.
Luego, mira el canal de Lucas para aprender a preparar una tortilla española.

> **Estrategia de aprendizaje: Interacting in Spanish**
>
> Interaction is the key to communicating. During group activities, communicate by speaking only in Spanish. Review frequently-used classroom expressions and try to memorize them. Type them into your device for easy access. Soon they will become automatic and you won't need to look for them. You'll have a set of useful expressions to keep the conversation moving. Look for opportunities to interact with native speakers and classmates outside of class.

Antes de ver

(1) Las tortillas En este video vas a ver cómo se prepara una tortilla española. Antes de ver el video, contesta las preguntas con un(a) compañero/a.

1. ¿En qué país piensas cuando escuchas la palabra **tortilla**?

2. ¿Te gustan las tortillas? ¿Dónde y cuándo las comes?

Mientras ves

(2) ¿Cómo se prepara? Mira el video e indica los ingredientes que utiliza Lucas para preparar la tortilla.

el aceite de oliva	la cebolla	las patatas
el agua	la harina	la pimienta
el ajo	los huevos	la sal

Después de ver

(3) Las dos tortillas Con un(a) compañero/a, contesta las preguntas sobre la tortilla que prepara Lucas.

1. ¿Cuál es el ingrediente secreto que agrega Lucas a su tortilla española? ¿Piensas que es un ingrediente común para este plato tradicional?

2. ¿Qué ingrediente no pone Lucas en su tortilla española? ¿Por qué crees que no incluye ese ingrediente?

☐ **I CAN** identify key ingredients and steps in a recipe.

Learning Objective:
Identify cultural products, practices, and perspectives from Spain.

 Map

ESPAÑA

Hola, muy buenas. Soy Irene Iturriaga y soy de Bilbao, España. Durante muchos siglos°, tres culturas convivieron° juntas aquí en la península ibérica: la judía°, la cristiana y la árabe. Esto nos hace únicos. Y es que esa es España: una expresión de muchos. El flamenco, la arquitectura mudéjar° y el arte de mi país son evidencia de esto. España es inclusión y, por eso, en mi país hay autonomía y diversidad regional, lo que significa que las distintas regiones pueden hablar su propio idioma y preservar su cultura y sus tradiciones. Esto es muy guay en mi opinión, ya que puedo disfrutar° de la diversidad cultural en mi propia comunidad. Estoy muy orgullosa de mi cultura y de mi país.

La paella es un plato español conocido en todo el mundo. Típicamente se prepara con arroz, verduras y mariscos°, pero hay muchas versiones.

Océano Atlántico

FRANCIA

Bilbao

ANDORRA

ESPAÑA

Barcelona

PORTUGAL

Madrid

Valencia

Mar Mediterráneo

Sevilla

GIBRALTAR (R.U.)

ARGELIA

TÚNEZ

MARRUECOS

La Plaza Mayor de Madrid, la capital de España, ha tenido° varios nombres a lo largo de la historia. Hoy día, es un punto de referencia para muchas personas en Madrid.

Bilbao es la capital de la provincia de Vizcaya. Allí, además de español, se habla euskera, el idioma más antiguo de Europa.

En España es común tomar **el café con leche** para desayunar y también en otros momentos del día.

España en breve

Capital: Madrid

Tipo de gobierno: monarquía parlamentaria constitucional

Tamaño: 505.370 km², un poco más que el doble del estado de Oregón

Población: 47.222.613 habitantes

Lenguas: español o castellano, catalán, gallego, vasco (euskera)

Moneda: euro

Nivel de alfabetización: 99%

Promedio de vida: 83 años

Expresiones y palabras típicas:

¡Guay!   ¡Magnífico!

Vale.   De acuerdo./Está bien.

Fuente: The World Factbook, Central Intelligence Agency

(1) Comprensión Indica si cada oración es **cierta** (**C**) o **falsa** (**F**).

1. En España se hablan varios idiomas, no solo el español. .... **C F**

2. En España, no hay mucha diversidad. ...... **C F**

3. España tiene una historia de varios grupos y culturas, y hoy día hay autonomía regional. .... **C F**

4. Bilbao se encuentra en la provincia de Vizcaya. .... **C F**

(2) ¿Y tú? En parejas, conversen sobre estas preguntas.

1. ¿Cuál es un plato típico en tu cultura o comunidad?

2. ¿Conoces algún plato típico de España, además de la paella?, ¿Cómo se llama y cómo es?

(3) Para investigar Elige un tema de **Este es mi país** que te interese o llame la atención. Investígalo en internet para aprender más y comparte la información con un grupo pequeño.

siglos centuries **convivieron** lived together **judía** Jewish **mudéjar** Mudejar (relating to the Muslims who lived under Christian rule in the Middle Ages) **disfrutar** to enjoy **mariscos** shellfish **ha tenido** has had

☐ **I CAN** identify key cultural products and practices from Spain.

Los alimentos y la nutrición

Estrategia de vocabulario: Creating Categories

Words can be sorted in different categories to help you remember them. Try grouping words by similar meanings, like fruits or vegetables, or by their functions, like names of objects or actions. As you learn a new word, add it to an existing group that you created, or make a new one.

La pirámide nutricional

el tocino, las lentejas, el bistec, el pescado, el pollo, los huevos

la mantequilla, el yogur, el queso, la leche, el helado

las proteínas (2-4 raciones)

los productos lácteos (2-3 raciones)

la banana/el plátano, la manzana, las uvas, la naranja, las fresas, la sandía

las verduras (4-5 raciones)

las frutas (4-5 raciones)

el brócoli, la cebolla, los tomates, la zanahoria, la lechuga

los granos (6-8 raciones)

la pasta, el pan, la tostada

el arroz, los cereales las nueces, las almendras, el maíz

el agua, el café (solo, con leche, con azúcar), el té

las bebidas (8 vasos de agua)

el vino (tinto/blanco) el refresco, la limonada, el zumo/jugo de naranja

Las comidas

el desayuno	breakfast	**desayunar**
el almuerzo	lunch/mid-morning meal (Spain)	**almorzar (o:ue)**
la comida	main meal	**comer**
la merienda	afternoon snack	**merendar (e:ie)**
la cena	supper	**cenar**

Esta pirámide nutricional es de España. Presenta los alimentos divididos en cinco grupos e indica las raciones recomendables de cada uno. Una ración corresponde a media taza.

1 **¿Cierto o falso?** Para repasar la información sobre la pirámide nutricional, decide si las oraciones que escuchas son **ciertas (C)** o **falsas (F)**.

1. _____   3. _____   5. _____

2. _____   4. _____   6. _____

2 **Las asociaciones** ¿Qué alimentos asocias con los colores? Completa la tabla para calcular el color más frecuente. Compara tus respuestas con las de un(a) compañero/a. ¿Hay comidas en más de una categoría?

Color	Frutas	Verduras	Bebidas	Otros alimentos
rojo/a				
verde				
anaranjado/a				
amarillo/a				
morado/a				
blanco/a				
café				

3 **Mi dieta** Analiza tu dieta. ¿Hay algunos cambios que quieras hacer?

Paso 1 Te inscribes en un programa para comer más saludable y el/la dietista recomienda escribir todo lo que comes cada día. Anota todo lo que comes de cada grupo de la pirámide nutricional.

1. los productos lácteos
2. las proteínas
3. las verduras
4. las frutas
5. los granos
6. las bebidas

Paso 2 Analiza tu dieta. Contesta las preguntas con un(a) compañero/a.

1. ¿Cuál es la comida que más te gusta? ¿Y tu bebida favorita?
2. ¿Crees que es difícil seguir una dieta equilibrada (*balanced*)? ¿Por qué?
3. ¿Qué comida te gusta más de cada grupo nutricional?
4. ¿Qué comes con mucha frecuencia? ¿Qué alimento no comes nunca?

Exploraciones

4 **Comparaciones culturales** En cada país, las prácticas relacionadas con la comida son distintas. Aun dentro de un solo país suele haber variaciones de un individuo a otro. Sigue los pasos para examinar esas prácticas.

Paso 1 Lee las prácticas de Irene y escribe las tuyas en la segunda columna.

Irene	Yo
Desayuna normalmente a las 7:30.	
Generalmente desayuna café con leche.	
A las 11:00 toma un pincho de tortilla sin cebolla en un bar del centro de Bilbao.	
La comida es a las 3:00 en casa.	
Le encanta cocinar y generalmente prepara su propia comida en casa.	
Los sábados por la tarde le gusta ir de tapas con sus amigos.	
Cena a eso de las 9:00 de la noche.	
Le gusta el pescado.	
Su plato favorito es la merluza (un tipo de pescado) al horno.	

Paso 2 Con un(a) compañero/a, compara las similitudes y diferencias en cuanto a las prácticas de los tres: Irene, tu compañero/a y tú.

5 **Un menú para ocasiones especiales** Te gusta planear menús para ocasiones especiales. Lee las situaciones y trabaja con un(a) compañero/a para crear un menú especial según cada situación.

1. Tus mejores amigos/as y tú van a encontrarse en el estacionamiento (*parking lot*) antes de un partido de fútbol. Tienen que llevar comida y bebidas para esta pequeña reunión.

2. Quieres causar una buena impresión a la familia de tu mejor amigo/a. Vas a invitarlos a tu casa a cenar.

3. Es el cumpleaños importante de tu amigo/a o alguien de tu familia. La comida cuesta mucho, pero quieres servir una comida muy elegante para esta celebración.

☐ **I CAN** exchange information about food and nutrition.

Describing food: Uses of *ser* and *estar*

Ser and **estar** can both be used with adjectives to describe foods or food items.

▶ **Ser** can be used to describe what a particular food item is like, specifically the properties that make it what it is or what we generally expect it to be.

Los limones son agrios.   *Lemons are sour.*

▶ **Estar** is used to make a subjective comment about a food or dish, such as how someone personally perceives that particular food. **Estar** can also be used to comment on the food's state, particularly if it is unexpected or abnormal.

La comida está rica.   *The food is tasty.*

¿Cómo es el alimento?		¿Cómo está el alimento?	
agrio/a	*sour*	crudo/a	*raw*
amargo/a	*bitter*	delicioso/a	*delicious*
amarillo/a	*yellow*	fresco/a	*fresh*
dulce	*sweet*	grasiento/a	*greasy*
frito/a	*fried*	maduro/a	*ripe*
picante	*hot/spicy*	rico/a	*rich/delicious*
rojo/a	*red*	sabroso/a	*tasty*
verde	*green*	salado/a	*salty*
		seco/a	*dry*
		tierno/a	*tender*
		verde	*unripe*
		viejo/a	*old/stale*

(1) **¿Qué comida o bebida es?** Escucha las descripciones de varias comidas y bebidas. Elige la respuesta que corresponde a cada descripción.

1. **a.** el azúcar   **b.** el tocino   **c.** la leche
2. **a.** el pescado   **b.** las almendras   **c.** el helado
3. **a.** la leche   **b.** el azúcar   **c.** la harina
4. **a.** el refresco   **b.** el té   **c.** el vino
5. **a.** la banana   **b.** las uvas   **c.** el limón
6. **a.** las verduras   **b.** los huevos   **c.** los frijoles
7. **a.** la almendra   **b.** el bistec   **c.** los camarones

(2) **¿Cómo es? ¿Cómo son?** Tu primo te pide ayuda con un proyecto para la escuela sobre los cuatro sabores que se relacionan con el sentido del gusto: agrio/a, amargo/a, dulce o salado/a.

Paso 1 Prepara una lista de comidas normalmente asociadas con las cuatro categorías, y compara tu lista con la de un(a) compañero/a para dársela a tu primo.

agrio/a	amargo/a	dulce	salado/a

Paso 2 Después de comparar listas, juntos/as formulen oraciones completas con **ser** identificando el gusto habitual de cada comida.

> **Modelo** *Las manzanas son dulces.*

Paso 3 Usen el verbo **estar** para dramatizar una situación en la que las comidas no tienen el sabor normal. Preparen una escena breve para presentar ante la clase.

> **Modelo** **Estudiante A:** *Raquel, ¿por qué tienes esa cara?*
> **Estudiante B:** *Uff, quiero comer un poco de fruta, pero las uvas están agrias y las manzanas están muy viejas.*

(3) **Situaciones** Haz el papel de A o B con un(a) compañero/a para participar en la conversación.

A You have invited a friend to go out to dinner at a restaurant in town. In order to decide where to go, ask your friend about his/her preferences regarding food. Talk about the menu at different restaurants and come to a decision. Decide on a time to meet.

B Your friend has invited you out to dinner, but you are not in the mood to eat a lot and you are very particular about taste. Discuss several possible restaurants and the food they serve. Share your likes and dislikes and then together decide on a place to eat.

Resources

(S)

VhIcentral

WebSAM

☐ **I CAN** describe food.

Expressing actions by an undefined person: *Se construction*

In order to make a generalization or describe a situation in which the action is more important than the person doing the action, in English, we often use the passive voice (*Dinner is prepared*) or a generic subject such as *one, someone, they, people,* or *you* (*Someone prepares dinner*). In Spanish, one of the common ways to express this idea is using the **se** construction: **Se prepara la cena.**

To use the **se** construction in Spanish, place the pronoun **se** right before the verb to indicate that the doer of the action is either unknown, unimportant, or not necessary to name. Look at the examples.

En España **se come** mucho pescado.
In Spain people eat a lot of fish.

In Spain a lot of fish is eaten.

En Estados Unidos **se comen** muchos postres dulces.
In the United States people eat a lot of sweet desserts.

In the United States a lot of sweet desserts are eaten.

Note that if the item spoken of in the sentence is plural, the verb must also be plural and end in an **-n**.

Se ofrecen muchos platos típicos.
Many typical dishes are offered.

They offer many typical dishes.

This **se** construction is quite common in Spanish and is often used in instructions and recipes, since it is not known who performs the action of each step. Look at the recipe for hot chocolate and notice how the **se** construction is used.

Receta de chocolate a la taza

Descripción
Una deliciosa receta para hacer chocolate a la taza con leche, chocolate, canela y huevo.

Ingredientes
• 2 tazas de leche
• 2 onzas de chocolate dulce
• 1/2 cucharadita de canela
• 2 yemas de huevo batido

Método
• Se mezcla la leche con el chocolate y la canela a fuego lento hasta que el chocolate se disuelva.
• Se agregan los huevos y se bate la mezcla hasta que espese, con cuidado para que no llegue a hervir.
• Se sirve en una taza de café.

¿Qué observas?

1. In which section of the recipe is the **se** construction used?

2. What do you notice about the placement of **se**?

3. When is the verb in the singular form, and when is it in plural?

4. Is the object always stated explicitly?

Exploraciones

1 **La longevidad en España** Se dice que los que siguen una dieta mediterránea disfrutan de una vida larga. Escucha las oraciones y decide si esas acciones contribuyen a la longevidad (**Sí**) o no (**No**). Después, compara tus respuestas con las de un(a) compañero/a. ¿Están de acuerdo en todas?

1. _____   3. _____   5. _____   7. _____

2. _____   4. _____   6. _____   8. _____

2 **La dieta mediterránea** La periodista Carmen está entrevistando al doctor nutricionista Moisés Alonso. Carmen quiere enseñar a su público lo más importante sobre la dieta mediterránea. Lee la conversación sobre la dieta mediterránea y marca las construcciones con **se**.

Carmen: Moisés, ¿cómo defines tú a la gente de España?

Moisés: Bueno, la gente de España está muy orgullosa de su vida social. El componente emblemático de España es trabajar para vivir.

Carmen: Y no vivir para trabajar, ¿verdad? La gente vive bien y, sobre todo, se come bien.

Moisés: Se consume aceite de oliva, que reduce mucho el colesterol.

Carmen: Y también, como se vive en la calle, se camina mucho más que en Estados Unidos.

Moisés: A nivel nacional se lleva la dieta mediterránea. Esta dieta se basa en el aceite de oliva, y un bajo consumo de grasas saturadas e hidratos de carbono.

Carmen: ¿Qué significa eso?

Moisés: Eso significa que una buena comida mediterránea equilibrada consiste en pescado azul y blanco, muchas verduras y, sobre todo, muchas semillas o cereales.

Carmen: Coméntame más detalles sobre la dieta mediterránea.

Moisés: En toda España se consume mucho pescado, hasta dos o tres porciones de pescado por semana por persona. También se consumen frutas y verduras.

Carmen: ¿Qué me dices del postre?

Moisés: Después del plato principal se come el postre. A diferencia de la comida estadounidense, donde un postre significa una tarta, un dulce o un helado, es decir, muchas calorías, en España significa fruta con todas sus vitaminas.

Los dos ingredientes básicos de la comida española son el aceite de oliva y el ajo.

España produce algunos de los mejores vinos del mundo.

3 **El menú del día** En los restaurantes de España es común ofrecer el menú del día, que incluye una comida o una cena completa. Muchas veces resulta más económico pedir el menú del día que pedir platos por separado. Lee el menú del día y sigue los pasos.

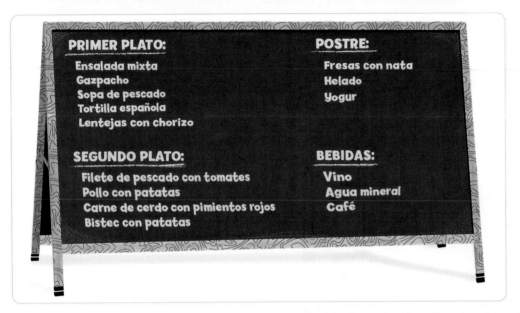

PRIMER PLATO:
Ensalada mixta
Gazpacho
Sopa de pescado
Tortilla española
Lentejas con chorizo

POSTRE:
Fresas con nata
Helado
Yogur

SEGUNDO PLATO:
Filete de pescado con tomates
Pollo con patatas
Carne de cerdo con pimientos rojos
Bistec con patatas

BEBIDAS:
Vino
Agua mineral
Café

Paso 1 Escucha la descripción de un plato principal y mira las fotos. ¿Qué plato describe? ¿Cómo lo sabes?

1.

2.

3.

4.

Paso 2 En parejas, contesten las preguntas basadas en el menú del día.

1. ¿Cuántas ensaladas se sirven?

2. ¿Qué bebidas calientes se sirven?

3. ¿Qué platos se sirven con patatas?

4. ¿Qué se sirve con la fruta fresca?

5. ¿Qué comida quieres pedir de primer plato? ¿De segundo plato? ¿Y de postre?

6. ¿Quieres comer en este restaurante? ¿Por qué sí o por qué no?

④ **Un plato típico** Piensa en un plato o en una receta que preparas en tu casa o que comes a menudo y escribe una receta.

Paso 1 Escribe la receta, pero no escribas el nombre del plato. Trata de usar el vocabulario que ya sabes en vez de consultar un diccionario.

Paso 2 Comparte tu receta con tus compañeros en grupos pequeños para ver si pueden adivinar lo que describes.

Paso 3 Elijan una de las recetas para compartir con el resto de la clase. ¿Qué grupo tiene la receta más apetitosa (*appetizing*)?

⑤ **Receta de un plato típico español** Existen tantas recetas de un mismo plato como gente que lo prepara. Investiga recetas para el gazpacho, una sopa fría típica de la región de Andalucía.

Hay muchas recetas diferentes para preparar gazpacho.

Paso 1 Busca en internet un video con instrucciones para preparar gazpacho.

Paso 2 Escribe los pasos para preparar gazpacho usando la construcción con **se**.

Paso 3 Compara tus pasos con los de un(a) compañero/a. ¿Cuáles son las diferentes maneras de preparar gazpacho? ¿Cuáles son las variaciones en cuanto a ingredientes?

⑥ **Situaciones** Haz el papel de A o B con un(a) compañero/a para participar en la conversación.

A You are going to study abroad in Spain next semester, and your host family wants to know your food preferences. Describe what you typically eat for breakfast, lunch, and dinner. Include beverages and desserts, if relevant.

B You are talking with the student who will stay in your home next semester and want to know what foods he/she typically eats for meals. This will help you plan a menu that is agreeable to the student. Be sure to find out what beverages he/she usually drinks.

☐ **I CAN** express actions by an undefined subject.

Resources

Ⓢ
Vhlcentral

🛜
WebSAM

El restaurante

el vaso

el camarero

los clientes

la pimienta

la cuenta   la propina

el menú

la copa

el tazón

la cuchara

el cuchillo

la cucharilla

el tenedor

la taza   el platillo   la azucarera   la sal   la servilleta   el plato

Para pedir la comida

con/sin hielo *with/without ice*

tener alergia a... *to be allergic to ...*

¡Buen provecho! *Enjoy your meal!*

Me gustaría... *I would like ...*

Quiero tomar... *I want to drink ...*

Quisiera... *I would like ...*

Exploraciones

(1) Los utensilios y el restaurante Escucha las descripciones de los utensilios y la mesa en el restaurante y elige la mejor opción para terminar cada descripción.

1. **a.** el vaso **b.** la copa **c.** la taza **d.** la cuchara
2. **a.** la azucarera **b.** la cuchara **c.** la cucharilla **d.** el cuchillo
3. **a.** la cucharilla **b.** el tazón **c.** el tenedor **d.** el cuchillo
4. **a.** el menú **b.** la cuenta **c.** la servilleta **d.** el platillo
5. **a.** la cuchara **b.** la propina **c.** el tenedor **d.** la taza
6. **a.** el plato **b.** el tenedor **c.** el vaso **d.** el tazón
7. **a.** la propina **b.** el menú **c.** la taza **d.** el plato
8. **a.** la cuenta **b.** la propina **c.** el menú **d.** el tenedor
9. **a.** la copa **b.** el vaso **c.** el tazón **d.** el plato

(2) En el restaurante Hay expresiones típicas que se usan en un restaurante. Vas a analizar las expresiones y luego representar una situación.

Paso 1 Lee las oraciones y decide si cada una corresponde al **camarero** o a la **cliente** de un restaurante.

_____ –No. ¿Tienen una mesa para cuatro?

_____ –¿Qué desean tomar?

_____ –No, estamos listos. Quisiera una hamburguesa con queso.

_____ –¿Están listos para pedir o necesitan más tiempo?

_____ –Prefiero una copa de vino, por favor.

_____ –Bienvenidos. ¿Tienen una reserva?

_____ –Quiero tomar té helado.

_____ –¿Con hielo?

_____ –Todo está delicioso.

_____ –¿Desean algo más? ¿Postre? ¿Café?

_____ –Claro, tenemos esta mesa de aquí. Enseguida les traigo el menú.

_____ –¿Desea vino blanco o tinto?

_____ –Aquí tienen su comida. Buen provecho.

_____ –No, sin hielo, pero con limón, por favor.

_____ –No, gracias. Solo la cuenta, por favor.

_____ –Muy bien. Viene acompañada con patatas fritas.

_____ –¿Cómo está todo?

_____ –Gracias.

Paso 2 Con un(a) compañero/a, empareja (*match*) cada expresión o pregunta con la respuesta o comentario que corresponde. Hay siete minidiálogos. Luego, elijan un minidiálogo y preparen una escena para representar para la clase.

3 **Ir de tapas** En España, las tapas consisten en pequeñas porciones de distintos platos. Es muy común "ir de tapas" con un grupo y pedir varias raciones para compartir. Lee el menú de tapas tradicionales.

Paso 1 Lee el menú, mira las fotos y contesta las preguntas.

1. ¿Cuál es la especialidad del Bar Canario? ¿Cuánto cuesta?

2. ¿Hay algunos ingredientes comunes?

3. ¿Cuál es la tapa más barata? ¿La más cara?

4. ¿Qué tapas son fritas?

5. ¿Hay un restaurante o bar en tu pueblo o ciudad que sirva tapas?

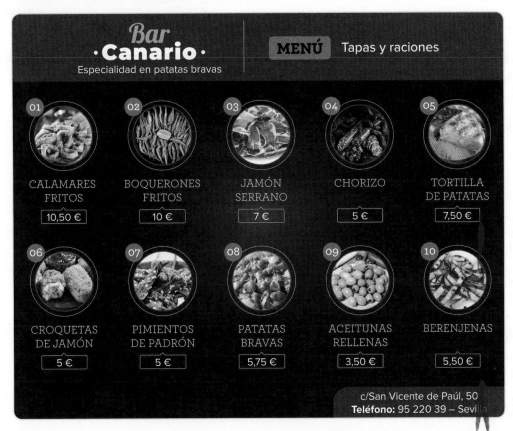

Bar ·Canario·
Especialidad en patatas bravas

MENÚ Tapas y raciones

01 CALAMARES FRITOS	02 BOQUERONES FRITOS	03 JAMÓN SERRANO	04 CHORIZO	05 TORTILLA DE PATATAS
10,50 €	10 €	7 €	5 €	7,50 €

06 CROQUETAS DE JAMÓN	07 PIMIENTOS DE PADRÓN	08 PATATAS BRAVAS	09 ACEITUNAS RELLENAS	10 BERENJENAS
5 €	5 €	5,75 €	3,50 €	5,50 €

c/San Vicente de Paúl, 50
Teléfono: 95 220 39 – Sevilla

Paso 2 Con un(a) compañero/a, comenta los precios de las tapas. También cuéntale lo que te gustaría tomar en el Bar Canario y por qué. Si tienen un presupuesto de 20 euros, ¿qué platos van a pedir?

Paso 3 Lean las situaciones y decidan qué tapa deben pedir en cada caso.

1. Detestas la carne, pero te gustan los mariscos (*shellfish*).

2. No te gusta la comida frita.

3. Eres vegano/a, pero, a veces, comes huevos.

4. Te gusta comer de todo y siempre pides algo muy pesado (*heavy*).

5. Te gustan las verduras y el pescado.

Exploraciones

CULTURA VIVA

Comportamiento en la mesa In Spain, the knife and fork are both utilized while you eat. The knife remains in the right hand and the fork in the left. When finished, diners place the knife and fork parallel across the plate. Another thing to notice when eating in Spain is that people keep their hands visible rather than setting them on their laps at the table. You may also see that diners do not dip bread in their soup; only cut up one bite of food at a time, rather than cutting all food at once; and fold salad leaves over with a knife and fork rather than cutting them. **What are considered proper table manners in your family or community?**

4 **La cena formal** Tomas una clase de negocios internacionales y aprendes cómo portarte (*act*) en una cena formal. Contesta las preguntas para aclarar las costumbres de tu cultura respecto a los buenos modales (*manners*).

Paso 1 Contéstale a un(a) compañero/a. En cada respuesta debes mencionar varios alimentos.

¿Qué alimentos...

1. se comen con una cuchara?
2. se cortan con un cuchillo?
3. se comen con un tenedor?
4. se comen en un plato?
5. se comen en un tazón?
6. se toman en un vaso o en una taza?

Paso 2 Hazle tres o cuatro preguntas adicionales a tu compañero/a sobre su comportamiento durante una cena formal. ¿Tienen las mismas costumbres?

5 **Situaciones en un restaurante** En parejas, miren las situaciones que pueden ocurrir en un restaurante y decidan qué deben decir o hacer en cada caso.

> **Modelo** No te llevan el menú para ver los platos.
> *Camarero/a, ¿podemos ver el menú, por favor?*

1. Te sirven la sopa, pero no tienes ningún utensilio.
2. El/La camarero/a no les sirve ni a ti ni a tus amigos/as.
3. Terminas la comida y tienes clase en diez minutos.
4. Entras al restaurante con tres amigos/as.
5. Tienes mucha sed.
6. No sabes qué plato quieres pedir.

☐ **I CAN** exchange information about eating at restaurants.

Resources

Ⓢ
VhIcentral

🛜
WebSAM

Learning Objective:
Exchange information about shopping for food.

Audio: Vocabulary

Las pequeñas tiendas tradicionales

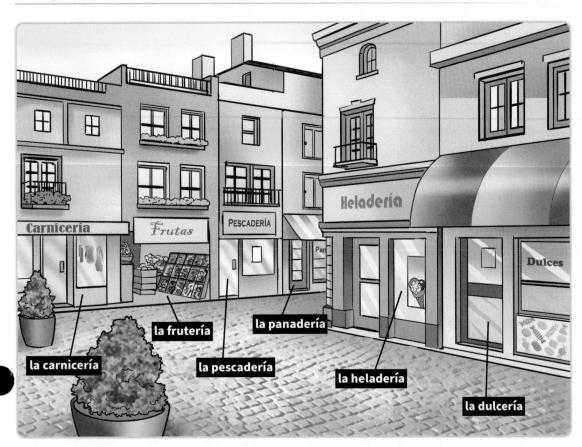

la frutería

la panadería

la carnicería

la pescadería

la heladería

la dulcería

la pastelería

la pollería

el supermercado

la verdulería

la lechería

Exploraciones

(1) De compras Tú y tu primo tienen que comprar los ingredientes para una cena familiar. Escucha a tu primo y escribe en qué tienda se compra cada alimento.

1. _____   5. _____

2. _____   6. _____

3. _____   7. _____

4. _____

(2) Una comida en casa el domingo Este domingo piensas preparar una comida en casa con tu familia. Con un(a) compañero/a, decides preparar un menú típico de España.

Paso 1 Busca en el capítulo y en internet algunos platos típicos de España y haz una lista de los platos que quieres probar.

Paso 2 Comparte tu lista con un(a) compañero/a y juntos/as decidan el menú que van a servir.

Paso 3 Escriban una lista de ingredientes para hacer las compras. Utilicen la tabla para organizar todo, incluyendo las tiendas donde pueden comprar cada ingrediente.

Paso 4 Compartan su menú con la clase.

El menú	Los ingredientes	Las tiendas

CULTURA VIVA

El pequeño comercio tradicional A traditional practice among older generations in Spain that continues today in neighborhoods and small towns, is to go daily to the market and specialty stores to buy fresh ingredients in order to prepare meals for that day. There are also numerous large **supermercados** in cities and larger towns. **Do you ever buy food at specialty shops? What specialty food shops exist in your community? What sort of items would you only buy the same day you plan to eat them?**

Resources

Vhlcentral

WebSAM

□ **I CAN** exchange information about food shopping.

Avoiding redundancies: Direct object pronouns

A direct object answers the question *Who/Whom?* or *What?* In the sentence *Jaime eats the sandwich, the sandwich* is the direct object, answering the question *What did Jaime eat?* In the course of natural conversation, speakers avoid unnecessary repetition by substituting a direct object pronoun for a direct object: *Jaime eats the sandwich. Did he finish **it** (the sandwich)?*

The same happens in Spanish, where direct object pronouns are used in place of nouns in order to avoid repetition. Look at the examples.

Preparo el pan.   →   **Lo** preparo.
I prepare bread.   *I prepare **it**.*

Invito a Natalia.   →   **La** invito.
I invite Natalia.   *I invite **her**.*

▸ In these examples, **el pan** and **Natalia** are direct objects. To avoid redundancy, we don't repeat these nouns over and over again in conversation. Once we have mentioned them, we normally use a direct object pronoun instead.

Study the direct object pronouns in Spanish.

Direct object pronouns		
Singular forms	**me**	*me*
	te	*you*
	lo	*him, it, you (sing. formal)*
	la	*her, it, you (sing. formal)*
Plural forms	**nos**	*us*
	os	*you*
	los	*them, you (pl. formal)*
	las	*them, you (pl. formal)*

▸ The direct object pronoun used depends on the gender of the noun it is replacing and whether or not the noun is singular or plural. **Lo, la, los**, and **las** can refer to people as well as objects.

—En el mercado, ¿compras **las frutas** para la ensalada?

—Sí, **las** compro.

—¿Invitas **a tu amigo** a cenar en tu casa?

—Sí, **lo** invito.

TIP

Languages get the message across in different ways. One way is by the order of the words in a sentence. Pay close attention to word order in Spanish because it might not be what you expect. In other words, it's not always the same as in English.

▶ Notice the use of **a** before **tu amigo** in the example. When the direct object is a person, Spanish requires the use of the *personal **a***, placed in front of a direct object. There is no equivalent in English for this, so it's best not to translate it.

▶ **Escuchar, visitar, esperar, ver, mirar**, and **buscar** are verbs that commonly take a direct object pronoun.

Voy a esperar **a mi amiga** en el mercado; siempre **la** espero allí.

I'm going to wait for my friend at the market; I always wait for her there.

▶ In Spanish, there are two positions for the direct object pronoun in a sentence.

1. Direct object pronouns precede the conjugated verb.

Cuando necesito fruta fresca, siempre **la compro** en el mercado.

*When I need fresh fruit, I always **buy it** at the market.*

2. When an infinitive or present participle (verb ending in **-ndo**) is included in the sentence, the direct object pronoun may be placed in one of two positions:

• before the conjugated verb

Necesito fruta fresca. **La** voy a comprar en el mercado.

• after and attached to the infinitive or present participle

Quiero tortilla de patatas. Voy a prepara**rla** esta noche.
Quiero tortilla de patatas. Estoy preparánd**ola** para la cena.

Note that when the direct object pronoun is attached to the end of a present participle, you must add a written accent, as with **preparándola**, in order to keep the spoken stress on the correct syllable.

CULTURA VIVA 🔗

La tortilla You may have noticed in Lucas's video that a Spanish tortilla is nothing like tortillas eaten in various countries in Latin America. It is a very versatile dish in Spanish cooking, and since there are only a few common ingredients, it is also very economical. A **tortilla** can be served as a first course, the main course, as an appetizer or **tapa**, or as a small portion appetizer or **pincho**. The **tortilla de patatas** is the classic you will find in most bars and restaurants, while a **tortilla francesa** is made with only egg. **What dishes or ingredients do you think of when you hear the word *tortilla*? Have you ever tried a Spanish tortilla?**

Las tortillas de maíz

La tortilla española

1 **En el restaurante** Tu amiga y tú están cenando en un restaurante. Lee la conversación y contesta las preguntas para estudiar las expresiones que se usan para pedir comida.

Paso 1 Lee la conversación. Selecciona todos los pronombres de objeto directo y los objetos que sustituyen.

Camarera: Buenas tardes. ¿Están listos/as?

Tú: Pues, sí, pero primero tengo unas preguntas. ¿La ensalada tiene tomates?

Camarera: No, no los trae.

Tú: Bien. La voy a pedir para el primer plato.

Camarera: ¿Y para el segundo?

Tú: Quiero carne de cerdo.

Camarera: Lo siento, no la tenemos ahora.

Tú: Bueno, entonces, me gustaría la tortilla francesa.

Camarera: Vale. ¿Y para beber?

Tú: Vino tinto.

Camarera: ¿Y para usted, señorita?

Tu amiga: ¿Qué sirven con el filete de pescado?

Camarera: Lo servimos con brócoli, ajo y aceite de oliva.

Tu amiga: Pues, no me gusta el brócoli.

Camarera: No lo ponemos entonces. Se puede preparar con zanahorias, si quiere.

Tu amiga: Bien. Entonces, quiero el gazpacho y el filete de pescado con zanahorias.

Camarera: ¿Y parar beber?

Tu amiga: Un refresco de limón, por favor.

Camarera: Se lo traigo enseguida.

Paso 2 En parejas, contesten las preguntas sobre sus gustos y los restaurantes.

1. ¿Qué te gusta comer en una ensalada?

2. ¿Qué plato no pides con frecuencia en un restaurante?

3. ¿Qué verdura no te gusta?

4. ¿Qué pides normalmente cuando cenas en un restaurante con tus amigos/as?

5. ¿Qué pides para beber en un restaurante?

6. ¿Cuántas veces por mes comes en un restaurante?

7. ¿Cuál es tu restaurante favorito? ¿Qué pides allí normalmente?

2 **La repetición innecesaria** Vas a leer una conversación entre dos amigas.

Paso 1 Lee la conversación telefónica entre Raquel y Marisa e identifica el objeto directo que repiten frecuentemente y que es el tema de la conversación. Selecciona cada uso de ese objeto directo.

El salmorejo es un plato típico de Córdoba. Es una sopa fría hecha de tomates, pan, aceite de oliva, ajo y vinagre.

Raquel: Hola, Marisa. ¿Qué tal? ¿Cómo estás? Pues, yo estoy bien, pero un poco nerviosa. Busco mi receta para el salmorejo y no puedo encontrar mi receta. Roberto viene a cenar a mi casa esta noche y necesito la receta ahora. ¿Tienes la receta, Marisa?

Marisa: Sí, tengo la receta, pero está en la casa de mi mamá. Voy a su casa y te llamo a las siete. ¿Está bien?

Raquel: Pues, no. Necesito la receta esta tarde porque Roberto viene esta noche a cenar. Vamos a cenar a las nueve. Así que necesito tiempo para leer la receta y, entonces, hacer las compras. En realidad, necesito la receta ya.

Marisa: Bien. Llamo a mi mamá ahora y te llevo la receta a las cuatro a tu casa. ¿Está bien?

Raquel: Sí, está bien. Pero también me puedes llamar por teléfono si quieres. No hace falta venir a mi casa.

Marisa: Entiendo, pero si quieres te puedo ayudar con los preparativos.

Raquel: ¡Genial! Muchas gracias por tu ayuda. Hasta luego.

Marisa: Hasta pronto.

Paso 2 Vuelve a escribir cada oración con el objeto directo, reemplazando el objeto directo identificado en el **Paso 1** con el pronombre apropiado en el lugar apropiado.

1. _____

2. _____

3. _____

4. _____

5. _____

6. _____

7. _____

8. _____

3 **La lista de compras** Estás en el supermercado para hacer las compras de la semana. Tus compañeros/as necesitan algunos alimentos y te llaman para pedir tu ayuda.

Paso 1 Escucha y escribe el alimento que quieren tus compañeros/as en cada caso.

1. _____

2. _____

3. _____

4. _____

5. _____

Paso 2 Escucha de nuevo y selecciona la respuesta más lógica.

1. **a.** Sí, lo voy a buscar.   **b.** No, no los puedo encontrar.   **c.** No, no las tienen.

2. **a.** Sí, la venden en el supermercado.   **b.** Sí, los tengo en el carrito ya.   **c.** No, no la tienen.

3. **a.** No, no las tienen.   **b.** Sí, los tengo en el carrito.   **c.** Sí, los voy a buscar ahora.

4. **a.** Sí, lo tengo ahora en el carrito.   **b.** Sí, la tengo en el carrito ahora.   **c.** Sí, las puedo buscar ahora.

5. **a.** No, no lo puedo conseguir.   **b.** Sí, los tengo en el carrito.   **c.** No, no los puedo encontrar.

4 **Las compras** Vuelves del supermercado con un(a) compañero/a. Nombra cada cosa que sacas de las bolsas, cómo la utilizas y si te gusta o no.

> **Modelo** **Estudiante A:** *¿Tienes naranjas?*
> **Estudiante B:** *Sí, las tengo. En el desayuno, siempre me como una.*
> *Me gustan mucho. / No, no las tengo. ¿Dónde están? No las veo.*

el azúcar	el queso	las manzanas	el bistec	el café
las nueces	el pan	el yogur	la lechuga	la sal
los huevos	la leche	los cereales	la cebolla	el pescado

Exploraciones

(5) El español cerca de ti La próxima vez que vayas de compras, busca algunos productos con etiquetas en español.

Paso 1 Observa las etiquetas de los alimentos. Anota cinco palabras del vocabulario del capítulo que encuentres y otras cinco nuevas que consideras útiles, relacionadas con la cocina, la nutrición o la preparación de comida.

Paso 2 Comparte tu lista con un(a) compañero/a y explícale el significado de cada palabra sin traducirla al inglés.

(6) Situaciones Haz el papel de A o B con un(a) compañero/a para participar en la conversación.

A Make a list of typical dishes in your town, community, or university. Now, with a new student on campus from Spain, explain the names of the dishes and the ingredients, and then answer any questions your new friend has about food in the United States.

B You are a Spanish exchange student talking with your new friend on campus about eating in the United States. He/She describes some typical dishes and their ingredients. Ask questions about where to find the best versions of each of these food items around campus within walking distance, since you don't have a car. Ask if your new friend might help you prepare one of the dishes that you find intriguing.

(7) ¿Qué tienes en tu refrigerador? En grupos, van a participar en un concurso para crear una comida con cinco ingredientes que tienen en su refrigerador.

Paso 1 Inventa una comida que tú puedas cocinar, servir y comer en tu casa. Piensa en la creatividad del chef español Ferran Adrià o de tu chef preferido.

Paso 2 Comparte tu nuevo plato con un grupo y describe los ingredientes y los pasos para prepararlo. Entre todos van a votar el más creativo.

Ferran Adrià es conocido por su cocina molecular.

☐ **I CAN** exchange information about food.

Audio: Reading

Episodio #13: Irene Iturriaga

Estrategia de comprensión oral: Using Visual Support

When you have access to images or video when hearing speech, try to connect the words you hear to what you see. In news reports, for example, key words related to the person or place will be repeated multiple times as will a brief summary of the story. When listening to a podcast, examine the photo and review the activities before you listen, in order to identify words that will help you comprehend the topic.

Antes de escuchar

1 **¿Qué comes?** Irene va a describir lo que come cada día. Usa lo que sabes de la dieta española para escribir una lista de las comidas y bebidas que crees que ella va a mencionar.

Mientras escuchas

2 **La dieta de Irene** Escucha y selecciona lo que Irene consume.

El desayuno	El aperitivo	La comida	La merienda	La cena
el café con leche	el sándwich	la sopa	el sándwich	la crema
los cereales	la tortilla de patatas	las verduras	el bocadillo	la tortilla francesa
la tostada	el café con leche	la ensalada	la leche	la ensalada
los huevos	el té	la carne de ternera	el yogur	el sándwich
el tocino	la fruta	el pescado	la tostada	el pescado
	las galletas	la manzana asada	el café	la fruta

Después de escuchar

3 **Tu horario de comidas** Escribe tu horario de comidas. ¿A qué hora comes el desayuno, el almuerzo y la cena? ¿Tomas un aperitivo durante el día? ¿Comes una merienda por la tarde? Para cada comida, escribe una descripción de un plato típico que sueles comer. Luego, comparte tu horario de comidas con un(a) compañero/a.

Resources

Vhlcentral

Online activities

☐ **I CAN** describe my daily eating habits.

Estrategia de lectura: Writing Questions

Writing questions before you read a passage is an effective strategy for reading comprehension and study. There are several simple steps. First, survey the title, photos, and tasks for the reading. Then, read the first sentence of each paragraph in the text. Next, create and write one or two questions you have about the topic for each paragraph. Finally, read each paragraph to find the answers to your questions.

Antes de leer

1 **¿Qué es una tapa?** Mira la imagen que acompaña la lectura. Escribe dos preguntas que tienes sobre ella. Después, lee la primera oración de cada párrafo de la lectura. Escribe dos preguntas que tienes sobre el contenido de cada párrafo. Finalmente, comparte tus preguntas con un(a) compañero/a. Intenta contestar las preguntas de tu compañero/a.

Ir de tapas en España

En España existe una actividad que forma parte de la vida de casi todos los españoles sin importar su edad: ir de tapas. Hay muchas leyendas sobre su origen, pero nadie sabe con certeza la verdadera historia. Una leyenda popular cuenta que la tapa tiene su origen en la Edad Media, cuando un tabernero le sirve al Rey Fernando una copa de vino con una loncha° de queso encima diciendo: "Aquí tiene su tapa, majestad", porque el queso cubre, o *tapa*, la copa de vino y lo protege de las moscas°.

Pero ¿qué es la tapa? La tapa es una especialidad culinaria muy propia° de la gastronomía española. Se trata de un pequeño aperitivo que suele acompañar a una bebida (puede ser un refresco o una bebida alcohólica). Lo importante de las tapas no son los ingredientes que tienen, sino su tamaño pequeño, perfecto para socializar y compartir entre amigos. En realidad, muchos platos típicos españoles pueden convertirse en tapas: la tortilla de patatas, las aceitunas, las anchoas, las croquetas o un poco de jamón o queso. En algunos bares, la tapa va incluida con la bebida.

Ir de tapas es casi un rito para los españoles. Hay una gran variedad de tapas para todos los gustos.

Ir de tapas o *ir de tapeo* es todo un proceso y un evento social. Es común ver los bares y tabernas completamente llenos, con gente sentada o de pie, hablando, riendo y con una tapa o cerveza en la mano. Tapear no significa visitar solo un bar, sino ir de sitio en sitio probando tapas diferentes y tomando bebidas, muchas veces hasta la madrugada°. Sea cual sea° el origen de las tapas, es una tradición que merece la pena experimentar.

loncha *slice* **moscas** *flies* **propia** *typical* **madrugada** *wee hours of the morning* **Sea cual sea** *Whatever may be*

Después de leer

(2) Comprensión Indica si cada oración es **cierta (C)** o **falsa (F)**. Corrige las oraciones falsas.

1. Las tapas se comen con grupos de amigos. .... **C F**

2. Una versión del origen de las tapas viene de la Edad Media. .... **C F**

3. Ir de tapas consiste en ir a un bar y pasar la noche allí. .... **C F**

4. Solamente los adultos participan en la actividad de ir de tapas. .... **C F**

5. Las tapas son unos aperitivos que se sirven con una bebida .... **C F**

(3) A conversar Con un(a) compañero/a, contesta las preguntas.

1. ¿Existe algo similar a ir de tapas en tu cultura?

2. En Estados Unidos los bares solamente son para los mayores de 21 años. Ya que (*Since*) todas las personas pueden entrar y disfrutar de las tapas, ¿cómo imaginas los bares en España?

3. ¿Dónde se pueden comprar aperitivos en tu ciudad o región? ¿Cómo son? ¿Hay lugares que te dan comida al comprar una bebida?

(4) A escribir Lee la estrategia y escribe tu propia leyenda sobre el origen de las tapas.

Estrategia de escritura: Writing Effective Introductions and Conclusions

Introductions and conclusions are important components of your writing because they focus the reader's attention on the topic. The introduction previews the topic and highlights the important elements that you will be addressing. The conclusion revisits those elements and summarizes the information you presented. An interesting fact, statistic, or question can help prepare the reader for the topic in an introduction and, in a conclusion, these ideas can trigger additional thoughts.

Paso 1 Piensa en una historia sobre el posible origen de las tapas. Intenta inventar algo interesante o inesperado (*unexpected*). Escribe una oración de introducción y una oración de conclusión para tu leyenda.

Paso 2 Comparte tu idea con un(a) compañero/a. Lee la oración de introducción y la de conclusión y pídele ideas sobre cómo mejorar las dos oraciones.

Paso 3 Escribe el resto de la historia sobre el origen de las tapas. Prepárate para compartir tu leyenda con la clase.

Resources

Vhlcentral

Online activities

☐ **I CAN** compare perspectives and practices relating to food in Spain with my own community.

Encuesta: *Las comidas y el tiempo en España*

Vas a ver una foto y leer las perspectivas de tres españoles sobre la comida.

Estrategia intercultural: Polychronic vs. Monochronic Perspectives on Time

For some, time is money and should not be wasted. This monochronic perspective values punctuality, while a polychronic perspective sees time as an unlimited good, with the view that life isn't run by a clock. From the polychronic perspective, individuals should take as long as they need to complete a task and not feel rushed. As you reflect on your culture's perspective, consider that your perspective on time is not the only valid one.

Antes de leer

(1) Mensajes En España, el café es un lugar para reunirse con amigos, tomar o comer algo y conversar, sin límite del tiempo en la mesa. En parejas, observen la foto y contesten las preguntas.

1. ¿Estás de acuerdo con el mensaje de la servilleta? Explica tu respuesta.

2. Crea otro mensaje positivo para las servilletas del café.

VIDA
+ RISA
× AMOR
~ ODIO
FELICIDAD

Una servilleta con mensajes positivos en un café en Sevilla, España

Mientras lees

(2) Las comparaciones Mientras lees los comentarios de los tres españoles, compáralos con tus propias prácticas y perspectivas. Por ejemplo, cuando comes, ¿pasas tiempo con tus amigos y amigas o con tu familia? ¿Cómo se comparan tus prácticas con las tres personas?

⋮ ¿Cuál es la importancia de la conexión entre las ⋮ comidas y el tiempo con la familia o los amigos?

Almudena Linares, 29 años: Yo creo que en el momento que comemos hay que hacerlo tranquilo y hay que disfrutar de la comida. Creo que cuando lo hacemos con familia y con amigos, el tiempo de comer se alarga°, se come más despacio, aparte de disfrutar de la comida socialmente, creo que se disfruta más de la comida por el hecho de estar en un momento tranquilo.

Manolo Girón, 65 años: La comida se utiliza para alimentarse, pero aparte de eso se utiliza para estar todos juntos, toda la familia, especialmente los domingos. Se tiene más contacto, se está más a gusto, se pasa muy bien todos juntos.

Alonso Eisman Martínez, 40 años: La comida es una excusa que se usa para quedar con amigos, o con tu familia, es una excusa para pasar un rato juntos. Yo uso la comida para estar con la gente con la que quiero estar y pasar un buen rato. La comida del mediodía es muy importante porque es la comida donde seguramente pasamos todos juntos, la gente de mi casa. La usamos para ponernos al día de cómo ha ido el día.

se alarga *gets longer*

Después de leer

(3) Temas principales En parejas, decidan cuáles son los temas principales de los tres comentarios. Expliquen sus respuestas.

1. ¿Hay algo que tienen en común las opiniones de las personas entrevistadas?

2. ¿Por qué dice Manolo que la comida es más que los alimentos que se comen?

(4) Reflexión Reflexiona sobre las perspectivas de las tres personas. Contesta las preguntas con un(a) compañero/a.

1. ¿Por qué dice Almudena que se disfruta más de la comida con otras personas? Explica tu respuesta.

2. En tus propias experiencias, ¿en qué situaciones es comer un momento para "disfrutar de la comida socialmente", como dice Almudena?

3. Según tu perspectiva, ¿qué valor (*value*) se le da a la comida en tu comunidad? ¿Conoces a alguien que comparta los valores que estas personas mencionan? Explica tu respuesta con ejemplos.

4. En tu opinión, ¿cuáles son las ventajas de valorar la combinación de la comida y el tiempo que pasas con tu familia o con tus amigos y amigas?

Resources

Ⓢ
Vhlcentral

Online activities

☐ **I CAN** examine cultural practices and perspectives related to meals.

El concurso de pinchos en San Sebastián

● ● ●   www.el_blog_de_lucas.com/ConcursoDePinchos   🔍 ‹ ›

Sobre mí | Viajes | Mapas | Galería | Contacto

El concurso de pinchos en San Sebastián

Hay un concurso de pinchos en San Sebastián, España, apoyado por el Instituto del Pintxo (pincho o tapa), entre otras entidades públicas y privadas, que se llama Campeonato de Pinchos. Es súper interesante y, obviamente, delicioso. Muchos establecimientos se presentan al campeonato. Durante tres días, el público puede probar opciones de pinchos de cada lugar, por un precio razonable, más la bebida. Como sabes, ir de pinchos es algo muy español. *Pinchos* es la palabra que se usa en el País Vasco para las tapas, ya que es usual ofrecerlos con palillos° y *pincharlos*. Tienen pinchos

Variedad de pinchos (tapas)
en un bar de San Sebastián

o tapas tradicionales, como por ejemplo la tortilla de patatas, y pinchos más elaborados, como el langostino relleno. Para el País Vasco, y la ciudad de San Sebastián, estos eventos no solo son una forma de involucrar° a la comunidad, sino de mostrar y dignificar su cultura y tradiciones culinarias. Los pinchos presentados son ejemplos de alta cocina y creatividad, presentadas en una forma pequeña. Un jurado profesional los prueba y decide cuáles son los doce que participan en la final. Te recomiendo que los busques en internet, se ven muy ricos. Quiero ir a San Sebastián para probar los pinchos del concurso de este año porque me encanta probar comida nueva y diferente. ¿Y tú?

palillos *toothpicks* **involucrar** *involve*

(1) **La ruta de pinchos** Vas a investigar la gastronomía de San Sebastián.

Paso 1 Lee el blog de Lucas y toma apuntes sobre el Campeonato de Pinchos de San Sebastián. ¿Te interesa participar? Comparte tu opinión con un(a) compañero/a.

Paso 2 Busca información en internet sobre los bares y restaurantes de San Sebastián y las rutas de pinchos que recomiendan los blogs y agencias de turismo. Elige tu ruta preferida y contesta las preguntas.

1. ¿En qué zona de la ciudad se encuentran los bares de pinchos?

2. ¿Qué bares en particular quieres visitar?

3. ¿Qué pinchos son típicos o especiales en cada bar?

Paso 3 Consulta un mapa de la ciudad y escribe una descripción de la ruta de pinchos que quieres hacer. Incluye fotos de los pinchos que piensas probar. Comparte tu descripción con el resto de la clase.

☐ **I CAN** investigate food festivals in Spain.

Proyectos

Learning Objectives: Describe your favorite dish.
Present information about Spain.

(1) **¿Cuál es tu plato favorito?** Vas a describir tu plato preferido.
Lee la estrategia y sigue los pasos.

Estrategia para presentaciones: Making an Effective Presentation

For some people, making a presentation can be a difficult task, yet there
are things you can do to make an effective presentation and present your
material in a well-organized manner. Select your major points carefully and
illustrate them through gestures, photos, slides, or other illustrations. Speak
directly to your audience with enthusiasm to hold their attention and interest.
And finally, be sure to practice in front of a mirror and then in front of a friend
or classmate, so that you feel comfortable with the content you will present.

Paso 1 Repasa el vocabulario y las estructuras del capítulo relacionados con
la comida, la nutrición, los restaurantes y las tiendas. Luego, mira el video
Encuentros: *Cómo preparar una tortilla española* para ver un ejemplo de
cómo Lucas prepara un plato. Toma notas de palabras y expresiones para
incluir en tu presentación.

Paso 2 Decide qué plato quieres preparar y escribe los ingredientes y los
pasos para hacerlo. Explica por qué es tu plato preferido.

> **Modelo** *Mi plato preferido es el pastel de zanahoria. Siempre lo preparo en mi
> cumpleaños. Se hace con muchas zanahorias, nueces y un poco de canela
> (cinnamon). Primero, tienes que…*

¡ATENCIÓN!

Ask your instructor to share the
Rúbrica to understand how
your work will be assessed.

Paso 3 Practica tu presentación con un(a) compañero/a. Vuelve a leer
la estrategia y sigue las recomendaciones. Toma notas de lo que dice tu
compañero/a y dale sugerencias para mejorar su trabajo.

Paso 4 Presenta tu plato favorito. Incluye todos los pasos para preparar el plato.
Incluye fotos o una demostración de la preparación de tu plato preferido.
Prepárate para compartir tu proyecto con el resto de la clase.

(2) **Álbum de España** Usando la información del capítulo e internet, crea una
presentación con los siguientes puntos sobre España. Luego, compara la
información con un(a) compañero/a y compartan algo nuevo que aprendieron.

1. información básica
2. estadísticas interesantes
3. dos lugares interesantes
4. observaciones culturales
5. enlaces interesantes
6. información que te hizo cambiar de
   opinión o que te hizo reflexionar

☐ **I CAN** describe my favorite dish.
☐ **I CAN** share personally meaningful information about Spain.

Repaso

Repaso de objetivos

Reflect on your progress toward the chapter main goals.

I am able to...

	Well	Somewhat
• Identify information about a recipe described in a video.	☐	☐
• Exchange information about food, meals, and nutrition.	☐	☐
• Compare products, practices, and perspectives from Spain with my own community.	☐	☐
• Describe my favorite dish.	☐	☐

Vocabulary Tools

Repaso de vocabulario

Las comidas   *Meals*
el desayuno   *breakfast*
el almuerzo   *lunch/mid-morning meal (Spain)*
la comida   *main meal*
la merienda   *afternoon snack*
la cena   *supper*
desayunar   *to eat breakfast*
almorzar (o:ue)   *to eat lunch*
comer   *to eat/to eat the main meal*
merendar (e:ie)   *to have a snack*
cenar   *to have supper*

Las bebidas   *Drinks*
el agua   *water*
el café (solo/con leche/con azúcar)
   coffee (black/with milk /with sugar)
la leche   *milk*
la limonada   *lemonade*
el refresco   *soft drink*
el té   *tea*
el vino tinto/blanco   *red/white wine*
el zumo/jugo de naranja   *orange juice*

Los alimentos   *Food*

Las frutas   *Fruit*
la banana/el plátano   *banana*
la fresa   *strawberry*
la manzana   *apple*
la naranja   *orange*
la sandía   *watermelon*
las uvas   *grapes*

Los granos   *Grains*
las almendras   *almonds*
el arroz   *rice*
los cereales   *cereal*

el maíz   *corn*
las nueces   *walnuts*
el pan   *bread*
la pasta   *pasta*
la tostada   *toast*

Los productos lácteos   *Dairy products*
el helado   *ice cream*
la mantequilla   *butter*
el queso   *cheese*
el yogur   *yogurt*

Las proteínas: la carne y las legumbres
   Protein: meat and legumes
el bistec   *steak*
los huevos   *eggs*
las lentejas   *lentils*
el pescado   *fish*
el pollo   *chicken*
el tocino   *bacon*

Las verduras   *Vegetables*
el brócoli   *broccoli*
la cebolla   *onion*
la lechuga   *lettuce*
el tomate   *tomato*
la zanahoria   *carrot*

Las tiendas   *Stores*
la carnicería   *butcher shop*
la dulcería   *candy shop*
la frutería   *produce store (fruits)*
la heladería   *ice cream parlor*
la lechería   *dairy shop*
la panadería   *bakery*
la pastelería   *pastry shop*
la pescadería   *seafood store*

la pollería   *poultry shop*
el supermercado   *supermarket*
la verdulería   *produce shop (vegetables)*

El restaurante   *Restaurant*
el/la camarero/a   *waiter/waitress*
los/las clientes   *customers*
la cuenta   *check*
el menú   *menu*
la pimienta   *pepper*
la propina   *tip*
la sal   *salt*
con/sin hielo   *with/without ice*
tener alergia a…   *to be allergic to …*
¡Buen provecho!   *Enjoy your meal!*
Me gustaría…   *I would like …*
Quiero tomar…   *I want to drink …*
Quisiera…   *I would like …*

Los utensilios   *Utensils*
la azucarera   *sugarbowl*
la copa   *wine glass*
la cuchara   *spoon*
la cucharilla   *small spoon*
el cuchillo   *knife*
el platillo   *saucer*
el plato   *plate*
la servilleta   *napkin*
la taza   *cup*
el tazón   *bowl*
el tenedor   *fork*
el vaso   *glass*

Repaso de gramática

1 Uses of *ser* and *estar*

¿Cómo es el alimento?		¿Cómo está el alimento?	
agrio/a	*sour*	crudo/a	*raw*
amargo/a	*bitter*	delicioso/a	*delicious*
amarillo/a	*yellow*	fresco/a	*fresh*
dulce	*sweet*	grasiento/a	*greasy*
frito/a	*fried*	maduro/a	*ripe*
picante	*hot/spicy*	rico/a	*rich/delicious*
rojo/a	*red*	sabroso/a	*tasty*
verde	*green*	salado/a	*salty*
		seco/a	*dry*
		tierno/a	*tender*
		verde	*unripe*
		viejo/a	*old/stale*

2 *Se* construction

The equivalent in English is *one*, *someone*, or *you*.

En España **se come** mucho pescado.

En Estados Unidos **se comen** muchos postres dulces.

3 Direct object pronouns

Direct object pronouns						
Singular forms	**me**	*me*	Plural forms	**nos**	*us*	
	te	*you*		**os**	*you*	
	lo	*him, it, you (sing. formal)*		**los**	*them, you (pl. formal)*	
	la	*her, it, you (sing. formal)*		**las**	*them, you (pl. formal)*	

Resources

Vhlcentral

Online activities

OBJETIVOS DE APRENDIZAJE

By the end of this chapter, I will be able to...

- Identify information about a trip described in a video.
- Exchange information about appropriate clothing for travel, nature, outdoor activities, and past trips or experiences.
- Compare products, practices, and perspectives from Ecuador, Bolivia, and Peru with my own community.
- Tell a story about a special place.

ENCUENTROS

El canal de Lucas: Mi viaje a un lugar especial

Este es mi país: Ecuador, Bolivia, Perú

EXPLORACIONES

Vocabulario

Recomendaciones: Qué llevar

Los puntos cardinales y la geografía

Fenómenos del tiempo y desastres naturales

Gramática

Por *and* **para**

The preterit

Hace + **que** + *preterit*

EXPERIENCIAS

Cultura y sociedad: La ciudad perdida de Machu Picchu

Intercambiemos perspectivas: *El teleférico que unió dos mundos*

Blog: Las islas Galápagos

Proyectos: ¿Cuál es tu lugar especial?, Álbum de Ecuador, Bolivia y Perú

Encuentros

El canal de Lucas

Learning Objective: Identify activities and important items to use during adventure travel.

Video: Story

Mi viaje a un lugar especial

Lee y reflexiona sobre la estrategia de aprendizaje de este capítulo. Luego mira el video de Lucas mientras describe su viaje a Perú.

Estrategia de aprendizaje: Talking to Yourself

Did you know that the more time you spend thinking in a language, the easier it will be to speak? It might feel uncomfortable at first, but try talking to yourself in Spanish during your day. Try narrating what you are doing, responding to your own questions, describing your surroundings, repeating phrases from class, or imagining a conversation. Your brain will eventually start to think of words faster when you need them to communicate.

Antes de ver

(1) **La geografía** En este video Lucas describe su viaje a Machu Picchu con su primo Alberto. Antes de ver el video, haz una lista de las actividades que piensas que va a incluir Lucas en su descripción del viaje. Compara tu lista con la de un(a) compañero/a.

Mientras ves

(2) **La aventura extrema de Lucas y Alberto** Mira el video y selecciona las actividades que menciona Lucas.

1. ☐ Subieron la montaña Salkantay.

2. ☐ Caminaron por el Canal Inca y los llanos.

3. ☐ Nadaron en la laguna Humantay.

4. ☐ Viajaron en tren.

5. ☐ Descansaron en Aguas Calientes.

6. ☐ Subieron 1.000 escalones.

7. ☐ Vieron llamas en Machu Picchu.

8. ☐ Viajaron en bus.

Después de ver

(3) **Los detalles** Con un(a) compañero/a, contesta las preguntas.

1. ¿Qué cosas menciona Lucas que le ayudaron durante el viaje?

2. ¿Qué cosas utilizó Lucas durante todo el viaje?

3. ¿Por qué no se puede confiar en las llamas?

Resources

VhIcentral

Online activities

☐ **I CAN** identify activities and important items to use during adventure travel.

Learning Objective:
Identify cultural products, practices, and perspectives from Ecuador.

 Map

ECUADOR

¡Hola! Soy Rodrigo Sánchez Zambrano, y los invito a conocer Ecuador. Como se pueden imaginar, la República del Ecuador deriva su nombre de su ubicación sobre la línea del ecuador°: su territorio ocupa tanto el hemisferio norte como el hemisferio sur. ¡Aquí está también el volcán Chimborazo, el punto de la tierra más cercano al sol! Mi país es el primer país del mundo en reconocer los derechos° de la naturaleza, garantizados en la constitución. Tenemos mucha biodiversidad, tanto en el interior como en nuestras islas. Se dice que Charles Darwin comenzó a pensar su teoría de la evolución por las aves de las islas Galápagos. ¿Les doy más datos chéveres? Aquí va uno muy dulce: somos la cuna° del chocolate y tenemos una de las mejores calidades. ¡Vengan y pruébenlo por ustedes mismos!

El cóndor andino es el ave nacional del Ecuador. Es una de las aves más grandes del mundo, con un peso de hasta 15 kg.

COLOMBIA

Islas Galápagos

⭐ Quito

ECUADOR

• Guayaquil

Océano Pacífico

• Cuenca

PERÚ

La capital, **Quito**, está ubicada en los Andes, cerca del volcán Pichincha y el río Machángara, y a unos pocos kilómetros al sur de la línea ecuatorial.

La Pontificia Universidad Católica es la más antigua de Ecuador. Fue fundada en 1946 por el cardenal de Quito, Carlos María de la Torre.

La Mitad del Mundo es un monumento que marca **la línea ecuatorial**, donde una persona puede poner un pie en cada hemisferio del planeta.

Ecuador en breve

Capital: Quito

Tipo de gobierno: república presidencial

Tamaño: 283.561 km², un poco más pequeño que el estado de Nevada

Población: 17.483.326 habitantes

Lenguas: español, quechua y otras lenguas indígenas

Moneda: dólar estadounidense

Nivel de alfabetización: 94,5%

Promedio de vida: 78 años

Expresiones y palabras típicas:

chompa	chaqueta ligera/suéter con capucha
Dele nomás.	¡Adelante!

Fuente: The World Factbook, Central Intelligence Agency

---

1 **Comprensión** Indica si cada oración es **cierta (C)** o **falsa (F)**.

1. Quito, la capital de Ecuador, es una ciudad costeña. .... C F

2. Ecuador es el primer país en reconocer los derechos naturales. .... C F

3. El cóndor andino es una de las aves más grandes del mundo. .... C F

4. Chimborazo es una isla del océano Pacífico. .... C F

2 **¿Y tú?** En parejas, conversen sobre estas preguntas.

1. ¿Hay alguna reserva ecológica en tu comunidad? ¿Cómo es?

2. ¿Crees que es importante reconocer los derechos de la naturaleza? ¿Por qué?

3 **Para investigar** Elige un tema de **Este es mi país** que te interese o llame la atención. Investígalo en internet para aprender más y comparte la información con un grupo pequeño.

ecuador *equator* **derechos** *rights* **cuna** *birthplace*

☐ **I CAN** identify key cultural products and practices from Ecuador.

Recomendaciones: Qué llevar

Estrategia de vocabulario: False Cognates

Cognates can be helpful to quickly learn a word, but you should also be aware of "false cognates" or "false friends". A false cognate may be spelled or sound just like a word in English, but the meaning may be very different. Some examples you might remember are **ropa** (*clothing*) ≠ *rope*; **sopa** (*soup*) ≠ *soap*; **embarazada** (*pregnant*) ≠ *embarrassed*.

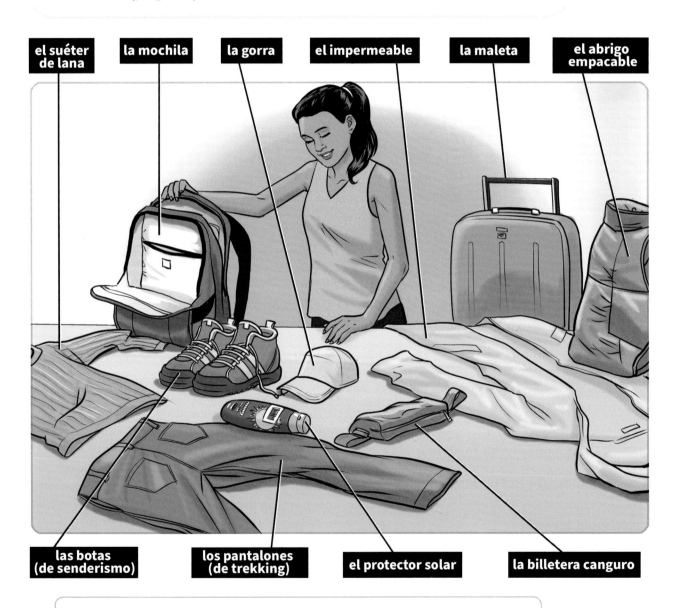

el suéter de lana · la mochila · la gorra · el impermeable · la maleta · el abrigo empacable · las botas (de senderismo) · los pantalones (de trekking) · el protector solar · la billetera canguro

Vocabulario adicional

el algodón *cotton*
la prenda *article of clothing*

la ropa (ligera/liviana) *(lightweight) clothing*

(1) ¿Cuántos/as necesitas? Completa la lista con la cantidad de prendas que necesitas para un viaje de siete días. Ten en cuenta que no quieres llevar una maleta pesada (*heavy*). Luego compara tu lista con la de un(a) compañero/a. ¿Quién va a tener la maleta más pesada?

_____ suéter(es) de lana	_____ camiseta(s)/blusa(s)	_____ maleta(s)
_____ pantalones largos	_____ gorra(s)	_____ par(es) de zapatos deportivos
_____ pantalones cortos	_____ par(es) de sandalias	_____ par(es) de calcetines
_____ par(es) de botas	_____ traje(s) de baño	_____ impermeable(s)

(2) El tiempo y la ropa Para estar preparado/a, es recomendable consultar el pronóstico del tiempo antes de salir de viaje.

Paso 1 Busca en internet el pronóstico del tiempo para estas ciudades en Perú, Bolivia y Ecuador, y decide qué ropa debes llevar para el viaje.

Ciudad	Pronóstico del tiempo	Ropa
Lima (Perú)		
Cusco (Perú)		
Cochabamba (Bolivia)		
Cuenca (Ecuador)		
Quito (Ecuador)		

Paso 2 En parejas, comparen la información de sus tablas. ¿Piensan llevar las mismas prendas de ropa? ¿Por qué? ¿Hay algo que quieres llevar que tu compañero/a no tiene en su lista? ¿Por qué?

CULTURA VIVA

Las Cholitas escaladoras bolivianas A group of Aymara women in Bolivia has become famous for scaling mountains in Latin America while wearing their traditional skirts and a bowler hat, called a **bombín**. The **bombín** was brought to South America by Europeans and it was adopted particularly among women in the Andean regions of Perú and Bolivia. **Chola**, a term used to refer to women wearing traditional skirts, braided hair, and bowler hats, has sometimes been perceived as a negative term. However, the **Cholitas escaladoras** are reclaiming the term as they work for equality for Aymara women. **What terms can you think of that have changed from a negative connotation to one of pride and empowerment over time?**

□ **I CAN** exchange information about packing for travel.

Indicating direction, destination, origin, and purpose:
Por and *para*

In **Capítulo 7**, you saw how **por** and **para** can be roughly translated as *for* in fixed expressions. These two prepositions have several additional uses, including to indicate direction, destination, origin, and purpose. Read the examples.

por ciento *percent*	**¡Por Dios!** *For heaven's sake!*	**por hora** *per hour*

More *por* and *para* contrasts		
Viajamos a Perú **por** avión.	*We're traveling to Peru **by** plane.*	by (means of)
Si queremos viajar este verano, debemos tener un plan **para** mayo.	*If we want to travel this summer, we should have a plan **by** May.*	by a future deadline; a time or date by which a task must be completed

¿Qué observas?

1. What do you notice about the examples in *More **por** and **para** contrasts*?

2. How is the difference in meaning of the corresponding examples conveyed?

Por and **para** can both be used before an infinitive.

para + infinitive	*por* + infinitive
intention/purpose	in light of, because of, due to
Van al mercado **para** comprar sombreros.	**Por** ser baratos, se venden muchos sombreros.
*They're going to the market **in order to** buy hats.*	***Because** they are inexpensive, they sell a lot of hats.*

Look at these sentence pairs to contrast the meanings and uses of **por** and **para**.

Por and para differences	
para	**por**
to, toward	through, along
Vamos **para** La Paz.	Vamos a viajar **por** La Paz.
*We're going **to** La Paz.*	*We're going to travel **through** La Paz.*
for (under the authority of)	for (instead of, in place of)
Trabajo **para** mi amigo.	Estoy trabajando **por** mi amigo.
*I work **for** my friend (who is my boss).*	*I am working **for** (substituting for) my friend.*
for (beneficiary, receiver implied)	for (in place of)
Voy a comprar un regalo **para** él.	Voy a comprar un regalo **por** él.
*I'm going to buy a gift **for** him.*	*I'm going to buy a gift **for** him.*
(He's the receiver.)	*(I'm shopping for him. He isn't able to go.)*

1 **Información turística de Bolivia** Piensas ir a Bolivia. Lee el artículo con información para los viajeros para ayudarte a preparar el viaje.

Paso 1 Lee el artículo y marca todos los casos de **por** y **para**.

La geografía de Bolivia es muy variada y diversa. Es un lugar perfecto para las aventuras turísticas.

DESTINO: BOLIVIA

¿Por qué debemos pensar en visitar Bolivia? Pues, para los turistas, Bolivia tiene de todo. Hay cultura y tradiciones muy arraigadas°, sobre todo entre la población indígena, en sus pueblos originarios. Su legado español persiste en su maravillosa arquitectura colonial. ¡Y qué geografía más diversa! Bolivia cuenta con selvas amazónicas, desiertos y las montañas de los Andes. El lago Titicaca y el salar de Uyuni son destinos obligatorios. Además de esta variedad de paisajes, los mercados y restaurantes muestran una gastronomía excepcional. Con todo lo que ofrece Bolivia, al final lo más importante es la gente. Por eso, este país es el lugar ideal para buscar aventuras en las vacaciones.

Consejos para viajar a Bolivia

La Paz es una ciudad del Altiplano a 3.600 metros y es necesario cuidarse antes de ascender a esta altitud, especialmente si uno llega por avión desde un lugar que se encuentra al nivel del mar. Es aconsejable descansar por lo menos 24 horas, comer liviano y tomar mucha agua para evitar la deshidratación porque La Paz tiene un clima seco.

Vacunas para viajar a Bolivia

Para entrar a Bolivia, es recomendable recibir vacunas contra la fiebre amarilla y otras enfermedades. Además, para los turistas que van a las áreas tropicales, es recomendable tomar medicamentos contra la malaria. No pagas nada por las vacunas para viajar al interior del país. Son gratuitas. Y es buena idea traer repelentes para prevenir las enfermedades tropicales transmitidas por insectos.

Si deseas más información y quieres hacer una llamada por teléfono, el código telefónico internacional para llamar a Bolivia es el 591.

arraigadas *deep-rooted*

Paso 2 Cuenta el número de veces que aparecen **por** y **para**. ¿Cuántas veces aparece cada una? ¿Cuál de las dos es la más frecuente?

Número total de **para** _____   Número total de **por** _____

Paso 3 Completa las tablas con ejemplos de **por** y **para** y la razón para utilizar una palabra u otra.

Ejemplos de la lectura con *para*	Razón para utilizar *para*
1.	
2.	
3.	
4.	

Ejemplos de la lectura con *por*	Razón para utilizar *por*
1.	
2.	
3.	
4.	

2 **Preguntas personales** La profesora que organiza el viaje a Bolivia en el que vas a participar te mandó varias preguntas sobre el programa. Escribe tus respuestas en un correo electrónico.

1. ¿Qué cosas vas a comprar para el viaje a Bolivia?

2. ¿Cuánto pagaste por tus botas de senderismo? ¿Sabes para qué las necesitas?

3. Necesitamos organizar una reunión antes del viaje. ¿Qué día es mejor para ti? ¿Por la mañana o por la tarde?

4. ¿Por cuánto tiempo estás disponible los martes por la tarde?

5. ¿Para cuándo vas a recibir tu pasaporte?

6. ¿Cuánto pagaste por la tarjeta de identificación estudiantil? ¿Y por los seguros médicos?

7. ¿Qué puedes hacer para ayudar al grupo durante el viaje? ¿Organizar las fotos? ¿Contar a las personas antes de salir de cada lugar?

Resources

Ⓢ
VhlCentral

📶
WebSAM

☐ **I CAN** provide detail when talking about travel.

Podcast

Learning Objective: Reflect on your progress using language related to packing for travel.

Audio: Reading

Episodio #14: Rodrigo Sánchez Zambrano

Estrategia de comprensión oral: Taking Notes

When listening to instructions, a podcast, or whenever you need to recall specific information, it is useful to take notes. It is key to keep in mind your purpose for listening so that you can focus on taking notes that are relevant. For example, are you interested in the general idea or in specific details?

Antes de escuchar

1 **Recomendaciones para viajar** Un(a) amigo/a te llama de Ecuador porque piensa visitarte el mes que viene. Te pregunta qué ropa necesita llevar en su maleta. Escribe cinco prendas de ropa u otros objetos que son necesarios para estar cómodo/a y pasarlo bien donde vives.

Mientras escuchas

2 **Las recomendaciones de Rodrigo** Como Rodrigo estudia turismo, tiene algunas recomendaciones para preparar la maleta si viajas a Ecuador. Escucha el podcast.

Paso 1 Lee la estrategia y, mientras escuchas, toma nota de tres prendas necesarias para viajar a cada región de Ecuador, según las recomendaciones de Rodrigo.

La sierra	La costa y las islas Galápagos	El oriente o la Amazonía

Paso 2 Escucha el podcast de nuevo y anota dos cosas que Rodrigo recomienda para cualquier viaje internacional y dos cosas que no recomienda.

Es recomendable llevar...	No es recomendable llevar...

Después de escuchar

3 **Mi viaje a Ecuador** En parejas, conversen sobre la ropa necesaria para ir a Ecuador. Comenta con tu compañero/a las prendas que ya tienes, las que tienes que comprar y dónde piensas comprarlas.

Resources

Vhlcentral

Online activities

☐ **I CAN** exchange information about packing for travel.

Learning Objective:
Identify cultural products, practices, and perspectives from Bolivia.

 Map

BOLIVIA

Hola, buenos días. Soy Mariluz Valdez Romero, y soy de La Paz, Bolivia. Mi lindo país es uno de tan solo dos países de Sudamérica que no tienen salida al mar°. Parte de su territorio está ocupado por la cordillera de los Andes y el Altiplano°. De hecho, mi ciudad, La Paz, es la capital más alta del mundo, ¡a unos 3.600 metros sobre el nivel del mar! Otra curiosidad de mi país es que tenemos dos ciudades capitales: La Paz, que es la sede° del gobierno central, y Sucre, donde se encuentra la Corte Suprema del país. Bolivia tiene la mayor proporción de población indígena en Sudamérica, con casi el 50% de la población que mantiene valores y creencias tradicionales. Me gusta mi país por sus paisajes andinos y la fuerte presencia de su pasado y sus costumbres.

Los botes de totora son unos botes tradicionales de los pescadores del lago Titicaca.

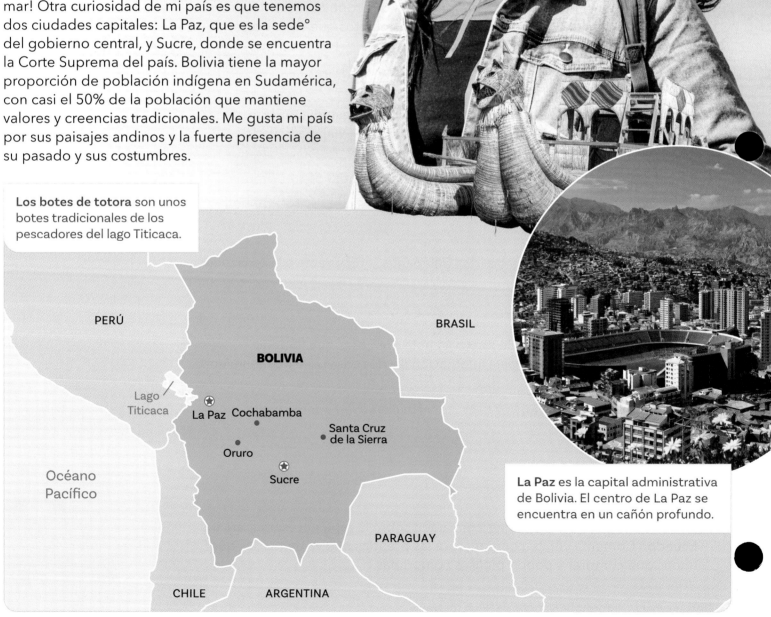

PERÚ

BRASIL

BOLIVIA

Lago Titicaca

La Paz ⊛

Cochabamba

Santa Cruz de la Sierra

Oruro

Sucre ⊛

Océano Pacífico

PARAGUAY

CHILE   ARGENTINA

La Paz es la capital administrativa de Bolivia. El centro de La Paz se encuentra en un cañón profundo.

La civilización tiahuanacota se remonta° al siglo XVI a. e. c°. Se conocen como tiahuanacotas por su capital, **Tiahuanaco**, situada cerca del lago Titicaca.

Los uros viven en unas islas flotantes en el lago Titicaca. Hay más de 80 islas flotantes, con varias familias que viven en cada una.

Bolivia en breve

Capital: La Paz (capital administrativa), Sucre (capital constitucional)

Tipo de gobierno: república presidencial

Tamaño: 1.098.581 km², un poco menos que tres veces el estado de Montana

Población: 12.186.079 habitantes

Lenguas: español, quechua, aimara

Moneda: boliviano

Nivel de alfabetización: 92,5%

Promedio de vida: 72 años

Expresiones y palabras típicas:

la quena — instrumento tradicional similar a una flauta

el soroche — mal de altura

Fuente: The World Factbook, Central Intelligence Agency

---

(1) **Comprensión** Indica si cada oración es **cierta** (**C**) o **falsa** (**F**).

1. Bolivia tiene 750 kilómetros de costa con playas para practicar el surf...............**C F**

2. Bolivia tiene dos capitales: Sucre y La Paz...**C F**

3. Hay gente que vive en el lago Titicaca....**C F**

4. La Paz es la capital con más altitud del mundo.......................................**C F**

(2) **¿Y tú?** En parejas, conversen sobre estas preguntas. Expliquen sus respuestas.

1. ¿Experimentas (*Do you experience*) la diversidad cultural en tu propia comunidad?

2. ¿Hay grupos en tu comunidad que mantienen costumbres tradicionales?

3. ¿Qué sabes de las comunidades indígenas en Bolivia?

(3) **Para investigar** Elige un tema de **Este es mi país** que te interese o llame la atención. Investígalo en internet para aprender más y comparte la información con un grupo pequeño.

---

salida al mar *ocean access* **Altiplano** *high plateau* **sede** *seat of power* **se remonta** *dates back to* **a. e. c.** *B.C.E.*

☐ **I CAN** identify key cultural products and practices from Bolivia.

Learning Objective:
Identify cultural products, practices, and perspectives from Peru.

 Map

PERÚ

¡Hola! Yo soy María Elena Ordóñez y soy de Lima, Perú. Mi querido Perú es una tierra mística con destinos naturales fascinantes. Tenemos regiones con ecosistemas únicos y hábitats incomparables°: el Pacífico, los Andes y la selva. A donde vayas°, sientes la magia de su pasado. Y es que claro, ¡este fue° el centro de la civilización inca! Obviamente, deben ir a Machu Picchu, la antigua ciudad sagrada de los incas. Y luego, por supuesto, está la comida. Perú tiene una de las mejores gastronomías del mundo, destacada por muchos chefs. Los peruanos reunimos en nuestros platos y tradiciones culinarias la historia e influencias africanas, chinas, japonesas, europeas e indígenas que conforman nuestra identidad. En fin… también tenemos la ternura° de las alpacas y sus primas, las llamas. ¿Necesitan más razones para venir?

La causa limeña es un plato a base de papa con otros ingredientes como pollo, limón y cebolla. Hoy es un emblema importante de la gastronomía peruana.

COLOMBIA

ECUADOR

BRASIL

Chiclayo

Trujillo **PERÚ**

Océano
Pacífico

Lima ✪

Cusco

Arequipa

BOLIVIA

CHILE

Lima es una de las ciudades más grandes de Sudamérica, con doce millones de habitantes. Está situada en el desierto junto a la costa del océano Pacífico.

La capital arqueológica de las Américas y la ciudad más antigua del continente, **Cusco** fue en su día la capital del Imperio inca.

El **Parque Nacional de Huascarán** tiene la montaña más alta de Perú, Huascarán, que llega a los 6.768 metros de altitud.

Perú en breve

Capital: Lima

Tipo de gobierno: república presidencial

Tamaño: 1.285.216 km², un poco más pequeño que Alaska

Población: 32.440.172 habitantes

Lenguas: español, quechua, aimara

Moneda: nuevo sol

Nivel de alfabetización: 94,5%

Promedio de vida: 69 años

Expresiones y palabras típicas:

¡Manya!	¡Oh!
la chacra	granja, finca
parado/a	con buenas condiciones económicas

Fuente: The World Factbook, Central Intelligence Agency

(1) Comprensión Indica si cada oración es **cierta (C)** o **falsa (F)**.

1. El país consiste en tres zonas: la zona costera, la zona de montañas, y la zona amazónica......................**C F**

2. Perú tiene una lengua oficial: el español. ... **C F**

3. Cusco es la ciudad más antigua de Sudamérica.................................... **C F**

4. Lima, la capital, es una ciudad en la cordillera de los Andes.................. **C F**

(2) ¿Y tú? En parejas, conversen sobre estas preguntas. Expliquen sus respuestas.

1. ¿Conoces la comida peruana? ¿Qué te parece la causa limeña? ¿Te gustaría probarla?

2. ¿Cuáles son algunos platos típicos de tu comunidad?

(3) Para investigar Elige un tema de **Este es mi país** que te interese o llame la atención. Investígalo en internet para aprender más y comparte la información con un grupo pequeño.

incomparables *incomparable* **A donde vayas** *Wherever you go* **fue** *was* **ternura** *tenderness*

☐ **I CAN** identify key cultural products and practices from Peru.

Los puntos cardinales y la geografía

El mapa muestra **los accidentes geográficos** y algunos lugares importantes de Bolivia y Perú.

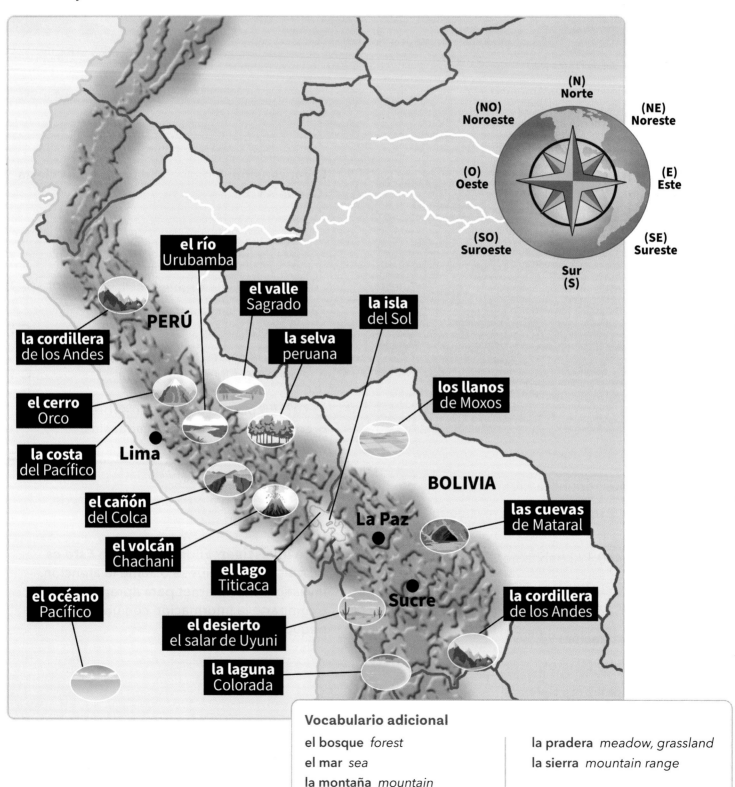

(N)
Norte

(NO)
Noroeste

(NE)
Noreste

(O)
Oeste

(E)
Este

(SO)
Suroeste

(SE)
Sureste

Sur
(S)

el río
Urubamba

el valle
Sagrado

la isla
del Sol

PERÚ

la cordillera
de los Andes

la selva
peruana

los llanos
de Moxos

el cerro
Orco

la costa
del Pacífico

Lima

BOLIVIA

el cañón
del Colca

La Paz

las cuevas
de Mataral

el volcán
Chachani

el lago
Titicaca

el océano
Pacífico

Sucre

la cordillera
de los Andes

el desierto
el salar de Uyuni

la laguna
Colorada

Vocabulario adicional

el bosque *forest*	**la pradera** *meadow, grassland*
el mar *sea*	**la sierra** *mountain range*
la montaña *mountain*	

1 **¿Cierto o falso?** Escucha las descripciones de los accidentes geográficos de Bolivia y Perú y consulta el mapa para decidir si las oraciones que escuchas son **ciertas (C)** o **falsas (F)**.

1. ____ 2. ____ 3. ____ 4. ____ 5. ____ 6. ____ 7. ____ 8. ____

2 **Perú y Bolivia** Utiliza la información de **Encuentros: *Este es mi país***, el mapa y el vocabulario para ayudarte a escribir los accidentes geográficos de Perú y Bolivia.

Hay tres regiones naturales principales en Perú: _____, la selva y la sierra. En Bolivia también hay tres regiones naturales: _____ de los Andes, los llanos y los valles. Sin embargo, como se puede ver en el mapa, existe una gran diferencia entre los países. Es que Bolivia no tiene salida al _____. Algo que comparten ambos países es _____, el cual se encuentra sobre la frontera (*border*) entre los dos países.

3 **¿Cuál no corresponde?** Mira las listas de accidentes geográficos.

Paso 1 Decide qué palabra no corresponde a cada lista.

1. **a.** las cuevas **b.** el mar **c.** el río **d.** el lago
2. **a.** la costa **b.** la isla **c.** la península **d.** el lago
3. **a.** las montañas **b.** el cerro **c.** el volcán **d.** la selva
4. **a.** el lago **b.** la laguna **c.** el cañón **d.** el río
5. **a.** el llano **b.** el lago **c.** el desierto **d.** el valle

Paso 2 En parejas, túrnense para explicar sus respuestas. Sigan el modelo.

> **Modelo** *En la primera lista, tres palabras están relacionadas con el agua mientras que la otra...*

4 **Las definiciones** En parejas, lean las definiciones y decidan qué accidente geográfico describe cada una. Después, preparen cuatro definiciones más para compartir con otra pareja. ¿Pueden adivinar todas las respuestas?

1. Es una extensión de tierra con muchos árboles y plantas. _____
2. Es una masa de agua rodeada de tierra. _____
3. Es una porción de tierra entre muchas montañas. _____
4. Es una elevación de tierra aislada menor que una montaña. _____
5. Es una porción de tierra rodeada de agua. _____
6. Es un campo o terreno sin altos ni bajos. _____

Exploraciones

5 **El arte de Roberto Mamani Mamani** De origen aimara, Roberto Mamani Mamani es uno de los artistas más conocidos de Bolivia. Su arte se caracteriza por los colores vibrantes y las intensas emociones que produce. Busca en internet una de sus pinturas en la que se recrean las montañas y el mundo andino.

> 🔍 Roberto Mamani Mamani

Paso 1 Con un(a) compañero/a, comenta la pintura y contesta las preguntas.

- ¿Qué ves en la pintura?
- ¿Qué accidentes geográficos hay?
- ¿Qué tipo de lugar es?
- ¿Qué emociones transmite la pintura?

Paso 2 Los colores que utiliza Roberto Mamani Mamani tienen significados especiales. Comenta con tu compañero/a qué representa cada color en la pintura.

> rojo   azul   amarillo   anaranjado   negro

6 **Una excursión** Piensa en los accidentes geográficos de tu estado o región y elige uno para organizar una excursión.

Accidentes geográficos	Nombre del lugar	Distancia de la universidad o de tu casa	Actividades
selva			
cañón			
laguna			
río			
montaña			
llano			

Paso 1 Completa la tabla con los nombres de algunos lugares interesantes de tu estado o región y las actividades al aire libre que puedes hacer en cada lugar.

Paso 2 Comparte tu lista con un(a) compañero/a y decidan adónde quieren hacer una excursión este fin de semana. Pónganse de acuerdo sobre cómo van a llegar, cuánto tiempo va a durar el viaje, qué van a hacer allí y cuánto va a costar.

Resources

Ⓢ
Vhlcentral

📶
WebSAM

☐ **I CAN** identify geographical features.

 Tutorial

Narrating and reporting events in the past: The preterit

The preterit is a past tense used in Spanish to record, narrate, or report actions or events that occurred at a specific time or for a specific duration and are now completed. Often, the preterit is used when the beginning or end of an action is the focus, or is referenced explicitly. Read the examples.

Nací en la ciudad de La Paz.   *I was born in the city of La Paz.*

Mariluz **regresó** la semana pasada.   *Mariluz returned last week.*

The preterit tense is frequently used with adverbs of time that specify when an event occurred. The table lists some common adverbs of time.

Los adverbios de tiempo	
anoche	*last night*
anteanoche	*the night before last*
anteayer/antes de ayer	*the day before yesterday*
ayer	*yesterday*
el mes/año pasado	*last month/year*
el sábado (u otro día de la semana) pasado	*last Saturday (or other day of week)*
la semana pasada	*last week*
primero	*first*
finalmente	*finally*

Read Mariluz's desciptions of things she and María Elena did during their travels.

El mes pasado **recibí** la información sobre un recorrido en Bolivia.
Last month I received information about a trip in Bolivia.

Participé en una ceremonia de purificación.
I participated in a purification ritual.

Pasamos un día completo en las ruinas de Tiahuanaco.
We spent the whole day at the ruins of Tiahuanaco.

Finalmente **salimos** rumbo a Copacabana.
Finally, we left for Copacabana.

Cruzamos el lago Titicaca.
We crossed Lake Titicaca.

¿Qué observas?

1. Can you identify the infinitive for the emphasized word in each sentence?

2. What letters at the end of the verb indicate that Mariluz was reporting her past activities and events?

3. What letters at the end of the verb does she use to talk about what *she and María Elena* did?

Exploraciones

Preterit verb endings

Verbs that are regular in the preterit follow a predictable pattern of endings added to the verb stem. Study the chart to see the regular preterit endings for **-ar**, **-er**, and **-ir** verbs. Note that regular **-er** and **-ir** verbs use the same endings in the preterit.

Regular preterit endings			
Subject pronouns	**-ar**	**-er**	**-ir**
yo	-é	-í	-í
tú	-aste	-iste	-iste
él, ella, usted	-ó	-ió	-ió
nosotros/as	-amos	-imos	-imos
vosotros/as	-asteis	-isteis	-isteis
ellos/as, ustedes	-aron	-ieron	-ieron

¡ATENCIÓN!

Note the written accents on the **yo** and **él/ella/usted** preterit endings: **yo viajé**, **Mariluz viajó**. These accent marks are an important part of the spelling, and a way to differentiate between the present tense and the preterit. In the preterit, the spoken stress, or emphasis, falls on the ending of the verb, not the stem. Keep this in mind when distinguishing between the present tense and the preterit.

Las chicas **caminaron** durante ocho horas ayer.

The girls walked for eight hours yesterday.

María Elena **subió** al punto más alto del camino a las tres de la tarde.

María Elena climbed to the highest point on the road at three in the afternoon.

Ser, ir, and hacer in the preterit

As you learned with the present tense, there are also some common verbs that are irregular in the preterit. Look at the forms of **ser** and **ir**. In the preterit, they share the same form. Context will tell you whether **ser** or **ir** is being used in a sentence or conversation. Study the forms in the table and read the example sentences.

Ser and ir in the preterit			
yo	fui	nosotros/as	fuimos
tú	fuiste	vosotros/as	fuisteis
él, ella, usted	fue	ellos, ellas, ustedes	fueron

Fue difícil tomar una decisión.

It was difficult to make a decision.

Fuimos a la isla del Sol en Copacabana.

We went to Isla del Sol in Copacabana.

Algunos miembros del grupo **fueron** al Mercado de Pisac.

Some of the members of the group went to the Pisac market.

¿Qué observas?

In each example, decide whether **ser** or **ir** is being used.

The verb **hacer** is also irregular in the preterit. Look at the forms in the table. What do you notice about the stem?

Hacer in the preterit			
yo	hice	nosotros/as	hicimos
tú	hiciste	vosotros/as	hicisteis
él, ella, usted	hizo	ellos, ellas, ustedes	hicieron

Note that the stem of **hacer** changes to **hic-** for the preterit, and that the endings do not use written accents. The **él/ella/usted** form has a **c:z** spelling change to maintain the soft *c* sound of the pronunciation.

Hacer is often used in the preterit to find out what someone did.

| ¿Qué **hiciste** tú anteayer? | *What did you do the day before yesterday?* |
| ¿Qué **hizo** Mariluz durante su viaje? | *What did Mariluz do during her trip?* |

① **El fin de semana de la profe** La profesora Mendoza cuenta lo que hizo el fin de semana pasado. Escucha su historia y sigue los pasos.

Paso 1 Selecciona las actividades que hizo el fin de semana pasado.

trabajó en la biblioteca	visitó a un(a) amigo/a
miró la televisión	fue de compras
habló por teléfono	limpió su casa
escribió un reporte	viajó a otra ciudad
preparó las clases	escribió mensajes

Paso 2 Escucha la historia de nuevo y escribe las actividades en las columnas correspondientes.

el viernes	el sábado	el domingo

TIP

One way to practice the preterit and the new verb endings is to take time at the end of your day to review the activities you did. Write down the events in Spanish, using the preterit. If you do this for several days in a row, the verb endings should become more automatic for you and easier to recall quickly.

(2) **Mi excursión a Perú** Sara viajó a Perú durante las vacaciones de la primavera. Lee la descripción que escribió para el periódico en español de la universidad.

Paso 1 Lee la descripción de su viaje y marca todos los verbos que narran acciones en el pasado.

UNA EXPERIENCIA INOLVIDABLE

Me llamo Sara y quiero contarles cómo fue el viaje que hice el año pasado a Perú con mis compañeras. Fue una experiencia superdivertida. Primero, tomamos un avión de Miami a Lima. En Lima nos quedamos con familias locales, visitamos el centro histórico y trabajamos con niños en una escuela a las afueras de la ciudad. Mis compañeras y yo leímos libros con ellos y jugamos en el patio de recreo. También cantamos canciones en español que preparamos antes del viaje. Escribimos libros y dibujamos con los niños. Este trabajo en la comunidad me ayudó a entender un poco más sobre la cultura peruana. Después, con mis compañeras, tomé un vuelo a Cusco, la antigua capital del Imperio inca. A causa de la altura de la ciudad, primero tomé té de coca y descansé un rato. Visité dos sitios arqueológicos en Cusco: Sacsayhuamán y Koricancha. Aprendí mucho sobre la civilización avanzada de los incas. En Cusco comí en varios restaurantes y probé el famoso cuy, una carne típica y tradicional. Mi amiga Rebecca es vegetariana, así que no la probó. Después de nuestra estancia en Cusco, recorrimos el Valle Sagrado, donde conocimos el sitio arqueológico y el Mercado de Pisac. Tomé muchas fotos del paisaje del Valle Sagrado, la arquitectura orgánica de los incas y de las llamas y alpacas que encontramos en el camino. En el mercado compré artesanías, especialmente tejidos peruanos. Viajamos a Ollantaytambo, subimos más de 200 escaleras y escuchamos la explicación de nuestro guía turístico.

Sara visitó la comunidad de Cuyuni, ubicada en la provincia de Quispicanchis.

Desde allí, el grupo tomó el tren hasta Aguas Calientes, el pueblo más cercano a la ciudad de Machu Picchu. En Aguas Calientes, nos quedamos en el Hotel Presidente y compartí una habitación con Rebecca. A la mañana siguiente me levanté a las 5:00, tomé un café y fui con el grupo para tomar el autobús hasta Machu Picchu. El viaje duró aproximadamente treinta minutos. Cuando llegamos, caminamos y conocimos la historia del lugar. Decidimos subir hasta la Puerta del Sol, una caminata difícil, pero que valió la pena porque la vista desde arriba es impresionante. ¡Este viaje fue una experiencia inolvidable!

Paso 2 Con un(a) compañero/a, contesta las preguntas sobre el viaje de Sara.

1. ¿Qué hizo Sara en Lima?

2. ¿Qué sitios arqueológicos visitó con el grupo?

3. ¿Qué comida mencionó Sara? ¿Por qué no la probó su compañera?

4. ¿Qué actividades hizo Sara en el Valle Sagrado?

5. ¿Cómo llegó a Machu Picchu?

6. ¿Le gustó su viaje a Perú?

Paso 3 Piensa en un viaje, visita o excursión que hiciste tú el año pasado y escribe una lista de tus actividades principales. Después comenta tus actividades con tu compañero/a. Hazle preguntas a tu compañero/a para conocer más detalles.

3 **El fin de semana de Gustavo** Gustavo les manda estas imágenes a sus amigos/as sobre su fin de semana pasado.

A.

B.

C.

D.

E.

F.

G.

Paso 1 Utiliza las imágenes para contarle a un(a) compañero/a lo que hizo Gustavo el fin de semana pasado. Para aclarar el orden de las actividades, usa estas expresiones de tiempo:

primero	luego/entonces	después
posteriormente	más tarde	finalmente

Paso 2 Ahora utiliza las expresiones de tiempo para contarle a tu compañero/a lo que hiciste el fin de semana pasado. Toma apuntes y hazle tres preguntas para aprender más. ¿Hicieron actividades similares?

CULTURA VIVA 🔗

Las lenguas originarias If you travel to Bolivia, Ecuador, or Peru, don't be surprised to find that there are languages you don't understand. In Ecuador, there are 24 different languages and in Peru there are over 50, with higher estimates of languages that are yet to be documented. In Bolivia, there are over 30 indigenous languages and dialects spoken throughout the country. The most common are Aymara, Quechua, and Guaraní. **What indigenous languages are spoken in your community? Are there local place names that are drawn from indigenous languages?**

☐ **I CAN** narrate past events.

Expressing when an event occurred:
Hace + *que* + preterit

During her trip to Peru, Sara learned that the Incan civilization flourished many centuries ago:

Hace muchos siglos que existió la civilización inca.

Hace mucho tiempo que los incas vivieron aquí.

In English we use *ago* to indicate that time has passed since an event or action was completed. There is no individual word to express *ago* in Spanish. Instead, use this formula:

▶ **Hace** + [LENGTH OF TIME] + **que** + [VERB IN PRETERIT]

Hace dos horas **que** hablaron por teléfono.	*They spoke on the phone two hours ago.*

This meaning can also be phrased this way:

▶ [VERB IN PRETERIT] + **hace** + [LENGTH OF TIME]

Hablaron por teléfono **hace** dos horas.	*They spoke on the phone two hours ago.*

To ask how long ago a particular activity took place or ended, ask:

▶ **¿Cuántos/as** + [LENGTH OF TIME] + **hace que** + [VERB IN THE PRETERIT]?

¿Cuántos días hace que…?/¿Cuántos años hace que…?

▶ **¿Cuánto tiempo hace que** + [VERB IN THE PRETERIT]?

—¿Cuánto tiempo hace que hablaron por teléfono?	—Hace dos horas que hablaron por teléfono.

(1) **Entrevista** ¿Cuánto tiempo hace que hiciste estas actividades?

Paso 1 Lee las oraciones e indica si son **ciertas (C)** o **falsas (F)** para ti.

1. Hace dos días que fui a la clase de inglés. .... **C F**

2. Estudié en la biblioteca hace una semana. .... **C F**

3. Hace dos meses que fui al cine. .... **C F**

4. Lavé los platos hace una semana. .... **C F**

5. Hace tres años que escribí una carta. .... **C F**

6. Visité a mi familia hace un mes. .... **C F**

Paso 2 Entrevista a un(a) compañero/a para averiguar cuánto tiempo hace que hizo las actividades del **Paso 1**. Túrnense para hacer y contestar las preguntas.

Modelo **Estudiante A:** *¿Cuánto tiempo hace que fuiste a la clase de inglés?*
Estudiante B: *Fui a la clase de inglés hace tres horas.*

2 **La historia de la región** En tu clase de historia, estás estudiando la historia de Sudamérica. Mira los hechos sobresalientes.

Paso 1 Lee los eventos históricos e indica cuánto tiempo hace que ocurrió cada uno. Sigue el modelo.

> **Modelo** El guerrillero argentino Ernesto "Che" Guevara fue capturado en Bolivia el 8 de octubre de 1967.
> *Hace 57 años.*

1. Evo Morales accedió a la presidencia de la República de Bolivia, como el primer presidente indígena del país, el 22 de enero de 2006. _____

2. El Libertador José de San Martín proclamó la independencia de Perú el 28 de julio de 1821. _____

3. Ecuador tomó posesión legal de las islas Galápagos el 12 de enero de 1832. _____

4. El arqueólogo estadounidense Hiram Bingham vio por primera vez la bella ciudad inca de Machu Picchu el 24 de julio de 1911. _____

5. La ciudad de San Francisco de Quito, actual capital de la República del Ecuador, se fundó en 1534. _____

6. Ecuador cambió su moneda, el sucre, por el dólar estadounidense el 9 de enero de 2000. _____

Paso 2 Vuelve a escribir los eventos históricos usando la estructura **hace + que**. Sigue el modelo.

> **Modelo** *Hace 57 años que el Che Guevara fue capturado en Bolivia.*

3 **Situaciones** Haz el papel de A o B con un(a) compañero/a para participar en la conversación.

A You applied for a study abroad program to Peru at your university and are being interviewed for acceptance into the program. Answer the professor's questions about your academic background and experiences. Think of a few questions to ask about the program.

B You are a professor organizing a study abroad program to Peru at your university. You are interviewing a student for acceptance into the program. Ask the student questions regarding his/her academic background, personality, and past experiences to decide if he/she is a good candidate for the program.

Resources

Vhlcentral

WebSAM

☐ **I CAN** express how long ago events occurred.

Audio: Vocabulary

Fenómenos del tiempo y desastres naturales

la avalancha de nieve

el ciclón

la erupción volcánica

el huracán

el incendio forestal

la inundación

el maremoto

los relámpagos

la sequía

Vocabulario adicional

el **terremoto** *earthquake*
la **tormenta** *storm*
los **truenos** *thunder*

1 **¿Hace cuánto tiempo...?** Mira la lista de algunos desastres naturales importantes en Bolivia, Perú y Ecuador. ¿Hace cuántos años ocurrieron estos desastres?

Desastre natural	Ciudad	País	Fecha	¿Hace cuánto tiempo?
1. incendio forestal	Guayaquil	Ecuador	13 de octubre de 1998	
2. erupción volcánica	Sangay	Ecuador	2010	
3. erupción volcánica	Fernandina, islas Galápagos	Ecuador	2009	
4. inundación	Piura	Perú	marzo de 2017	
5. avalancha	Llanganuco	Perú	31 de mayo de 1970	
6. terremoto	Lima	Perú	1940	
7. erupción volcánica	Irruputuncu	Bolivia	1995	
8. terremoto	Pedernales	Ecuador	16 de abril de 2016	

2 **¿Qué fenómenos ocurren en estas regiones?** Algunas regiones son particularmente susceptibles a ciertos fenómenos del tiempo. En parejas, comenten los fenómenos y desastres que ocurren en diferentes regiones.

Paso 1 ¿Qué fenómenos del tiempo o desastres naturales ocurrieron en estas regiones en los últimos años? En parejas, hablen de los eventos que recuerdan de las noticias.

Europa	Asia	Australia	Centroamérica
África	Norteamérica	Sudamérica	

Paso 2 ¿Alguna vez experimentaste (*did you experience*) una tormenta fuerte o un desastre natural? ¿Hace cuánto tiempo fue? ¿Qué pasó? ¿Qué hiciste? ¿Cómo te afectó? En parejas, comenten sus experiencias. ¿Tuvieron (*Did you have*) experiencias similares?

3 **El español cerca de ti** Busca una organización dedicada al apoyo para las víctimas de desastres naturales. Ponte en contacto con un representante hispanohablante de la organización para hacerle una entrevista. Prepara preguntas sobre estos puntos y, con la información que consigas, escribe una composición.

- Su información básica: nombre, país, nacionalidad, descripción, profesión, familia, etc.

- La geografía y el clima de su país

- Los desastres naturales y fenómenos del tiempo que ocurren en su país

Exploraciones

4 **Los desastres naturales** Mira la tabla de desastres naturales importantes que ocurrieron en algunos países de Latinoamérica entre 1970 y 1999 y contesta las preguntas. Después, compara tus respuestas con las de un(a) compañero/a. ¿Hay algún dato que les sorprende?

Algunos desastres naturales importantes en Latinoamérica (1970-1999)

País/Tipo de desastre natural	Huracán	Inundación	Sequía	Terremoto	Maremoto	Erupción volcánica
Argentina	–	4	–	–	–	–
Bolivia	–	3	1	–	–	–
Colombia	–	–	–	2	–	1
Ecuador	–	1	–	2	1	–
El Salvador	–	–	–	2	–	–
Honduras	2	–	–	–	–	–
México	2	1	1	1	–	–
Nicaragua	1	–	–	1	–	–
Perú	–	2	–	1	–	–
La República Dominicana	2	–	–	–	–	–

Fuente: Charvériat, C. (2000) Natural Disasters in Latin America and the Caribbean: An Overview of Risk. *Inter-American Development Bank.* 17, 30.

1. ¿Qué tipo de desastre natural fue más común? ¿Qué país sufrió la mayor incidencia de este fenómeno?

2. ¿Cuáles fueron los fenómenos más comunes en Bolivia, Ecuador y Perú? ¿Por qué crees que son diferentes?

3. ¿Qué tienen en común los países con mayor riesgo (*risk*) de huracanes, terremotos o inundaciones?

4. ¿Es el perfil de alguno de los países parecido a la región donde tú vives?

CULTURA VIVA

El cambio de hora Unlike some parts of the United States, Ecuador does not observe Daylight Saving Time. Most northern countries in South America do not. As Ecuador is at the Equator, there are 12-hour days and 12-hour nights every day, so there is really no need to change clocks twice a year. **How might changing clocks affect a person's concept of time?**

Resources

Vhlcentral

WebSAM

□ **I CAN** exchange information about extreme weather and natural disasters.

Audio: Reading

Episodio #15: Mariluz Valdez Romero

Antes de escuchar

(1) **Lugares especiales** ¿Qué actividades puedes hacer al aire libre en los parques nacionales? ¿Y en los monumentos históricos?

Mientras escuchas

(2) **El viaje de Mariluz** Para planificar tu propio viaje, escucha la historia de Mariluz y sigue su itinerario.

Paso 1 Elige la mejor opción para completar cada oración.

1. La decisión de hacer este recorrido fue…
   a. muy fácil.   **b.** muy cara.   **c.** muy rápida.   **d.** muy complicada.

2. El primer sitio que visitó fue…
   a. el lago Titicaca.   **b.** las ruinas de Tiahuanaco.   **c.** el santuario de Copacabana.   **d.** las ruinas de Machu Picchu.

3. Durante el recorrido turístico, participó en una ceremonia…
   a. religiosa.   **b.** deportiva.   **c.** académica.   **d.** política.

4. Para Mariluz, fue un viaje…
   a. muy divertido.   **b.** muy complicado.   **c.** muy completo.   **d.** inolvidable.

Paso 2 Utiliza mapas de Bolivia y Perú de este capítulo u otros que encuentres en internet y busca los lugares que Mariluz visitó en su viaje. Vuelve a escuchar el podcast y sigue su ruta con el dedo mientas escuchas.

Después de escuchar

(3) **Un día en el viaje de Mariluz** Elige uno de los sitios que mencionó Mariluz en la descripción de su viaje y escribe una historia sobre su experiencia.

Paso 1 Usando tu creatividad, inventa una aventura que Mariluz tuvo (*had*) durante su visita al lugar que elegiste. Escribe por lo menos seis oraciones describiendo la aventura. Incluye detalles sobre la geografía del lugar.

Paso 2 Comparte tu aventura con un(a) compañero/a. Dile a tu compañero/a dos cosas que te gustaron de su historia y dale dos sugerencias para mejorarla.

Resources

$ VhIcentral

Online activities

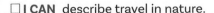

☐ **I CAN** describe travel in nature.

Estrategia de lectura: Identifying Chronological Order

Identifying the chronological order of events in a narrative is key to comprehension. When you can distinguish and order the events, you will more easily piece together details, gaining insights into the person's life, a historical overview, or the plot of a story. In order to be more aware of the order of events of the text, consider numbering the events as you read them.

Antes de leer

(1) **¿Cómo fue el viaje?** En esta lectura, vas a aprender sobre una visita a Machu Picchu a través del antiguo Camino del Inca. Piensa en un viaje de varios días que hiciste (o inventa uno) y escribe una oración que resuma lo que hiciste cada día del viaje.

La ciudad perdida de Machu Picchu

Me llamo Yolanda. Tuve la suerte de hacer el Camino del Inca a pie para conocer la ciudad sagrada° de los incas, Machu Picchu. Este viaje fue una experiencia sin comparación.

Machu Picchu es una de las siete maravillas del mundo más visitadas.

Día 1: Al llegar al famoso kilómetro 88, seguí el río Urubamba por tres horas, hasta llegar a Llactapata, un sitio increíble con varias maravillas arqueológicas. Después, seguí por el río Kusichaca hasta llegar a la pequeña población de Huayllamamba, donde acampé, ya exhausta, para pasar la noche.

Día 2: Me levanté temprano para seguir el camino. La vista se volvió° cada vez más preciosa, y, cuando llegué al punto más alto del camino, el paso de Warmiwañusca , el paisaje fue indescriptible° por su belleza. Al rato comencé el descenso de siete kilómetros hasta el valle de Pacasmayo, el siguiente lugar para acampar.

Día 3: Hoy me tocó llegar hasta el paso de Runkuracay. Seguí por la selva y pasé por un antiguo túnel inca para llegar al sitio arqueológico de Phuyupatamarka. Allí acampé, muy emocionada por llegar a Machu Picchu al día siguiente.

Día 4: Ya lo más duro pasó y llegó la hora de la última caminata hacia la ciudadela° de Machu Picchu. El primer objetivo fue llegar a la Puerta del Sol inca, el Intipunku. De ahí, descendí durante 30 minutos hasta que, por fin, llegó el momento más esperado: ¡alcancé Machu Picchu!

sagrada *sacred* **se volvió** *it became* **indescriptible** *indescribable* **ciudadela** *citadel*

Después de leer

(2) **Comprensión** Escribe el orden (**1-6**) en que Yolanda hizo estas cosas.

_____ **A.** Pasó por un antiguo túnel inca.

_____ **B.** Comenzó su viaje en el río Urubamba.

_____ **C.** Llegó a la Puerta del Sol inca.

_____ **D.** Subió hasta llegar al punto más alto del camino.

_____ **E.** Llegó a Machu Picchu.

_____ **F.** Pasó por el río Kusichaca.

(3) **A conversar** En parejas, conversen sobre el viaje a Machu Picchu.

1. ¿Cómo llegó Yolanda a Machu Picchu? Describe algunos de los pasos que tuvo que seguir.

2. En tu opinión, ¿vale la pena caminar y acampar durante cuatro días para llegar a Machu Picchu? ¿Por qué?

3. ¿Hay algún lugar en tu país o estado que la gente visita después de un viaje de varios días? ¿Cuál es? ¿Por qué la gente lo considera tan especial?

(4) **A escribir** Lee la estrategia y sigue los pasos para escribir una descripción de lo que hiciste ayer.

> **Estrategia de escritura: Using Linking Words**
>
> In a text, phrases and sentences are connected with linking words to transition smoothly between ideas. They establish relationships between parts of a text and can be related to chronology (**después**), comparison (**a diferencia de**), and cause-effect (**así que**). In the utterance "I went to the movies. Next, I had dinner", the sequence is established by the word *next*. Try to use linking words in your next writing task.

Paso 1 Escribe un párrafo con una descripción de lo que hiciste ayer. Incluye por lo menos siete actividades. En la descripción, incluye conectores, como **después**, **más tarde** y **luego**.

Paso 2 En parejas, túrnense para compartir sus descripciones. Comparen y contrasten las diferentes actividades que hicieron. ¿Cuáles son las diferencias? ¿Las similitudes? Fíjense en el uso de conectores. ¿Les ayudaron a comprender mejor la secuencia de actividades?

Resources

Vhlcentral

Online activities

☐ **I CAN** compare perspectives and practices relating to travel in Peru and my own community.

Video

Video: *El teleférico que unió dos mundos*

La capital de Bolivia, La Paz, está ubicada en el Altiplano, y el centro de la ciudad se encuentra en un cañón profundo. Vas a ver un video sobre un medio de transporte público que se adapta a esta situación geográfica única.

Estrategia intercultural: Seeing the World through a New Lens

As you examine new experiences and perspectives, you will begin to see the world through a new lens. Sometimes we get caught up in our own world or "bubble," and we don't notice that there is a whole world of different ways of viewing reality. Seeing the world through a new lens means that you realize that your way of thinking and doing things is not the way, but simply a way. There are many others to consider and to learn about.

Antes de ver

1 **El teleférico que unió dos mundos** Vas a ver un video sobre un medio de transporte público.

Paso 1 Lee el título y piensa en qué sugiere. ¿Qué pistas (*clues*) ofrece sobre el contenido del video?

Paso 2 ¿Qué ideas te vienen a la mente cuando piensas en el transporte público? ¿Existen opciones de transporte público en tu comunidad? ¿Cuáles son las ventajas y desventajas del transporte público? Compara tus ideas con un(a) compañero/a.

Mientras ves

2 **Las perspectivas** El video presenta un medio de transporte público en la ciudad de La Paz, Bolivia.

Paso 1 Mira el video sin sonido. Haz una lista de lo que observas o lo que te llama la atención. Comparte tu lista con un(a) compañero/a.

1. _____
2. _____
3. _____
4. _____
5. _____

Paso 2 Vuelve a mirar el video. Escribe la letra que corresponde a cada cita.

1. _____"Iba en auto, a veces en autobús. Generalmente, unos cuarenta, cuarenta y cinco minutos tardaba, ahora es una media hora".

2. _____"En esa cabina, no hace ninguna distinción [...] Ingresan personas de cualquier estrato social, de cualquier nivel económico...".

3. _____"Es mucho más rápido para nosotros. Nos facilita a todos los estudiantes universitarios".

4. _____"Bonita para mirar, la vista para ver... es emocionante".

Después de ver

3 **El metro en el cielo** Con un(a) compañero, termina las oraciones.

1. Se creó el teleférico en la capital de Bolivia para _____.

2. Los taxistas creen que les va a quitar _____.

3. El teleférico es un símbolo de _____.

4 **Reflexión** Contesta las preguntas con un(a) compañero/a. Explica tus respuestas con detalles.

1. ¿Por qué dice el ingeniero que el teleférico es un forma de integración? ¿Estás de acuerdo?

2. ¿Cuál es una perspectiva negativa sobre el teleférico? ¿Estás de acuerdo?

3. ¿Te gustaría viajar en el teleférico todos los días? ¿Por qué?

Resources

Ⓢ
Vhlcentral

Online activities

□ **I CAN** analyze perspectives regarding a form of transportation.

Experiencias   Blog

Learning Objective: Investigate the history and ecology of the Galapagos Islands.

Las islas Galápagos

Sobre mí | Viajes | Mapas | Galería | Contacto

Las islas Galápagos

Hace tres años tuve la oportunidad de viajar a Ecuador y conocer las islas Galápagos. Pocas islas en el mundo poseen una riqueza natural tan completa como este archipiélago, pues sus condiciones geográficas hacen que haya° especies de animales únicas en el mundo. Estas islas se encuentran en la línea ecuatorial y en la ruta de las corrientes frías° de agua, ricas en nutrientes, lo cual las diferencia de otras islas en el mundo. Las islas Galápagos sirven de hogar a una serie de animales de la región y presentan un asombroso número de especies propias, incluyendo la iguana marina —única en el mundo— que puede estar bajo el agua por más de media hora. Estas playas también representan los principales sitios de cría° de la tortuga verde. En la Reserva Marina de Galápagos podemos encontrar corales, mantarrayas, además de especies de plantas y animales tropicales, junto a otras especies de aguas frías. Cerca de sus playas también hay más de 20 especies de cetáceos como delfines y ballenas, entre otros, que vienen a nutrirse y a aparearse°. ¡Con razón tanta gente se preocupa por proteger y estudiar los animales de las islas!

Un piquero de patas azules en las islas Galápagos

hacen que haya *make there be* **corrientes frías** *cold-water currents* **cría** *breeding* **aparearse** *to mate*

① **Un lugar único** Vas a investigar la ecología y la historia de las islas Galápagos.

Paso 1 Lee el blog de Lucas y toma apuntes sobre su descripción de las islas Galápagos. ¿Qué sabes de la historia de estas islas? ¿Conoces otras especies que viven allí? ¿Te interesa viajar a las islas Galápagos algún día? Comparte tus respuestas con un(a) compañero/a.

Paso 2 Busca información en internet sobre este famoso archipiélago. ¿Por qué las islas son un lugar ideal para los mamíferos marinos? ¿Cuáles son las normas de visita para los turistas a Galápagos? ¿Qué islas se visitan en una típica excursión turística?

Paso 3 Basándote en la información que encontraste, describe una visita que te gustaría hacer a Galápagos. Incluye detalles sobre qué islas vas a visitar, en qué época del año vas a ir, qué quieres ver y por qué te interesa.

☐ **I CAN** investigate the history and ecology of the Galapagos Islands.

Proyectos

Learning Objectives: Tell a story about a special place.
Present information about Ecuador, Bolivia, and Peru.

(1) ¿Cuál es tu lugar especial? Vas a contar una historia que ocurrió en un lugar especial que visitaste alguna vez o que visitas con frecuencia. Lee la estrategia y sigue los pasos.

Estrategia para presentaciones: Eye Contact

To become an effective presenter, it is important to make eye contact with your audience. When presenting to a group, speakers are expected to move their gaze among listeners. Try to establish eye contact with different people during your presentation, without singling out any one person. Become comfortable with the content of your presentation by practicing so that you will be able to make eye contact instead of reading from a page or screen.

Paso 1 Repasa el vocabulario y las estructuras del capítulo. Luego, mira el video **Encuentros: *Mi viaje a un lugar especial*** para ver un ejemplo de cómo Lucas narra una experiencia de un viaje a un lugar especial. Toma nota de palabras y expresiones para incluir en tu presentación.

Paso 2 Piensa en un lugar que visitaste y que es especial para ti. Usa las preguntas como guía y busca fotos para dar más detalle a tu historia.

- ¿Cómo es tu lugar especial? Describe la geografía.
- ¿Cuánto tiempo hace que lo visitaste?
- ¿Qué hiciste allí? ¿Con quién viajaste?
- ¿Por qué lo consideras tu lugar especial?

Paso 3 Practica tu historia con un(a) compañero/a. Toma notas de lo que dice tu compañero/a y dale sugerencias para mejorar su trabajo. Fíjate especialmente en el uso del contacto visual.

Paso 4 Presenta tu historia sobre un viaje a un lugar especial. Incluye imágenes y prepárate para compartir tu proyecto con el resto de la clase.

> **¡ATENCIÓN!**
>
> Ask your instructor to share the **Rúbrica** to understand how your work will be assessed.

(2) Álbum de Ecuador, Bolivia y Perú Usando la información del capítulo e internet, crea una presentación con los siguientes puntos sobre Ecuador, Bolivia y Perú. Luego, compara la información con un(a) compañero/a y compartan algo nuevo que aprendieron.

1. información básica
2. estadísticas interesantes
3. dos lugares interesantes
4. observaciones culturales
5. enlaces interesantes
6. información que te hizo cambiar de opinión o que te hizo reflexionar

---

☐ **I CAN** tell a story about a trip to a special place.

☐ **I CAN** share personally meaningful information about Ecuador, Bolivia, and Peru.

Repaso

Repaso de objetivos

Reflect on your progress toward the chapter main goals.

I am able to...

	Well	Somewhat
• Identify information about a trip described in a video.	☐	☐
• Exchange information about appropriate clothing for travel, nature, outdoor activities, and past trips or experiences.	☐	☐
• Compare products, practices, and perspectives from Ecuador, Bolivia, and Peru with my own community.	☐	☐
• Tell a story about a special place.	☐	☐

Vocabulary Tools

Repaso de vocabulario

Recomendaciones: Qué llevar
Recommendations: What to wear
el abrigo empacable   *packable coat*
el algodón   *cotton*
la billetera canguro   *money belt*
las botas (de senderismo)   *(hiking) boots*
la gorra   *cap*
el impermeable   *raincoat*
la maleta   *suitcase*
la mochila   *backpack*
los pantalones (de trekking)   *(hiking) pants*
la prenda   *article of clothing*
el protector solar   *sunscreen*
la ropa (ligera/liviana)   *(lightweight) clothing*
el suéter de lana   *wool sweater*

Los adverbios de tiempo
Adverbs of time/time expressions
anoche   *last night*
anteanoche   *the night before last*
anteayer/antes de ayer   *the day before yesterday*
ayer   *yesterday*
el mes/año pasado   *last month/year*
el sábado (u otro día de la semana) pasado   *last Saturday (or other day of week)*
la semana pasada   *last week*
primero   *first*
finalmente   *finally*

Los puntos cardinales   *Cardinal directions*
el norte   *north*
el sur   *south*
el este   *east*
el oeste   *west*
el noroeste   *northwest*
el suroeste   *southwest*
el noreste   *northeast*
el sureste   *southeast*

Los accidentes geográficos
Landforms
el bosque   *forest*
el cañón   *canyon*
el cerro   *hill*
la cordillera   *mountain range*
la costa   *coast*
la cueva   *cave*
el desierto   *desert*
la isla   *island*
el lago   *lake*
la laguna   *lagoon*
los llanos   *plains*
el mar   *sea*
la montaña   *mountain*
el océano   *ocean*
la pradera   *meadow, grassland*
el río   *river*
la selva   *jungle*
la sierra   *mountain range*
el valle   *valley*
el volcán   *volcano*

Fenómenos del tiempo y desastres naturales   *Weather and natural disasters*
la avalancha de nieve   *avalanche*
el ciclón   *cyclone, tornado*
la erupción volcánica   *volcanic eruption*
el huracán   *hurricane*
el incendio forestal   *forest fire*
la inundación   *flood*
el maremoto   *tsunami*
los relámpagos   *lightning*
la sequía   *drought*
el terremoto   *earthquake*
la tormenta   *storm*
los truenos   *thunder*

Repaso de gramática

1 Por and para

Por and para differences	
PARA	**POR**
to, toward a destination	through, along
for, under the authority of; employed by	for, instead of, in place of
for, a beneficiary, receiver	for, in place of
by a future deadline	by (means of)

para + infinitive
intention/purpose of an action
por + infinitive
motive, object of an action

2 The preterit

Regular preterit endings			
Subject pronouns	**-ar**	**-er**	**-ir**
yo	-é	-í	-í
tú	-aste	-iste	-iste
él, ella, usted	-ó	-ió	-ió
nosotros/as	-amos	-imos	-imos
vosotros/as	-asteis	-isteis	-isteis
ellos/as, ustedes	-aron	-ieron	-ieron

Ser, ir, and hacer		
Subject pronouns	**ser/ir**	**hacer**
yo	fui	hice
tú	fuiste	hiciste
él, ella, usted	fue	hizo
nosotros/as	fuimos	hicimos
vosotros/as	fuisteis	hicisteis
ellos, ellas, ustedes	fueron	hicieron

3 Hace + que + preterit

Telling how long ago an activity or event occurred:

Hace + [LENGTH OF TIME] + **que** + [VERB IN PRETERIT]

OR

[VERB IN PRETERIT] + **hace** + [LENGTH OF TIME] (*que* + *is not needed here*)

Resources

Vhlcentral

Online activities

OBJETIVOS DE APRENDIZAJE

By the end of this chapter, I will be able to...

- Identify details about a friendship described in a video.
- Exchange information about personal relationships, stages of life, and celebrations.
- Compare products, practices, and perspectives from Uruguay and Paraguay with my own community.
- Tell a story about meeting a special person.

ENCUENTROS

El canal de Lucas: Cómo nos hicimos amigos

Este es mi país: Uruguay, Paraguay

EXPLORACIONES

Vocabulario

Las etapas de la vida y las relaciones personales

Las fiestas

Las cualidades de una persona

Gramática

Verbs with altered stems in the preterit

Verbs with spelling changes in the preterit

Indirect object pronouns

EXPERIENCIAS

Cultura y sociedad: El guaraní: La lengua de confianza de los paraguayos

Intercambiemos perspectivas: *El tereré, bebida ancestral guaraní*

Blog: Sinfónica de basura

Proyectos: ¿Cómo es tu vida social?, Álbum de Uruguay y Paraguay

Learning Objective:
Identify details of a story about how a friendship began.

Video: Story

Cómo nos hicimos amigos

Lee y reflexiona sobre la estrategia de aprendizaje de este capítulo.
Luego mira el video en el que Lucas describe cómo conoció a Elena.

Estrategia de aprendizaje: Taking the Lead in Spanish

Beginning Spanish students often find it hard to use only Spanish during the entire class. Do your best to respond to others in Spanish, even if they speak to you in English. If you forget and use English with your instructor, follow his/her lead if he/she responds in Spanish. The more you make Spanish the default language of your classroom experience, the easier it will be to communicate!

Antes de ver

1 **Tu amigo/a** En este video Lucas describe cómo conoció a su amiga Elena. Antes de ver el video, piensa en un(a) amigo/a que tienes y contesta las preguntas.

   1. ¿Dónde conociste a tu amigo/a?

   2. ¿Hace cuántos años que lo/la conociste?

Mientras ves

2 **Los detalles** Mira el video e indica si cada oración es **cierta (C)** o **falsa (F)**.

   1. Lucas y Elena se conocieron en un partido del club de vóleibol.......... **C F**

   2. Roberto es el antiguo novio de Elena. .... **C F**

   3. Roberto es un buen jugador de ajedrez. .... **C F**

   4. El día antes del torneo, Elena y Roberto fueron a un concierto de rock. ... **C F**

   5. Elena rompió con Roberto antes del torneo. .... **C F**

   6. Después del torneo, Elena y Lucas fueron a comer pizza.................... **C F**

Después de ver

3 **Los detalles** Con un(a) compañero/a, contesta las preguntas.

   1. ¿Por qué piensas que Elena rompió con Roberto?

   2. ¿Por qué crees que Lucas ganó el torneo?

   3. ¿Por qué no fueron a la fiesta después del torneo?

Resources

Vhlcentral

Online activities

☐ **I CAN** identify details of a story about how a friendship began.

Encuentros

Este es mi país

Learning Objective:
Identify cultural products, practices, and perspectives from Uruguay.

 Map

URUGUAY

Hola, amigos y amigas. Mi nombre es Gustavo Cardoza y soy de Montevideo, la capital de Uruguay. Los uruguayos compartimos una identidad cultural influenciada por inmigrantes españoles e italianos, además de personas de ascendencia° africana y de países de Asia. Dicen que los uruguayos somos muy sociables. Aunque no podemos generalizar, a los uruguayos nos gusta juntarnos con la familia o los amigos, ya sea° para comer algo, tomar un mate o simplemente para conversar. Por cierto… ¡¿Sabías que° mi país fue elegido entre los diez mejores lugares del mundo para jubilarse°?! Uruguay es un país tranquilo, divertido, seguro y accesible (es decir, no tan caro). Tenemos una amplia clase media, buenos servicios de salud, transporte y educación. Sin duda, Uruguay es un país muy especial.

El mate es una infusión similar a un té hecha con hojas° de yerba mate. Es común ver a los uruguayos llevarlo bajo el brazo a todas partes.

BRASIL

Salto

ARGENTINA

Paysandú

URUGUAY

Océano Atlántico

Las Piedras

Montevideo   Punta del Este

Montevideo está a orillas del Río de la Plata. La Rambla, con unos 30 km, es una de las calles más largas del mundo y es perfecta para pasear y quedar con amigos.

Punta del Este es un destino de turismo internacional. Tiene unas playas increíbles y las mejores discotecas para bailar toda la noche.

Cada año, Montevideo se llena de música y baile para celebrar **el Carnaval**, que tiene raíces africanas.

Uruguay en breve

Capital: Montevideo

Tipo de gobierno: república presidencial

Tamaño: 176.215 km², un poco más pequeño que el estado de Washington

Población: 3.416.264 habitantes

Lengua: español

Moneda: peso uruguayo

Nivel de alfabetización: 98,8%

Promedio de vida: 78 años

Expresiones y palabras típicas:

a todo trapo	*rápidamente*
botija	*niño*
¡De más!	*¡Fabuloso!*
¡Ta!	*Bien. De acuerdo. ¿Ta? ¡Ta!*

Fuente: The World Factbook, Central Intelligence Agency

1 **Comprensión** Indica si cada oración es **cierta** (**C**) o **falsa** (**F**).

1. Mucha gente se muda a Uruguay o se jubila en el país por su calidad de vida..... **C F**

2. La bebida más popular en Uruguay se llama tereré.......................... **C F**

3. La Rambla es un paseo al lado del río....... **C F**

4. La cultura uruguaya tiene influencia de culturas europeas, africanas y asiáticas..... **C F**

2 **¿Y tú?** En parejas, conversen sobre estas preguntas.

1. ¿Cuál es una bebida popular en tu cultura o comunidad?

2. ¿Conoces (*Do you know*) a alguien que tome mate en tu comunidad?

3 **Para investigar** Elige un tema de **Este es mi país** que te interese o llame la atención. Investígalo en internet para aprender más y comparte la información con un grupo pequeño.

ascendencia *ancestry* **ya sea** *whether that is* **Sabías que** *Did you know that* **jubilarse** *retire* **hojas** *leaves*

☐ **I CAN** identify key cultural products and practices from Uruguay.

Las etapas de la vida y las relaciones personales

Las etapas de la vida

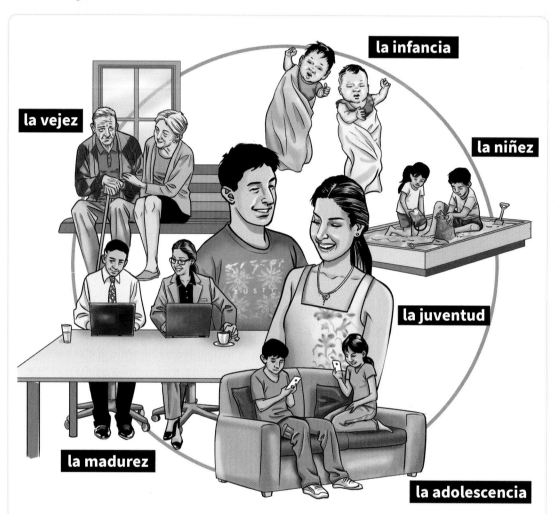

la infancia

la vejez

la niñez

la juventud

la madurez

la adolescencia

Estrategia de vocabulario: Polysemy

Polysemy is a fancy term that means "multiple meanings." Just like English, Spanish words often have many meanings. For example, the noun **la cita** can be used to mean *medical appointment* or *romantic date*, depending on the context. As you learn new words, be open to the possibility that their meaning may change depending on the words they appear with or the context.

El estado civil	
casado/a	*married*
comprometido/a	*engaged*
divorciado/a	*divorced*
separado/a	*separated*
soltero/a	*single*
viudo/a	*widowed*

Vocabulario adicional	
el amor	*love*
el divorcio	*divorce*
el/la novio/a	*boyfriend/girlfriend*
romper (con)	*to break up (with)*
separarse de	*to separate from*

Las relaciones sentimentales y personales

Miguel y Sofía **se conocieron** en la universidad. Su **amistad** duró varios años.

Un día, Miguel invitó a Sofía a **salir con** él en una **cita** romántica. Le trajo flores y la esperó en el portal de su casa.

Poco a poco se hicieron **amigos íntimos** y **se enamoraron**.

Su **noviazgo** duró 18 meses. Durante este tiempo, **la pareja** fue inseparable.

Y un día soleado, Miguel **le propuso matrimonio** a Sofía y **se comprometieron**.

Se casaron nueve meses después en **una boda** formal con todos los amigos.

Los recién casados fueron a Cancún en su **luna de miel**.

Durante muchos años, **se llevaron bien** y fue **un matrimonio feliz**.

Lamentablemente, después de dos décadas de casados, empezaron a **llevarse mal**. Después de una breve **separación**, decidieron **divorciarse**.

Exploraciones

1 **Las etapas de la vida** Rodrigo describe a su familia y amigos. Escucha su descripción y sigue los pasos.

Paso 1 Escribe el nombre de la etapa de la vida que corresponde a cada descripción.

1. _____

2. _____

3. _____

4. _____

5. _____

Paso 2 Con un(a) compañero/a, contesta las preguntas sobre las etapas de la vida. ¿Tienen respuestas y opiniones similares?

1. En tu opinión, ¿cuál es la mejor etapa de la vida? ¿Por qué?

2. ¿En qué etapa estás ahora? ¿Cómo lo sabes?

3. Piensa en diferentes personas que conozcas de cada una de las etapas de la vida. ¿Puedes describir sus personalidades?

4. ¿Hay alguien en tu familia que sea viudo/a? ¿Quién es?

5. Durante la juventud, ¿cuáles son las actividades más populares?

2 **¿Cuánto tiempo dura la etapa?** Anota la duración (semanas, meses, años) de las etapas de la vida. Comparte tus ideas con un(a) compañero/a y traten de ponerse de acuerdo.

1. La infancia dura desde _____ hasta _____.

2. La niñez dura desde _____ hasta _____.

3. La adolescencia dura _____.

4. La juventud _____.

5. La madurez _____.

6. La vejez _____.

CULTURA VIVA

Matrimonio igualitario en Uruguay En el 2013, Uruguay legalizó el matrimonio entre parejas del mismo sexo. Desde entonces, el número de matrimonios entre parejas del mismo sexo ha crecido, ahora que no hay barreras que prohíban su unión. Dos países en la región, Uruguay y Argentina, son pioneros en Sudamérica gracias a las leyes que le dan a cualquier pareja el derecho a casarse, con todos los beneficios que ello incluye. Ahora, en Uruguay, las parejas del mismo sexo tienen derecho a adoptar, compartir propiedad y acceder a beneficios de la seguridad social. **¿Qué beneficios y derechos ofrece el matrimonio donde vives tú?**

3 **Características de las edades** ¿Qué características asocias con las
diferentes etapas de la vida?

	Características	Actividades
la infancia		
la niñez		
la adolescencia		
la juventud		
la madurez		
la vejez		

Paso 1 Para cada etapa de la vida, piensa en la importancia que tienen
diversos elementos. En la tabla, anota tres características y tres eventos o
actividades que asocias con cada etapa.

- la vida familiar
- los amigos
- las relaciones personales
- los estudios
- la salud
- las finanzas
- el trabajo
- la diversión
- la independencia

Paso 2 En parejas, túrnense para compartir sus ideas del **Paso 1**. ¿Qué tienen
en común? ¿En qué se diferencian sus opiniones sobre las prioridades en las
distintas etapas de la vida?

4 **Cambios generacionales** En tu curso de sociología investigas cómo
cambian las perspectivas sobre las amistades y el amor a lo largo de
los años. Contesta las preguntas y comparte tus respuestas con un(a)
compañero/a. ¿En qué aspectos están de acuerdo?

1. ¿Piensas que es bueno conocer a tu pareja por internet?

2. ¿Es mejor compartir los mismos intereses con tu pareja o tener
   intereses distintos?

3. ¿Prefieres salir con un grupo de amigos y amigas o salir solamente
   con una o dos personas?

4. ¿Prefieres hablar por teléfono con tu pareja o con tus amigos/as o
   comunicarte por mensajes de texto?

5. ¿Piensas que es fácil mantener una relación a larga distancia?

6. En tu opinión, ¿en qué aspectos las relaciones personales son distintas
   hoy con respecto a la generación anterior?

Resources

Vhlcentral

WebSAM

☐ **I CAN** exchange information about different life stages.

Narrating about the past:
Verbs with altered stems in the preterit

You have already learned how to form the preterit for verbs that follow a regular pattern. Remember that this past tense is formed by adding one set of endings to **-ar** verb stems and another set of endings for both **-er/-ir** verb stems. A third set of endings is used for verbs that have an altered stem in the preterit. Did you notice that the altered stem endings are the ones used with **hacer** in the preterit?

Preterit endings			
Subject pronouns	**-ar**	**-er/-ir**	**for altered stems**
yo	-é	-í	-e
tú	-aste	-iste	-iste
él, ella, usted	-ó	-ió	-o
nosotros/as	-amos	-imos	-imos
vosotros/as	-asteis	-isteis	-isteis
ellos, ellas, ustedes	-aron	-ieron	-ieron / -eron

¿Qué observas?

Look at the preterit endings for regular and altered-stem verbs.

1. Which endings have a written accent mark for each group?

2. Does the spoken stress fall on the stem or the ending for regular verbs? And for verbs with altered stems?

Several common verbs have altered stems in the preterit. As you saw with **hacer**, this means that there is a unique stem used for these verbs in the preterit. To form the preterit, add the endings to the altered stem.

Verbs with altered stems in the preterit can be categorized in three broad groups: the I group, the U group, and the J group.

Verbs with altered preterit stems		
I group	hacer	hic-
	venir	vin-
U group	poder	pud-
	poner	pus-
	saber	sup-
	tener	tuv-
J group	decir	dij-
	traducir	traduj-

¡ATENCIÓN!

Remember that the stem of **hacer** becomes **hiz-** for the **él/ella/usted** form for pronunciation purposes.

Preterit forms for verbs with altered stems			
	I group	**U group**	**J group**
	querer (quis-)	**estar (estuv-)**	**traer (traj-)**
yo	quise	estuve	traje
tú	quisiste	estuviste	trajiste
él, ella, usted	quiso	estuvo	trajo
nosotros/as	quisimos	estuvimos	trajimos
vosotros/as	quisisteis	estuvisteis	trajisteis
ellos, ellas, ustedes	quisieron	estuvieron	trajeron

Mis hermanos **quisieron** ir a la fiesta.

My brothers wanted to go to the party.

Carla **estuvo** en Montevideo la semana pasada.

Carla was in Montevideo last week.

¿**Trajiste** un regalo para Claudio?

Did you bring a present for Claudio?

Irregular preterit verb forms

Ser, ir, dar, and **ver** have irregular forms in the preterit. You've already learned **ser** and **ir**. Review these forms, together with **dar** and **ver**.

Irregular preterit verb forms			
Subject pronouns	**ser/ir**	**dar**	**ver**
yo	fui	di	vi
tú	fuiste	diste	viste
él, ella, usted	fue	dio	vio
nosotros/as	fuimos	dimos	vimos
vosotros/as	fuisteis	disteis	visteis
ellos, ellas, ustedes	fueron	dieron	vieron

¿Qué observas?

Look at the forms of **ser, ir, dar**, and **ver**.

1. Why do you think they are called irregular?

2. Do you see patterns that might qualify them as regular?

Exploraciones

(1) **Visita a Montevideo** Vas a leer una conversación entre dos amigos.

Paso 1 Lee la conversación entre Mariano y Óscar. Selecciona todos los verbos en el pretérito.

Mariano: ¿Qué hiciste durante tu visita a Montevideo?

Óscar: Fui con mi familia al Mercado del Puerto de Montevideo. Es un antiguo mercado con más de 130 años de historia.

Mariano: ¿Fuiste a un partido de fútbol?

Óscar: No, no tuve tiempo, pero mi familia y yo fuimos al Museo del Fútbol y aprendimos mucho sobre el deporte favorito de los uruguayos.

Mariano: ¿Supieron ustedes contestar todas las preguntas del guía?

Óscar: Sí, supimos contestar a muchas, aunque el guía que vino con nosotros nos explicó todo. Fue una experiencia muy interesante.

Paso 2 Entre los verbos que seleccionaste, ¿cuáles tienen una raíz alterada en el pretérito?

TIP

To use irregular preterit verbs in conversation, make a point of memorizing the stems and the infinitive forms. When you want to use these verbs in conversation, you will be able to retrieve them quickly because they were memorized, which might reduce your frustration. Try making flashcards with the infinitive on one side and the altered stem on the other.

(2) **El bautizo** La familia Domínguez se reúne en la casa del tío Mauricio y la tía Inés para celebrar el bautizo (*baptism*) de su nuevo nieto, hijo de su hija Beatriz y su yerno Ronaldo. Mira el dibujo mientras escuchas las preguntas. Escribe el nombre de la persona indicada.

1. _____
2. _____
3. _____
4. _____
5. _____
6. _____
7. _____
8. _____
9. _____

(3) **¿Qué pasó?** Dana y su hermana Stephanie son de Virginia, pero estudian en Montevideo. Vas a leer una nota de Dana.

Paso 1 Lee la nota de Dana y selecciona todos los verbos en presente.

> Voy a estudiar a Montevideo, Uruguay, y tengo la oportunidad de visitar a Andrea, mi nueva amiga uruguaya, y a su familia. Llego a su casa para saber más de su país y de su cultura. Mi hermana Stephanie viene conmigo. Llegamos a las ocho de la noche. Conocemos a los padres y a los hermanos de Andrea y nos saludamos. Entonces, Andrea va a la cocina y trae un plato de empanadas recién preparadas para nosotras. Su hermana Angelina nos ofrece un mate bien caliente. ¡Qué rico! Nos sentamos en el sofá y hablamos un rato y entonces, vemos un programa en la televisión. Después de media hora, el programa termina y no podemos ver el próximo, porque Stephanie y yo tenemos otra obligación en el centro. Les decimos "muchas gracias por su hospitalidad" a Andrea y a su familia, y le damos un abrazo a Andrea.

Paso 2 Vuelve a escribir la nota de Dana, cambiando todos los verbos del presente al pretérito.

Paso 3 En parejas, escriban la escena final del cuento. ¿Qué hicieron Dana y Stephanie en el centro? Escriban al menos cinco oraciones y prepárense para compartir su historia con la clase.

(4) **Una historia única** Los dibujos muestran el acto de compromiso entre Roberto y Rosalía. En parejas, inventen una historia lo más detallada posible sobre el compromiso de Roberto y Rosalía, incluyendo al menos tres elementos sorpresa.

☐ **I CAN** narrate past events.

Narrating about the past:
Verbs with spelling changes in the preterit

You've learned about verbs that have a stem change in the present tense. For **-ar** and **-er** verbs with present-tense stem changes, these verbs follow the regular conjugation pattern in the preterit. However, **-ir** verbs with a present-tense stem change also have a stem change in the preterit.

Stem-changing **-ir** verbs have either an **e:i** or an **o:u** stem change in the preterit. Study the chart to review the preterit stem-change patterns.

Preterit stem changes			
Subject pronouns	**e:i** (first stem vowel changes)	**o:u**	**e:i** (second stem vowel changes)
	mentir (*to lie*)	**dormir** (*to sleep*)	**conseguir** (*to obtain*)
yo	mentí	dormí	conseguí
tú	mentiste	dormiste	conseguiste
él, ella, usted	m**i**ntió	d**u**rmió	cons**i**guió
nosotros/as	mentimos	dormimos	conseguimos
vosotros/as	mentisteis	dormisteis	conseguisteis
ellos, ellas, ustedes	m**i**ntieron	d**u**rmieron	cons**i**guieron

Note that verbs with an **e:i** stem change may have that change in the first or second vowel of the stem. Here are some common verbs that follow all three patterns, together with the forms that change.

Verbs with *e:i* change in the first stem vowel		
Infinitive	**él/ella/Ud.**	**ellos/ellas/Uds.**
p**e**dir (*to ask for*)	pidió	pidieron
r**e**írse (*to laugh*)	se rio	se rieron
s**e**ntir (*to feel*)	sintió	sintieron
s**e**rvir (*to serve*)	sirvió	sirvieron
v**e**stirse (*to get dressed*)	se vistió	se vistieron

¿Qué observas?

1. What do you notice about all the infinitives that appear in the chart?

2. In which forms does the stem vowel change?

Verbs with *e:i* change in the second stem vowel

Infinitive	él/ella/Ud.	ellos/ellas/Uds.
divertirse (*to have fun*)	se divirtió	se divirtieron
preferir (*to prefer*)	prefirió	prefirieron
sugerir (*to suggest*)	sugirió	sugirieron

Verbs with *o:u* change

Infinitive	él/ella/Ud.	ellos/ellas/Uds.
morir (*to die*)	murió	murieron

TIP

Spelling changes in the preterit are very important in your writing. To master them, try writing down in complete sentences what you did during your day. Include some of the spelling-change verbs in your sentences. At first, you will probably need your textbook but eventually you shouldn't need to look at verb charts. Challenge yourself to remember!

Verb stems with spelling changes in the preterit

Several verbs have minor spelling changes in the **yo** form of the preterit in order to maintain the pronunciation of the final consonant in the stem.

▸ For verbs ending in **-car**: change the **c** to **qu** before **e** to maintain the original **c** sound in the infinitive.

indicar → (yo) indi**qué**

▸ For verbs ending in **-gar**: add **u** before **e** to maintain the original **g** sound of the infinitive.

llegar → (yo) lle**gué**

▸ For verbs ending in **-zar**: change the **z** to **c** to maintain the original **z** sound in the infinitive.

cruzar → (yo) cru**cé**

Verbs with *yo* spelling changes in the preterit

Infinitive	jugar	buscar	empezar
yo	jugué	busqué	empecé
tú	jugaste	buscaste	empezaste
él, ella, usted	jugó	buscó	empezó
nosotros/as	jugamos	buscamos	empezamos
vosotros/as	jugasteis	buscasteis	empezasteis
ellos, ellas, ustedes	jugaron	buscaron	empezaron

Exploraciones

Another spelling change occurs when the stem of **-er** or **-ir** verbs ends in a vowel for **él/ella/usted** and **ellos/ellas/ustedes**. The ending **-ió** becomes **-yó**.

Verbs with *i:y* spelling change in the preterit		
leer (*to read*)	le**y**ó	le**y**eron
caer (*to fall*)	ca**y**ó	ca**y**eron
oír (*to listen*)	o**y**ó	o**y**eron

(1) **Actividades en Montevideo** Tu amiga te llama por teléfono para contarte sobre el viaje que hizo a Uruguay, pero hay interferencia telefónica y no puedes oír todo. Escucha lo que dice e intenta determinar la parte que no puedes oír.

1. **a.** no hicieron nada.
   b. se divirtieron mucho con poco dinero.
   c. fueron al océano Atlántico.

2. **a.** no pagué nada por las entradas a los museos en Montevideo.
   b. las filas de entrada fueron muy largas.
   c. jugué al fútbol en el estadio Centenario con la liga nacional.

3. **a.** me invitaron a tomar mate en un café.
   b. compré ropa nueva de Estados Unidos.
   c. pesqué con amigos en el río.

4. **a.** visité la ciudad de Buenos Aires.
   b. busqué un buen restaurante para comer pescado.
   c. volví a Estados Unidos.

5. **a.** no me mintieron.
   b. no comieron empanadas.
   c. no pidieron la dirección.

6. **a.** el menú y nos sirvió empanadas.
   b. agua caliente y nos dijo adiós.
   c. entradas para los edificios públicos.

7. **a.** empecé a reírme.
   b. me trajo un plato especial.
   c. viajé en tren por toda la costa.

8. **a.** los músicos no hicieron nada.
   b. conseguí las entradas a un buen precio.
   c. me sirvió el plato del día.

2 La yerba mate y el reciclaje Lee el diario de Vicente, que aprendió sobre la yerba mate y el cuidado del medioambiente.

El año pasado fui a estudiar a la Universidad Católica del Uruguay. Viví con la familia Vivaldi por un semestre y ellos me presentaron una bebida muy popular y frecuentemente tomada en su familia y en todo el país. Se llama mate. Santiago, el hijo mayor de la familia, me sirvió mi primer mate y empecé a sentir un gran interés. Por eso, busqué información y leí muchos artículos para aprender más. Por fin, conseguí unos datos interesantes que la asociación civil Centro Uruguay Independiente (CUI) publicó sobre esta bebida hace unos años.

- Los uruguayos consumieron aproximadamente 24 millones de kilos de yerba al año.
- Lo tomaron entre el 84% y el 90% de los habitantes del país cada año.
- La yerba era (y es) fácil de reciclar por medio de un proceso natural.

Se pone la yerba mojada en un recipiente con un poco de tierra y se remueve. En pocos días se usa como abono° para las plantas de los jardines. Escribí en las redes sociales que me sentí relajado y dormí bien cada noche después de tomar mi mate. Cuando volví a casa, les traje a los miembros de mi familia un mate (la taza en la que se toma el mate también se llama *mate*, ¡fíjate!) y una bombilla como recuerdo de Uruguay. Un día, le preparé mate a mi hermano para que lo probara por primera vez. Tuvo curiosidad.

Primero, puse la yerba en el mate. Después le serví agua caliente y metí la bombilla. Mi hermano probó el mate con la bombilla. Me lo pasó a mí como lo hacen en Uruguay. Yo agregué más agua y lo probé. Compartimos el mate hasta que se terminó el agua.

abono *compost*

Paso 1 Lee el diario de Vicente y selecciona todos los verbos en el pretérito.

Paso 2 Contesta las preguntas con oraciones completas.

1. ¿Con quién vivió Vicente cuando fue a Uruguay?

2. ¿Cuándo empezó a interesarse por el mate?

3. ¿Quién le sirvió mate por primera vez?

4. ¿Por qué buscó información y leyó muchos artículos?

5. ¿Cómo se sintió cuando tomó el mate?

Paso 3 En parejas, hablen de la investigación de Vicente. Túrnense para contestar las preguntas.

1. ¿Te sorprendió lo que aprendió Vicente sobre el consumo del mate en Uruguay? ¿Crees que hay alguna comida o bebida que el 90% de los estadounidenses consuma?

2. ¿Crees que es buena idea reciclar la yerba mate? ¿Reciclas tú los residuos orgánicos?

3 **¿Qué hiciste anoche?** Tu compañero/a te llama para saber por qué no fuiste a la fiesta anoche. ¿Hiciste algunas de estas actividades en vez de ir a la fiesta?

Paso 1 Selecciona de la lista las actividades que sí hiciste anoche.

☐ empezar a estudiar a las diez de la noche   ☐ cruzar una calle peligrosa

☐ leer una novela   ☐ jugar a un deporte o un videojuego

☐ buscar algo que perdí   ☐ pedir información a otro/a estudiante

☐ dormir hasta muy tarde   ☐ escuchar música

☐ llegar tarde a mi casa o dormitorio   ☐ sugerir a alguien un libro para leer

Paso 2 En parejas, túrnense para hacer y contestar preguntas sobre lo que hicieron o no anoche. ¿Qué actividades tienen en común? Sigan el modelo.

Modelo   **Estudiante A:** *¿Empezaste a estudiar a las diez de la noche?*
                  Estudiante B: *No, empecé a estudiar a las ocho de la noche. Y tú...*

4 **El primer día de clases en la universidad** El primer día en la universidad es una oportunidad importante para conocer los requisitos de las clases.

Paso 1 Prepara un párrafo detallando cinco actividades o eventos que ocurrieron en tu primer día de clases. Incluye esta información:

- ¿A qué hora empezó tu primer día de clases?

- ¿Cuándo llegaste a la universidad?

- ¿A qué hora fue tu primera clase?

- ¿Qué tuviste que hacer después de la primera clase?

- ¿Qué supiste sobre el/la profesor(a) de tu primera clase?

Paso 2 En grupos de tres estudiantes, lee tu párrafo y escucha los de tus compañeros/as. Escribe lo que tienen en común. Haz preguntas a cada compañero/a sobre lo que dijo.

☐ **I CAN** narrate past events.

Resources

Ⓢ

VhlCentral

🛜

WebSAM

Audio: Reading

Episodio #16: Gustavo Cardoza

Estrategia de comprensión oral: Listening for the Main Idea

When you listen to Spanish, you might want to understand everything. However, the main goal when you listen should be getting the gist or main ideas. As you have learned in previous chapters, anticipating ideas, concentrating on the words you know or recognize, and ignoring those that you don't, will help you focus on the essence of what is being said.

Antes de escuchar

(1) Las actividades en tu comunidad En parejas, túrnense para contestar las preguntas.

1. ¿Qué haces en tu tiempo libre?

2. ¿Qué puedes hacer en tu ciudad para divertirte que no requiera mucho dinero?

3. ¿Participas en algunas de esas actividades? ¿En cuáles?

4. ¿Hay algún museo en tu ciudad? ¿Cómo es?

5. ¿Cómo se conocieron tus padres u otra pareja que conoces?

Mientras escuchas

(2) Las actividades gratis en Montevideo Selecciona los lugares y actividades que menciona Gustavo donde uno no tiene que gastar mucho dinero.

1. bailar en un club

2. jugar al golf los lunes

3. tomar mate en el parque con amigos

4. ir a un concierto de la sinfónica

5. caminar en la Rambla

6. ir a un museo, el Día del Patrimonio

7. tomar el sol en la playa y nadar

8. tomar el teleférico

Después de escuchar

(3) Un momento inolvidable La Rambla es un lugar especial para Gustavo porque allí se conocieron sus padres. Piensa en los lugares especiales de tu ciudad e inventa una historia sobre una pareja o unos amigos que se conocieron allí. Escribe un párrafo de al menos seis oraciones sobre ese día. Prepárate para compartir tu historia con la clase.

Resources

Vhlcentral

Online activities

☐ **I CAN** tell a story about when two people met.

Encuentros

Este es mi país

Learning Objective:
Identify cultural products, practices, and perspectives from Paraguay.

 Map

PARAGUAY

Chamigo, soy Sofía, y les invito a conocer mi país, Paraguay. Como Bolivia, mi país no tiene salida al mar. El río Paraguay divide mi nación en dos regiones naturales contrastantes: el Gran Chaco o el *Paraguay occidental* en el oeste y, en el este, el *Paraguay oriental*, la región más poblada. Una característica que nos hace únicos es el bilingüismo, ya que hay dos lenguas oficiales en mi país: el español y el guaraní. Aunque quedan pocos rasgos° de la cultura guaraní original, la lengua sobrevive°. Es hablada por el 60% de la población y entendida por el 95%. El guaraní se preserva en la música y en los poemas folclóricos.

El tereré se hace con hojas de yerba mate, como el mate, pero se echa agua fría con mucho hielo en vez de agua caliente.

BOLIVIA

BRASIL

PARAGUAY

Asunción ⊛ • Luque
San Lorenzo

• Ciudad del Este

ARGENTINA

Asunción, capital de Paraguay, está ubicada a las orillas del río Paraguay. Es el puerto principal del país y el mayor centro cultural.

El **Acuífero°** Guaraní es un enorme depósito subterráneo de agua que se encuentra debajo de Paraguay, Uruguay, Argentina y Brasil.

El **jaguareté** es el felino más grande de Sudamérica. Está en peligro de extinción debido a la caza° excesiva y la pérdida° de hábitat.

Paraguay en breve

Capital: Asunción

Tipo de gobierno: república presidencial

Tamaño: 406.752 km², un poco más pequeño que el estado de California

Población: 7.439.863 habitantes

Lenguas: español, guaraní

Moneda: guaraní

Nivel de alfabetización: 94,5%

Promedio de vida: 78 años

Expresiones y palabras típicas:

¡Amén!	*Sí, de acuerdo.*
¡Chaké!	*¡Cuidado!*
Chamigo	*Mi amigo*
¡Neiké!	*¡Vámonos!*

Fuente: The World Factbook, Central Intelligence Agency

---

(1) **Comprensión** Indica si cada oración es **cierta** (**C**) o **falsa** (**F**).

1. Una bebida muy común en Paraguay es el mate, hecha con mate y agua caliente.... **C F**

2. Un pequeño porcentaje de los paraguayos habla idiomas de culturas nativas............ **C F**

3. El río Paraguay divide el país en dos regiones naturales, el Gran Chaco y el Paraguay oriental.................... **C F**

4. Hay un enorme depósito de agua debajo de Paraguay y otros tres países vecinos.... **C F**

(2) **¿Y tú?** En parejas, conversen sobre estas preguntas. Expliquen sus respuestas.

1. ¿Crees que es útil hablar más de un idioma?

2. ¿Hay dos idiomas que se hablan en tu cultura o comunidad?

3. ¿Conoces (*Do you know*) a una persona que hable dos idiomas en su casa?

(3) **Para investigar** Elige un tema de **Este es mi país** que te interese o llame la atención. Investígalo en internet para aprender más y comparte la información con un grupo pequeño.

rasgos *traces* **sobrevive** *survives* **Acuífero** *Aquifer* **caza** *hunting* **pérdida** *loss*

☐ **I CAN** identify key cultural products and practices from Paraguay.

Las fiestas

Mira el dibujo de una fiesta y estudia el vocabulario.

(1) **¿Cierto o falso?** Escucha las descripciones de la fiesta del dibujo y decide si las oraciones son **ciertas (C)** o **falsas (F)**.

1. _____   3. _____   5. _____   7. _____

2. _____   4. _____   6. _____   8. _____

(2) **Una fiesta divertida** Piensa en la última fiesta a la que fuiste y descríbesela a un(a) compañero/a. Puede ser una fiesta familiar o entre amigos. Contesten las preguntas para comparar sus experiencias.

1. ¿Dónde fue la fiesta?

2. ¿Quién fue la anfitriona/el anfitrión?

3. ¿Qué se sirvió de comer y de beber?

4. ¿Celebraron algo en especial?

5. ¿Qué tipo de música tocaron?

6. ¿Qué hiciste en la fiesta?

7. ¿Te quedaste mucho tiempo?

(3) **La fiesta ideal** En tu opinión, ¿cuáles son los elementos necesarios para pasarlo bien en una fiesta? Por ejemplo: muchos invitados, buena música o comida, globos u otras decoraciones.

Paso 1 Escribe una lista de por lo menos cinco elementos esenciales para una fiesta magnífica. Luego, comparte tu lista con un(a) compañero/a.

Paso 2 En grupos de tres, pónganse de acuerdo para organizar una fiesta. Juntos/as, decidan el propósito (*purpose*), la fecha y el lugar de la fiesta. Luego, asignen a cada persona una responsabilidad:

1. Entretenimiento (música, juegos, etc.)

2. Menú (bebidas y comida)

3. Decoraciones

Paso 3 Inviten al resto de la clase a su fiesta. Presenten todos los detalles para que el resto de los compañeros se animen a venir a la fiesta. ¿Qué grupo tuvo la propuesta más interesante?

(4) El arte de Rubén Galloza Las obras del pintor uruguayo Rubén Galloza están enfocadas principalmente en el tema de la cultura del candombe en Uruguay y la cultura afrouruguaya. Sigue los pasos para aprender más sobre su arte.

> 🔍 Rubén Galloza candombe

Paso 1 Busca en internet varios ejemplos de obras pintadas por Rubén Galloza y contesta las preguntas.

1. ¿Qué ves en sus pinturas?

2. ¿Qué colores usó el pintor?

3. ¿Dónde están los personajes?

4. ¿Qué tienen en común sus pinturas?

5. ¿Por qué hay un músico en cada pintura? ¿Qué papel tiene?

Paso 2 Elige una de las pinturas y prepara una descripción escrita.

Resources

Ⓢ

VHIcentral

📶

WebSAM

CULTURA VIVA 🔗

¿Qué es el candombe? El candombe es un ritmo africano que ha formado parte de la cultura uruguaya por más de 200 años. Este ritmo llegó a Uruguay desde África por medio de las personas esclavizadas que se establecieron en la región del Río de la Plata. Estos pueblos africanos tenían diferentes costumbres y tradiciones entre sí, por lo que el término *candombe* se refiere, de manera general, a una danza de negros o africanos. El ritmo del candombe sigue vivo hoy en carnavales y en las costumbres de los uruguayos. El ritmo del candombe se crea al combinar tres tambores, llamados piano, chico y repique. Juntos, estos tres tambores forman "la cuerda de tambores". El sonido resultante es algo único, que probablemente nunca hayas escuchado antes. **¿Cuáles son las raíces de la música en tu comunidad?**

☐ **I CAN** exchange information about celebrations.

Las cualidades de una persona

leal

divertido/a

puntual

considerado/a

seguro/a de sí mismo/a

sensible

Vocabulario adicional

confiable	*reliable*	**respetuoso/a**	*respectful*
cumplido/a	*responsible, courteous*	**tener (un buen)**	*to have a (good)*
honesto/a	*honest*	**sentido del humor**	*sense of humor*

1 **Los amigos de Martín** Escucha cómo Martín describe a sus amigos. Luego, elige la palabra que mejor describe a cada uno.

1. leal   puntual   optimista
2. divertido   respetuoso   cumplido
3. sensible   seguro de sí mismo confiable
4. puntual   segura de sí misma extrovertida
5. honesto   pesimista   divertido
6. confiable   cumplida   sensible

2 **Las cualidades** ¿En qué consiste ser un(a) buen(a) amigo/a?

Paso 1 Anota las cinco cualidades que consideras más importantes en un(a) amigo/a.

Paso 2 Compara tu lista de cualidades con la de un(a) compañero/a. ¿Tienen las mismas preferencias y prioridades? Explícale a tu compañero/a por qué elegiste esas cualidades. Sigue el modelo.

Modelo *Para mí, ser honesto es la cualidad más importante en un amigo. Necesito saber que me va a decir la verdad, incluso en una situación difícil.*

3 **Los anuncios personales** Lee los anuncios del periódico para ver qué tipo de amigos o relaciones se buscan.

Paso 1 Lee los anuncios del periódico. Selecciona las palabras que describan la personalidad o las cualidades de estas personas.

Paso 2 Descríbele a un(a) compañero/a a quién quieres conocer y por qué.

Me gusta mucho hacer amigos de otros países y, especialmente, que hablen español. Soy una persona divertida y tengo un buen sentido de humor. No me interesa una relación seria, sino informal y sin compromisos. Espero tu mensaje

- Nombre: Liliana López
- Edad: 22 años
- Lugar: Montevideo
- Correo electrónico: llopez@yahoo.com.uy

Me interesa mucho charlar de problemas del medioambiente y de cuál es la mejor manera de solucionarlos. Soy una persona confiable y respetuosa. Si tú eres como yo, no dudes en escribirme.

- Nombre: Arnulfo Meza
- Edad: 19 años
- Lugar: Salto
- Correo electrónico: ameza@hotmail.com.uy

Me agradan las personas con buen sentido del humor y una actitud positiva hacia la vida. Soy una persona honesta y leal. Si te interesa comenzar una relación informal conmigo, llámame para conocernos lo antes posible. No esperes más.

- Nombre: Patricia Benavides
- Edad: 26 años
- Lugar: Paysandú
- Correo electrónico: pbenavides@yahoo.com.uy

Paso 3 Usando los anuncios como modelo, escribe tu propio anuncio personal.

4 **Mi mejor amigo/a** Descríbele tu mejor amigo/a a un(a) compañero/a. No te olvides de incluir esta información.

Modelo *Mi mejor amiga se llama Esther. Nos conocimos en la clase de química en la escuela secundaria. Es una persona muy...*

- su nombre
- su descripción física
- su personalidad
- su edad

- su familia
- las actividades que hacen juntos/as
- cómo se conocieron
- por qué lo/la consideras tu mejor amigo/a

☐ **I CAN** describe personal qualities.

Avoiding redundancy: Indirect object pronouns

In **Capítulo 8**, you learned to use direct object pronouns to avoid repetition.

Pepe trae un regalo. **Lo** compró en línea.

Remember that a direct object answers the question *what?* or *who/whom?*

Indirect objects, on the other hand, answer the question *to whom?* or *for whom?* In other words, they indicate the person or object affected in some way by the verb and the direct object.

Pepe **le** compró un regalo **a su madre.**   *Pepe bought a gift for his mother.*

In this example, **un regalo** is the direct object (what Pepe bought) and **su madre** is the indirect object (who he bought it for). Note the addition of the word **le** before the noun. **Le** is an indirect object pronoun. In Spanish, you must use an indirect object pronoun when expressing to or for whom something is done.

Study the list of indirect object pronouns and compare them to direct object pronouns. Then read the example sentences.

Indirect and direct object pronouns			
Indirect object pronouns		**Direct object pronouns**	
me	to/for me	me	me
te	to/for you	te	you
le	to/for him, her, you, it	lo, la	him, her, you, it
nos	to/for us	nos	us
os	to/for you (pl.)	os	you (pl.)
les	to/for them, you	los, las	them, you

¿Qué observas?

1. How do the two lists of object pronouns, indirect and direct, differ?

2. In the example sentences, where is the indirect object pronoun placed with respect to the verb?

3. How does the position of the pronoun change when the sentence is written in the negative?

Pepe **me** escribió la carta.

*Pepe wrote **me** the **letter.** / Pepe wrote the letter **to me.***

Te pedí el número de teléfono de Silvia.

*I asked **you** for the phone number of Silvia.*

La profesora **nos** explicó la tarea.

*The professor explained the homework **to us.***

Le dije **a Susana** que no tuve tiempo para estudiar anoche.

*I told **her** (Susana) that I didn't have time to study last night.*

Carmen y Olga no **les** dijeron la verdad a sus padres.

*Carmen and Olga didn't tell **them** (their parents) the truth.*

Certain verbs are commonly used with an indirect object. Keep these in mind to be sure you are using indirect object pronouns with them when necessary.

Verbs commonly used with indirect objects			
comprar	to buy	explicar	to explain
dar	to give	mandar	to send
decir	to tell	pedir	to ask for (something)
enseñar	to teach	preguntar	to ask (a question)
entregar	to deliver	quitar	take away from
escribir	to write	robar	to rob

Depending on the context, the pronouns **le** and **les** can be ambiguous.

No **le** hablo.

*I don't speak **to him/her/you**.*

Les explico el problema.

*I explain the problem **to them/you**.*

In these examples it is unclear to whom the **le** or **les** refers.

le = a él/ella/usted

les = a ellos/ellas/ustedes

In cases like these, you must clarify who **le** or **les** refers to. Do so by adding a followed by the person receiving the action.

No **le** hablo **a Roberto**.

Le refers to **Roberto**.

*I don't speak to **Roberto**.*

Les explico el problema **a los estudiantes**.

Les refers to **los estudiantes**.

*I explain the problem to **the students**.*

It is quite common for native speakers to use both the indirect object pronoun **le** or **les** and a clarifier, like **a Roberto**. If the context makes it clear, the clarifier can be omitted, but you must always use the direct object pronoun.

Le pido un favor **a Mario**.

Le pido un favor.

When there are two verbs in a sentence, there are two positions the indirect object pronoun can be placed; either before the conjugated verb or attached to the end of the infinitive. Look at these examples.

Le voy a comprar un suéter a José.

Voy a comprar**le** un suéter **a José**.

Te tengo que decir la verdad.

Tengo que decir**te** la verdad.

Os preferimos llamar por teléfono.

Preferimos llamar**os** por teléfono.

¡ATENCIÓN!

Do the indirect object pronouns look familiar to you? They should! These are the pronouns you use with the verb **gustar: A José le gusta viajar** can be translated literally as *Travel is pleasing to José.*

Exploraciones

(1) **La artesanía paraguaya** Las artesanías de Paraguay son excepcionales. Sigue los pasos para aprender más sobre los distintos productos.

✉ **Mensaje nuevo**

Estimado profesor Méndez:

Tengo que decirle que ayer fui a un mercado con un compañero de la universidad y es exactamente como usted nos lo enseñó en clase. Sí, la artesanía de Paraguay es única y diversa. Muestra cómo las nuevas generaciones continúan con las tradiciones de sus antepasados°. Tuve la oportunidad de comprarles regalos a mi familia y amigos de Cincinnati. Usted sabe que Paraguay es famoso por sus tejidos, especialmente el ñandutí, un encaje° delicado. Aprendí que la palabra guaraní *ñandutí* significa telaraña°. Así que le compré una blusa adornada con ñandutí a mi mamá y un mantel para regalarle a mi abuelita. A mi papá le compré una cartera de cuero fino y le voy a meter unos guaraníes en vez de dólares. Como era difícil comprarle algo a mi hermana, decidí llevarle una manta° para su cama y un bolso para llevar sus libros a la escuela. A mi hermanito, que estoy segura de que al llegar al aeropuerto me va a preguntar qué le traje a él, voy a decirle: "Es algo muy especial para ti. Te muestro el regalo en casa con la familia".

También, profesor, le compré un regalo a usted, para su oficina, pero tiene que esperar. Mi compañero paraguayo me dijo que debo mirar otras artesanías, como sillas, bancos, puertas, figuras, máscaras, e instrumentos musicales como arpas, guitarras y violines. Son excepcionales. Y ni hablar de los productos de lana. ¡Qué hermosos son! Después de las compras, mi amigo y yo nos tomamos un tereré antes de irnos a casa. A fin de mes vuelvo a Estados Unidos y espero hablar con usted sobre mis experiencias en Paraguay.

Saludos cordiales,

Jennifer Martin

P.D. Aquí le paso una foto del ñandutí. Es precioso, ¿verdad?

antepasados *ancestors* **encaje** *lace* **telaraña** *spider web* **manta** *blanket*

Paso 1 Lee el mensaje que una estudiante le escribió a su profesor de español sobre unas artesanías paraguayas. Selecciona los pronombres de objeto indirecto del mensaje.

Paso 2 Vuelve a leer el mensaje. Para cada pronombre de objeto indirecto, marca la aclaración, si está incluida en el texto.

Paso 3 Comparte con un(a) compañero/a tu opinión sobre las artesanías que se pueden comprar en este mercado. ¿Hay algo que te interesa ver o comprar? ¿Tienes artículos o decoraciones de otro país o región en tu casa?

2 **Una conversación** José y Marta, dos estudiantes paraguayos, van a hacer un viaje a Uruguay para pasar sus vacaciones con los tíos de Marta. Usa los pronombres de objeto indirecto para completar la conversación.

Marta: Vamos a terminar los planes para nuestro viaje.

José: Está bien. ¿_____ puedes enseñar los folletos sobre Punta Rubia?

Marta: Aquí los tienes. _____ quiero decir que el balneario Punta Rubia es superbonito y un excelente sitio para surfear.

José: Sí. Y dice aquí en el folleto que la pesca es una actividad muy popular en Punta Rubia. ¿_____ mandas un correo electrónico a los hoteles para hacer las reservas?

Marta: Pues, ¿no _____ dije que podemos quedarnos en la casa de mis tíos? Viven en La Pedrera, muy cerca de la playa.

José: ¡Magnífico! Así, no tengo que vender_____ mi colección de videojuegos a Marcos para pagar el vuelo y mis padres no necesitan dar_____ dinero.

Marta: Y a tío Carlos le encanta la pesca. Ustedes pueden ir a pescar y yo puedo pasar un rato sola con tía Carolina.

José: ¡Bien! Quiero explicar_____ los detalles del viaje a mi mamá. ¿Cuándo piensas hacer_____ las reservas del vuelo?

Marta: Mañana por la tarde. _____ voy a pedir ayuda con los planes de las excursiones. Y estoy segura de que mis tíos _____ ofrecen ayuda a ti y a mí también.

José: Está bien. Voy a leer estos folletos y después _____ digo cuáles creo que son los lugares más interesantes.

Marta: Muy bien. Entonces, nos vemos más tarde.

José: Hasta luego.

Marta: Chau, chau.

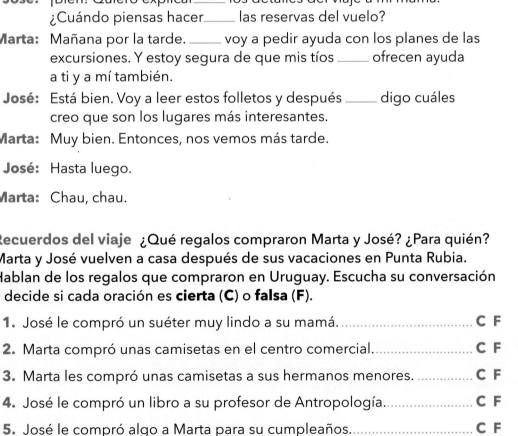

Punta Rubia, Uruguay, es una excelente playa para la recreación. Allí se puede nadar, tomar el sol, pasear y pescar.

3 **Recuerdos del viaje** ¿Qué regalos compraron Marta y José? ¿Para quién? Marta y José vuelven a casa después de sus vacaciones en Punta Rubia. Hablan de los regalos que compraron en Uruguay. Escucha su conversación y decide si cada oración es **cierta (C)** o **falsa (F)**.

1. José le compró un suéter muy lindo a su mamá. .... **C F**

2. Marta compró unas camisetas en el centro comercial. .... **C F**

3. Marta les compró unas camisetas a sus hermanos menores. .... **C F**

4. José le compró un libro a su profesor de Antropología. .... **C F**

5. José le compró algo a Marta para su cumpleaños. .... **C F**

4 **¿A quién le prestas...?** Durante una excursión universitaria, los otros estudiantes te piden algunas cosas. Explícale a un(a) compañero/a a quién normalmente le prestas estas cosas. ¿Tienen las mismas reglas para préstamos entre amigos y desconocidos (*strangers*)?

> **Modelo** *A veces le presto mi teléfono móvil a mi mejor amigo, Ryan, pero ¡no le presto mi cepillo de dientes a nadie!*

1. tu teléfono móvil
2. tu cepillo de dientes
3. tu coche
4. tu tarjeta de crédito
5. tus apuntes de la clase
6. tu ropa
7. una botella de agua
8. cinco dólares
9. un bolígrafo
10. el protector solar/bloqueador

5 **Situaciones** Haz el papel de A o B con un(a) compañero/a para participar en la conversación.

A You cannot find your cell phone. You've looked everywhere to no avail! Your friend is talking you through what you did yesterday to jog your memory as to where you may have lost it. Answer his/her questions as you narrate where you went and what you did at various times during the day.

B Your friend has looked everywhere, but cannot find his/her cell phone. You decide to help. Walk your friend through his/her day yesterday, asking about what he/she did and where he/she went at different times, hopeful that he/she will remember where he/she left the phone. Ask clarifying questions whenever possible.

6 **Situaciones** Haz el papel de A o B con un(a) compañero/a para participar en la conversación.

A You feel like you can't last another day in your current living situation for whatever reason (e.g., annoying roommate, intrusive family, lack of privacy, cost, location, etc.), so you decide to meet with a friend to explain why you want to make a change. List the things that triggered this desire to change your living situation. Make a good case, since it's not easy to make the change.

B Your friend expresses a desire to change his/her living situation, by changing roommates, moving out of his/her parents' house, getting a cheaper apartment, etc. Listen closely to the reasons why the person wants to move, asking clarifying questions and making comments when possible. Find out what happened to cause your friend to want to make this change.

☐ **I CAN** identify to or for whom something is done.

Resources

Vhlcentral

WebSAM

Podcast

Learning Objective: Reflect on your progress using language related to relationships and celebrations.

Audio: Reading

Episodio #17: Sofía Cásares Acuña

Antes de escuchar

(1) Una bebida nacional En muchos países, hay una bebida especial o nacional. Piensa en tu ciudad, estado, región y país, y escribe una bebida típica para cada lugar.

1. Ciudad: _____

3. Región: _____

2. Estado: _____

4. País: _____

Mientras escuchas

(2) El tereré paraguayo En Paraguay tienen una bebida nacional de gran importancia social. Escucha la descripción de Sofía.

Paso 1 Apunta los materiales de la foto necesarios para tomar el tereré, según la descripción de Sofía.

Paso 2 Escucha el podcast de nuevo y completa las oraciones.

1. Las palabras que mejor describen el tereré son…
   a. la bebida nacional de Paraguay.
   b. la identidad paraguaya.
   c. parte integral de la sociedad paraguaya.
   d. todas las respuestas.

2. El tereré se toma en…
   a. la casa.
   b. la oficina y el parque.
   c. la universidad.
   d. todas partes.

3. El rito tradicional de tomar el tereré es…
   a. solo por la noche en el parque.
   b. un rito de los mayores.
   c. un evento social.
   d. muy popular solo entre los jóvenes.

4. A Sofía le gusta el tereré porque…
   a. tiene un efecto medicinal.
   b. le quita el hambre.
   c. tiene muy buen sabor.
   d. es refrescante.

Después de escuchar

(3) Una tradición Muchos eventos especiales (fiestas, deportes, celebraciones, ceremonias religiosas, etc.) incluyen una comida o una bebida especial. Vas a describir los ritos relacionados con esta tradición.

Paso 1 Elige un evento especial que conoces y escribe un párrafo describiendo el evento y una comida o bebida especial relacionada. Explica por qué se consume durante ese evento y qué costumbres forman parte del rito.

Paso 2 Comparte tu descripción con un(a) compañero/a de clase.

Resources

Vhlcentral

Online activities

☐ **I CAN** describe the details of a celebration.

Estrategia de lectura: Paraphrasing

Paraphrasing is restating the meaning of a text in your own words. It can help you check your comprehension. After reading a section or paragraph, restate the information in the text in your own words in Spanish. Write your restatement in the margin next to each paragraph. Use the Spanish you know how to say so that you are not struggling to look up words for your paraphrasing.

Antes de leer

(1) **La lengua de confianza** Vas a aprender sobre el guaraní y su papel en la vida diaria de los paraguayos. Piensa en cómo hablas con tu familia y tus amigos y cómo hablas con los desconocidos. ¿Usas el mismo tono, las mismas palabras, la misma lengua? Comparte tus respuestas con un(a) compañero/a.

El guaraní: La lengua de confianza de los paraguayos

"Maitei che Rembiayhu. Péina agueru peẽme pe tereré". Con un poco de tereré, una palmadita de aliento° y frases como esta, una madre paraguaya saluda cariñosamente a su hijo por la mañana. "Hola, cariño. Aquí te traje el tereré". Y es que el caso de Paraguay es poco común; este es el único país de América Latina donde la mayoría de la población habla una lengua originaria°: el guaraní. Este idioma es hablado por todas las clases y los grupos de la sociedad paraguaya y es la lengua de confianza° y cercanía entre familiares y amigos. Como regla general, en otros países solo los grupos indígenas hablan su propio idioma y el resto de la población habla español, pero, en Paraguay, el 95% de la población entiende guaraní, aunque los indígenas constituyan solo el 2% de la población.

El guaraní, sin embargo, no siempre ha tenido el estatus que tiene hoy en día, pues durante muchos años, su enseñanza estuvo prohibida. A pesar de esto, la lengua superó° esta discriminación y finalmente, en 1992, fue declarada lengua oficial del país, junto con el español.

El 25 de agosto se celebra el Día del Idioma Guaraní para reconocer su importancia en la cultura paraguaya.

El guaraní es la única lengua indígena oficial en toda Latinoamérica y es algo de lo que los paraguayos están muy orgullosos, y que utilizan para mantener la identidad que los une.

palmadita de aliento *encouraging pat on the back* **lengua originaria** *indigenous language* **de confianza** *familiarity* **superó** *overcame*

Después de leer

2 **Comprensión** Elige la respuesta correcta según la lectura.

1. ¿Cuándo llegó a ser el guaraní una lengua oficial de Paraguay?
   a. 1856　　　　　　b. 1967　　　　　　c. 1992

2. ¿Cuál es el porcentaje de personas indígenas en Paraguay?
   a. 2%　　　　　　b. 5%　　　　　　c. 90%

3. ¿Cuándo se celebra el Día del Idioma Guaraní?
   a. 25 de agosto　　　b. 15 de febrero　　　c. 1 de julio

4. ¿Cuál es la otra lengua oficial de Paraguay?
   a. el k'iche'　　　　b. el español　　　　c. chulupí

3 **A conversar** En parejas, contesten las preguntas.

1. ¿Vives en una comunidad multilingüe? ¿En qué situaciones usan las personas en tu comunidad sus distintas lenguas?

2. En tu opinión, ¿cuáles son las ventajas de hablar más de una lengua?

4 **A escribir** Lee la estrategia y sigue los pasos para escribir un resumen de la lectura.

> **Estrategia de escritura: Organizing Information**
>
> Depending on the type of text you are writing, there might be an expected way to organize information. For example, narration is often organized chronologically. On the other hand, when comparing two things, you can describe one thing and then the other, or you may organize the information by feature and explain how it applies to each situation.

Paso 1 Prepara una lista de al menos seis de los puntos más importantes de la lectura, en tu opinión.

Modelo
- *lengua de confianza*
- *se hizo lengua oficial*
- _____
- _____
- _____
- _____

Paso 2 Escribe un párrafo que resuma el artículo basándote en tus notas. Intenta organizar la información de una forma lógica.

Paso 3 En parejas, túrnense para leer sus textos. Después, hazle tres preguntas a tu compañero/a sobre su texto y dale sugerencias para mejorarlo. ¿Estás de acuerdo con los puntos más importantes que escogió? ¿Tienes sugerencias para organizar su resumen de manera más lógica?

Resources

Vhlcentral

Online activities

☐ **I CAN** compare perspectives and practices relating to multilingualism in Paraguay and my own community.

Video: *El tereré, bebida ancestral guaraní*

El tereré es una bebida y una costumbre importante para la identidad paraguaya. Vas a ver un video sobre la preparación del tereré.

Estrategia intercultural: Withholding Judgment

Becoming more interculturally competent calls us to be open to vulnerability, by sharing uncomfortable moments. At the same time, it calls us to listen intently as we interact with others and make an effort not to prejudge. Withholding judgment takes effort, because our first tendency is to place people in categories and apply stereotypes. Make an effort to get to know others by withholding judgments and stereotypes. You will likely be surprised at the results!

Antes de ver

(1) **Las bebidas** Conversa con un(a) compañero/a para compartir tus perspectivas sobre estas bebidas y las prácticas relacionadas.

- las bebidas más saludables
- tu bebida sin alcohol preferida
- las bebidas más populares en tu comunidad
- una norma o práctica que asocias con una bebida en tu cultura

Mientras ves

(2) **Los pasos** El video explica los pasos para preparar el tereré.

Paso 1 Mira el video y escribe el orden de los pasos para preparar el tereré (1–4).

A. ___ Se llevan las hierbas a la jarra.

B. ___ Se agregan hielo y agua.

C. ___ Se llevan las hierbas al mortero.

D. ___ Se machacan las hierbas medicinales.

Paso 2 Mira el video de nuevo y escribe la letra de la descripción que corresponde a cada imagen.

Después de ver

3 **El ritual del tereré** Con un(a) compañero/a, termina las oraciones según el video.

1. Para los paraguayos, el tereré es parte de su _____.

2. El tereré es una herramienta (*tool*) _____.

3. Lo que es único del tereré paraguayo es el uso de _____.

4. El tereré es un símbolo de _____.

4 **Reflexión** Contesta las preguntas con un(a) compañero/a.

1. ¿Cómo cambiaron las prácticas del tereré en los últimos años?

2. ¿Por qué es muy importante el tereré en la vida de los paraguayos? ¿Hay un producto o práctica de igual importancia en tu vida? Explica tu respuesta.

3. ¿Por qué crees que la UNESCO nombró el tereré Patrimonio Inmaterial de la Humanidad?

Resources

Ⓢ
Vhlcentral

Online activities

☐ **I CAN** analyze a traditional cultural practice.

Experiencias — Blog

Learning Objective: Investigate an orchestra made from recycled instruments in Paraguay.

Sinfónica de basura

www.el_blog_de_lucas.com/SinfónicaDeBasura

Sobre mí | Viajes | Mapas | Galería | Contacto

Sinfónica de basura: La Orquesta de Instrumentos Reciclados

El otro día vi un nuevo documental que me puso la piel de gallina°. Está basado en la historia del vertedero° de Cateura, en Paraguay, y de un profesor de música, Favio Chávez. Chávez inició una orquesta de instrumentos reciclados en 2006, cuando vio que los padres gancheros, o recolectores de basura, habían creado instrumentos de la misma basura, para que sus hijos pudieran empezar a estudiar música. Ahora Chávez tiene una orquesta en la que los niños aprenden a tocar piezas de Bach, Mozart, Beethoven y también canciones de *pop*, *rock*, cumbia colombiana y *bossa-nova* brasileña. Más de 1000 estudiantes han participado en la Orquesta desde su creación. Chávez cree que la música puede ayudarlos a salir de la pobreza y tener un mejor futuro. La orquesta de Chávez ha tocado en Panamá, Brasil, Colombia, y en ciudades de Estados Unidos y Europa.

Instrumentos hechos de materiales reciclados

piel de gallina *goosebumps* **vertedero** *landfill*

---

1 **Reciclaje creativo** Vas a investigar la Orquesta de Instrumentos Reciclados de Cateura.

Paso 1 Lee el blog de Lucas y toma apuntes sobre su descripción de la orquesta de instrumentos reciclados de Cateura, Paraguay. ¿Qué opinas de esta iniciativa? ¿Te interesa escucharlos algún día? ¿Qué importancia crees que tienen estos instrumentos en la vida de los jóvenes? Comenta tus respuestas con un(a) compañero/a.

Paso 2 Busca en internet más información sobre los instrumentos reciclados de la basura en Cateura. Escribe los nombres de tres o cuatro instrumentos creados con la basura que recogieron y reciclaron.

Paso 3 Reflexiona sobre tu propia relación con la basura. Contesta las preguntas y escribe una descripción de cómo puedes hacer mejor uso de los artículos que tú y otros echan a la basura.

- ¿Cuánta basura produces en una semana?

- ¿Hay iniciativas en tu comunidad para "dar una segunda vida" a los artículos usados? ¿Qué tipo de programas son? ¿Quiénes participan?

☐ **I CAN** investigate innovative recycling in Paraguay.

Proyectos

Learning Objectives: Tell a story about meeting a special person. Present information about Uruguay and Paraguay.

(1) ¿Cómo es tu vida social? Vas a contar una historia de cómo conociste a una persona especial en tu vida. Puede ser un(a) amigo/a, un(a) novio/a, pareja o alguien que admires (*someone you admire*). Lee la estrategia y sigue los pasos.

Estrategia para presentaciones: Adding Supporting Details

To make your presentations more engaging, add details to your descriptions. The amount and type of details should be relevant and support the overall goal of your presentation. For a task like describing someone special, add descriptive details such as personal qualities that make this person special, as well as important moments such as when you both met, an anecdote about an activity you enjoy together, or memorable event you shared.

Paso 1 Repasa el vocabulario y las estructuras del capítulo. Luego, vuelve a mirar el video **Encuentros:** *Cómo nos hicimos amigos* para ver el ejemplo de cuando Lucas cuenta cómo conoció a su amiga Elena. Toma notas de palabras y expresiones para incluir en tu presentación.

¡ATENCIÓN!

Ask your instructor to share the **Rúbrica** to understand how your work will be assessed.

Paso 2 Piensa en la persona que quieres describir y por qué es especial para ti. Usa las preguntas como guía para crear tu historia.

- ¿Cómo es tu persona especial?
- ¿Cómo es su personalidad?
- ¿Por qué lo/la consideras especial en tu vida?
- ¿Cómo lo/la conociste?
- ¿Adónde fueron?
- ¿Qué actividades hicieron juntos/as?

Paso 3 Practica tu historia con un(a) compañero/a. Toma notas de lo que dice tu compañero/a y dale sugerencias para mejorar su trabajo. Fíjate especialmente en el uso de detalles para crear una descripción interesante.

Paso 4 Presenta tu historia sobre una persona especial. Incluye imágenes y prepárate para compartir tu proyecto con el resto de la clase.

(2) Álbum de Uruguay y Paraguay Usando la información del capítulo e internet, crea una presentación con los siguientes puntos sobre Uruguay y Paraguay. Luego, compara la información con un(a) compañero/a y compartan algo nuevo que aprendieron.

1. información básica
2. estadísticas interesantes
3. dos lugares interesantes
4. observaciones culturales
5. enlaces interesantes
6. información que te hizo cambiar de opinión o que te hizo reflexionar

☐ **I CAN** tell a story about an important person in my life.

☐ **I CAN** share personally meaningful information about Paraguay and Uruguay.

Repaso

Repaso de objetivos

Reflect on your progress toward the chapter main goals.

I am able to...

	Well	Somewhat
• Identify details about a friendship described in a video.	☐	☐
• Exchange information about personal relationships, stages of life, and celebrations.	☐	☐
• Compare products, practices, and perspectives from Uruguay and Paraguay with my own community.	☐	☐
• Tell a story about meeting a special person.	☐	☐

Vocabulary Tools

Repaso de vocabulario

Las etapas de la vida   *Stages of life*
la adolescencia   *adolescence*
la infancia   *infancy*
la juventud   *youth*
la madurez   *maturity*
la niñez   *childhood*
la vejez   *old age*

Las relaciones sentimentales/personales
   Sentimental/Personal relationships
el amor   *love*
el/la amigo/a íntimo/a   *intimate, very good friend*
la amistad   *friendship*
la boda   *wedding*
la cita   *date*
el divorcio   *divorce*
la luna de miel   *honeymoon*
el matrimonio (feliz)   *(happy) marriage*
el noviazgo   *engagement, courtship*
el/la novio/a   *boyfriend/girlfriend*
los novios   *couple*
la pareja   *couple*
los recién casados   *newlyweds*
la separación   *separation*

El estado civil   *Marital status*
casado/a   *married*
comprometido/a   *engaged*
divorciado/a   *divorced*
separado/a   *separated*
soltero/a   *single*
viudo/a   *widowed*

Verbos
casarse con   *to marry (someone)*
comprometerse con   *to become engaged to*
conocerse   *to meet each other/to get to know each other*
divorciarse de   *to divorce (someone)*
enamorarse de   *to fall in love with*
llevarse bien/mal con   *to get along well/poorly with (someone)*
pasarlo bien   *to have a good time*
proponer matrimonio   *to propose to (someone)*
romper (con)   *to break up (with)*
salir con   *to go out with*
separarse de   *to separate from*
tener una cita   *to have a date*

Las fiestas   *Parties*
el anfitrión/la anfitriona   *host/hostess*
los globos   *balloons*
los invitados   *guests*
el pastel de cumpleaños   *birthday cake*
los regalos   *gifts*
las velas   *candles*

Las cualidades de una persona   *Personal qualities*
confiable   *reliable*
considerado/a   *considerate*
cumplido/a   *responsible*
divertido/a   *fun*
honesto/a   *honest*
leal   *loyal*
puntual   *punctual*
respetuoso/a   *respectful*
seguro/a de sí mismo/a   *self-confident*
sensible   *sensitive*
tener (un buen) sentido del humor   *to have a (good) sense of humor*

Repaso de gramática

1 Verbs with altered stems in the preterit

Preterit endings			
Subject pronouns	**-ar**	**-er/-ir**	**for altered stems**
yo	-é	-í	-e
tú	-aste	-iste	-iste
él, ella, usted	-ó	-ió	-o
nosotros/as	-amos	-imos	-imos
vosotros/as	-asteis	-isteis	-isteis
ellos, ellas, ustedes	-aron	-ieron	-ieron / -eron

Verbs with altered preterit stems		
I group:	hacer	hic-
	venir	vin-
U group:	poder	pud-
	poner	pus-
	saber	sup-
	tener	tuv-
J group:	decir	dij-
	traducir	traduj-

Irregular preterit verb forms			
Subject pronouns	**ser/ir**	**dar**	**ver**
yo	fui	di	vi
tú	fuiste	diste	viste
él, ella, usted	fue	dio	vio
nosotros/as	fuimos	dimos	vimos
vosotros/as	fuisteis	disteis	visteis
ellos, ellas, ustedes	fueron	dieron	vieron

2 Verbs with spelling changes in the preterit

Preterit stem changes		**él/ella/Ud.**	**ellos/ellas/Uds.**
e:i (first stem vowel)	mentir	mintió	mintieron
o:u	dormir	durmió	durmieron
e:i (second stem vowel)	conseguir	consiguió	consiguieron

3 Indirect object pronouns

Indirect object pronouns			
me	*to/for me*	nos	*to/for us*
te	*to/for you*	os	*to/for you (pl.)*
le	*to/for him, her, you, it*	les	*to/for them, you*

Capítulo 11 | ¿Cuáles son tus experiencias inolvidables?

OBJETIVOS DE APRENDIZAJE

By the end of this chapter, I will be able to...

- Identify main ideas in a story narrating a memorable event.
- Exchange information about childhood experiences, celebrations, and memorable events.
- Compare products, practices, and perspectives from Venezuela and Colombia with my own community.
- Narrate a story about a memorable event.

ENCUENTROS

El canal de Lucas: Mi celebración preferida

Este es mi país: Venezuela, Colombia

EXPLORACIONES

Vocabulario

La niñez

Los días feriados y las celebraciones

Gramática

The imperfect

Diminutives

EXPERIENCIAS

Cultura y sociedad: La fuerza de los ritmos colombianos

Intercambiemos perspectivas: *Personas dicen lo que más extrañan de ser niños*

Blog: El Parque Nacional Natural Amacayacu

Proyectos: ¿Cuáles son tus experiencias inolvidables?, Álbum de Venezuela y Colombia

Mi celebración preferida

Lee y reflexiona sobre la estrategia de aprendizaje de este capítulo. Luego mira el video de Lucas en el que Lucas, Elena y Alberto describen sus celebraciones preferidas.

Estrategia de aprendizaje: Writing It Down

How can writing improve your overall proficiency? Writing helps with speaking and can boost your confidence. As you compose sentences into paragraphs, you will become more comfortable with creating sentences for writing and speaking. To practice writing in Spanish outside of class, try keeping a journal and writing down four to five sentences about your day or writing your thoughts about class themes each day.

Antes de ver

1 **Las celebraciones** Piensa en tu celebración preferida y contesta las preguntas con un(a) compañero/a.

1. ¿Qué haces para celebrar tu cumpleaños?

2. ¿Cuál es una celebración especial en tu comunidad? ¿Qué se hace para celebrar?

Mientras ves

2 **Las celebraciones de Lucas, Alberto y Elena** Mira el video e indica qué detalles corresponden con cada celebración.

1. _____ la Nochevieja

2. _____ el Año Nuevo

3. _____ el Día de Reyes

a. La abuela Clara siempre preparaba lechón.

b. El abuelo Manolo les regalaba cada año un nuevo juego de mesa.

c. Celebraba con la familia, comía una rica cena y veía los fuegos artificiales.

Después de ver

3 **Los detalles** Con un(a) compañero/a, contesta las preguntas.

1. ¿Por qué tiraba la abuela Clara un cubo de agua por la ventana?

2. ¿Qué le pasó al papá de Alberto un año durante la celebración del Año Nuevo?

3. ¿Qué planes tienen Lucas y Alberto este año para celebrar el Año Nuevo?

Resources

Vhlcentral

Online activities

☐ **I CAN** identify how people celebrate holidays and traditions.

Encuentros   Este es mi país

Learning Objective:
Identify cultural products, practices, and perspectives from Venezuela.

 Map

VENEZUELA

¡Epa! ¿Cómo te va hoy? Soy Alicia Ferrara de Peraza y soy de Barquisimeto, Venezuela. Mi país es el sexto país más grande de Sudamérica. Tiene fronteras con Guyana, Brasil y Colombia. Venezuela es conocida por su biodiversidad y su belleza natural. Por ejemplo, tiene playas, islas, bosques, montañas, nieve, selvas, llanos y desierto. También tiene uno de los ríos más largos del continente, el Orinoco, y la cascada más alta del mundo, el Salto Ángel. ¿Te gusta ir a la playa? La isla Margarita tiene decenas de playas preciosas para disfrutar el mar Caribe. O, si prefieres ir al monte, puedes tomar el teleférico más alto del mundo para llegar a Pico° Espejo y apreciar unas vistas espectaculares de Pico Bolívar, el pico más alto del país. ¡Qué chévere!

La arepa venezolana se prepara con harina de maíz y se puede llenar con ingredientes como la carne, el queso o los frijoles.

Mar Caribe

Maracaibo

Valencia

Isla Margarita

Barquisimeto

Caracas

VENEZUELA

COLOMBIA

GUYANA

BRASIL

Con casi tres millones de habitantes, **Caracas** es la capital del país. Es el centro cultural, económico y político más importante de Venezuela.

El Salto Ángel es la cascada más alta del mundo, con una altura de 979 metros.

El Parque El Cardenalito, con su jardín botánico, es perfecto para dar un paseo, hacer ejercicio al aire libre y relajarse.

Venezuela en breve

Capital: Caracas

Tipo de gobierno: república federal presidencial

Tamaño: 912.050 km², un poco más que dos veces el tamaño de California

Población: 30.518.260 habitantes

Lenguas: español, dialectos amerindios

Moneda: bolívar

Nivel de alfabetización: 97,5%

Promedio de vida: 74 años

Expresiones y palabras típicas:

chamo/a	niño/a, amigo/a
¡Epa!	¡Hola!
¡Si va!	¡Claro! ¡De acuerdo!

Fuente: The World Factbook, Central Intelligence Agency

(1) Comprensión Indica si cada oración es **cierta (C)** o **falsa (F)**.

1. Venezuela tiene fronteras con Colombia, Brasil y Panamá. .... **C F**

2. La arepa se prepara con harina, huevos y papas. .... **C F**

3. El Salto Ángel es la cascada más alta del mundo. .... **C F**

4. La geografía de Venezuela incluye montañas, selva, playas, bosques y desiertos. .... **C F**

(2) ¿Y tú? En parejas, conversen sobre estas preguntas.

1. ¿Qué accidentes geográficos importantes hay cerca de tu casa?

2. ¿Cómo se compara la naturaleza en tu comunidad con la de Venezuela?

(3) Para investigar Elige un tema de **Este es mi país** que te interese o llame la atención. Investígalo en internet para aprender más y comparte la información con un grupo pequeño.

Pico *Peak*

☐ **I CAN** identify key cultural products and practices from Venezuela.

La niñez

Estrategia de vocabulario: Mnemonic Associations

Earlier you learned about using mnemonic devices to learn vocabulary. There are many types of association techniques that can be used to help you recall concepts you want to communicate. Any association that triggers your memory works, such as visualizing two round eyes to remember **ojo**. You might link the situation in which you first encountered the word (e.g., a. song or poem) to the word's meaning. Or you may remember words based on the way that they sound.

En el patio de recreo

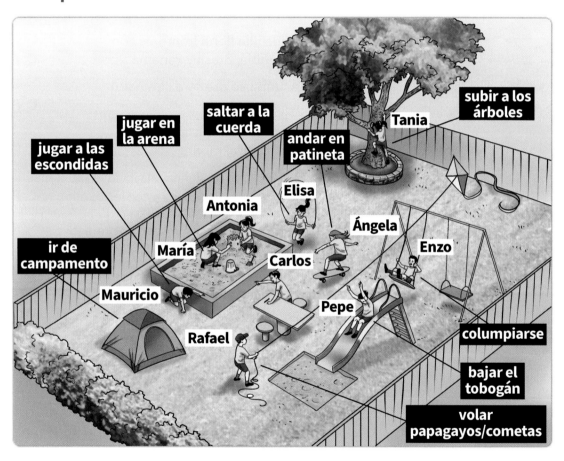

En el salón de clases

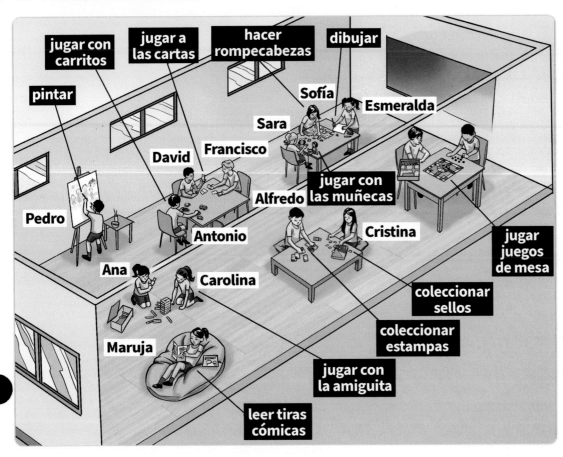

jugar con carritos

jugar a las cartas

hacer rompecabezas

dibujar

pintar

Sofía

Esmeralda

Sara

Francisco

David

jugar con las muñecas

Pedro

Alfredo

Antonio

Cristina

jugar juegos de mesa

Ana

Carolina

coleccionar sellos

coleccionar estampas

Maruja

jugar con la amiguita

leer tiras cómicas

1 **Las actividades de la niñez** Mira los dibujos mientras escuchas una descripción de las actividades. Decide si lo que escuchas es **cierto** (**C**) o **falso** (**F**) según lo que ves en los dibujos.

1. ___   3. ___   5. ___   7. ___

2. ___   4. ___   6. ___   8. ___

2 **Las asociaciones** ¿Qué palabras asocias con cada actividad? Con un(a) compañero/a, elijan al menos tres de las actividades y creen una gráfica o red de ideas para mostrar cómo están relacionadas. Después, compartan sus gráficas con las de otro grupo. ¿Tienen todos/as las mismas asociaciones?

los juegos tradicionales/ creativos/de mi niñez...

Exploraciones

(3) Las categorías Clasifica las actividades para los/las niños/as en la escuela preescolar.

Paso 1 Organiza las actividades en categorías, según la tabla. Anota todas las actividades que puedas en cada lista.

Actividades adentro	Actividades afuera
Actividades de arte	**Actividades para divertirse**

Paso 2 Habla con un(a) compañero/a sobre una actividad preferida de la niñez que todavía te gusta hacer. ¿Cuál es la actividad? ¿Por qué te gusta hoy día? ¿Cuándo la practicas? ¿Con quién?

(4) Las adivinanzas Con un(a) compañero/a, túrnense para describir las actividades y objetos de la lista. La otra persona debe adivinar qué es según la descripción. Sigan el modelo.

Modelo **Estudiante A:** *En esta actividad estás sentado/a pero subes y bajas, subes y bajas. ¿Qué es?*
Estudiante B: *¡Columpiarse!*

el patio de recreo	las tiras cómicas	la patineta	coleccionar sellos
las muñecas	el papagayo	jugar a las escondidas	los carritos

(5) El mundo de... Piensa en un(a) niño/a que conozcas y describe sus intereses y actividades. Puede ser un familiar, alguien de tu comunidad o una persona inventada. Escribe un párrafo de al menos cinco oraciones en el que describas sus actividades en un día típico. Prepárate para compartir tu descripción con la clase.

☐ **I CAN** exchange information about childhood activities.

Describing past events: The imperfect

In **Capítulo 9** you were introduced to one of the past tenses—the *preterit*—which is used to focus on the beginning or ending of an action in the past, or on the entire action itself. The *imperfect* is also a past tense but, unlike the preterit, you can use it to:

▶ describe past events without reference to a beginning or an ending point or whose beginning or ending points are not known or not important regarding the details of a narrative.

▶ describe background information to complement the events of a story.

▶ describe actions that were continuing or were repeated without reference to their beginning or ending and with no definite time or duration indicated (English *used to*).

▶ describe actions that were in progress and interrupted by another action (Roughly equivalent to English *was/were* _____ *-ing*).

▶ tell the time and a person's age in the past.

The present and the preterit have a different set of verb endings that distinguish each tense. The *imperfect* also has its own set of endings.

Just like you have done with the present and preterit, add imperfect endings to the stem of the verb.

Observe the set of imperfect verb endings in the chart.

Imperfect verb endings			
Subject pronouns	**-ar**	**-er**	**-ir**
yo	-aba	-ía	-ía
tú	-aba**s**	-ía**s**	-ía**s**
él, ella, usted	-aba	-ía	-ía
nosotros/as	-ába**mos**	-ía**mos**	-ía**mos**
vosotros/as	-aba**is**	-ía**is**	-ía**is**
ellos, ellas, ustedes	-aba**n**	-ía**n**	-ía**n**

¿Qué observas?

1. What overall observation can you make about the imperfect endings?

2. What patterns do you notice for the imperfect verb endings?

Exploraciones

Irregular imperfect verb forms: *Ser*, *ir*, *ver*

Ser, **ir**, and **ver** are the only three verbs with irregular forms in the imperfect. Study their forms in the chart.

The imperfect of *ser*, *ir*, and *ver*			
Subject pronouns	**ser**	**ir**	**ver**
yo	era	iba	veía
tú	era**s**	iba**s**	veía**s**
él, ella, usted	era	iba	veía
nosotros/as	éra**mos**	íba**mos**	veía**mos**
vosotros/as	era**is**	iba**is**	veía**is**
ellos, ellas, ustedes	era**n**	iba**n**	veía**n**

¿Qué observas?

1. According to what you see in the chart, what is the imperfect stem for **ser**?

2. What is the stem for **ir**? And for **ver**?

3. How do these endings compare to the endings presented previously for other imperfect verbs?

(1) Cuando éramos pequeños Escucha la conversación entre Rebeca y Mateo, y pon atención a las actividades que hacían cuando eran niños.

Paso 1 Escucha la conversación y elige la respuesta más adecuada.

1. ¿Qué le gustaba hacer a Mateo con su familia? Le encantaba...
   a. ir a la playa.
   b. ir de campamento a las montañas.
   c. nadar en la piscina del hotel.
   d. visitar otras ciudades.

2. ¿Qué le gustaba hacer a Rebeca al aire libre? (Hay varias respuestas correctas).
   a. montar a caballo
   b. ir de campamento
   c. cocinar
   d. nadar en el mar

3. ¿Cómo recuerda Mateo los lugares que visitaba de niño? Le traen recuerdos...
   a. aburridos. **b.** famosos. **c.** agradables. **d.** interesantes.

4. ¿Qué soñaba con hacer Rebeca cuando era pequeña? Soñaba con...
   a. escalar las montañas más altas del mundo.
   b. viajar por todo el mundo.
   c. conocer a personas muy famosas.

5. ¿Qué soñaba con hacer Mateo cuando era pequeño? Soñaba con...
   a. ser independiente.
   b. ser famoso.
   c. tener muchos amigos.
   d. sacar buenas notas.

Paso 2 Escucha la conversación una vez más prestando atención a lo que dice Rebeca. Escribe algunas de las actividades de Rebeca y su familia.

1. _____
2. _____
3. _____
4. _____
5. _____

(2) Los cuentos infantiles ¿Hay un cuento infantil que recuerdas de tu niñez?

Paso 1 Lee la primera parte de estos cinco cuentos infantiles tradicionales e indica el dibujo que corresponde a cada descripción.

_____ **1.** Había una vez una niña que se llamaba Caperucita Roja. Siempre visitaba a su abuelita en el bosque.

_____ **2.** Había una vez una niña muy curiosa. Se llamaba Ricitos de Oro por su pelo rubio y rizado.

_____ **3.** Había una vez una muchacha muy dulce que vivía con su madrasta y sus hermanastras. Ella siempre trabajaba mucho en casa, y tenía que limpiar y lavar la ropa de sus hermanastras. La llamaban Cenicienta.

_____ **4.** Había una vez tres cerditos que vivían tranquilos y felices.

_____ **5.** En el fondo del mar, vivía un rey con sus seis bellas hijas sirenas. La menor tenía una voz maravillosa y a todos los animales del mar les gustaba oírla cantar.

> **TIP**
>
> The imperfect is simple if you think about it. All you have to remember for the endings is **-aba** and **-ía**. Remembering just **-aba** and **-ía** will help you recall the verb endings quickly and will get you talking faster!

A.

B.

C.

D.

E.

Exploraciones

Paso 2 Identifica el/los personaje(s) de los cuentos infantiles que describe cada oración.

| Caperucita Roja | Cenicienta | Ricitos de Oro | La sirenita | Los tres cerditos |

1. Salía sola muchas veces para explorar las casas de otras personas cuando no estaban.

2. Cantaba unas canciones muy lindas frecuentemente mientras nadaba en el mar.

3. Le gustaba llevar comida a sus familiares.

4. Les gustaba jugar en el pasto y construían casas de distintos materiales.

5. No tenía tiempo de divertirse y jugar porque atendía a su familia constantemente.

(3) **En la escuela secundaria** Habla con varios/as compañeros/as de tu grupo para saber quién hacía estas actividades. Sigue el modelo.

Modelo **Estudiante A:** *Josefa, ¿estudiabas todas las noches en la escuela secundaria?*
Estudiante B: *Sí, estudiaba mucho en la escuela secundaria.*

En la escuela secundaria, ¿quién(es)...

- estudiaba(n) todas las noches?
- practicaba(n) un deporte?
- iba(n) de compras todos los fines de semana?
- hablaba(n) mucho por teléfono?
- bailaba(n) en las fiestas?
- tenía(n) un programa de televisión favorito?
- veía(n) muchas películas?
- trabajaba(n) todos los fines de semana?
- se peleaba(n) mucho con sus hermanos?
- quería(n) asistir a la universidad?
- andaba(n) en motocicleta?
- leía(n) mucho?
- participaba(n) en obras de teatro?
- era(n) miembro(s) de varios clubes?

¿Veías muchas películas en el cine?

(4) **Una encuesta** Vas a aprender sobre las experiencias de tus compañeros/as de clase.

Paso 1 Haz una lista de unas diez actividades que hacías en la secundaria. Toma notas de dónde, con quién y con qué frecuencia hacías cada una.

Paso 2 En un grupo de tres o cuatro, pregunta a los/las compañeros/as de tu grupo cómo pasaban el tiempo en la secundaria los fines de semana. Sigue el modelo.

> **Modelo** **Estudiante A:** *En la secundaria, ¿cómo pasabas el tiempo los fines de semana?*
> **Estudiante B:** *Veía películas en el cine con mis amigos dos veces al mes. Dormía hasta el mediodía los sábados. Jugaba a los videojuegos por horas. Iba al centro comercial con mi hermano para comer y comprar.*

Paso 3 Compara las respuestas de tus compañeros/as con tus experiencias y prepárate para compartir tus observaciones con la clase. Sigue el modelo.

> **Modelo** *Íñigo veía películas, dormía hasta tarde y jugaba a los videojuegos. En cambio, yo leía mucho en mi habitación, comía en restaurantes con mis padres e iba a la iglesia. Los dos íbamos al centro comercial con nuestros hermanos.*

(5) **Una versión alternativa** Con un(a) compañero/a, inventa una versión nueva de un cuento infantil.

Paso 1 En parejas, elijan un cuento infantil. Puede ser uno de los cuentos que vieron en la **Actividad 2** u otro que conozcan. Decidan cómo lo van a modificar respecto a la versión tradicional.

- Contarlo desde otro punto de vista (*point of view*)
- Introducir un personaje (*character*) nuevo
- Contar lo que pasó antes o después
- Inventar un cambio inesperado o un final sorpresa
- Otras ideas suyas…

Paso 2 Preparen su cuento alternativo para compartirlo con la clase. Incluyan todos los detalles posibles.

6 **Antes y hoy** Reflexiona sobre cómo tus actividades cambiaron o no desde la niñez.

Paso 1 Piensa en las actividades de tu niñez y las actividades actuales. Usa el diagrama de Venn para indicar los cambios y las similitudes.

Actividades de mi niñez   Antes y hoy   Actividades de hoy

Paso 2 Comparte las actividades de la parte central de tu diagrama de Venn con un(a) compañero/a. ¿Tuvieron experiencias similares?

Paso 3 Escribe un párrafo sobre la información de tu diagrama de Venn. Prepárate para leerlo a la clase.

7 **Situaciones** Haz el papel de A o B con un(a) compañero/a para participar en la conversación.

A Because you need the extra cash, you have decided to interview with a family for a babysitting job. Explain why you want this job and talk about the experiences you have had with children. Tell what games and activities you played as a child. Answer any questions the parents may have for you. Ask questions regarding the ages of the children, their likes and dislikes, and the schedule.

B You work at a local office not far from the university and are looking for a student to provide childcare for your children. A student has come for an interview. Ask him/her questions regarding childcare experience and what type of indoor and outdoor activities are best for children. Answer any questions the student may have about the children and the work hours.

☐ **I CAN** describe past events and situations.

Resources

ⓢ
Vhlcentral

▢
WebSAM

Audio: Reading

Episodio #18: Alicia Ferrara de Peraza

Estrategia de comprensión oral: Listen to the Whole Recording

When you begin a listening activity, first listen to the whole recording and identify cognates. Try to understand what you can without completing the tasks. Guess the main idea. Then, read the activities and their instructions. Listen a second time, and then complete the activities. Remember, it's alright to listen three or four times to complete all of the tasks. That's part of the learning process and it's good practice!

Antes de escuchar

1 **La familia de Alicia** Alicia va a hablar de cuando sus hijos eran pequeños. Marca las cosas que, en tu opinión, va a incluir Alicia en su descripción.

el trabajo	los estudios	la personalidad
la edad	el horario	los planes
las actividades	dónde viven	los nombres

Mientras escuchas

2 **Cuando mis hijos eran pequeños** Escucha y marca las actividades que hacían los hijos de Alicia durante su niñez.

Tocaban instrumentos musicales.	Iban a la playa.
Iban a los parques.	Miraban la televisión.
Andaban en bicicleta.	Jugaban en la arena.
Volaban papagayos.	Jugaban con las muñecas.
Leían tiras cómicas.	Pintaban.
Jugaban al fútbol.	Nadaban en el mar.

Después de escuchar

3 **Mis actividades familiares** Piensa en las actividades de la familia de Alicia. ¿Hacías tú algunas de esas actividades de pequeño/a? Escribe cinco actividades que hacías con tu familia cuando eras más joven. Luego, comparte tu descripción con un(a) compañero/a. Hazle preguntas para aprender más sobre cuándo, dónde y con quién hacía cada actividad.

Resources

VhIcentral

Online activities

☐ **I CAN** describe events in the past.

Learning Objective:
Identify cultural products, practices, and perspectives from Colombia.

 Map

COLOMBIA

¿Quiubo, parce? Soy Sandra Santiago Ruiz y soy de Barranquilla, Colombia. Te cuento que mi país es increíblemente hermoso y la gente, muy alegre. Nos gusta celebrar todo lo que nos llena de orgullo y alegría. Por eso, somos una de las naciones con más días feriados de toda Latinoamérica. Qué chévere, ¿no? La diversidad es la esencia colombiana. Con 60 parques nacionales, ¡somos uno de los países con mayor biodiversidad del mundo! Además, tenemos una sociedad multicultural y multirracial, con 65 lenguas nativas. Cada región del país tiene diferentes acentos, climas, geografía y comida, ¡y esa es nuestra mayor riqueza! ¿Te antojaste°? Ven y nos tomamos un tintico°. Así pruebas nuestro café, que es uno de los productos más importantes de mi país, ¡y uno de los mejores del mundo!

El **sombrero vueltiao** es el producto artesanal más emblemático del país.

Mar Caribe

Barranquilla

PANAMÁ

COSTA RICA

Océano Pacífico

● Medellín

☆ Bogotá

● Cali

COLOMBIA

VENEZUELA

ECUADOR

BRASIL

PERÚ

Bogotá, la capital de Colombia, tiene una gran variedad de lugares de interés donde se aprecian los edificios modernos y también los de la época colonial.

Las pinturas en **el Parque Chiribiquete** pueden tener hasta 20.000 años. *Chiribiquete* significa "cerro donde se dibuja" en la lengua indígena karijuna.

Cali es conocida por su festival internacional de salsa, **la Feria de Cali**, cuando las calles se llenan de fiestas, música y baile.

Colombia en breve

Capital: Bogotá

Tipo de gobierno: república presidencial

Tamaño: 1.138.910 km², casi dos veces el estado de Texas

Población: 49.336.454 habitantes

Lenguas: español y 69 idiomas nativos

Moneda: peso colombiano

Nivel de alfabetización: 95,6%

Promedio de vida: 74 años

Expresiones y palabras típicas:

¿Quibo?   *¿Qué pasa?*

el parche   *grupo de amigos*

rumbear   *ir de fiestas*

Fuente: The World Factbook, Central Intelligence Agency

---

(1) **Comprensión** Indica si cada oración es **cierta (C)** o **falsa (F).**

1. Barranquilla es la capital de Colombia...... **C F**

2. Uno de los productos más importantes en Colombia es la piña............................ **C F**

3. En Colombia tienen muchos días feriados... **C F**

4. La presencia de culturas originarias forma parte de la multiculturalidad del país.................... **C F**

(2) **¿Y tú?** En parejas, conversen sobre estas preguntas.

1. ¿Cuál es el baile o música de tu cultura o comunidad?

2. ¿Conoces a músicos/as o bailadores/as famosos/as que son de Colombia? ¿Cuáles?

3. ¿Conoces el café colombiano? ¿Por qué piensas que los colombianos lo llaman *tinto*?

(3) **Para investigar** Elige un tema de **Este es mi país** que te interese o llame la atención. Investígalo en internet para aprender más y comparte la información con un grupo pequeño.

¿Te antojaste? *Are you up for it?* **tintico** *black coffee*

☐ **I CAN** identify key cultural products and practices from Colombia.

Audio: Vocabulary

Los días feriados y las celebraciones

Lee el calendario y fíjate en algunas celebraciones populares en Colombia (**marrón**) y Estados Unidos (**azul**).

2024
Los días feriados y las celebraciones en Colombia y EE.UU.

ENERO
lunes	martes	miércoles	jueves	viernes	sábado	domingo
1	2	3	4	5	**6**	7
8	9	10	11	12	13	14
15	16	17	18	19	20	21
22	23	24	25	26	27	28
29	30	31				

•• el Día del Año Nuevo
• el Día de los Reyes Magos

FEBRERO
lunes	martes	miércoles	jueves	viernes	sábado	domingo
			1	2	3	4
5	6	7	8	9	10	11
12	13	**14**	15	16	17	18
19	20	21	22	23	24	25
26	27	28	29			

• el Día de San Valentín

MARZO
lunes	martes	miércoles	jueves	viernes	sábado	domingo
				1	2	3
4	5	6	7	8	9	10
11	12	13	14	15	16	**17**
18	19	20	21	22	23	24
25	26	27	28	29	30	31

• el Día de San Patricio

ABRIL
lunes	martes	miércoles	jueves	viernes	sábado	domingo
1	2	3	4	5	6	7
8	9	10	11	12	13	14
15	16	17	18	19	20	21
22	23	24	25	26	27	28
29	30					

MAYO
lunes	martes	miércoles	jueves	viernes	sábado	domingo
		1	2	3	4	5
6	7	8	9	10	11	**12**
13	14	15	16	17	18	19
20	21	22	23	24	25	26
27	28	29	30	31		

• el Día del Trabajador
•• el Día de la Madre

JUNIO
lunes	martes	miércoles	jueves	viernes	sábado	domingo
					1	2
3	4	5	6	7	8	9
10	11	12	13	14	15	**16**
17	18	19	20	21	22	23
24	25	26	27	28	29	30

•• el Día del Padre

JULIO
lunes	martes	miércoles	jueves	viernes	sábado	domingo
1	2	3	**4**	5	6	7
8	9	10	11	12	13	14
15	16	17	18	19	**20**	21
22	23	24	25	26	27	28
29	30	31				

• el Día de la Independencia
• el Día de la Independencia

AGOSTO
lunes	martes	miércoles	jueves	viernes	sábado	domingo
			1	2	3	4
5	6	7	8	9	10	11
12	13	14	15	16	17	18
19	20	21	22	23	24	25
26	27	28	29	30	31	

SEPTIEMBRE
lunes	martes	miércoles	jueves	viernes	sábado	domingo
						1
2	3	4	5	6	7	8
9	10	11	12	13	14	15
16	17	18	19	20	**21**	22
23	24	25	26	27	28	29
30						

• el Día del Trabajador
• el Día del Amor y la Amistad

OCTUBRE
lunes	martes	miércoles	jueves	viernes	sábado	domingo
	1	2	3	4	5	6
7	8	9	10	11	**12**	13
14	15	16	17	18	19	20
21	22	23	24	25	26	27
28	29	30	**31**			

• el Día de la Diversidad Étnica
• el Día de las Brujas (Halloween)

NOVIEMBRE
lunes	martes	miércoles	jueves	viernes	sábado	domingo
				1	2	3
4	5	6	7	8	9	10
11	12	13	14	15	16	17
18	19	20	**21**	22	23	24
25	25	27	28	29	30	

• el Día de Todos los Santos
• el Día de Acción de Gracias

DICIEMBRE
lunes	martes	miércoles	jueves	viernes	sábado	domingo
						1
2	3	4	5	6	7	8
9	10	11	12	13	14	15
16	17	18	19	20	21	22
23	**24**	**25**	26	27	28	29
30	31					

•• la Nochebuena
•• la Navidad

El carnaval

la carroza

el desfile

los fuegos artificiales

las máscaras

el traje tradicional

el disfraz

(1) Las asociaciones Nombra al menos tres cosas que asocias con estos días feriados o celebraciones.

El Día de la Madre	El Día de la Independencia	El Día del Año Nuevo
El Día de Acción de Gracias	El Día de San Valentín	El Día de San Patricio
El Día de las Brujas	Carnaval	El Día del Trabajador

(2) Mis celebraciones Tienes curiosidad por saber cómo eran las celebraciones de otros/as estudiantes de niños/as. En parejas, túrnense para contestar las preguntas. ¿Tienen algo en común?

1. ¿Cómo te gustaba celebrar tu cumpleaños cuando eras niño/a?

2. ¿Qué hacía tu familia para el Día de Acción de Gracias?

3. ¿Celebrabas el Año Nuevo con tu familia? ¿Qué actividades hacían?

4. ¿Qué te gustaba más del Día de la Independencia?

5. ¿Qué otros días festivos celebrabas con tu familia?

6. ¿Cuándo mirabas fuegos artificiales cuando eras niño/a? ¿Dónde los veías?

(3) **Las celebraciones venezolanas** Lee la lista de días festivos que se
celebran en Venezuela.

Las celebraciones venezolanas

1. El primero de enero • El año nuevo

Se celebra este día con una cena grande para toda la familia y se brinda con champán.
Este día la gente lleva ropa interior de color amarillo para tener buena suerte. La gente escribe
cartas con sus deseos para el año nuevo y después las quema para que nadie las pueda leer.

2. El 6 de enero • Día de los Reyes Magos

Es una celebración religiosa en la que los niños escriben cartas a los Reyes Magos para pedirles
regalos. La noche del 5 de enero, los niños ponen un par de zapatos en las puertas de sus
habitaciones para que los Reyes Magos les dejen dulces y juguetes allí. En algunas ciudades,
los tres Reyes Magos caminan por las plazas centrales y les regalan caramelos a los niños.

3. El primero de mayo • Día del Trabajador

Los bancos, negocios y oficinas cierran este día para celebrarlo con desfiles, marchas y
otros símbolos de la solidaridad del trabajador.

4. El 5 de julio • Día de la Independencia

Nadie trabaja este día. Se cuelga la bandera de Venezuela afuera de las casas.

5. El 24 de julio • Día del Libertador Simón Bolívar

Es una celebración muy grande en Venezuela. Mucha gente se reúne enfrente de la casa
de Simón Bolívar en la Plaza Bolívar en Caracas para estar cerca del lugar en donde él nació.
Si no viven en Caracas, ponen flores en su estatua.

6. El 12 de octubre • Día de la Resistencia Indígena

No es una celebración grande. El presidente venezolano Hugo Chávez cambió el nombre
de este día. Antes se llamaba el Día de la Raza.

7. El 25 de diciembre • Navidad

Es una fiesta religiosa que celebra el nacimiento de Cristo. La celebración principal es el 24 de
diciembre, la Nochebuena. La familia prepara una comida tradicional. En muchas casas ponen
árboles de Navidad, pero lo más tradicional es el nacimiento°. El 25 de diciembre, los niños se
despiertan temprano para descubrir sus regalos debajo de los árboles o frente a los nacimientos.
La tradición en Venezuela es que el Niño Jesús les trae los regalos.

nacimiento *nativity scene*

Paso 1 Compara esta lista de días feriados típicos de Venezuela con una lista
de los días festivos que tú celebras. ¿Cuáles tienen en común? ¿Cuáles son
diferentes? ¿Hay prácticas que tengan en común? Escribe tus respuestas en
un párrafo. Luego, comparte tus respuestas con un(a) compañero/a.

Paso 2 Investiga en internet otra celebración de Colombia o Venezuela.
Prepara una breve presentación que incluya fotos y detalles sobre la fecha,
la duración, el lugar donde se celebra y las tradiciones características de
la celebración.

(4) **El año nuevo** Lee las creencias tradicionales del año nuevo en Venezuela. Después, decide si hay diferencia con lo que tú haces todos los años en tu pueblo, ciudad o comunidad. ¿Qué haces tú? Compara tus respuestas con las de un(a) compañero/a.

- Poner dinero dentro de los zapatos en año nuevo significa muchísima prosperidad.

- Para tener mucha ropa nueva, usted debe ponerse la ropa interior al revés la noche del treinta y uno.

- Utilizar ropa interior roja para encontrar al amor de su vida.

- Utilizar ropa interior amarilla para mucha felicidad y alegría.

- Comer una uva con cada campanada (*stroke of the clock*) a la vez que se pide un deseo.

- Salir corriendo de casa con las maletas, para asegurar los viajes en el nuevo año.

- Comer una cucharadita de lentejas, para tener prosperidad durante todo el año entrante.

CULTURA VIVA

Semana Santa La Semana Santa tradicionalmente es una semana llena de actividades religiosas que se celebra en muchos países hispanohablantes. En Colombia y Venezuela siguen varias tradiciones durante la semana, como visitar lugares sagrados y pasar tiempo en familia. No hay clases en las escuelas, así que muchas familias salen de excursión o de vacaciones a un lugar turístico, a la playa o a las montañas. **¿Qué tradiciones hay en tu comunidad en la primavera? ¿Cómo se celebran?**

(5) **El español cerca de ti** ¿Qué celebraciones hay en tu comunidad para celebrar el mes de herencia hispana? ¿Quiénes organizan los eventos? ¿Cómo se celebra? ¿Qué tipo de música hay? ¿Qué tipo de comida se prepara? Busca en internet más información sobre esas celebraciones. Comparte tu investigación con la clase.

☐ **I CAN** exchange information about holidays and celebrations.

Expressing size, endearment, and affection: Diminutives

A diminutive is a word that has a suffix (addition at the end of a word) included at the end to express smaller size, endearment, affection, or all three. You may be able to guess that the diminutives **amiguitos** and **carritos** are based on the nouns **amigos** and **carros**, and **pequeñitas** and **grandecito** on the adjectives **pequeñas** and **grande**.

The most common suffix used to create a diminutive is **-ito**, as in **amiguitos** and **carritos**. This ending can be attached to nouns or to adjectives. All diminutive suffixes must reflect the gender and number of the corresponding noun. Therefore, there are four forms of this suffix: **-ito**, **-ita**, **-itos**, and **-itas**.

Diminutives are primarily used to communicate size or smallness, but they can also signify endearment and affection. Look at the examples.

Cuando era joven, me gustaba jugar con **carritos**.	*When I was young, I liked to play with little cars.*
Siempre visitaba a mis **amiguitos**.	*I always visited my (good) friends.*
Mi hermano tiene un escritorio **pequeñito** para dibujar.	*My brother has a little desk for drawing.*
¡Miguel, qué **grandecito** estás con tu traje tan elegante!	*Miguel, what a big boy you are with your elegant suit!*

To form diminutives:

▶ For words ending in a vowel other than **e**, drop the final vowel and add the diminutive suffix (**-ito**, **-ita**, **-itos**, **-itas**).

carr~~o~~ + ito	→	carrito
pequeñ~~a~~ + ita	→	pequeñita

▶ For words ending in a consonant other than **n** or **r**, the diminutive ending is added directly to the word.

papel + ito	→	papelito

▶ For words ending in **e**, **n**, or **r**, add a **c**, such that the diminutive ending becomes **-cito**, **-cita**, **-citos**, or **-citas**.

amor + cito	→	amorcito
grande + citos	→	grandecitos

Rather than conveying a meaning of small size or young age, diminutives can also reflect the speaker's feelings of affection or endearment toward a person or thing.

Me gusta mucho la comida que prepara mi abue**lita**.	*I really like the food that my (dear) grandmother prepares.*

> **¡ATENCIÓN!**
>
> Did you notice that **amiguitos** has an added **u** before the **-itos** ending? Just as you saw in **Capítulo 10** with spelling changes for preterit **yo** forms, you'll need to apply the **g:gu**, **z:c**, and **c:qu** spelling changes to retain the pronunciation of the original consonant sounds in examples such as **amiguito** (**amigo**), **placita** (**plaza**), and **poquito** (**poco**).

1 **Canción infantil** En muchas culturas hay canciones escritas especialmente para niños. Examina las canciones infantiles.

Un pececito
Un pececito en el fondo del mar,
Movió su colita y se puso a nadar.
Con otro amiguito se fue a pasear,
Pero su mamita lo fue a buscar.

Caracol
Caracol, col, col, sal de tu casita,
Que es de mañanita y ha salido el sol.
Caracol, col, col, vuelve a tu casita,
Que es de nochecita y se ha puesto el sol.

Paso 1 Marca los diminutivos en las canciones.

Paso 2 Escribe la palabra original al lado de cada diminutivo.

Paso 3 Contesta las preguntas con un(a) compañero/a.

1. ¿Para qué sirven estas canciones?

2. ¿Cuál es el mejor lugar para cantar esta canción a un(a) niño/a?

3. ¿Por qué crees que hay diminutivos en estas canciones?

4. ¿Recuerdas alguna canción de tu niñez? Describe, recita o canta una que recuerdes para tu compañero/a.

Paso 4 Busca en internet una canción infantil con diminutivos en español. ¿De qué tema(s) se trata? ¿Es similar a alguna canción que cantabas de niño/a?

> **¡ATENCIÓN!**
>
> In addition to **-ito**, there are several other diminutive endings you may hear in different parts of the Spanish-speaking world, including **-ico, -illo, -ín**, and **-uelo**. E.g., **¡Espérame un momentico!**

2 **Cuando era niño/a...** Lee las actividades de la lista y usa los diminutivos para expresar la idea de tamaño o cariño (*affection*) al contar lo que hacías de pequeño/a. Sigue el modelo.

> **Modelo** Cuando era niño/a...
> leer **cuentos** con mi mamá
> *Cuando era niña, me gustaba leer cuentitos con mi mamá.*

1. visitar **animales** en el zoológico

2. hablar con mis **amigas** por teléfono

3. jugar con las **muñecas**

4. caminar con mi **perro**

5. jugar con mis **gatos**

6. conversar con mi **abuelo**

7. comer en restaurantes con mis **hermanas**

Exploraciones

(3) **¿Es el tamaño o el cariño?** Escribe cuatro oraciones para contar lo que te gustaba hacer de niño/a. Usa un diminutivo en cada oración para expresar el tamaño de las cosas o personas, o el cariño que sentías hacia la cosa o la persona. Después, compara tus oraciones con las de un(a) compañero/a, quien tiene que decirte si tu oración expresa tamaño, cariño o ambos.

> **Modelo**   **Estudiante A:** *Cuando tenía diez años, mi familia y yo vivíamos en una casita cerca de mis abuelos.*
> **Estudiante B:** *Puede expresar el tamaño de la casa.*
> **Estudiante A:** *De pequeña, siempre iba al parque con mi abuelito.*
> **Estudiante B:** *Expresa afecto.*

(4) **El español cerca de ti** En Estados Unidos hay muchos centros y escuelas preescolares para cuidar a los niños mientras sus padres trabajan durante el día.

Paso 1 Contesta las preguntas sobre el tema.

1. ¿Cuántos centros para niños hay en tu ciudad?

2. ¿Hay escuelas preescolares de inmersión en español en la comunidad en la que vives?

3. ¿Asistías a un centro o escuela preescolar de niño/a? ¿Cómo era?

4. En tu opinión, ¿qué beneficios ofrece una escuela bilingüe para los niños y los padres?

Paso 2 Haz una entrevista a una persona latina en tu comunidad o en línea sobre el cuidado de los niños/as y las escuelas bilingües. ¿Cómo está la situación del cuidado de los niños en su comunidad? ¿Cuál es su perspectiva comparada con la tuya? Prepara un resumen del tema para la clase.

(5) **El club de español** Piensas organizar un evento para el club de español. Tienes que elegir un día feriado para celebrar y preparar la celebración.

Paso 1 Decide qué día feriado quieres celebrar. Puede ser una fiesta colombiana, venezolana u otra que te interese.

Paso 2 Busca información en internet sobre el día feriado y cómo se celebra en diferentes partes del mundo. Luego, investiga los detalles del día. Decide qué decoraciones necesitas para que sea una experiencia auténtica. ¿Qué comida vas a servir?

Paso 3 Crea un volante (*flyer*) sobre el evento para invitar a todos los estudiantes. En grupos pequeños, presenten sus volantes y expliquen los detalles de la celebración. ¿Quién tiene la propuesta más interesante?

☐ **I CAN** talk about childhood experiences.

Resources

Vhlcentral

WebSAM

Podcast | **Learning Objective:** Reflect on your progress talking about festivals and celebrations.

 Audio: Reading

Episodio #19: Sandra Santiago Ruiz

Antes de escuchar

1 **Festividades importantes** Sandra es una joven colombiana que habla sobre una festividad que disfrutaba durante su niñez. Antes de escuchar a Sandra, contesta estas preguntas sobre tus experiencias en relación con las festividades de tu niñez.

1. ¿En qué festividades participabas?

2. ¿Cuál era el evento cultural más importante de tu comunidad?

3. En tu comunidad, ¿hay alguna tradición de carnaval?

Mientras escuchas

2 **El carnaval de Barranquilla** Escucha a Sandra e indica si las oraciones son **ciertas (C)** o **falsas (F)**.

1. Sandra es de Barranquilla, Colombia.. **C F**

2. El carnaval de su ciudad era su festival favorito cuando era niña......... **C F**

3. El festival empezaba el sábado y terminaba el miércoles. .... **C F**

4. El sábado del carnaval se conoce como la Gran Orquesta. .... **C F**

5. Un año, la prima de Sandra fue seleccionada la reina del carnaval. .... **C F**

6. Generalmente Sandra iba al festival con sus mejores amigos. .... **C F**

7. Cada año Sandra esperaba con ansias el carnaval. .... **C F**

Después de escuchar

3 **Una celebración** Describe una celebración a la que asistías o en la que tú participabas de niño/a.

Paso 1 Escribe cinco oraciones para describir una celebración de tu niñez. ¿Qué celebraban? ¿Quiénes asistían? ¿Por qué era importante? Puede ser una celebración de tu familia, tu ciudad o tu estado.

Paso 2 Con un(a) compañero/a, comparte tu descripción y escucha mientras tu compañero/a comparte su descripción de una celebración. Hazle preguntas para aprender más sobre cuándo, dónde y con quién celebra.

 Resources

Vhlcentral

Online activities

☐ **I CAN** describe a festival or celebration from my childhood.

Audio: Reading

Estrategia de lectura: SQ3R

SQ3R stands for **Survey, Question, Read, Recite, and Review**, and this approach can improve reading comprehension. **Survey** the organization of the text, the headings, and the introduction. Then, write down a few **Questions** about the text before you **Read** it looking for the answers. **Recite**, or write down, the answers in your own words before **Reviewing** what you have learned. A delayed review two days later can help solidify your reading comprehension.

Antes de leer

1 **Preparación** Lee la estrategia y anota tres preguntas que tienes sobre la lectura, siguiendo la estrategia SQ3R. Luego, contesta las siguientes preguntas y comparte tus ideas con un(a) compañero/a.

1. ¿Tomas o tomabas clases de baile?
2. En las fiestas, ¿sueles bailar con tus amigos?
3. ¿Qué tipo de bailes son populares en Estados Unidos?

La fuerza de los ritmos colombianos

Si hay algo que puede ocuparte durante las noches en Colombia, es el baile y la salsa. La salsa es una de las pasiones más grandes de los colombianos, y esta pasión se nota en su entusiasmo por bailar en todo tipo de eventos y celebraciones. Colombia tiene su propio estilo de salsa, con influencias de la cumbia, un ritmo colombiano de raíces africanas e indígenas.

Unas personas bailan salsa en una discoteca de Cali.

Cali, la tercera ciudad más grande de Colombia, es conocida como el mejor lugar para aprender a bailar salsa, ya que tiene más de cien escuelas de baile. El Festival Mundial de la Salsa de Cali es un evento de competición que atrae a bailarines de salsa de todo el mundo, que pueden participar en tres categorías distintas. Cada octubre, durante cinco días, toda la ciudad vive el Festival de la Salsa. Los eventos, las clases, las exhibiciones y las competiciones tienen lugar por toda la ciudad, incluso en la Plaza de Toros, el Centro Cultural y el teatro municipal de Cali. El objetivo es fortalecer° la expresión artística de la ciudad y, a través de concursos y presentaciones, transcender las fronteras°, uniendo a los participantes de todas partes del mundo a través de la música. Para la gente de Cali, la pasión que se pone al bailar al ritmo rápido de la música promueve los valores, el optimismo, la ética laboral° y el orgullo de la cultura colombiana.

fortalecer *strengthen* **fronteras** *borders* **ética laboral** *work ethic*

Después de leer

2 Comprensión Después de leer la información sobre la importancia de bailar salsa en Colombia, indica si las oraciones son **ciertas (C)** o **falsas (F)**.

1. En Cali, es notable el tremendo interés por la salsa. .... **C F**

2. La salsa se baila igual en todo el mundo. .... **C F**

3. El Festival Mundial de la Salsa en Cali tiene lugar en febrero. .... **C F**

4. La cumbia es un ritmo con raíces africanas que influye en la salsa. ..... **C F**

5. En Cali la gente se siente orgullosa de su pasión por el ritmo y el baile..... **C F**

3 A conversar En parejas, conversen sobre estas preguntas.

1. ¿Cómo puede un baile unir a la gente? ¿Qué papel tiene en la sociedad colombiana?

2. ¿Qué costumbres o actividades unen a la gente de tu comunidad?

3. ¿Hay alguna tradición o festival en tu comunidad que atrae a gente del resto del estado, región, país o el mundo? Descríbela.

4. ¿Pudiste contestar las preguntas que anotaste en la **Actividad 1**? ¿Qué preguntas te quedan (*do you have left*)?

4 A escribir Lee la estrategia y sigue los pasos para escribir una descripción de una tradición o festival de tu comunidad.

> **Estrategia de escritura: Proper Editing**
>
> Editing writing is more than just rereading a draft once. First, check for spelling and punctuation before checking for grammar errors like noun and verb agreement. Then read your work aloud for flow, identifying sentences that are too long or too short and choppy. Be sure your reader can follow the content of your writing. Finally, ensure it follows your instructor's guidelines for formatting, margins, and number of words.

Paso 1 Describe un baile, costumbre, tradición o festival que sea emblemático de tu comunidad. Explica sus orígenes, quiénes participan, cuándo y dónde se celebra, y por qué es importante.

Paso 2 Revisa tu trabajo. Presta atención tanto a los elementos formales de la escritura como a las ideas presentadas.

Paso 3 En parejas, túrnense para leer sus textos. Después, hazle tres preguntas a tu compañero/a sobre su texto. ¿Aprendiste algo nuevo?

Resources

(S)

Vhlcentral

Online activities

☐ **I CAN** compare perspectives about performance art and festivals in Colombia and my own community.

Video: *Personas dicen lo que más extrañan de ser niños*

Vas a ver unas entrevistas en las cuales las personas comparten sus recuerdos de la niñez y lo que extrañan de esa época de su vida.

Estrategia intercultural: Active Listening

Listening is not something that comes naturally for most of us. It is a skill that must be practiced. *Active listening* means that we make a conscious effort to fully engage with the speaker. It is the difference between simply *hearing* and *listening with the intent to truly understand.* Dialogue takes place when people generously listen to others. It requires us to turn off internal conversation in our brains, listen with curiosity, and show genuine interest.

Antes de ver

1 **Antes y ahora** Piensa en tu vida cuando tenías cinco, ocho o diez años. ¿Qué hacías? ¿Qué extrañas de tu niñez ahora? Comparte tus ideas con un(a) compañero/a.

Mientras ves

2 **Perspectivas** Identifica las ideas que escuchas en el video. Luego, indica qué comentario de la lista corresponde a cada persona.

No tener que...	Las actividades que hacían:
trabajar.	Jugaba con *playdough*.
pagar las cuentas.	Jugaba fútbol en el recreo.
estudiar.	Jugaba con sus hermanos.
tomar la vida en serio.	Tocaba un instrumento.
preocuparse por el dinero.	Estudiaba.
seguir las noticias.	Veía televisión todo el día.

1. _____

2. _____

3 **Imágenes** Escribe la letra que corresponde a cada cita.

_____ **1.** No tener que trabajar...

_____ **2.** Ver *Cartoon Network* todo el día...

_____ **3.** Jugar con mis hermanos...

_____ **4.** No tener que pagar prácticamente nada...

Después de ver

4 **Conexiones** ¿Qué ideas coinciden con lo que tú le comentaste a tu compañero/a antes de ver el video? ¿Tienes algo en común con las personas del video? Comenta tus observaciones con un(a) compañero/a.

5 **Reflexión** Con un grupo pequeño, reflexiona sobre los cambios en la vida desde tu niñez y contesta las preguntas. Practica la escucha activa mientras tus compañeros/as hablan. Después de contestar las preguntas, reflexiona sobre la aplicación de la escucha activa. ¿Fue fácil o difícil para ti? Explica tu respuesta.

1. ¿Cuáles son las ventajas de la vida de un niño o una niña? ¿Hay desventajas?

2. ¿Cuáles son las ventajas de tener más responsabilidades? ¿Y las desventajas?

3. Los años universitarios son una transición entre una etapa y otra. ¿Deseas cambiar algo en el futuro?

Resources

Vhlcentral

Online activities

☐ **I CAN** reflect on perspectives that are the same and distinct from my own.

Learning Objective: Investigate details about a national park in Colombia.

El Parque Nacional Natural Amacayacu

● ● ●   www.el_blog_de_lucas.com/ParqueAmacayacu   🔍 ‹ ›

Sobre mí | Viajes | Mapas | Galería | Contacto

El Parque Nacional Natural Amacayacu

El año pasado viajé por primera vez a Colombia con mi amigo Roberto para visitar a su familia. Ellos viven en Cali, una ciudad al suroeste del país. Fuimos a varios parques naturales, porque me encanta la naturaleza. El Parque Nacional Natural Amacayacu es uno de los parques nacionales que comparte frontera con Brasil en la Amazonia. Roberto y yo pasamos cuatro días explorando el parque. Primero, tomamos un avión hasta la ciudad de Leticia. La única manera de llegar al parque es por barco, así que alquilamos un barco con guía. Paramos en la Isla de los Micos para ver los cientos de monos que juegan en los árboles. Me tomé un montón de fotos con ellos. La verdad es que nuestra excursión a Amacayacu fue mi favorita.

El tití leoncito vive en el Parque Nacional Amacayacu en Colombia.

---

(1) Los parques nacionales Piensas viajar a Colombia para trabajar como guardaparques (*park ranger*) voluntario/a durante tres meses. Planifica la experiencia.

Paso 1 Busca en internet información sobre el parque Amacayacu u otro parque natural de Colombia. Toma nota de la información para contestar las preguntas:

* ¿Cómo se llama el parque?

* ¿Dónde está?

* ¿Cómo se llega?

* ¿Qué accidentes geográficos tiene y qué plantas y animales se pueden ver?

* ¿Qué actividades puedes hacer?

* ¿Cuál es la mejor época del año para visitarlo?

Paso 2 Planifica tu viaje. Incluye todos los detalles que descubriste en el **Paso 1** y explica por qué te interesa esta experiencia. Prepárate para compartir tu descripción con la clase.

☐ **I CAN** investigate details about a national park in Colombia.

Proyectos

Learning Objectives: Narrate a story about a memorable event. Present information about Colombia and Venezuela.

1 **¿Cuáles son tus experiencias inolvidables?** Vas a contar una historia sobre una experiencia especial en tu vida. Lee la estrategia y sigue los pasos.

> **Estrategia para presentaciones: Using Time Expressions**
>
> When we speak, we make references to different points in time: the present, the past, and the future. Spanish has a verb system for communicating when actions take place. Though it takes some time to master those verb endings, you can still provide a specific timeframe for your narrations by learning a handful of time expressions like **ahora**, **hoy**, **ayer**, **mañana**, **la semana pasada**, **el mes pasado**, **el año pasado**, and **hace una semana**.

Paso 1 Repasa el vocabulario del capítulo y mira el video **Encuentros: *Mi celebración preferida*** para ver un ejemplo de cómo Lucas y sus amigos cuentan su celebración de Año Nuevo de niños. Toma notas de palabras y expresiones que quieras incluir en tu presentación.

Paso 2 Piensa en una experiencia especial en algún momento de tu vida. Puede ser de cuando eras pequeño/a o más reciente. Usa las preguntas como guía para crear tu historia e incluye tantos detalles como puedas:

- ¿Cuándo ocurrió la experiencia?
- ¿Dónde estabas?
- ¿Por qué fue especial para ti?
- ¿Quiénes estaban presentes?
- ¿Qué hiciste/hicieron?
- ¿Cómo te sentías?

Paso 3 Practica tu historia con un(a) compañero/a. Luego, presenta tu historia con imágenes al resto de la clase.

2 **Álbum de Venezuela y Colombia** Usando la información del capítulo e internet, crea una presentación con los siguientes puntos sobre Venezuela y Colombia. Luego, compara la información con un(a) compañero/a y compartan algo nuevo que aprendieron.

1. información básica
2. estadísticas interesantes
3. dos lugares interesantes
4. observaciones culturales
5. enlaces interesantes
6. información que te hizo cambiar de opinión o que te hizo reflexionar

> **¡ATENCIÓN!**
>
> Ask your instructor to share the **Rúbrica** to understand how your work will be assessed.

☐ **I CAN** narrate a story about a memorable event.
☐ **I CAN** share personally meaningful information about Venezuela and Colombia.

Repaso de objetivos

Reflect on your progress toward the chapter main goals.

I am able to...

	Well	Somewhat
• Identify main ideas in a story narrating a memorable event.	☐	☐
• Exchange information about childhood experiences, celebrations, and memorable events.	☐	☐
• Compare products, practices, and perspectives from Venezuela and Colombia with my own community.	☐	☐
• Narrate a story about a memorable event.	☐	☐

Repaso de vocabulario

La niñez *Childhood*
el patio de recreo *playground*
el salón de clases *classroom*
andar en patineta *to skateboard*
bajar el tobogán *to go down the slide*
coleccionar *to collect*
   estampas *trading cards*
   sellos *stamps*
columpiarse *to swing*
dibujar *to draw*
hacer rompecabezas *to do puzzles*
ir de campamento *to go camping*
jugar *to play*
   a las cartas *cards*
   a las escondidas *hide-and-seek*
   con carritos *with toy cars*
   con las muñecas *with dolls*
   con los amiguitos *with friends*
   en la arena *in the sand*
   juegos de mesa *board games*
leer tiras cómicas *to read comics*
pintar *to paint*
saltar a la cuerda *to jump rope*
subir a los árboles *to climb trees*
volar papagayos/cometas *to fly kites*

Los días feriados y las celebraciones *Holidays and celebrations*
el Día de Acción de Gracias *Thanksgiving*
el Día de la Diversidad Étnica *Ethnic Diversity or Indigenous People's Day*
el Día de la Independencia *Independence Day*
el Día de la Madre *Mother's Day*
el Día de las Brujas *Halloween*
el Día de los Reyes Magos *Three Kings Day*
el Día de San Patricio *Saint Patrick's Day*
el Día de San Valentín/el Día del Amor y la Amistad *Valentine's Day*
el Día de Todos los Santos *All Saints Day*
el Día del Año Nuevo *New Year's Day*
el Día del Padre *Father's Day*
el Día del Trabajador *Labor Day*
la Navidad *Christmas*
la Nochebuena *Christmas Eve*

El carnaval *Carnival*
la carroza *float*
el desfile *parade*
el disfraz *costume*
los fuegos artificiales *fireworks*
la máscara *mask*
el traje tradicional *traditional outfit*

Repaso de gramática

1 The imperfect

The **imperfect** is a past tense but, unlike the preterit, it is used to tell time, a person's age, the background for a story, events with no reference to beginning or ending, or events in progress and interrupted by another action.

Imperfect verb endings			
Subject pronouns	**-ar**	**-er**	**-ir**
yo	-aba	-ía	-ía
tú	-aba**s**	-ía**s**	-ía**s**
él, ella, usted	-aba	-ía	-ía
nosotros/as	-ába**mos**	-ía**mos**	-ía**mos**
vosotros/as	-aba**is**	-ía**is**	-ía**is**
ellos, ellas, ustedes	-aba**n**	-ía**n**	-ía**n**

The imperfect of *ser*, *ir*, and *ver*			
Subject pronouns	**ser**	**ir**	**ver**
yo	era	iba	veía
tú	era**s**	iba**s**	veía**s**
él, ella, usted	era	iba	veía
nosotros/as	éra**mos**	íba**mos**	veía**mos**
vosotros/as	era**is**	iba**is**	veía**is**
ellos, ellas, ustedes	era**n**	iba**n**	veía**n**

2 Diminutives

Diminutives denote size or smallness: **Cuando era muy joven me gustaba jugar con carritos**. They also can denote endearment and affection: **Siempre visitaba a mis amiguitos**.

- For words ending in a vowel other than **e**, drop the final vowel and add the diminutive suffix (**-ito, -ita, -itos, -itas**).

    carrø + ito   →   carrito   **pequeñá + ita   →   pequeñita**

- For words ending in a consonant other than **n** or **r**, the diminutive form is added directly to the word.

    papel + ito   →   papelito

- For words ending in **e**, **n**, or **r**, add a **c**, such that the diminutive ending becomes **-cito, -cita, -citos,** or **-citas**.

    amor + cito   →   amorcito

    grande + citos   →   grandecitos

Capítulo 12 | ¿Me cuentas una historia?

OBJETIVOS DE APRENDIZAJE

By the end of this chapter, I will be able to...

- Identify the main events of stories I read and hear.
- Exchange information about past experiences.
- Compare products, practices, and perspectives from Argentina and Chile with my own community.
- Tell a story about a life experience that is narrated in the past.

ENCUENTROS

El canal de Lucas: Te cuento una historia

Este es mi país: Argentina, Chile

EXPLORACIONES

Vocabulario

Tus experiencias de vida

Gramática

The preterit and the imperfect (part I)

The preterit and the imperfect (part II)

EXPERIENCIAS

Cultura y sociedad: Dasic Fernández, un muralista con una historia para contar

Intercambiemos perspectivas: *Todos tenemos una historia que contar*

Blog: Los pingüinos de Magallanes

Proyectos: ¿Me cuentas una historia?, Álbum de Argentina y Chile

Te cuento una historia

Lee y reflexiona sobre la estrategia de aprendizaje de este capítulo. Luego mira el video de Lucas en el que habla de experiencias que le cambiaron la vida.

Estrategia de aprendizaje: Where Do You Go From Here?

It's time to take stock of your Spanish. Resist the temptation to compare your Spanish to native speakers' or to the progress of others. You have come so far! Now think about your goals for Spanish moving forward. Maybe you would like to engage in a project for local or global good. Perhaps you'd like to take more courses and use your new skills to work or to meet new people. Write down a plan with your next steps to keep the momentum going.

Antes de ver

1 Tus experiencias Piensa en una experiencia importante en tu vida y contesta las preguntas con un(a) compañero/a.

1. ¿Cuál es una experiencia importante en tu vida?

2. ¿Por qué la consideras importante?

Mientras ves

2 Las historias de Lucas, Alberto y Elena Mira el video e indica a qué persona corresponde cada detalle: **Alberto (A)**, **Lucas (L)** o **Elena (E)**.

1. ____ Sus padres se divorciaron.

2. ____ Tenía miedo de nadar.

3. ____ Hizo un viaje a Chile y fue de mochilero.

4. ____ Viajó en avión a Argentina cuando tenía ocho años.

5. ____ Hace dos años aprendió a bucear.

6. ____ Acampó una noche en el parque de Salto del Claro.

Después de ver

3 Los detalles Con un(a) compañero/a, contesta las preguntas.

1. ¿Por qué piensas que Elena tenía miedo de nadar?

2. ¿Cómo le afectó a Alberto el divorcio de sus padres?

3. ¿Por qué decidió Lucas viajar solo?

☐ **I CAN** identify details of a life-changing story.

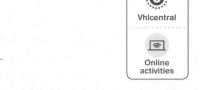
Resources

Vhlcentral

Online activities

Map

ARGENTINA

Hola, che, ¿qué contás? Soy Cecilia y soy de San Nicolás, Argentina. Te cuento un poco sobre mi país, que es relindo. Tenemos una geografía increíble y variada, con lugares únicos como el Noroeste, la pampa —donde vivo yo—, la Patagonia y las montañas de los Andes. Aquí vas a encontrar dos joyas° del continente americano: el Aconcagua, la montaña más alta de toda América, y las Cataratas del Iguazú, en la frontera con Brasil, que son Patrimonio de la Humanidad. Los argentinos tenemos una herencia europea e indígena que hizo posible la creación de un valioso legado° cultural. ¿Has escuchado° del dulce de leche, del tango, de escritores como Borges o de la calidad del cine argentino? Bueno, eso es solo una parte. Aquí estamos muy orgullosos y orgullosas de nuestra tierra y de nuestra cultura.

La Ciudad de Buenos Aires es una de las ciudades con más librerías del mundo. **El Ateneo Grand Splendid** es una de las más bellas.

El dulce de leche se prepara con leche y azúcar y se come en todo tipo de postres o solo con cuchara.

Argentina en breve

Capital: Buenos Aires

Tipo de gobierno: república presidencial

Tamaño: 2.780.400 km^2, un poco más pequeño que tres décimos del tamaño de EE.UU.

Número de habitantes: 46.621.847 habitantes

Lenguas: español

Moneda: peso argentino

Nivel de alfabetización: 99%

Promedio de vida: 79 años

Expresiones y palabras típicas:

¿Qué contás?	¿Qué tal?
che	oye
re + *adjetivo*: relindo	*muy, muy lindo*

Fuente: The World Factbook, Central Intelligence Agency

Ushuaia, la capital de Tierra del Fuego e Islas del Atlántico Sur, es una de las ciudades más australes° del mundo.

La región de **la pampa** es un importante motor° de la economía argentina por su agricultura y ganadería°.

BOLIVIA

BRASIL

Océano
Pacífico

CHILE

PARAGUAY

San Salvador
de Jujuy

Córdoba

Rosario

URUGUAY

Mendoza

San Nicolás

Buenos
Aires

ARGENTINA

Punta
Tombo

Océano
Atlántico

Ushuaia

(1) Comprensión Contesta las preguntas.

1. ¿Cuáles son dos accidentes geográficos importantes de Argentina?

2. ¿Cuáles son cuatro áreas geográficas del país?

3. ¿Cuáles son los ingredientes principales del dulce de leche?

4. ¿Cómo se llama la ciudad más al sur de Argentina?

(2) ¿Y tú? En parejas, conversen sobre estas preguntas.

1. ¿Qué películas, cantantes, actores o autores argentinos conoces?

2. ¿Hay una presencia argentina en tu comunidad? Explica tu respuesta.

(3) Para investigar Elige un tema de **Este es mi país** que te interese o llame la atención. Investígalo en internet para aprender más y comparte la información con un grupo pequeño.

joyas *jewels* **legado** *legacy* **¿Has escuchado…?** *Have you heard…?*
australes *southernmost* **motor** *driving force* **ganadería** *cattle ranching*

☐ **I CAN** identify key cultural products and practices from Argentina.

Exploraciones

Audio: Vocabulary

Tus experiencias de vida

Estrategia de vocabulario: Using Visuals and Graphics

Notice how many vocabulary presentations use photos and drawings. This is because your mind arranges and stores information in an organized way. Using visuals, photos, and graphic organizers can enhance your comprehension and significantly improve your vocabulary knowledge. So as you focus on incorporating new words and phrases into every day communication, associate them with a photo or visual, or arrange them in a graphic organizer.

Mi primer año en la universidad

acampar

bucear

mi primer partido del Real Madrid

cuando conocí a mi mejor amigo

mi primer trabajo

trabajo voluntario en mi ciudad

Experiencias de exploración

acampar	*to go camping*
bucear	*to scuba dive*
explorar un lugar nuevo	*to explore a new place*
hacer (rapel, senderismo)	*to rappel, to go hiking*
ir a un partido/festival/campeonato	*to go to a game/festival/championship*
ir de mochilero/a	*to go backpacking*

Experiencias de vida

aprender de un error	*to learn from a mistake*
conocer a alguien de otra cultura	*to meet someone from another culture*
hacer un viaje (al extranjero)	*to travel (abroad)*
obtener el primer trabajo	*to get your first job*
la primera vez (en un avión, en barco)	*the first time (on a plane, on a boat)*
tener la primera cita	*to go on a first date*

Experiencias transformadoras

aprender (algo nuevo/una nueva lengua)	*to learn (something new/a new language)*
conocer a tu pareja, tu mejor amigo/a, un(a) héroe/heroína personal	*to meet your partner, best friend, a personal hero*
empezar la universidad	*to start college/university*
experimentar algún cambio en la familia	*to experience a change in your family*
hacer trabajo voluntario	*to volunteer*
mudarte a un lugar nuevo	*to move to a new place*
ser capitán/capitana/presidente/líder de un equipo/club	*to be captain/president/leader of a team/club*

Expresiones de tiempo para introducir ideas

antes de ese momento, nunca...
cuando era pequeño/a
cuando fuimos a...
cuando tenía... años
hace (tres) años
siempre quise
una vez

---

(1) **Un viaje inolvidable** Escucha la historia de Vicente sobre su viaje a la Patagonia chilena.

Paso 1 Selecciona la respuesta correcta para cada oración o pregunta.

1. Vicente estudia…
   a. fotografía.   **b.** historia.   **c.** cine.

2. ¿Dónde hizo Vicente trabajo voluntario?
   a. en un hospital   **b.** en una finca   **c.** en un centro comunitario

3. En Chile, ¿qué otra actividad hizo Vicente?
   a. Hizo senderismo.   **b.** Hizo rapel.   **c.** Fue de mochilero.

4. ¿Qué vio Vicente durante el viaje?
   a. un partido de fútbol   **b.** el mar   **c.** un glaciar

5. El viaje fue una oportunidad para…
   a. explorar un lugar nuevo.   **b.** viajar por primera vez en avión.   **c.** conocer a su héroe personal.

"¡Nunca me voy a olvidar de esta experiencia única de mi vida!"

Exploraciones

Paso 2 A Vicente le gusta mucho vivir experiencias nuevas y conocer lugares y personas diferentes. En parejas, preparen una lista de recomendaciones sobre lugares y personas especiales en su comunidad, considerando los gustos de Vicente. Comparen sus recomendaciones con las del resto de la clase. ¿Están todos/as de acuerdo?

(2) Mis experiencias de vida Vas a reflexionar sobre una experiencia importante en tu vida.

Paso 1 Prepara una lista de diferentes tipos de experiencias que fueron muy importantes para ti. Considera experiencias de exploración, de vida y experiencias transformadoras. Luego, en parejas, compartan sus listas. ¿Tienen algo en común?

Paso 2 Elige una de las experiencias del **Paso 1** y da más detalles de ese momento especial. Considera las preguntas de la lista.

- ¿Qué pasó?
- ¿Con quién(es) estabas?
- ¿Cuándo ocurrió?

- ¿Dónde fue?
- ¿Enfrentaste algún desafío?
- ¿Qué aprendiste de esa experiencia?

Paso 3 Comparte tu experiencia con un(a) compañero/a diferente. Si lo deseas, puedes compartir fotos para ilustrar tu historia. ¿Tienen algo en común? ¿Qué aprendiste de él/ella?

(3) Cinco experiencias que debes hacer en la vida Piensa en tus objetivos personales y profesionales. ¿Cuáles son cinco experiencias que debes hacer por lo menos una vez en la vida?

Paso 1 Tu lista puede incluir aventuras, nuevas experiencias, algo nuevo que quieras aprender. Luego, en parejas, compartan sus listas. ¿Tienen algo en común?

1. _____
2. _____
3. _____
4. _____
5. _____

Paso 2 Juntos/as reflexionen sobre la cita y comenten si están de acuerdo o no con la idea.

> **La vida se construye a base de experiencias.**
> -Anónimo

Resources

Vhlcentral

WebSAM

☐ **I CAN** exchange information about life experiences.

Podcast | **Learning Objective:** Reflect on your progress using language related to life experiences.

 Audio: Reading

Episodio #20: Cecilia Márquez

Estrategia de comprensión oral: Speech Fillers

As you interact with native speakers, you may hear the word *este*, sometimes accompanied by a pause immediately before or after. **Este** can mean *this* when it appears before a noun, as in **este libro**, or it can mean *this one* if it appears alone. It is also used as a filler like *um* and is very common. Other fillers include **entonces**, **pues**, and **bueno**. Try to identify fillers in native speech.

Antes de escuchar

(1) Predecir Cecilia habla de su experiencia como profesora de inglés en una ciudad pequeña en Argentina. ¿Qué tipo de información esperas escuchar sobre ella y sus estudiantes? ¿Cómo puede ser el aprendizaje de otra lengua una experiencia de vida transformadora?

Mientras escuchas

(2) Cecilia y sus estudiantes Escucha a Cecilia, lee las oraciones e indica si son **ciertas (C)** o **falsas (F)**. Corrige las falsas.

1. Cecilia es de la capital del país, la Ciudad de Buenos Aires. .... **C F**

2. A Cecilia le gusta más trabajar en la escuela secundaria que en el instituto privado. .... **C F**

3. La oportunidad de usar el inglés en la vida diaria es un factor importante en la motivación de los estudiantes para aprender el idioma. .... **C F**

4. Para Sebastián, viajar por primera vez a Disney World fue una experiencia transformadora porque pudo conocer Florida. .... **C F**

5. Sebastián pudo usar el inglés para comunicarse en diferentes situaciones. .... **C F**

Después de escuchar

(3) Experiencia transformadora Piensa en la historia de Cecilia y en tu propia experiencia de aprender español u otra lengua. Con un(a) compañero/a, contesten: ¿Crees que aprender una nueva lengua puede ser una experiencia transformadora? ¿Cómo? ¿Por qué? Explica con ejemplos. Luego, individualmente, escribe un resumen de tus reflexiones.

Resources

VhIcentral

Online activities

☐ **I CAN** express ideas related to life experiences.

Learning Objective:
Identify cultural products, practices, and perspectives from Chile.

 Map

CHILE

¡Hola, amigos y amigas! Soy Mariana Paz Jiménez y soy de Santiago. Mi país, Chile, es único en su forma geográfica. Es un país tan estrecho que puedo esquiar en las montañas por la mañana y nadar en la playa por la tarde en un mismo día. Bacán, ¿no? Además, Chile tiene una diversidad increíble de climas. En el sur puedes encontrar el clima frío de la Patagonia y en el norte el clima desértico y semiárido. ¡Ah! ¿Sabían que en el desierto de Atacama se encuentra el telescopio más grande del mundo? Claro, es que nuestro país está a la vanguardia° de la tecnología y Atacama ofrece las condiciones perfectas para explorar el espacio. Además, tenemos una gran tradición literaria. De hecho, los poetas Gabriela Mistral y Pablo Neruda fueron ganadores del Premio Nobel de Literatura.

Santiago, la capital y la ciudad más grande de Chile, es una ciudad moderna. Se pueden encontrar rascacielos°, tiendas, galerías y restaurantes.

El completo es una comida muy típica de Chile. Suele llevar aguacate°, cebolla, mayonesa, tomate y otros ingredientes.

Chile en breve

Capital: Santiago

Tipo de gobierno: república presidencial

Tamaño: 756.102 km², casi dos veces el tamaño de Montana

Población: 18.549.457 habitantes

Lenguas: español, inglés, aimara, quechua, mapuche

Moneda: peso chileno

Nivel de alfabetización: 97%

Promedio de vida: 80 años

Expresiones y palabras típicas:

¡Bacán!	¡Increíble!
¿Cachai?	¿Sabes?, ¿Entiendes?
¡Qué lata!	¡Qué aburrido!

Fuente: The World Factbook, Central Intelligence Agency

Valparaíso está en la costa y tiene un puerto importante. Además, es un centro cultural que sirvió de inspiración para poetas como Pablo Neruda.

El telescopio ALMA, en el desierto de Atacama, es el más grande del mundo y es único por su diseño revolucionario.

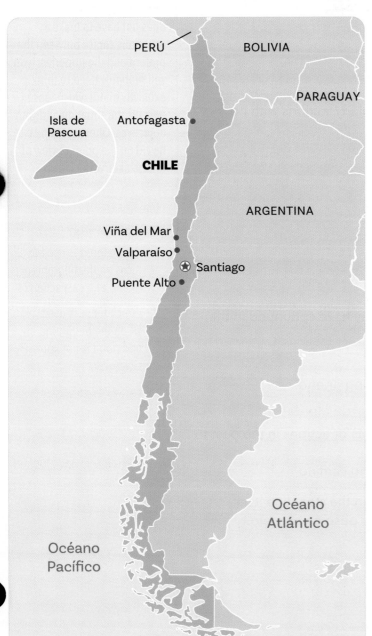

PERÚ

BOLIVIA

PARAGUAY

Isla de Pascua

Antofagasta ●

CHILE

ARGENTINA

Viña del Mar ●
Valparaíso ●
★ Santiago
Puente Alto ●

Océano Atlántico

Océano Pacífico

1 **Comprensión** Indica la respuesta apropiada.

1. Chile es un país muy…
   a. desértico. **b.** estrecho.

2. Su geografía incluye…
   a. montañas. **b.** selva.

3. Una industria muy importante en Chile es…
   a. la farmacéutica. **b.** la tecnológica.

4. En un solo día, puedes esquiar en las montañas y…
   a. nadar en el mar. **b.** caminar en la selva.

2 **¿Y tú?** En parejas, conversen sobre estas preguntas.

1. ¿Cuál es un lugar en tu cultura o comunidad que es único y especial? ¿Qué lo hace único?

2. ¿Te interesa conocer más sobre Chile? ¿Sobre qué tema(s)?

3 **Para investigar** Elige un tema de **Este es mi país** que te interese o llame la atención. Investígalo en internet para aprender más y comparte la información con un grupo pequeño.

vanguardia *cutting edge* **rascacielos** *skyscrapers* **aguacate** *avocado*

☐ **I CAN** identify cultural products and practices from Chile.

Narrating and describing in the past:
The preterit and the imperfect (part I)

In Spanish, when telling a story or describing events that occurred in the past, both– the preterit and the imperfect will be used, but in different ways.

The imperfect is used to:

▶ set the background for the events of a story.
Había una vez un niño que **se llamaba** Antonio.

▶ describe past actions that were continuing, ongoing, or repeated; actions without reference to their beginning or ending.
Mientras **caminaba**, **silbaba** (*whistled*) muy alegre.

▶ describe things already in existence in the past.
El hombre **era** un ladrón (*thief*).

▶ describe repeated actions that used to take place regularly, actions with no definite duration or number of occurrences.
De pequeño, Antonio **ayudaba** a su mamá.

▶ tell the time in the past.
Eran las diez de la noche cuando llegó a casa.

▶ tell someone's age in the past.
Tenía ocho años.

The preterit is used to:

▶ describe a singular action or a series of actions that may have continued in the past but are now viewed as a completed whole.
Este niño me **engañó**.

▶ describe an action from the point of view of its beginning or end.
Antonio **terminó** de atarlo bien al árbol.

▶ describe a chronological sequence of completed events or actions in the past to advance the story line.
Se **fue** al pueblo, **compró** la harina y **volvió** por el mismo camino.

▶ focus on the event itself or specify an important event in the story line itself.
Cuando **vio** al ladrón, Antonio **se sacó** el sombrero y lo **puso** en el suelo.

> **TIP**
>
> Although a native speaker does not have to make a conscious choice between the preterit and the imperfect, you will probably need to think explicitly about which tense best fits the situation and your objectives. Often, the choice is based on the point of view of the speaker/writer.

> **¿Qué observas?**
> 1. Which tense is used to focus on the beginning or end of a past action?
> 2. Which tense is used when the beginning or end point is not known?

(1) ***Pablito y el adolescente*** Cada país tiene sus propios cuentos de tradición oral que se narran de generación en generación. Vas a leer e investigar sobre *Pablito y el adolescente*, adaptado de un cuento infantil de Chile.

Paso 1 En la primera parte de *Pablito y el adolescente,* casi todos los verbos en pasado están resaltados. Lee la **Primera parte** del cuento. Para cada verbo resaltado, indica si está en el pretérito o el imperfecto.

Pablito y el adolescente

Primera parte

Una tarde mientras **jugaba** en la calle, la mamá de Pablito lo **mandó** al pueblo para comprar queso y sal.

Era un niño muy inteligente que **cantaba** cuando **caminaba**. De repente **se dio** cuenta de que un adolescente muy bravo lo **seguía**.
5   Pablito **se quitó** el sombrero, lo **puso** en el suelo° encima de una piedra redonda bastante grande y dura y **sujetó**° el sombrero con firmeza. Cuando **llegó** el muchacho, le **preguntó** a Pablito:

—¿Qué tienes atrapado en el sombrero?

—Es mi nueva mascota°, un sapo° gigante, pero si lo destapo° se me escapa saltando.
10   Si me ayudas a mantener el sombrero encima mientras busco una jaula°, te pago con mis monedas.

El muchacho **aceptó** sujetar el sombrero mientras Pablito **buscaba** una jaula. Cuando Pablito había desaparecido de vista, el adolescente rápidamente
15   **levantó** el sombrero intentando agarrar° el sapo. Las manos **chocaron**° con la dura piedra.

—¡Caramba! Este niño me **mintió**. —**Se puso** el sombrero y **fue** corriendo enojado para encontrar a Pablito.

Segunda parte

20   Pronto, Pablito vio que el chico venía corriendo muy enojado.

Pablito encontró un tronco cortado gigante encima de una colina bastante grande, y se paró de espaldas contra° el tronco. Hundió° los pies en la tierra como si estuviera haciendo mucha fuerza y cuando el muchacho llegó, Pablito le dijo:

—Rápido que el tronco pesa mucho y está a punto de rodar hacia el pueblo y destruir las
25   casas. No puedo sostenerlo yo solo y tú tienes mucha más fuerza que yo.

—Sí, tengo mucha fuerza —dijo el adolescente.

—Sostén el tronco y voy a buscar ayuda en el pueblo.

Exploraciones

30

35

El muchacho estaba asustado y quería mostrar su gran fuerza, así que se puso enfrente del tronco. Hizo fuerza con las piernas y la espalda durante mucho tiempo y, cuando se cansó, se separó del tronco, pero este no se movió ni un centímetro.

—¡Caramba! —gritó el adolescente—. Otra vez ese niñito travieso° me ha mentido. Ahora no solo le voy a robar todo, sino que le voy a dar un cachetazo° fuerte.

Cuando el muchacho alcanzó° al niño, estaba furioso y le robó todas las monedas que eran de su madre. El adolescente estaba a punto de darle una paliza° cuando Pablito dijo:

40

—¿Escuchas eso? Viene el agua de la tormenta y si no subimos a este árbol en pocos minutos nos vamos a ahogar°. Dejemos todo en el suelo para no enredarnos° con las ramas y quitémonos cualquier peso adicional.

Tercera parte

El adolescente se quitó el sombrero de Pablito y dejó todas las monedas robadas al pie del árbol enorme.

Pablito le preguntó al adolescente:

45

—¿Subes tú primero o subo yo?

—Subo yo primero y así te puedo ayudar —dijo el muchacho.

50

El muchacho adolescente no sabía nadar y tenía tanto miedo que subió al árbol hasta bien arriba sin ayudar a Pablito. Cuando el adolescente estaba tan arriba que no se le veía entre las ramas y las hojas, Pablito se puso su sombrero, metió las monedas en su bolsillo y fue a comprar el queso y la sal. Después, volvió a casa cantando.

—Qué terrible la adolescencia. Me gusta mucho más la niñez —observó Pablito.

suelo *ground* **sujetó** *held down* **mascota** *pet* **sapo** *toad* **destapo** *uncover* **jaula** *cage* **agarrar** *grab* **chocaron** *smashed* **de espaldas contra** *with his back against* **Hundió** *He dug in* **travieso** *mischievous* **cachetazo** *slap on the face* **alcanzó** *reached* **paliza** *beating* **ahogar** *drown* **enredarnos** *get tangled up*

Paso 2 En parejas, analicen el uso de cada verbo de la **Primera parte** en el pretérito y el imperfecto. Hagan una tabla como esta y tomen nota de los detalles.

verbo	¿imperfecto o pretérito?	¿por qué?	palabra o expresión útil
jugaba	imperfecto	*ongoing action*	mientras
dio	pretérito	*sequence of completed events*	de repente

Paso 3 Lee la **Segunda parte** de la historia. Identifica todos los verbos en pretérito y en imperfecto y cuenta cuántos hay de cada uno antes de contestar las otras preguntas.

1. Número de verbos en cada tiempo verbal
Verbos en el pretérito = _____
Verbos en el imperfecto = _____

2. ¿Qué tiempo verbal aparece más en el cuento: el pretérito o el imperfecto? ¿Por qué?

3. ¿Cuál es la función principal de los verbos en el pretérito y el imperfecto en este cuento?

Paso 4 Con dos compañeros/as, lean en voz alta la **Tercera parte** del cuento. Una persona es el/la narrador(a), otra es Pablito y otra es el adolescente. Presten atención a lo que dicen los personajes y cómo lo dicen.

② En orden cronológico Pon las oraciones en orden cronológico según lo que sucedió en el cuento. Compara tus respuestas con un(a) compañero/a.

____ Pablito vio que un adolescente lo seguía.

____ El adolescente subió al árbol hasta bien arriba para evitar la inundación.

____ Pablito jugaba en la calle.

____ El adolescente se golpeó las manos contra la piedra.

____ La mamá de Pablito lo mandó a comprar queso y sal.

____ El adolescente le dijo a Pablito que tenía mucha fuerza.

____ Pablito compró el queso y la sal y volvió a casa cantando.

____ Pablito se paró de espaldas contra un tronco cortado muy grande.

____ Pablito cantaba al caminar hacia el pueblo.

____ Pablito puso una piedra grande y dura debajo de su sombrero.

____ El adolescente se quitó el sombrero de Pablito y dejó las monedas en el suelo.

Exploraciones

(3) Volvamos a contar la historia En las fotos abajo aparecen objetos, personas o acciones mencionados en el cuento. En parejas, pongan las imágenes en el orden en que se mencionan en el cuento. Luego, túrnense para contar lo que ocurrió en el cuento. Escriban una narración corta para cada dibujo.

1. ___   4. ___

2. ___   5. ___

3. ___   6. ___

A.

B.

C.

D.

E.

F.

(4) Cómo organizar los datos del cuento Completa el esquema con la información importante del cuento y haz una lista con las acciones o eventos principales. Luego, compara tus respuestas con las de un(a) compañero/a.

Título: _____

Personajes: _____

_____

_____

Lugar: _____

Problema: _____

Acciones principales del cuento:

1. _____

2. _____

3. _____

4. _____

5. _____

5 **Otra versión del cuento** Pablito engañó al adolescente tres veces.

Paso 1 Escribe un resumen corto de los engaños.

1. _____

2. _____

3. _____

Paso 2 Ahora, crea una escena en la que ocurra un cuarto engaño. Usa estas preguntas para escribir un párrafo final: ¿Dónde estaba Pablito? ¿Qué hacía Pablito cuando llegó el adolescente? ¿Qué pasó después? ¿Cómo engañó Pablito al adolescente la cuarta vez?

6 **El español cerca de ti** ¿Hay libros en español en tu comunidad? Investiga en persona o en línea sobre la biblioteca pública de tu comunidad o de tu universidad, y contesta las preguntas.

1. ¿Qué géneros de libros en español hay para adultos?

2. ¿Hay libros en español escritos por autores y autoras de otros países donde se habla español?

3. ¿Hay libros traducidos al español?

4. ¿Encuentras libros infantiles? ¿De qué se tratan?

5. ¿Qué otros materiales hay en español?

6. ¿Qué servicios en español ofrece la biblioteca?

TIP

To narrate faster and more accurately in the past, think of a situation that happened during your day and write it down in Spanish as if you were telling a friend. Read it aloud and then underline all the verbs. If you are unsure about your use of the preterit and imperfect, check with your professor. These active attempts to narrate in the past will help you understand the choices that native speakers make unconsciously.

La biblioteca de la Universidad Centroamericana en Managua, Nicaragua, es amplia y cuenta con una variedad de recursos para la investigación.

Resources

Vhlcentral

WebSAM

□ **I CAN** narrate a story about the past.

Expressing past mental states and emotions: The preterit and the imperfect (part II)

So far you have learned that the preterit and the imperfect are used to express past actions. The preterit is used to focus on the beginning or ending of an action, or to introduce a new action to move a storyline forward. The imperfect is used to set the stage or describe what was happening without a focus on when the action started or stopped. The same idea can be used to express mental and emotional states in the past. Read the examples.

Cecilia **se sentía feliz** el día de la boda de su hermana.

Cecilia felt (was feeling) happy the day of her sister's wedding.

Cuando Cecilia perdió su trabajo, **se puso muy triste**.

When Cecilia lost her job she became (started feeling) sad.

▸ These verbs express a change in a feeling or emotion:

Verbs that express a change in feeling	
aburrirse	to become bored
alegrarse	to become happy
asustarse	to become scared
enojarse	to become angry
sorprenderse	to become surprised

▸ Note the use of the preterit to express a change in feeling or emotion:

Me enojé mucho cuando mi compañero de cuarto me copió la tarea.

I got really angry when my roommate copied my homework.

▸ You can also use the verb **ponerse** (*to become*) to express a change in emotion.

Cecilia **se puso muy feliz** cuando encontró otro puesto.

Cecilia became very happy when she found another job.

▸ The verb **sentirse** can be used to describe a variety of emotions.

Los estudiantes **se sintieron felices** cuando terminaron el examen.

The students felt happy when they finished the exam.

These common verbs tend to be translated to English differently when used in the preterit or the imperfect. In the imperfect, they describe an ongoing feeling. In the preterit, they specify the beginning or end of a mental or emotional state.

Verbs used with mental and physical states in the past		
Verb	**Preterit**	**Imperfect**
conocer	*to meet for the first time; to begin "knowing" someone*	*to know; to be familiar with*
haber	*there was/were (implies something occurred)*	*there was/were (general description, past description of a scene, setting the stage for the story)*
poder	*succeeded (or did not succeed)*	*was able (or not able) to; but no information on whether the action happened*
querer	*tried to (or refused)*	*wanted/didn't want to do something*
saber	*to find out; to start "knowing" something*	*to know something*

1 **Las experiencias de Carlos** Escucha a Carlos mientras describe algunas de las experiencias de su vida. Decide si utiliza el pretérito (**P**) o el imperfecto (**I**) en cada oración.

1. _____ 3. _____ 5. _____

2. _____ 4. _____ 6. _____

2 **Las fotos de Cecilia** Lee la información sobre el pasatiempo de Cecilia. Observa el uso de los verbos y marca las ocurrencias del pretérito y del imperfecto. Después, contesta las preguntas.

Cuando era niña, siempre me fascinaba la fotografía. Recibí mi primera cámara digital cuando tenía 12 años y desde ese momento empecé a desarrollar un nuevo pasatiempo. Cada verano mi familia y yo íbamos de vacaciones a un lugar nuevo en nuestro país, para conocerlo mejor. Siempre llevaba la cámara conmigo y tomaba muchas fotos. Mi amor por la fotografía se convirtió en una pasión por los videos. Así que aprendí a filmar y a editar. Al principio hacía videos cortos y añadía una narración de cada lugar. Me sentía satisfecha con mi nuevo pasatiempo y mi creatividad. Más tarde, durante mis años de estudios universitarios, transformé mis videos de turismo en vlogs en mi propio canal en internet. ¡Qué maravilloso!

1. ¿Qué hacía Cecilia cuando era niña?

2. ¿Cuándo empezó a tomar fotos?

3. ¿Cómo se sentía Cecilia acerca de su nuevo pasatiempo?

4. ¿Qué hizo Cecilia con sus videos? ¿Por qué?

Esta es una foto que tomé en Jujuy, una provincia del Noroeste argentino.

Exploraciones

3 **¿Cuándo fue la última vez que...?** En tu curso de psicología tienes que completar varios cuestionarios en internet sobre los sentimientos y las emociones. Trabaja con un(a) compañero/a para terminar las oraciones.

1. La última vez que me enojé fue cuando…

2. Estaba caminando a mi clase de español cuando de repente…

3. Me puse muy nervioso/a cuando…

4. Me sorprendí al ver…

5. Me sentía muy feliz…

6. Un día me asusté mucho cuando…

7. Siempre me ponía contento/a al ver…

4 **Crear un Mad Lib** El Mad Lib es un juego que fue inventado en 1953 por Roger Price y Leonard Stern. Consiste en rellenar los espacios en blanco de un cuento. A veces los resultados son muy cómicos, por eso es divertido jugar con varios amigos. Es muy fácil crear tu propio juego. Sigue los pasos para crear uno.

Paso 1 Crea un cuento. No tiene que ser extraordinario, ya que las palabras elegidas durante el juego pueden hacerlo más interesante y divertido. Piensa en el público. Si es para tus compañeros/as de clase, puedes incluir sus nombres en el cuento y referirte a experiencias vividas durante el curso.

Paso 2 Edita tu cuento. Elige varias palabras para reemplazarlas con espacios en blanco. Entre paréntesis, escribe la categoría gramatical o una pista (*hint*) indicando qué se necesita para rellenar el espacio en blanco, por ejemplo, **(sustantivo)**, **(verbo)**, **(persona)**, **(lugar)**, **(acción)**.

Paso 3 Imprime tu cuento. Léeselo a un grupo de cuatro compañeros/as. Ellos/as deben turnarse para completar los espacios en blanco según las pistas. Léele el cuento terminado al grupo. ¿Quién tuvo el cuento más divertido?

5 **Situaciones** Haz el papel de A o B con un(a) compañero/a para participar en la conversación.

A As a staff writer, you have been assigned to write an article for the university newspaper about cool trips to take for the next holiday or vacation. Interview a student to ask him/her to describe at least one vacation spot he/she has been to in recent years. Ask about things like length of stay, time of year, means of transportation, where he/she stayed, events that occurred during the trip, and any other highlights.

B You are being interviewed for the university newspaper for an article on cool trips for winter or summer break. Answer your partner's questions regarding a recent vacation that you took. Tell about things like how you traveled, how long and where you stayed, and highlights of your experience.

Mi viaje a _____
país

Cuando tenía _____ años,
número

hice un viaje _____
adjetivo

con _____. Viajamos
persona

en _____ ...
modo de transporte

☐ **I CAN** describe mental and emotional states in the past.

Resources

Ⓢ

Vhlcentral

WebSAM

Episodio #21: Mariana Paz Jiménez

Antes de escuchar

1. **¿Qué recuerdas de Chile?** Mariana Paz Jiménez trabaja como organizadora de eventos y tiene que preparar una agenda para dos personas que van a visitar Santiago de Chile y recorrer algunos lugares interesantes de ese país. Piensa en lo que ya sabes sobre Chile. ¿Qué lugares te parecen interesantes para incluir en el recorrido? ¿Por qué?

Mientras escuchas

2. **¿Qué hicieron los profesores?** Escucha el recorrido que Mariana organizó para los profesores el fin de semana en Santiago y selecciona los lugares que ella menciona.

☐ compramos prendas de ropa en el barrio Santa Elena

☐ fuimos al puerto en Valparaíso

☐ caminamos por la Plaza de Armas

☐ hicimos senderismo en el Parque Forestal

☐ visitamos la Biblioteca Nacional

☐ visitamos el Museo de la Memoria y los Derechos Humanos

☐ participamos en una exhibición en el Museo de Bellas Artes

☐ almorzamos en el barrio Yungay

Después de escuchar

3. **Un fin de semana en mi ciudad** Piensa en las actividades que Mariana organizó para el fin de semana con los profesores. ¿Qué hiciste tú el fin de semana pasado? ¿Hiciste alguna actividad similar? Prepara una descripción de tus actividades.

Paso 1 Escribe dos o tres actividades que hiciste el último fin de semana. Agrega detalles de las actividades, los lugares, las personas con quienes estuviste y cómo te sentías.

Paso 2 Con un(a) compañero/a, comparte tu descripción y escucha mientras tu compañero/a describe sus actividades. Hazle preguntas para aprender más sobre cuándo, dónde y con quién hacía cada actividad.

Resources

S
Vhlcentral

Online activities

☐ **I CAN** tell stories about past experiences.

Estrategia de lectura: Reading to Learn the Language

By reading in Spanish, you see how vocabulary and grammar work together to convey meaning. Follow these steps when reading: 1) Identify the reading's purpose and what you know about the topic. 2) Identify the parts of the text that relate to the purpose and focus on them. 3) Apply strategies like skimming and scanning, to identify cognates, important ideas, and details. 4) Write a brief summary, including only key information.

Antes de leer

 1 **Preparación** Vas a leer un texto sobre la obra de Dasic Fernández, un muralista chileno. Comenta las preguntas con un(a) compañero/a.

1. ¿Hay murales en tu ciudad? ¿Cuál es el mensaje de los murales?

2. ¿Qué piensas del grafiti como forma de expresión?

Dasic Fernández, un muralista con una historia para contar

El artista chileno Dasic Fernández es conocido por su trabajo multicolor en las calles de Santiago de Chile, y en ciudades desde Miami a Riad (Arabia Saudita), donde ha creado murales y grafitis que representan las historias y la belleza de toda la humanidad.

Sus murales sirven como una forma de embellecer° una ciudad, pero, sobre todo, de crear un sentido de comunidad. Esa es su misión personal y artística: recordar que, a pesar de la diferencia en nuestras historias, todos estamos hechos de lo mismo y conectados a través de los mismos sentimientos. Una de sus obras más conocidas es el mural Super Bowl que creó en Miami para el campeonato de fútbol americano de 2020.

Los murales de Fernández se conocen por su uso del color y la forma para crear imágenes vibrantes y emotivas. Sin embargo, uno de los elementos recurrentes en sus obras es la presentación de personajes humanos que parecen haber sido extraídos° de la vida real,

cada uno con su propia historia y personalidad. En sus personajes se percibe el interés del artista por las expresiones faciales y la diversidad de experiencias. Fernández dice que no usa un color específico para representar la piel de las personas porque dice que todos deberíamos° vernos como un arcoíris° de colores.

Dasic Fernández ha pintado°, murales llenos de emoción en muchas ciudades del mundo.

A través de su arte, el artista busca capturar la complejidad° y la belleza de la experiencia humana, y hacer que todos puedan identificarse con sus historias. Por su habilidad técnica y su sensibilidad emocional, Dasic Fernández es un artista que no te puedes perder.

embellecer *to beautify* **extraídos** *drawn from* **deberíamos** *we should* **arcoíris** *rainbow* **complejidad** *complexity* **ha pintado** *has painted*

Después de leer

2 **Comprensión** Indica si las oraciones son **ciertas (C)** o **falsas (F)**.

1. Dasic usa el arcoíris para representar la esperanza y la bondad de la humanidad. .... **C F**

2. El arte de Dasic embellece los espacios públicos de muchas ciudades en el mundo. .... **C F**

3. Las obras de Dasic intentan capturar el sufrimiento y la tristeza de la experiencia humana. .... **C F**

4. Dasic quiere crear arte que toda la gente pueda apreciar. .... **C F**

3 **A conversar** Busca en internet otras obras de Dasic Fernández. Luego, en parejas, conversen sobre las preguntas.

Q Dasic Fernández muralista

1. ¿Qué piensas del uso del arcoíris de colores en las obras de Fernández? ¿Cómo afecta este uso las historias que él quiere contar?

2. ¿Hay murales o grafitis parecidos a los de Dasic en tu comunidad? ¿Qué representan? ¿Qué historias cuentan? ¿Te gustaría tener un mural de Dasic Fernández en tu comunidad?

4 **A escribir** Lee la estrategia y sigue los pasos para escribir una historia creativa basada en el arte de Dasic Fernández.

Estrategia de escritura: Writing Can Be Inventive and Creative

Creative writing is a fun way to practice Spanish. To create a story, think of its purpose, the audience, and the context. Is it for children, young adults, or adults? Who are the characters, and what are they like? Embellish personal experiences with imaginative additions and create dialogues between characters that dramatize feelings, reflection, and commentary.

Paso 1 Elige una de las obras de Dasic Fernández y piensa en la historia que cuenta. Toma nota de cinco sustantivos y diez adjetivos importantes.

Paso 2 Escribe una historia usando todas las palabras que anotaste. Incluye un diálogo y busca formas creativas para contar el mensaje que transmite el arte.

Paso 3 En parejas, túrnense para leer sus textos. Después, hazle tres preguntas a tu compañero/a sobre su texto y dale sugerencias para mejorar su historia.

Resources

Vhlcentral

Online activities

☐ **I CAN** compare practices and perspectives relating to street art between Chile and my own community.

Video: *Todos tenemos una historia que contar*

Vas a ver un video de Victoria Siedlecki. Victoria nació en Buenos Aires, pero desde 2001 vive en España. Es actriz, bailarina y una de las narradoras orales más reconocidas en España.

Estrategia intercultural: Empathy

When you express empathy for someone's situation or context, you feel more connected to them because you can place or imagine yourself in their situation. Empathy means that you can identify the emotions that are likely associated with a situation. Intercultural conflicts or misunderstandings can be avoided by applying empathy. Putting empathy into practice can even facilitate solutions to conflicts. Empathy increases your sense of belonging, creates solidarity, and can decrease loneliness. Try developing this important skill through active listening, respect, and making an effort to withhold judgment.

Antes de ver

1 **Contar con los cinco sentidos** Victoria Siedlecki te va a ayudar a contar una historia personal.

Paso 1 Examina la lista de palabras que Siedlecki utiliza en su taller. Marca los cognados.

potencial	núcleo	aroma	olor
narrador(a)	terreno	inquietud	situación
momentos	sensorial	vital	recuerdo
liberador(a)	fortaleza	memorias	fantasía

Paso 2 Siedlecki habla de uno de los cinco sentidos en particular: el olfato. Cierra los ojos. ¿Qué aromas oliste durante tu día hoy? Coméntalos con un(a) compañero/a. ¿Tuvieron las mismas experiencias sensoriales?

Mientras ves

(2) La historia de Elena Mientras ves el video, marca las oraciones de la historia de Elena que escuchas.

1. ☐ Elena tenía inquietud con algo que le pasaba.

2. ☐ No podía correr porque sus piernas temblaban mucho.

3. ☐ Le temblaban las manos.

4. ☐ Elena no podía oler los alimentos y se sentía triste.

5. ☐ Los temblores de las manos le salían en determinados momentos.

6. ☐ Elena cuenta que un día estaba entre dos edificios.

7. ☐ Elena describió un pozo hondo que llegaba al núcleo de la tierra.

8. ☐ Elena contaba su cuento con las manos temblorosas.

Después de ver

(3) Comprensión Pablo escuchó a su compañera, Alba, y después contó una experiencia de su vida.

Paso 1 ¿De qué se trataba la historia? Explica los detalles de su historia.

El lugar:

El olor:

Los sentimientos:

Paso 2 Con un(a) compañero/a, explica cómo es posible, según Siedlecki, revivir una experiencia sin movernos de nuestro espacio.

(4) Reflexión En el video, Siedlecki dice que lo que nos puede parecer una debilidad puede convertirse en una fortaleza. Piensa en una de tus debilidades. ¿Cómo crees que es posible convertirla en una fortaleza? Con un(a) compañero/a, comparte tu historia y escucha atentamente la suya.

> "Cada uno de nosotros tiene un gran potencial. Si tenemos ganas de contar historias y nos comprometemos con eso, podemos hacerlo... siempre".

☐ **I CAN** produce and listen to others' stories while applying cultural competency attitudes and skills.

Resources

Vhlcentral

Online activities

Los pingüinos de Magallanes

● ● ● www.el_blog_de_lucas.com/PingüinosDeMagallanes   Q ‹ ›

Sobre mí | Viajes | Mapas | Galería | Contacto

Los pingüinos de Magallanes

¿Has visto° alguna vez a un pingüino de cerca? Pues una de mis experiencias más interesantes fue un viaje a la Patagonia para ver a los pingüinos de Magallanes, con su traje blanco y negro. No quise solo verlos en un zoológico o en documentales. Fue una experiencia inolvidable.

Cuando fui a Punta Tombo, Argentina, aprendí muchas cosas sobre los pingüinos. Al principio quería tocarlos y alimentarlos, pero aprendí que eso está prohibido para protegerlos, para que no se enfermen. También aprendí que los pingüinos de Magallanes son aves migratorias. Pasan la primavera en la costa patagónica y el invierno en la

Los pingüinos de Magallanes son aves marinas migratorias.

costa de Brasil. Pero claro, como viven en el hemisferio sur, la primavera empieza en septiembre. Así es que en septiembre el macho° prepara el nido° y espera a su pareja. La hembra° llega más o menos una semana después. Pone° dos huevos y los cuida durante 40 días. Cuando hice mi viaje, vi a unos pequeños pingüinos nacer en noviembre. También pude ver cómo los padres los alimentaban con peces pequeños y cómo los pingüinitos aprendían a nadar. Qué divertido, ¿no? ¡Me encantan los animales!

¿Has visto...? *Have you seen…?* **macho** *male* **nido** *nest* **hembra** *female* **Pone** *She lays*

---

1 **Viaje a la Patagonia** Piensas viajar a Argentina para conocer los animales de la Patagonia. Planifica el viaje.

Paso 1 Busca en internet información sobre la Patagonia. Toma nota de la información necesaria para contestar las preguntas: ¿Dónde está Punta Tombo? ¿Cómo se llega? ¿Qué excursiones se pueden hacer? ¿Qué otros animales se pueden ver en la Patagonia? ¿Dónde hay que ir para verlos? ¿Cuál es la mejor época del año para visitar la región? ¿Cuáles son las normas de visita para los turistas?

Paso 2 Planifica tu viaje. Elige un animal, un punto de interés o una excursión que te interese particularmente y explica por qué te llama la atención. Incluye todos los detalles que encontraste en el **Paso 1**. Prepárate para compartir tu explicación con la clase.

☐ **I CAN** investigate details about wildlife in Argentina.

Proyectos

Learning Objectives: Tell a story about a life experience that is narrated in the past. Present information about Argentina and Chile.

(1) ¿Me cuentas una historia? Vas a crear tu propio cuento. Lee la estrategia y sigue los pasos.

Estrategia para presentaciones: Using Gestures to Remember

To remember the details of a story based on personal experience, think of gestures that may help you to remember different parts of your story. Practice using only the gestures as you recall the story. Then, practice telling the story in sections, making use of the physical gestures connected to each part. Finally, put all the parts together. It should be easier to remember the story and to tell it more naturally.

Paso 1 Repasa el vocabulario del capítulo relacionado con las experiencias de tu vida. Luego, mira los videos **Encuentros: *Te cuento una historia*** y **Experiencias: *Todos tenemos una historia que contar*** y toma nota de palabras, expresiones y estrategias que quieras incorporar en tu propio cuento.

Paso 2 Piensa en una experiencia especial o interesante de algún momento de tu vida. Puede ser de cuando eras pequeño/a o más reciente. Usa las preguntas como guía para crear tu historia e incluye tantos detalles como puedas: ¿Cuál es la experiencia que quieres contar? Escribe una lista de lo que recuerdas. ¿Dónde estabas? ¿Quién estaba contigo? ¿Qué ocurrió? ¿Qué hiciste? ¿Cómo te sentías? ¿Por qué piensas que es una experiencia especial o interesante?

Paso 3 Organiza tu historia. Acompaña algunas secciones de tu historia con gestos. Practica cada sección con su gesto. Practica tu historia con un(a) compañero/a. Tu compañero/a te va a dar sugerencias para mejorar tu trabajo.

Paso 4 Presenta tu historia sobre una experiencia especial. Incluye imágenes y prepárate para compartir tu historia con el resto de la clase.

(2) Álbum de Argentina y Chile Usando la información del capítulo e internet, crea una presentación que incluya los siguientes puntos sobre Argentina y Chile. Luego, compara la información con un(a) compañero/a y compartan algo nuevo que aprendieron.

1. información básica
2. estadísticas interesantes
3. dos lugares interesantes
4. observaciones culturales
5. enlaces interesantes
6. información que te hizo cambiar de opinión o que te hizo reflexionar

> **¡ATENCIÓN!**
> Ask your instructor to share the **Rúbrica** to understand how your work will be assessed.

☐ **I CAN** tell a story about an important experience.
☐ **I CAN** share personally meaningful information about Argentina and Chile.

Repaso de objetivos

Reflect on your progress toward the chapter main goals.

I am able to...

	Well	Somewhat
• Identify the main events of stories I read and hear.	☐	☐
• Exchange information about past experiences.	☐	☐
• Compare products, practices, and perspectives from Argentina and Chile with my own community.	☐	☐
• Tell a story about a life experience that is narrated in the past.	☐	☐

Repaso de vocabulario

Vocabulary Tools

Experiencias de exploración   *Exploration experiences*
acampar   *to go camping*
bucear   *to scuba dive*
explorar un lugar nuevo   *to explore a new place*
hacer
  rapel   *to rappel*
  senderismo   *to go hiking*
ir a   *to go to*
  un campeonato   *a championship*
  un festival   *a festival*
  un partido   *a game*
ir de mochilero/a   *to go backpacking*

Experiencias de vida   *Life experiences*
aprender de un error   *to learn from a mistake*
conocer a alguien de otra cultura   *to meet someone from another culture*
hacer un viaje (al extranjero)   *to travel (abroad)*
obtener (e:ie) el primer trabajo   *to get your first job*
la primera vez   *the first time*
  en un avión   *on a plane*
  en barco   *on a boat*
tener (e:ie) la primera cita   *to go on a first date*

Experiencias transformadoras   *Transformational experiences*
aprender   *to learn*
  algo nuevo   *something new*
  una nueva lengua   *a new language*
conocer a   *to meet*
  un(a) héroe/heroína personal   *a personal hero*
  tu mejor amigo/a   *your best friend*
  tu pareja   *your partner*
empezar (e:ie) la universidad   *to start college/university*
experimentar algún cambio en la familia   *to experience a change in your family*
hacer trabajo voluntario   *to volunteer*
mudarse a un lugar nuevo   *to move to a new place*
ser   *to be*
  el/la capitán/capitana de un equipo   *captain of a team*
  el/la líder de un club   *leader of a club*
  el/la presidente de...   *president of…*

Expresiones de tiempo para introducir ideas
  Time expressions to present ideas
antes de ese momento, nunca...   *before that moment, I never…*
cuando (yo) era pequeño/a   *when I was young/little*
cuando fuimos a...   *when we went to …*
cuando tenía... años   *when I was… years old*
hace (tres) años   *(three) years ago*
siempre quise   *I always wanted to*
una vez   *once*

Repaso de gramática

1 The preterit and the imperfect (part I)

The preterit is used to:

▶ describe a singular action or a series of actions that may have continued in the past but are now viewed as a completed whole.

▶ describe an action from the point of view of its beginning or end.

▶ describe a chronological sequence of completed events or actions in the past to advance the story line.

▶ focus on the event itself or specify an important event in the story line itself.

The imperfect is used to:

▶ set the background for the events of a story.

▶ describe past actions that were continuing, ongoing, or repeated; actions without reference to their beginning or ending.

▶ describe things already in existence in the past.

▶ describe repeated actions that used to take place regularly, actions with no definite duration or number of occurrences.

▶ tell the time in the past.

▶ tell someone's age in the past.

2 The preterit and the imperfect (part II)

Verbs that express a change in feeling			
aburrirse	*to become bored*	enojarse	*to become angry*
alegrarse	*to become happy*	sorprenderse	*to become surprised*
asustarse	*to become scared*		

Verbs used with mental and physical states in the past		
Verb	**Preterit**	**Imperfect**
conocer	*to meet for the first time*	*to know; to be familiar with*
haber	*there was/were (implies something occurred)*	*there was/were (general description, past description of a scene)*
poder	*succeeded (or did not succeed)*	*was able (or not able) to*
querer	*tried to (or refused)*	*wanted/didn't want to do something*
saber	*to find out*	*to know something*

Resources

Vhlcentral

Online activities

Consulta

Contenido

Verb Conjugation Tables

Verb Conjugation Tables

The verb lists

The list of verbs below and the model-verb tables that start on page A4 show you how to conjugate common Spanish verbs. Each verb in the list is followed by a model verb that is conjugated according to the same pattern. The number in parentheses indicates where in the tables you can find the conjugated forms of the model verb. If you want to find out how to conjugate **divertirse**, for example, look up number 33, **sentir**, the model for verbs that follow the **e:ie** stem-change pattern.

How to use the verb tables

In the tables you will find the infinitive, present and past participles, and all the simple forms of each model verb. The formation of the compound tenses of any verb can be inferred from the table of compound tenses, pages A4–A5, either by combining the past participle of the verb with a conjugated form of **haber** or combining the present participle with a conjugated form of **estar**.

---

abrir like vivir (3) *except past participle is* **abierto**
aburrir(se) like vivir (3)
acabar like hablar (1)
acampar like hablar (1)
aconsejar like hablar (1)
acostar(se) (o:ue) like contar (24)
afeitar(se) like hablar (1)
ahorrar like hablar (1)
aliviar like hablar (1)
almorzar (o:ue) like contar (24) *except* **(z:c)**
alquilar like hablar (1)
apagar (g:gu) like llegar (41)
aprender like comer (2)
apurar(se) like hablar (1)
arrancar (c:qu) like tocar (44)
arreglar(se) like hablar (1)
asistir like vivir (3)
aumentar like hablar (1)
bailar like hablar (1)
bajar(se) like hablar (1)
bañar(se) like hablar (1)
barrer like comer (2)
beber like comer (2)
brindar like hablar (1)
bucear like hablar (1)
buscar (c:qu) like tocar (44)
caer(se) (5)
calentarse (e:ie) like pensar (30)
cambiar like hablar (1)
caminar like hablar (1)
cantar like hablar (1)
cargar like llegar (41)
casarse like hablar (1)
celebrar like hablar (1)

cenar like hablar (1)
cepillar(se) like hablar (1)
cerrar (e:ie) like pensar (30)
chatear like hablar (1)
chocar (c:qu) like tocar (44)
cobrar like hablar (1)
cocinar like hablar (1)
coleccionar like hablar (1)
columpiar(se) like hablar (1)
comenzar (e:ie) (z:c) like empezar (26)
comer (2)
compartir like vivir (3)
componer like poner (15)
comprar like hablar (1)
comprender like comer (2)
comprometerse like comer (2)
conducir (c:zc) (6)
conectar(se) like hablar (1)
confirmar like hablar (1)
conocer (c:zc) (35)
conseguir (e:i) (g:gu) like seguir (32)
conservar like hablar (1)
consumir like vivir (3)
contar (o:ue) (24)
contestar like hablar (1)
contratar like hablar (1)
controlar like hablar (1)
conversar like hablar (1)
correr like comer (2)
cortar like hablar (1)
costar (o:ue) like contar (24)
creer (y) (36)
cruzar (z:c) (37)
cuidar like hablar (1)

cumplir like vivir (3)
dañar like hablar (1)
dar(se) (7)
deber like comer (2)
decidir like vivir (3)
decir (e:i) (8)
dejar like hablar (1)
depositar like hablar (1)
desarrollar like hablar (1)
desayunar like hablar (1)
descansar like hablar (1)
descargar like llegar (41)
describir like vivir (3) *except past participle is* **descrito**
descubrir like vivir (3) *except past participle is* **descubierto**
desear like hablar (1)
despedir (e:i) like pedir (29)
despertar(se) (e:ie) like pensar (30)
destruir (y) (38)
dibujar like hablar (1)
disfrutar like hablar (1)
divertirse (e:ie) like sentir (33)
divorciarse like hablar (1)
doblar like hablar (1)
doler (o:ue) like volver (34) *except past participle is regular*
dormir(se) (o:ue, u) (25)
duchar(se) like hablar (1)
dudar like hablar (1)
empezar (e:ie) (z:c) (26)
enamorarse like hablar (1)
encantar like hablar (1)
encontrar (o:ue) like contar (24)

enfermarse like hablar (1)
enojar(se) like hablar (1)
ensayar like hablar (1)
enseñar like hablar (1)
ensuciar like hablar (1)
entender (e:ie) (27)
entrenar(se) like hablar (1)
entrevistar like hablar (1)
enviar (envío) (39)
escalar like hablar (1)
escanear like hablar (1)
escribir like vivir (3) *except*
    past participle is **escrito**
escuchar like hablar (1)
esperar like hablar (1)
esquiar (esquío) like enviar (1)
estacionar like hablar (1)
estar (9)
estudiar like hablar (1)
evitar like hablar (1)
experimentar like hablar (1)
explicar (c:qu) like tocar (44)
explorar like hablar (1)
faltar like hablar (1)
fascinar like hablar (1)
firmar like hablar (1)
fumar like hablar (1)
funcionar like hablar (1)
ganar like hablar (1)
gastar like hablar (1)
grabar like hablar (1)
graduarse (gradúo) (40)
guardar like hablar (1)
gustar like hablar (1)
haber (hay) (10)
hablar (1)
hacer (11)
importar like hablar (1)
imprimir like vivir (3)
indicar (c:qu) like tocar (44)
insistir like vivir (3)
interesar like hablar (1)
invertir (e:ie) like sentir (33)
invitar like hablar (1)
ir(se) (12)
jubilarse like hablar (1)
jugar (u:ue) (g:gu) (28)
lastimar(se) like hablar (1)
lavar(se) like hablar (1)
leer (y) like creer (36)
levantar(se) like hablar (1)
limpiar like hablar (1)
llamar(se) like hablar (1)
llegar (g:gu) (41)
llenar like hablar (1)
llevar(se) like hablar (1)

llover (o:ue) like volver (34) *except*
    past participle is regular
mandar like hablar (1)
manejar like hablar (1)
mantenerse (e:ie) like tener (20)
maquillar(se) like hablar (1)
mejorar like hablar (1)
merendar (e:ie) like pensar (30)
mirar like hablar (1)
molestar like hablar (1)
montar like hablar (1)
morir (o:ue) like dormir (25)
    except past participle is **muerto**
mostrar (o:ue) like contar (24)
mudarse like hablar (1)
nacer (c:zc) like conocer (35)
nadar like hablar (1)
necesitar like hablar (1)
negar (e:ie) like pensar (30) *except* (g:gu)
nevar (e:ie) like pensar (30)
obtener (e:ie) like tener (20)
odiar like hablar (1)
ofrecer (c:zc) like conocer (35)
oír (y) (13)
olvidar like hablar (1)
ordenar like hablar (1)
pagar (g:gu) like llegar (41)
parar like hablar (1)
parecer (c:zc) like conocer (35)
pasar like hablar (1)
pasear like hablar (1)
patinar like hablar (1)
pedir (e:i) (29)
peinar(se) like hablar (1)
pensar (e:ie) (30)
perder (e:ie) like entender (27)
pertenecer (c:zc) like conocer (35)
pescar (c:qu) like tocar (44)
pintar like hablar (1)
planchar like hablar (1)
poder (o:ue) (14)
poner(se) (15)
practicar (c:qu) like tocar (44)
preferir (e:ie) like sentir (33)
preguntar like hablar (1)
preocupar(se) like hablar (1)
preparar like hablar (1)
prestar like hablar (1)
probar(se) (o:ue) like contar (24)
producir (c:zc) like conducir (6)
prohibir (42)
proponer like poner (15)
proteger (g:j) (43)
quedar(se) like hablar (1)
querer (e:ie) (16)
quitar(se) like hablar (1)
recibir like vivir (3)

reciclar like hablar (1)
recoger (g:j) like proteger (43)
recomendar (e:ie) like pensar (30)
recordar (o:ue) like contar (24)
reducir (c:zc) like conducir (6)
regalar like hablar (1)
regresar like hablar (1)
reír(se) (e:i) (31)
relajarse like hablar (1)
renunciar like hablar (1)
repetir (e:i) like pedir (29)
resolver (o:ue) like volver (34)
respirar like hablar (1)
romper(se) like comer (2) *except*
    past participle is **roto**
saber (17)
sacar(se) (c:qu) like tocar (44)
sacudir like vivir (3)
salir (18)
saltar like hablar (1)
secar (c:qu) like tocar (44)
seguir (e:i) (gu:g) (32)
sentarse (e:ie) like pensar (30)
sentir(se) (e:ie) (33)
separarse like hablar (1)
ser (19)
servir (e:i) like pedir (29)
solicitar like hablar (1)
sonar (o:ue) like contar (24)
sonreír (e:i) like reír(se) (31)
sorprender like comer (2)
subir like vivir (3)
sudar like hablar (1)
sufrir like vivir (3)
sugerir (e:ie) like sentir (33)
suponer like poner (15)
temer like comer (2)
tender (e:ie) like entender (27)
tener (e:ie) (20)
terminar like hablar (1)
textear like hablar (1)
tomar like hablar (1)
toser like comer (2)
trabajar like hablar (1)
traducir (c:zc) like conducir (6)
traer (21)
tratar like hablar (1)
usar like hablar (1)
vender like comer (2)
venir (e:ie) (22)
ver (23)
vestir(se) (e:i) like pedir (29)
viajar like hablar (1)
visitar like hablar (1)
vivir (3)
volar (o:ue) like contar (24)
volver (o:ue) (34)

Verb Conjugation Tables

Regular verbs: Simple tenses

Infinitive	INDICATIVE					SUBJUNCTIVE		IMPERATIVE
	Present	Imperfect	Preterit	Future	Conditional	Present	Past	
1 hablar	hablo	hablaba	hablé	hablaré	hablaría	hable	hablara	
	hablas	hablabas	hablaste	hablarás	hablarías	hables	hablaras	habla tú (no hables)
Participles:	habla	hablaba	habló	hablará	hablaría	hable	hablara	hable Ud.
hablando	hablamos	hablábamos	hablamos	hablaremos	hablaríamos	hablemos	habláramos	hablemos
hablado	habláis	hablabais	hablasteis	hablaréis	hablaríais	habléis	hablarais	hablad (no habléis)
	hablan	hablaban	hablaron	hablarán	hablarían	hablen	hablaran	hablen Uds.
2 comer	como	comía	comí	comeré	comería	coma	comiera	
	comes	comías	comiste	comerás	comerías	comas	comieras	come tú (no comas)
Participles:	come	comía	comió	comerá	comerían	coma	comiera	coma Ud.
comiendo	comemos	comíamos	comimos	comeremos	comeríamos	comamos	comiéramos	comamos
comido	coméis	comíais	comisteis	comeréis	comeríais	comáis	comierais	comed (no comáis)
	comen	comían	comieron	comerán	comerían	coman	comieran	coman Uds.
3 vivir	vivo	vivía	viví	viviré	viviría	viva	viviera	
	vives	vivías	viviste	vivirás	vivirías	vivas	vivieran	vive tú (no vivas)
Participles:	vive	vivía	vivió	vivirá	viviría	viva	viviera	viva Ud.
viviendo	vivimos	vivíamos	vivimos	viviremos	viviríamos	vivamos	viviéramos	vivamos
vivido	vivís	vivíais	vivisteis	viviréis	viviríais	viváis	vivierais	vivid (no viváis)
	viven	vivían	vivieron	vivirán	vivirían	vivan	vivieran	vivan Uds.

All verbs: Compound tenses

PERFECT TENSES											
INDICATIVE								**SUBJUNCTIVE**			
Present Perfect		Past Perfect		Future Perfect		Conditional Perfect		Present Perfect		Past Perfect	
he		había		habré		habría		haya		hubiera	
has		habías		habrás		habrías		hayas		hubieras	
ha	hablado	había	hablado	habrá	hablado	habría	hablado	haya	hablado	hubiera	hablado
hemos	comido	habíamos	comido	habremos	comido	habríamos	comido	hayamos	comido	hubiéramos	comido
habéis	vivido	habíais	vivido	habréis	vivido	habríais	vivido	hayáis	vivido	hubierais	vivido
han		habían		habrán		habrían		hayan		hubieran	

PROGRESSIVE TENSES

INDICATIVE								SUBJUNCTIVE			
Present Progressive		Past Progressive		Future Progressive		Conditional Progressive		Present Progressive		Past Progressive	
estoy		estaba		estaré		estaría		esté		estuviera	
estás		estabas		estarás		estarías		estés		estuvieras	
está	hablando	estaba		estará	hablando	estaría	hablando	esté	hablando	estuviera	hablando
estamos	comiendo	estábamos	hablando	estaremos	comiendo	estaríamos	comiendo	estemos	comiendo	estuviéramos	comiendo
estáis	viviendo	estabais	comiendo	estaréis	viviendo	estaríais	viviendo	estéis	viviendo	estuvierais	viviendo
están		estaban	viviendo	estarán		estarían		estén		estuvieran	

Irregular verbs

		INDICATIVE					SUBJUNCTIVE		IMPERATIVE
	Infinitive	Present	Imperfect	Preterit	Future	Conditional	Present	Past	
4	caber	quepo	cabía	cupe	cabré	cabría	quepa	cupiera	
		cabes	cabías	cupiste	cabrás	cabrías	quepas	cupieras	cabe tú (no **quepas**)
	Participles:	cabe	cabía	cupo	cabrá	cabría	quepa	cupiera	**quepa** Ud.
	cabiendo	cabemos	cabíamos	cupimos	cabremos	cabríamos	quepamos	cupiéramos	**quepamos**
	cabido	cabéis	cabíais	cupisteis	cabréis	cabríais	quepáis	cupierais	cabed (no **quepáis**)
		caben	cabían	cupieron	cabrán	cabrían	quepan	cupieran	**quepan** Uds.
5	caer(se)	caigo	caía	caí	caeré	caería	caiga	cayera	
		caes	caías	caíste	caerás	caerías	caigas	cayeras	cae tú (no **caigas**)
	Participles:	cae	caía	cayó	caerá	caería	caiga	cayera	**caiga** Ud.
	cayendo	caemos	caíamos	caímos	caeremos	caeríamos	caigamos	cayéramos	**caigamos**
	caído	caéis	caíais	caísteis	caeréis	caeríais	caigáis	cayerais	caed (no **caigáis**)
		caen	caían	cayeron	caerán	caerían	caigan	cayeran	**caigan** Uds.
6	conducir	conduzco	conducía	conduje	conduciré	conduciría	conduzca	condujera	
	(c:zc)	conduces	conducías	condujiste	conducirás	conducirías	conduzcas	condujeras	conduce tú (no **conduzcas**)
		conduce	conducía	condujo	conducirá	conduciría	conduzca	condujera	**conduzca** Ud.
	Participles:	conducimos	conducíamos	condujimos	conduciremos	conduciríamos	conduzcamos	condujéramos	**conduzcamos**
	conduciendo	conducís	conducíais	condujisteis	conduciréis	conduciríais	conduzcáis	condujerais	conducid (no **conduzcáis**)
	conducido	conducen	conducían	condujeron	conducirán	conducirían	conduzcan	condujeran	**conduzcan** Uds.
7	dar	doy	daba	di	daré	daría	dé	diera	
		das	dabas	diste	darás	darías	des	dieras	da tú (no des)
	Participles:	da	daba	dio	dará	daría	dé	diera	**dé** Ud.
	dando	damos	dábamos	dimos	daremos	daríamos	demos	diéramos	demos
	dado	dais	dabais	disteis	daréis	daríais	deis	dierais	dad (no **deis**)
		dan	daban	dieron	darán	darían	den	dieran	**den** Uds.

Verb Conjugation Tables

	Infinitive	INDICATIVE					SUBJUNCTIVE		IMPERATIVE
		Present	Imperfect	Preterit	Future	Conditional	Present	Past	
8	decir (e:i)	digo	decía	dije	diré	diría	diga	dijera	
		dices	decías	dijiste	dirás	dirías	digas	dijeras	**di** tú (no **digas**)
	Participles:	dice	decía	dijo	dirá	diría	diga	dijera	**diga** Ud.
	diciendo	decimos	decíamos	dijimos	diremos	diríamos	digamos	dijéramos	**digamos**
	dicho	decís	decíais	dijisteis	diréis	diríais	digáis	dijerais	decid (no **digáis**)
		dicen	decían	dijeron	dirán	dirían	digan	dijeran	**digan** Uds.
9	estar	estoy	estaba	estuve	estaré	estaría	esté	estuviera	
		estás	estabas	estuviste	estarás	estarías	estés	estuvieras	**está** tú (no **estés**)
	Participles:	está	estaba	estuvo	estará	estaría	esté	estuviera	**esté** Ud.
	estando	estamos	estábamos	estuvimos	estaremos	estaríamos	estemos	estuviéramos	estemos
	estado	estáis	estabais	estuvisteis	estaréis	estaríais	estéis	estuvierais	estad (no estéis)
		están	estaban	estuvieron	estarán	estarían	estén	estuvieran	**estén** Uds.
10	haber	he	había	hube	habré	habría	haya	hubiera	
		has	habías	hubiste	habrás	habrías	hayas	hubieras	
	Participles:	ha	había	hubo	habrá	habría	haya	hubiera	
	habiendo	hemos	habíamos	hubimos	habremos	habríamos	hayamos	hubiéramos	
	habido	habéis	habíais	hubisteis	habréis	habríais	hayáis	hubierais	
		han	habían	hubieron	habrán	habrían	hayan	hubieran	
11	hacer	hago	hacía	hice	haré	haría	haga	hiciera	
		haces	hacías	hiciste	harás	harías	hagas	hicieras	**haz** tú (no **hagas**)
	Participles:	hace	hacía	hizo	hará	haría	haga	hiciera	**haga** Ud.
	haciendo	hacemos	hacíamos	hicimos	haremos	haríamos	hagamos	hiciéramos	**hagamos**
	hecho	hacéis	hacíais	hicisteis	haréis	haríais	hagáis	hicierais	haced (no **hagáis**)
		hacen	hacían	hicieron	harán	harían	hagan	hicieran	**hagan** Uds.
12	ir	voy	iba	fui	iré	iría	vaya	fuera	
		vas	ibas	fuiste	irás	irías	vayas	fueras	**ve** tú (no **vayas**)
	Participles:	va	iba	fue	irá	iría	vaya	fuera	**vaya** Ud.
	yendo	vamos	íbamos	fuimos	iremos	iríamos	vayamos	fuéramos	**vamos** (no **vayamos**)
	ido	vais	ibais	fuisteis	iréis	iríais	vayáis	fuerais	id (no **vayáis**)
		van	iban	fueron	irán	irían	vayan	fueran	**vayan** Uds.
13	oír (y)	oigo	oía	oí	oiré	oiría	oiga	oyera	
		oyes	oías	oíste	oirás	oirías	oigas	oyeras	**oye** tú (no **oigas**)
	Participles:	oye	oía	oyó	oirá	oiría	oiga	oyera	**oiga** Ud.
	oyendo	oímos	oíamos	oímos	oiremos	oiríamos	oigamos	oyéramos	**oigamos**
	oído	oís	oíais	oísteis	oiréis	oiríais	oigáis	oyerais	oíd (no **oigáis**)
		oyen	oían	oyeron	oirán	oirían	oigan	oyeran	**oigan** Uds.

	INDICATIVE					SUBJUNCTIVE		IMPERATIVE
Infinitive	Present	Imperfect	Preterit	Future	Conditional	Present	Past	
14 poder (o:ue)	**puedo**	podía	**pude**	**podré**	**podría**	**pueda**	**pudiera**	
	puedes	podías	**pudiste**	**podrás**	**podrías**	**puedas**	**pudieras**	**puede** tú (no **puedas**)
Participles:	**puede**	podía	**pudo**	**podrá**	**podría**	**pueda**	**pudiera**	**pueda** Ud.
pudiendo	podemos	podíamos	**pudimos**	**podremos**	**podríamos**	podamos	**pudiéramos**	podamos
podido	podéis	podíais	**pudisteis**	**podréis**	**podríais**	podáis	**pudierais**	poded (no podáis)
	pueden	podían	**pudieron**	**podrán**	**podrían**	**puedan**	**pudieran**	**puedan** Uds.
15 poner	**pongo**	ponía	**puse**	**pondré**	**pondría**	**ponga**	**pusiera**	
	pones	ponías	**pusiste**	**pondrás**	**pondrías**	**pongas**	**pusieras**	**pon** tú (no **pongas**)
Participles:	pone	ponía	**puso**	**pondrá**	**pondría**	**ponga**	**pusiera**	**ponga** Ud.
poniendo	ponemos	poníamos	**pusimos**	**pondremos**	**pondríamos**	**pongamos**	**pusiéramos**	**pongamos**
puesto	ponéis	poníais	**pusisteis**	**pondréis**	**pondríais**	**pongáis**	**pusierais**	poned (no **pongáis**)
	ponen	ponían	**pusieron**	**pondrán**	**pondrían**	**pongan**	**pusieran**	**pongan** Uds.
16 querer (e:ie)	**quiero**	quería	**quise**	**querré**	**querría**	**quiera**	**quisiera**	
	quieres	querías	**quisiste**	**querrás**	**querrías**	**quieras**	**quisieras**	**quiere** tú (no **quieras**)
Participles:	**quiere**	quería	**quiso**	**querrá**	**querría**	**quiera**	**quisiera**	**quiera** Ud.
queriendo	queremos	queríamos	**quisimos**	**querremos**	**querríamos**	queramos	**quisiéramos**	queramos
querido	queréis	queríais	**quisisteis**	**querréis**	**querríais**	queráis	**quisierais**	quered (no queráis)
	quieren	querían	**quisieron**	**querrán**	**querrían**	**quieran**	**quisieran**	**quieran** Uds.
17 saber	**sé**	sabía	**supe**	**sabré**	**sabría**	**sepa**	**supiera**	
	sabes	sabías	**supiste**	**sabrás**	**sabrías**	**sepas**	**supieras**	sabe tú (no **sepas**)
Participles:	sabe	sabía	**supo**	**sabrá**	**sabría**	**sepa**	**supiera**	**sepa** Ud.
sabiendo	sabemos	sabíamos	**supimos**	**sabremos**	**sabríamos**	**sepamos**	**supiéramos**	**sepamos**
sabido	sabéis	sabíais	**supisteis**	**sabréis**	**sabríais**	**sepáis**	**supierais**	sabed (no **sepáis**)
	saben	sabían	**supieron**	**sabrán**	**sabrían**	**sepan**	**supieran**	**sepan** Uds.
18 salir	**salgo**	salía	salí	**saldré**	**saldría**	**salga**	saliera	
	sales	salías	saliste	**saldrás**	**saldrías**	**salgas**	salieras	**sal** tú (no **salgas**)
Participles:	sale	salía	salió	**saldrá**	**saldría**	**salga**	saliera	**salga** Ud.
saliendo	salimos	salíamos	salimos	**saldremos**	**saldríamos**	**salgamos**	saliéramos	**salgamos**
salido	salís	salíais	salisteis	**saldréis**	**saldríais**	**salgáis**	salierais	salid (no **salgáis**)
	salen	salían	salieron	**saldrán**	**saldrían**	**salgan**	salieran	**salgan** Uds.
19 ser	**soy**	**era**	**fui**	seré	sería	**sea**	**fuera**	
	eres	**eras**	**fuiste**	serás	serías	**seas**	**fueras**	**sé** tú (no **seas**)
Participles:	**es**	**era**	**fue**	será	sería	**sea**	**fuera**	**sea** Ud.
siendo	**somos**	**éramos**	**fuimos**	seremos	seríamos	**seamos**	**fuéramos**	**seamos**
sido	**sois**	**erais**	**fuisteis**	seréis	seríais	**seáis**	**fuerais**	sed (no **seáis**)
	son	**eran**	**fueron**	serán	serían	**sean**	**fueran**	**sean** Uds.
20 tener	**tengo**	tenía	**tuve**	**tendré**	**tendría**	**tenga**	**tuviera**	
	tienes	tenías	**tuviste**	**tendrás**	**tendrías**	**tengas**	**tuvieras**	**ten** tú (no **tengas**)
Participles:	**tiene**	tenía	**tuvo**	**tendrá**	**tendría**	**tenga**	**tuviera**	**tenga** Ud.
teniendo	tenemos	teníamos	**tuvimos**	**tendremos**	**tendríamos**	**tengamos**	**tuviéramos**	**tengamos**
tenido	tenéis	teníais	**tuvisteis**	**tendréis**	**tendríais**	**tengáis**	**tuvierais**	tened (no **tengáis**)
	tienen	tenían	**tuvieron**	**tendrán**	**tendrían**	**tengan**	**tuvieran**	**tengan** Uds.

Verb Conjugation Tables

Infinitive	INDICATIVE					SUBJUNCTIVE		IMPERATIVE
	Present	Imperfect	Preterit	Future	Conditional	Present	Past	
21 traer	**traigo**	traía	**traje**	traeré	traería	**traiga**	**trajera**	
	traes	traías	**trajiste**	traerás	traerías	**traigas**	**trajeras**	trae tú (no **traigas**)
Participles:	trae	traía	**trajo**	traerá	traería	**traiga**	**trajera**	**traiga** Ud.
trayendo	traemos	traíamos	**trajimos**	traeremos	traeríamos	**traigamos**	**trajéramos**	**traigamos**
traído	traéis	traíais	**trajisteis**	traeréis	traeríais	**traigáis**	**trajerais**	traed (no **traigáis**)
	traen	traían	**trajeron**	traerán	traerían	**traigan**	**trajeran**	**traigan** Uds.
22 venir	**vengo**	venía	**vine**	**vendré**	**vendría**	**venga**	**viniera**	
	vienes	venías	**viniste**	**vendrás**	**vendrías**	**vengas**	**vinieras**	**ven** tú (no **vengas**)
Participles:	**viene**	venía	**vino**	**vendrá**	**vendría**	**venga**	**viniera**	**venga** Ud.
viniendo	venimos	veníamos	**vinimos**	**vendremos**	**vendríamos**	**vengamos**	**viniéramos**	**vengamos**
venido	venís	veníais	**vinisteis**	**vendréis**	**vendríais**	**vengáis**	**vinierais**	venid (no **vengáis**)
	vienen	venían	**vinieron**	**vendrán**	**vendrían**	**vengan**	**vinieran**	**vengan** Uds.
23 ver	**veo**	**veía**	**vi**	veré	vería	**vea**	**viera**	
	ves	**veías**	**viste**	verás	verías	**veas**	**vieras**	**ve** tú (no **veas**)
Participles:	ve	**veía**	**vio**	verá	vería	**vea**	**viera**	**vea** Ud.
viendo	vemos	**veíamos**	**vimos**	veremos	veríamos	**veamos**	**viéramos**	**veamos**
visto	veis	**veíais**	**visteis**	veréis	veríais	**veáis**	**vierais**	ved (no **veáis**)
	ven	**veían**	**vieron**	verán	verían	**vean**	**vieran**	**vean** Uds.

Stem-changing verbs

Infinitive	INDICATIVE					SUBJUNCTIVE		IMPERATIVE
	Present	Imperfect	Preterit	Future	Conditional	Present	Past	
24 contar (o:ue)	**cuento**	contaba	conté	contaré	contaría	**cuente**	contara	
	cuentas	contabas	contaste	contarás	contarías	**cuentes**	contaras	**cuenta** tú (no **cuentes**)
	cuenta	contaba	contó	contará	contaría	**cuente**	contara	**cuente** Ud.
Participles:	contamos	contábamos	contamos	contaremos	contaríamos	contemos	contáramos	contemos
contando	contáis	contabais	contasteis	contaréis	contaríais	contéis	contarais	contad (no contéis)
contado	**cuentan**	contaban	contaron	contarán	contarían	**cuenten**	contaran	**cuenten** Uds.
25 dormir (o:ue)	**duermo**	dormía	dormí	dormiré	dormiría	**duerma**	**durmiera**	
	duermes	dormías	dormiste	dormirás	dormirías	**duermas**	**durmieras**	**duerme** tú (no **duermas**)
Participles:	**duerme**	dormía	**durmió**	dormirá	dormiría	**duerma**	**durmiera**	**duerma** Ud.
durmiendo	dormimos	dormíamos	dormimos	dormiremos	dormiríamos	**durmamos**	**durmiéramos**	**durmamos**
dormido	dormís	dormíais	dormisteis	dormiréis	dormiríais	**durmáis**	**durmierais**	dormid (no **durmáis**)
	duermen	dormían	**durmieron**	dormirán	dormirían	**duerman**	**durmieran**	**duerman** Uds.
26 empezar	**empiezo**	empezaba	**empecé**	empezaré	empezaría	**empiece**	empezara	
(e:ie) (z:c)	**empiezas**	empezabas	empezaste	empezarás	empezarías	**empieces**	empezaras	**empieza** tú (no **empieces**)
	empieza	empezaba	empezó	empezará	empezaría	**empiece**	empezara	**empiece** Ud.
Participles:	empezamos	empezábamos	empezamos	empezaremos	empezaríamos	**empecemos**	empezáramos	**empecemos**
empezando	empezáis	empezabais	empezasteis	empezaréis	empezaríais	**empecéis**	empezarais	empezad (no **empecéis**)
empezado	**empiezan**	empezaban	empezaron	empezarán	empezarían	**empiecen**	empezaran	**empiecen** Uds.

		INDICATIVE					SUBJUNCTIVE		IMPERATIVE
Infinitive	**Present**	**Imperfect**	**Preterit**	**Future**	**Conditional**	**Present**	**Past**	
27 entender (e:ie)	**entiendo**	entendía	entendí	entenderé	entendería	**entienda**	entendiera	
	entiendes	entendías	entendiste	entenderás	entenderías	**entiendas**	entendieras	**entiende** tú (no **entiendas**)
	entiende	entendía	entendió	entenderá	entendería	**entienda**	entendiera	**entienda** Ud.
Participles:	entendemos	entendíamos	entendimos	entenderemos	entenderíamos	entendamos	entendiéramos	entendamos
entendiendo	entendéis	entendíais	entendisteis	entenderéis	entenderíais	entendáis	entendierais	entended (no entendáis)
entendido	**entienden**	entendían	entendieron	entenderán	entenderían	**entiendan**	entendieran	**entiendan** Uds.
28 jugar (u:ue) (g:gu)	**juego**	jugaba	**jugué**	jugaré	jugaría	**juegue**	jugara	
	juegas	jugabas	jugaste	jugarás	jugarías	**juegues**	jugaras	**juega** tú (no **juegues**)
	juega	jugaba	jugó	jugará	jugaría	**juegue**	jugara	**juegue** Ud.
Participles:	jugamos	jugábamos	jugamos	jugaremos	jugaríamos	juguemos	jugáramos	juguemos
jugando	jugáis	jugabais	jugasteis	jugaréis	jugaríais	juguéis	jugarais	jugad (no juguéis)
jugado	**juegan**	jugaban	jugaron	jugarán	jugarían	**jueguen**	jugaran	**jueguen** Uds.
29 pedir (e:i)	**pido**	pedía	pedí	pediré	pediría	**pida**	**pidiera**	
	pides	pedías	pediste	pedirás	pedirías	**pidas**	**pidieras**	**pide** tú (no **pidas**)
	pide	pedía	**pidió**	pedirá	pediría	**pida**	**pidiera**	**pida** Ud.
Participles:	pedimos	pedíamos	pedimos	pediremos	pediríamos	**pidamos**	**pidiéramos**	**pidamos**
pidiendo	pedís	pedíais	pedisteis	pediréis	pediríais	**pidáis**	**pidierais**	pedid (no **pidáis**)
pedido	**piden**	pedían	**pidieron**	pedirán	pedirían	**pidan**	**pidieran**	**pidan** Uds.
30 pensar (e:ie)	**pienso**	pensaba	pensé	pensaré	pensaría	**piense**	pensara	
	piensas	pensabas	pensaste	pensarás	pensarías	**pienses**	pensaras	**piensa** tú (no **pienses**)
	piensa	pensaba	pensó	pensará	pensaría	**piense**	pensara	**piense** Ud.
Participles:	pensamos	pensábamos	pensamos	pensaremos	pensaríamos	pensemos	pensáramos	pensemos
pensando	pensáis	pensabais	pensasteis	pensaréis	pensaríais	penséis	pensarais	pensad (no penséis)
pensado	**piensan**	pensaban	pensaron	pensarán	pensarían	**piensen**	pensaran	**piensen** Uds.
31 reír (e:i)	**río**	reía	**reí**	reiré	reiría	**ría**	riera	
	ríes	reías	**reíste**	reirás	reirías	**rías**	rieras	**ríe** tú (no **rías**)
	ríe	reía	**rio**	reirá	reiría	**ría**	riera	**ría** Ud.
Participles:	**reímos**	reíamos	**reímos**	reiremos	reiríamos	**riamos**	riéramos	**riamos**
riendo	**reís**	reíais	**reísteis**	reiréis	reiríais	**riáis**	rierais	reíd (no **riáis**)
reído	**ríen**	reían	**rieron**	reirán	reirían	**rían**	rieran	**rían** Uds.
32 seguir (e:i) (gu:g)	**sigo**	seguía	seguí	seguiré	seguiría	**siga**	**siguiera**	
	sigues	seguías	seguiste	seguirás	seguirías	**sigas**	**siguieras**	**sigue** tú (no **sigas**)
	sigue	seguía	**siguió**	seguirá	seguiría	**siga**	**siguiera**	**siga** Ud.
Participles:	seguimos	seguíamos	seguimos	seguiremos	seguiríamos	**sigamos**	**siguiéramos**	**sigamos**
siguiendo	seguís	seguíais	seguisteis	seguiréis	seguiríais	**sigáis**	**siguierais**	seguid (no **sigáis**)
seguido	**siguen**	seguían	**siguieron**	seguirán	seguirían	**sigan**	**siguieran**	**sigan** Uds.
33 sentir (e:ie)	**siento**	sentía	sentí	sentiré	sentiría	**sienta**	**sintiera**	
	sientes	sentías	sentiste	sentirás	sentirías	**sientas**	**sintieras**	**siente** tú (no **sientas**)
	siente	sentía	**sintió**	sentirá	sentiría	**sienta**	**sintiera**	**sienta** Ud.
Participles:	sentimos	sentíamos	sentimos	sentiremos	sentiríamos	**sintamos**	**sintiéramos**	**sintamos**
sintiendo	sentís	sentíais	sentisteis	sentiréis	sentiríais	**sintáis**	**sintierais**	sentid (no **sintáis**)
sentido	**sienten**	sentían	**sintieron**	sentirán	sentirían	**sientan**	**sintieran**	**sientan** Uds.
34 volver (o:ue)	**vuelvo**	volvía	volví	volveré	volvería	**vuelva**	volviera	
	vuelves	volvías	volviste	volverás	volverías	**vuelvas**	volvieras	**vuelve** tú (no **vuelvas**)
	vuelve	volvía	volvió	volverá	volvería	**vuelva**	volviera	**vuelva** Ud.
Participles:	volvemos	volvíamos	volvimos	volveremos	volveríamos	volvamos	volviéramos	volvamos
volviendo	volvéis	volvíais	volvisteis	volveréis	volveríais	volváis	volvierais	volved (no volváis)
vuelto	**vuelven**	volvían	volvieron	volverán	volverían	**vuelvan**	volvieran	**vuelvan** Uds.

Verb Conjugation Tables

Verbs with spelling changes only

Infinitive	INDICATIVE					SUBJUNCTIVE		IMPERATIVE
	Present	Imperfect	Preterit	Future	Conditional	Present	Past	
35 conocer	**conozco**	conocía	conocí	conoceré	conocería	**conozca**	conociera	
(c:zc)	conoces	conocías	conociste	conocerás	conocerías	**conozcas**	conocieras	conoce tú (no **conozcas**)
	conoce	conocía	conoció	conocerá	conocería	**conozca**	conociera	**conozca** Ud.
Participles:	conocemos	conocíamos	conocimos	conoceremos	conoceríamos	**conozcamos**	conociéramos	**conozcamos**
conociendo	conocéis	conocíais	conocisteis	conoceréis	conoceríais	**conozcáis**	conocierais	conoced (no **conozcáis**)
conocido	conocen	conocían	conocieron	conocerán	conocerían	**conozcan**	conocieran	**conozcan** Uds.
36 creer (y)	creo	creía	**creí**	creeré	creería	crea	**creyera**	
	crees	creías	**creíste**	creerás	creerías	creas	**creyeras**	cree tú (no creas)
	cree	creía	**creyó**	creerá	creería	crea	**creyera**	crea Ud.
Participles:	creemos	creíamos	**creímos**	creeremos	creeríamos	creamos	**creyéramos**	creamos
creyendo	creéis	creíais	**creísteis**	creeréis	creeríais	creáis	**creyerais**	creed (no creáis)
creído	creen	creían	**creyeron**	creerán	creerían	crean	**creyeran**	crean Uds.
37 cruzar (z:c)	cruzo	cruzaba	**crucé**	cruzaré	cruzaría	**cruce**	cruzara	
	cruzas	cruzabas	cruzaste	cruzarás	cruzarías	**cruces**	cruzaras	cruza tú (no **cruces**)
	cruza	cruzaba	cruzó	cruzará	cruzaría	**cruce**	cruzara	**cruce** Ud.
Participles:	cruzamos	cruzábamos	cruzamos	cruzaremos	cruzaríamos	**crucemos**	cruzáramos	**crucemos**
cruzando	cruzáis	cruzabais	cruzasteis	cruzaréis	cruzaríais	**crucéis**	cruzarais	cruzad (no **crucéis**)
cruzado	cruzan	cruzaban	cruzaron	cruzarán	cruzarían	**crucen**	cruzaran	**crucen** Uds.
38 destruir (y)	**destruyo**	destruía	destruí	destruiré	destruiría	**destruya**	**destruyera**	
	destruyes	destruías	destruiste	destruirás	destruirías	**destruyas**	**destruyeras**	**destruye** tú (no **destruyas**)
	destruye	destruía	**destruyó**	destruirá	destruiría	**destruya**	**destruyera**	**destruya** Ud.
Participles:	destruimos	destruíamos	destruimos	destruiremos	destruiríamos	**destruyamos**	**destruyéramos**	**destruyamos**
destruyendo	destruís	destruíais	destruisteis	destruiréis	destruiríais	**destruyáis**	**destruyerais**	destruid (no **destruyáis**)
destruido	**destruyen**	destruían	**destruyeron**	destruirán	destruirían	**destruyan**	**destruyeran**	**destruyan** Uds.
39 enviar	**envío**	enviaba	envié	enviaré	enviaría	**envíe**	enviara	
(envío)	**envías**	enviabas	enviaste	enviarás	enviarías	**envíes**	enviaras	**envía** tú (no **envíes**)
	envía	enviaba	envió	enviará	enviaría	**envíe**	enviara	**envíe** Ud.
Participles:	enviamos	enviábamos	enviamos	enviaremos	enviaríamos	**enviemos**	enviáramos	enviemos
enviando	enviáis	enviabais	enviasteis	enviaréis	enviaríais	**enviéis**	enviarais	enviad (no **enviéis**)
enviado	**envían**	enviaban	enviaron	enviarán	enviarían	**envíen**	enviaran	**envíen** Uds.

			INDICATIVE				SUBJUNCTIVE		IMPERATIVE
	Infinitive	Present	Imperfect	Preterit	Future	Conditional	Present	Past	
40	graduarse	**gradúo**	graduaba	gradué	graduaré	graduaría	**gradúe**	graduara	
	(**gradúo**)	**gradúas**	graduabas	graduaste	graduarás	graduarías	**gradúes**	graduaras	**gradúa** tú (no **gradúes**)
		gradúa	graduaba	graduó	graduará	graduaría	**gradúe**	graduara	**gradúe** Ud.
	Participles:	graduamos	graduábamos	graduamos	graduaremos	graduaríamos	graduemos	graduáramos	graduemos
	graduando	graduáis	graduabais	graduasteis	graduaréis	graduaríais	graduéis	graduarais	graduad (no graduéis)
	graduado	**gradúan**	graduaban	graduaron	graduarán	graduarían	**gradúen**	graduaran	**gradúen** Uds.
41	llegar (g:gu)	llego	llegaba	**llegué**	llegaré	llegaría	**llegue**	llegara	
		llegas	llegabas	llegaste	llegarás	llegarías	**llegues**	llegaras	llega tú (no **llegues**)
		llega	llegaba	llegó	llegará	llegaría	**llegue**	llegara	**llegue** Ud.
	Participles:	llegamos	llegábamos	llegamos	llegaremos	llegaríamos	**lleguemos**	llegáramos	**lleguemos**
	llegando	llegáis	llegabais	llegasteis	llegaréis	llegaríais	**lleguéis**	llegarais	llegad (no **lleguéis**)
	llegado	llegan	llegaban	llegaron	llegarán	llegarían	**lleguen**	llegaran	**lleguen** Uds.
42	prohibir	**prohíbo**	prohibía	prohibí	prohibiré	prohibiría	**prohíba**	prohibiera	**prohíbe** tú (no **prohíbas**)
	(**prohíbo**)	**prohíbes**	prohibías	prohibiste	prohibirás	prohibirías	**prohíbas**	prohibieras	**prohíba** Ud.
		prohíbe	prohibía	prohibió	prohibirá	prohibiría	**prohíba**	prohibiera	prohibamos
	Participles:	prohibimos	prohibíamos	prohibimos	prohibiremos	prohibiríamos	prohibamos	prohibiéramos	prohibid (no prohibáis)
	prohibiendo	prohibís	prohibíais	prohibisteis	prohibiréis	prohibiríais	prohibáis	prohibierais	**prohíban** Uds.
	prohibido	**prohíben**	prohibían	prohibieron	prohibirán	prohibirían	**prohíban**	prohibieran	
43	proteger	**protejo**	protegía	protegí	protegeré	protegería	**proteja**	protegiera	
	(g:j)	proteges	protegías	protegiste	protegerás	protegerías	**protejas**	protegieras	protege tú (no **protejas**)
		protege	protegía	protegió	protegerá	protegería	**proteja**	protegiera	**proteja** Ud.
	Participles:	protegemos	protegíamos	protegimos	protegeremos	protegeríamos	**protejamos**	protegiéramos	**protejamos**
	protegiendo	protegéis	protegíais	protegisteis	protegeréis	protegeríais	**protejáis**	protegierais	proteged (no **protejáis**)
	protegido	protegen	protegían	protegieron	protegerán	protegerían	**protejan**	protegieran	**protejan** Uds.
44	tocar (c:qu)	toco	tocaba	**toqué**	tocaré	tocaría	**toque**	tocara	
		tocas	tocabas	tocaste	tocarás	tocarías	**toques**	tocaras	toca tú (no **toques**)
		toca	tocaba	tocó	tocará	tocaría	**toque**	tocara	**toque** Ud.
	Participles:	tocamos	tocábamos	tocamos	tocaremos	tocaríamos	**toquemos**	tocáramos	**toquemos**
	tocando	tocáis	tocabais	tocasteis	tocaréis	tocaríais	**toquéis**	tocarais	tocad (no **toquéis**)
	tocado	tocan	tocaban	tocaron	tocarán	tocarían	**toquen**	tocaran	**toquen** Uds.
45	vencer (c:z)	**venzo**	vencía	vencí	venceré	vencería	**venza**	venciera	
		vences	vencías	venciste	vencerás	vencerías	**venzas**	vencieras	vence tú (no **venzas**)
		vence	vencía	venció	vencerá	vencería	**venza**	venciera	**venza** Ud.
	Participles:	vencemos	vencíamos	vencimos	venceremos	venceríamos	**venzamos**	venciéramos	**venzamos**
	venciendo	vencéis	vencíais	vencisteis	venceréis	venceríais	**venzáis**	vencierais	venced (no **venzáis**)
	vencido	vencen	vencían	vencieron	vencerán	vencerían	**venzan**	vencieran	**venzan** Uds.

Spanish-English Glossary

Guide to Glossary

Note on alphabetization

For purposes of alphabetization, **ch** and **ll** are not treated as separate letters, but **ñ** still follows **n**. Therefore, in this glossary, you will find that **cañón**, for example, appears after **cantar**.

Abbreviations used in this glossary

adj. adjective
adv. adverb
exp. expression
f. feminine
interrog. interrogative

m. masculine
n. noun
pl. plural
poss. possessive
prep. preposition

pron. pronoun
sing. singular
v. verb

A

a la derecha de... *prep.* to the right of **3**
a la izquierda de... *prep.* to the left of **3**
a la una *prep.* at one o'clock **3**
a las dos, tres, etc. *prep.* at two, three, etc. o'clock **3**
el/la abogado/a *n. m./f.* lawyer **5**
el abrigo *n. m.* coat **7**
el abrigo empacable packable coat **9**
abril *n. m.* April **4**
el/la abuelo/a *n. m./f.* grandfather/ grandmother **5**
aburrido/a *adj.* boring, bored **3, 4**
acampar *v.* to go camping **12**
el accidente geográfico *n. m.* landform **9**
acostarse (o:ue) *v.* to go to bed **6**
activo/a *adj.* active **2**
Adiós. *exp.* Goodbye. **1**
la adolescencia *n. f.* adolescence **10**
¿Adónde? *interrog. pron.* Where to? **2**
afeitarse *v.* to shave **6**
agosto *n. m.* August **4**
agresivo/a *adj.* aggressive **2**
el agua *n. f.* water **8**
al lado de... *prep.* next to **3**
alegre *adj.* happy **4**
el alemán *n. m.* German (language) **3**
la alfombra *n. f.* rug **6**
el algodón *n. m.* cotton **9**
los alimentos *n. m. pl.* food **8**
la almendra *n. f.* almond **8**
almorzar (o:ue) *v.* to eat lunch **5, 8**
el almuerzo *n. m.* lunch; mid-morning meal (Spain) **8**
amarillo/a *adj.* yellow **7**
ambicioso/a *adj.* ambitious **2**
el/la amigo/a *n. m./f.* friend **2**
  el/la amigo/a íntimo/a intimate, very good friend **10**

la amistad *n. f.* friendship **10**
el/la amo/a de casa *n. m./f.* housewife, househusband, home manager **5**
el amor *n. m.* love **10**
anaranjado/a *adj.* orange **7**
andar *v.* to get around
  andar en bicicleta to ride a bike **3**
  andar en patineta to skateboard **11**
el/la anfitrión/anfitriona *n. m./f.* host/ hostess **10**
anoche *adv.* last night **9**
anteanoche *adv.* the night before last **9**
anteayer *adv.* the day before yesterday **9**
antes *adv.* before
  antes de ayer the day before yesterday **9**
  antes de ese momento, nunca... before that moment, I never … **12**
el apartamento *n. m.* apartment **3**
apasionado/a *adj.* passionate **2**
aprender *v.* to learn **4, 12**
  algo nuevo something new **12**
  de un error from a mistake **12**
  una nueva lengua a new language **12**
el árabe *n. m.* Arabic (language) **3**
argentino/a *adj.* Argentinean **2**
el armario *n. m.* closet **6**
el/la arquitecto/a *n. m./f.* architect **5**
arreglarse *v.* to get ready **6**
arrogante *adj.* arrogant **2**
el arroz *n. m.* rice **8**
el arte *n. m.* art **3**
asistir (a) *v.* to attend **4**
atlético/a *adj.* athletic **2**
los audífonos *n. m. pl.* headphones **3**
el auditorio *n. m.* auditorium **4**
la avalancha de nieve *n. f.* avalanche **9**
ayer *adv.* yesterday **9**
el azúcar *n. m.* sugar **8**
la azucarera *n. f.* sugarbowl **8**
azul *adj.* blue **7**

B

la bachata *n. f.* bachata (music)
bailar *v.* to dance **4**
el bailarín/la bailarina *n. m./f.* dancer **4**
bajar el tobogán *v.* to go down the slide **11**
bajo/a *adj.* short (in height) **2**
el balcón *n. m.* balcony **6**
la banana *n. f.* banana **8**
la banda *n. f.* band **4**
bañarse *v.* to bathe, take a bath **6**
la bañera *n. f.* bathtub **6**
el baño *n. m.* bathroom **6**
barato/a *adj.* inexpensive **7**
la barba *n. f.* beard **2**
barrer el suelo *v.* to sweep the floor **6**
la batería *n. f.* drums, drum set **4**
beber *v.* to drink **4**
la bebida *n. f.* drink **8**
beige *adj.* beige **7**
la biblioteca *n. f.* library **3**
el/la bibliotecario/a *n. m./f.* librarian **5**
la bicicleta *n. f.* bicycle **3**
  andar en bicicleta to ride a bike **3**
bien *adv.* well **1**
  Bastante bien. Quite well. **1**
  Estoy bien. (I am) Well. **1**
  Muy bien. Very well. **1**
  No muy bien. Not very well. **1**
el bigote *n. m.* mustache **2**
la billetera canguro *n. f.* money belt **9**
la biología *n. f.* biology **3**
el bistec *n. m.* steak **8**
blanco/a *adj.* white **7**
la blusa *n. f.* blouse **7**
la boca *n. f.* mouth **7**
la boda *n. f.* wedding **10**
el bolígrafo *n. m.* pen **3**
boliviano/a *adj.* Bolivian **2**
la bolsa *n. f.* purse **7**

el bosque *n. m.* forest **9**
las botas *n. f. pl.* boots **7**
  las botas de senderismo hiking boots **9**
el brazo *n. m.* arm **7**
el brócoli *n. m.* broccoli **8**
bucear *v.* to scuba dive **12**
bueno/a *adj.* good **1**
  ¡Buen provecho! Enjoy your meal! **8**
  Buenas noches. Good evening. Good night. **1**
  Buenas tardes. Good afternoon. **1**
  Buenos días. Good morning. **1**

c

la cabeza *n. f.* head **7**
el café *n. m.* coffee shop; coffee **3, 8**
  el café con leche coffee with milk **8**
  el café solo black coffee **8**
la cafetería *n. f.* cafeteria **3**
el/la cajero/a *n. m./f.* cashier **5**
los calcetines *n. m. pl.* socks **7**
la calculadora *n. f.* calculator **3**
el cálculo *n. m.* calculus **3**
la cama *n. f.* bed **6**
el/la camarero/a *n. m./f.* waiter/waitress, server **5, 8**
caminar *v.* to walk **3**
la camisa *n. f.* shirt **7**
la camiseta *n. f.* t-shirt **7**
el campo de fútbol *n. m.* soccer field **3**
la canción *n. f.* song **4**
cansado/a *adj.* tired **4**
el/la cantante *n. m./f.* singer **4**
cantar *v.* to sing **4**
el cañón *n. m.* canyon **9**
el carnaval *n. m.* carnival **11**
la carne *n. f.* meat **8**
la carnicería *n. f.* butcher shop **8**
caro/a *adj.* expensive **7**
la carroza *n. f.* float **11**
la casa *n. f.* house **6**
casado/a *adj.* married **10**
casarse con *v.* to marry someone **10**
catorce fourteen **1**
la cebolla *n. f.* onion **8**
la celebración *n. f.* celebration **4, 11**
celebrar *v.* to celebrate **4**
la cena *n. f.* dinner, supper **4, 8**
cenar *v.* to have supper **8**
el centro estudiantil *n. m.* student center **3**
cepillarse el pelo/los dientes *v.* to brush one's hair/teeth **6**
cerca de... *prep.* close to, near **3**
los cereales *n. m.* cereal **8**
cero zero **1**
cerrar (e:ie) *v.* to close **5**
el cerro *n. m.* hill **9**
las chancletas *n. f. pl.* flip flops **7**

la chaqueta *n. f.* jacket **7**
Chau. *exp.* Bye. **1**
el/la chico/a *n. m./f.* young person; boy/girl **2**
chileno/a *adj.* Chilean **2**
el chino *n. m.* Chinese (language) **3**
el ciclón *n. m.* cyclone, tornado **9**
cien one hundred **2, 6**
las ciencias políticas *n. f. pl.* political science **3**
el/la científico/a *n. m./f.* scientist **5**
cinco five **1**
cincuenta fifty **2**
el cinturón *n. m.* belt **7**
la cita *n. f.* date **10**
la clase *n. f.* class **3**
los/las clientes *n. m./f. pl.* customers **8**
la cocina *n. f.* kitchen **6**
el/la cocinero/a *n. m./f.* chef, cook **5**
coleccionar *v.* to collect **11**
  estampas trading cards **11**
  sellos stamps **11**
colombiano/a *adj.* Colombian **2**
el color *n. m.* color **7**
  color café brown **7**
columpiarse *v.* to swing **11**
el comedor *n. m.* dining room **6**
comer *v.* to eat; to eat the main meal **3, 8**
la comida *n. f.* meal, main meal **8**
¿Cómo? *interrog. pron.* How?, What? **2**
  ¿Cómo está usted? How are you? (formal) **1**
  ¿Cómo estás? How are you? (informal) **1**
  ¿Cómo se llama usted? What is your name? (formal) **1**
  ¿Cómo te llamas? What is your name? (informal) **1**
el/la compañero/a de clase *n. m./f.* classmate **2**
competente *adj.* competent **2**
componer *v.* to compose **4**
comprar *v.* to buy **3**
comprometerse con *v.* to become engaged to **10**
comprometido/a *adj.* engaged **10**
la computadora portátil *n. f.* laptop computer **3**
conducir *v.* to drive **5**
confiable *adj.* reliable **10**
el conjunto musical *n. m.* musical group **4**
conocer *v.* to know (be familiar with a person or place) **5**
conocer a... to meet ... **12**
  alguien de otra cultura someone from another culture **12**
  un héroe personal a personal hero **12**
  tu mejor amigo/a your best friend **12**
  tu pareja your partner **12**
conocerse *v.* to meet each other; to get to know each other **10**

el/la consejero/a *n. m./f.* counselor **5**
conservador(a) *adj.* conservative **2**
considerado/a *adj.* considerate **10**
la contabilidad *n. f.* accounting **3**
el/la contador(a) *n. m./f.* accountant **5**
contar (o:ue) *v.* to count **5**
contento/a *adj.* content, happy **4**
el contrabajo *n. m.* bass **4**
conversar con (los) amigos *v.* to converse/ chat with friends **3**
la copa *n. f.* wine glass **8**
la corbata *n. f.* tie **7**
la cordillera *n. f.* mountain range **9**
el coro *n. m.* chorus **4**
corregir (e:i) *v.* to correct **5**
correr *v.* to run **3**
cortar el césped *v.* to mow the lawn **6**
las cortinas *n. f. pl.* curtains **6**
la costa *n. f.* coast **9**
costarricense *adj.* Costa Rican **2**
creativo/a *adj.* creative **2**
el cuaderno *n. m.* notebook **3**
¿Cuál(es)? *interrog. pron.* Which one(s)? / What? **2**
  ¿Cuál es su nombre? What is your name? (formal) **1**
  ¿Cuál es tu nombre? What is your name? (informal) **1**
la cualidad *n. f.* quality **10**
cuando *adv.* when
  cuando era pequeño/a when I was young/little **12**
  cuando fuimos a... when we went to ... **12**
  cuando tenía... años when I was ... years old **12**
¿Cuándo? *interrog. pron.* When? **2**
¿Cuánto/a? *interrog. pron.* How much? **2**
¿Cuántos/as...? *interrog. pron.* How many ...? **1**
cuarenta forty **2**
el cuarto *n. m.* room
el cuarto *n. m.* quarter of an hour **3**
  menos cuarto a quarter to (the hour) **3**
  y cuarto a quarter after (the hour) **3**
cuatro four **1**
cuatrocientos four hundred **6**
cubano/a *adj.* Cuban **2**
la cuchara *n. f.* spoon **8**
la cucharilla *n. f.* small spoon **8**
el cuchillo *n. m.* knife **8**
la cuenta *n. f.* check **8**
el cuerpo *n. m.* body **7**
la cueva *n. f.* cave **9**
el cumpleaños *n. m. sing./pl.* birthday **4**
cumplido/a *adj.* responsible **10**
el/la cuñado/a *n. m./f.* brother-in-law/ sister-in-law **5**

Spanish-English Glossary

D

dar *v.* to give **5**

De nada. *exp.* You're welcome. **1**

debajo de… *prep.* under **3**

deber (+ inf.) *v.* must, ought to, should (do something) **6**

decir (e:i) *v.* to say; to tell **5**

el dedo *n. m.* finger **7**

delante de… *prep.* in front of **3**

delgado/a *adj.* thin **2**

el/la dentista *n. m./f.* dentist **5**

el/la dependiente/a *n. m./f.* sales clerk **5**

el deporte *n. m.* sport **3**

la derecha *n. f.* right (side)

  a la derecha de… to the right of **3**

el desastre natural *n. m.* natural disaster **9**

desayunar *v.* to eat breakfast **8**

el desayuno *n. m.* breakfast **8**

descansar *v.* to rest **3**

el desfile *n. m.* parade **11**

el desierto *n. m.* desert **9**

la despedida *n. f.* way of saying goodbye **1**

despejado/a *adj.* clear (skies) **5**

despertarse (e:ie) *v.* to wake up **6**

el desván *n. m.* attic **6**

detrás de… *prep.* behind **3**

el día *n. m.* day

  el Día de Acción de Gracias Thanksgiving **11**

  el Día del Amor y la Amistad Valentine's Day **11**

  el Día del Año Nuevo New Year's Day **11**

  el Día de las Brujas Halloween **11**

  el Día de la Diversidad Étnica Indigenous People's Day **11**

  el día feriado holiday **4, 11**

  el Día de la Independencia Independence Day **11**

  el Día de la Madre Mother's Day **11**

  el Día del Padre Father's Day **11**

  el Día de los Reyes Magos Three Kings Day **11**

  el Día de San Patricio Saint Patrick's Day **11**

  el Día de San Valentín Valentine's Day **11**

  el Día de Todos los Santos All Saints Day **11**

  el Día del Trabajador Labor Day **11**

dibujar *v.* to draw, to sketch **11**

diciembre *n. m.* December **4**

diez ten **1**

difícil *adj.* difficult **3**

dinámico/a *adj.* dynamic **2**

dirigir *v.* to direct, to conduct **4**

el disfraz *n. m.* costume **11**

divertido/a *adj.* fun **10**

divorciado/a *adj.* divorced **10**

divorciarse de *v.* to divorce someone **10**

el divorcio *n. m.* divorce **10**

doce twelve **1**

doctor (Dr.) *n. m.* (male) doctor **1**

doctora (Dra.) *n. f.* (female) doctor **1**

domingo *n. m.* Sunday **3**

dominicano/a *adj.* Dominican (from Dominican Repub.) **2**

don *n. m.* a title of respect used before a man's first name **1**

¿Dónde? *interrog. pron.* Where? **2**

  ¿De dónde? From where? **2**

  ¿De dónde es? Where are you from? (formal); Where is he/she from? **1**

doña *n. f.* a title of respect used before a woman's first name **1**

dormir (o:ue) *v.* to sleep **5**

dormirse (o:ue) *v.* to fall asleep **6**

dos two **1**

doscientos two hundred **6**

dramático/a *adj.* dramatic **2**

la ducha *n. f.* shower **6**

la dulcería *n. f.* candy shop **8**

E

la economía *n. f.* economics **3**

ecuatoguineano/a *adj.* from Equatorial Guinea **2**

ecuatoriano/a *adj.* Ecuadoran **2**

la educación *n. f.* education **3**

los electrodomésticos *n. m. pl.* appliances **6**

elegante *adj.* elegant **2**

elegir (e:i) *v.* to choose; to elect **5**

empezar (e:ie) *v.* to begin **5**

  empezar la universidad to start college/ university **12**

enamorarse de *v.* to fall in love with **10**

Encantado. (masc.) / Encantada. (fem.) *exp.* Pleased to meet you. **1**

encima de… *prep.* on top of **3**

enero *n. m.* January **4**

el/la enfermero/a *n. m./f.* nurse **5**

enfermo/a *adj.* ill **4**

enfrente de… *prep.* facing **3**

enojado/a *adj.* angry **4**

ensayar *v.* to practice, to rehearse **4**

enseñar *v.* to teach **4**

entre *prep.* between **3**

la erupción volcánica *n. f.* volcanic eruption **9**

Es… He/She is … **1**

  Es de… He/She is from … **1**

escribir *v.* to write **4**

el escritorio *n. m.* desk **3, 6**

escuchar *v.* to listen **4**

  escuchar música to listen to music **3**

la espalda *n. f.* back **7**

el español *n. m.* Spanish (language) **3**

español(a) *adj.* Spanish **2**

el espejo *n. m.* mirror **6**

el/la esposo/a *n. m./f.* husband/wife, spouse **5**

las estaciones del año *n. f. pl.* seasons of the year **5**

el estado civil *n. m.* marital status **10**

estadounidense *adj.* from the United States **2**

estar *v. irreg.* to be **3**

estatura: de estatura mediana *adj.* average height **2**

el este *n. m.* east **9**

el estilo *n. m.* style **4**

  el estilo de música musical style **4**

estresado/a *adj.* stressed **4**

el/la estudiante *n. m./f.* student **2**

estudiar *v.* to study **3**

los estudios ambientales *n. m. pl.* environmental studies **3**

la estufa *n. f.* stove **6**

las etapas de la vida *n. f. pl.* stages of life **10**

la experiencia *n. f.* experience **12**

experimentar algún cambio en la familia *v.* to experience a change in your family **12**

explorar un lugar nuevo *v.* to explore a new place **12**

las expresiones de cortesía *n. f. pl.* expressions of courtesy **1**

extrovertido/a *adj.* extroverted **2**

F

fácil *adj.* easy **3**

la falda *n. f.* skirt **7**

la familia *n. f.* family **5**

febrero *n. m.* February **4**

la fecha *n. f.* date **4**

feliz *adj.* happy **4**

el fenómeno del tiempo *n. m.* weather phenomenon **9**

la fiesta *n. f.* party **4, 10**

la filosofía *n. f.* philosophy **3**

el fin de semana *n. m.* weekend **3**

  este fin de semana this weekend **3**

  los fines de semana on weekends **3**

finalmente *adv.* finally **9**

la física *n. f.* physics **3**

la flauta *n. f.* flute **4**

las flores *n. f. pl.* flowers **6**

el francés *n. m.* French (language) **3**

el fregadero *n. m.* kitchen sink **6**

la fresa *n. f.* strawberry **8**

la fruta *n. f.* fruit **8**

la frutería *n. f.* produce store (fruits) **8**

los fuegos artificiales *n. m. pl.* fireworks **11**

G

los gabinetes de cocina *n. m. pl.* kitchen cabinets **6**

el garaje *n. m.* garage **6**

generoso/a *adj.* generous **2**

el/la gerente *n. m./f.* manager **5**
el gimnasio *n. m.* gym **3**
el globo *n. m.* balloon **10**
gordo/a *adj.* plump **2**
la gorra *n. f.* cap **7, 9**
grabar *v.* to record **4**
Gracias. *exp.* Thank you. **1**
grande *adj.* big, large **3**
los granos *n. m. pl.* grains **8**
gris *adj.* gray **7**
guapo/a *adj.* good-looking, handsome/
attractive **2**
guatemalteco/a *adj.* Guatemalan **2**
la guitarra *n. f.* guitar **4**
gustar *v.* to like (to be pleasing) **3**
Me gustaría… I would like … **8**
el gusto *n. m.* pleasure
El gusto es mío. Nice to meet you.
(It's my pleasure.) **1**
Mucho gusto. Pleased to meet you. **1**

H

hablador(a) *adj.* talkative **2**
hablar (por teléfono) *v.* to talk
(on the phone) **3**
la habitación *n. f.* bedroom **6**
hacer *v.* to do; to make **5**
hace (tres) años (three) years ago **12**
Hace (muy) buen tiempo. It's (very) nice
weather. **5**
Hace (mucho) calor. It's (very) hot. **5**
Hace fresco. It's cool. **5**
Hace (mucho) frío. It's (very) cold. **5**
Hace (muy) mal tiempo. It's (very) bad
weather. **5**
Hace sol. It's sunny. **5**
Hace (mucho) viento. It's (very) windy. **5**
hacer la cama to make the bed **6**
hacer ejercicio to exercise **3**
hacer rapel to rappel **12**
hacer rompecabezas to do puzzles **11**
hacer senderismo to go hiking **12**
hacer trabajo voluntario to volunteer **12**
hacer un viaje (al extranjero) to travel
(abroad) **12**
Hasta luego. *exp.* See you later. **1**
Hasta mañana. *exp.* See you tomorrow. **1**
Hasta pronto. *exp.* See you soon. **1**
Hay… *v.* There is/are … **1**
la heladería *n. f.* ice cream parlor **8**
el helado *n. m.* ice cream **8**
el/la hermanastro/a *n. m./f.* stepbrother/
stepsister **5**
el/la hermano/a *n. m./f.* brother/sister **5**
el hielo *n. m.* ice **8**
con hielo with ice **8**
sin hielo without ice **8**
el/la hijastro/a *n. m./f.* stepson/stepdaughter **5**
el/la hijo/a *n. m./f.* son/daughter **5**

la historia *n. f.* history **3**
Hola. *exp.* Hello./Hi. **1**
el hombre *n. m.* man **2**
el hombre de negocios businessman **5**
los hombros *n. m. pl.* shoulders **7**
hondureño/a *adj.* Honduran **2**
honesto/a *adj.* honest **10**
la hora *n. f.* hour, time of day **3**
el horno *n. m.* oven **6**
el (horno de) microondas microwave **6**
el huevo *n. m.* egg **8**
el humor *n. m.* humor, mood
de buen/mal humor in a good/bad mood **4**
el huracán *n. m.* hurricane **9**

I

idealista *adj. m./f.* idealistic **2**
el idioma *n. m.* language **3**
Igualmente. *exp.* Likewise./Same for me. **1**
el impermeable *n. m.* raincoat **9**
importante *adj.* important **2**
la impresora *n. f.* printer **3**
impulsivo/a *adj.* impulsive **2**
el incendio forestal *n. m.* forest fire **9**
independiente *adj.* independent **2**
la infancia *n. f.* infancy **10**
la informática *n. f.* computer science **3**
la ingeniería *n. f.* engineering **3**
la ingeniería civil civil engineering **3**
la ingeniería eléctrica electrical
engineering **3**
la ingeniería industrial industrial
engineering **3**
el/la ingeniero/a *n. m./f.* engineer **5**
el inglés *n. m.* English (language) **3**
el inodoro *n. m.* toilet **6**
el instrumento musical *n. m.* musical
instrument **4**
inteligente *adj.* intelligent **2**
interesante *adj.* interesting **2, 3**
introvertido/a *adj.* introverted **2**
la inundación *n. f.* flood **9**
el invierno *n. m.* winter **5**
el/la invitado/a *n. m./f.* guest **4, 10**
ir *v. irreg.* to go **4**
ir a (+ *inf.*) to be going to (do something) **4**
ir a (+ *place*) to go to (a place)
ir a la playa to go to the beach **3**
ir a un campeonato to go to a
championship **12**
ir a un festival to go to a festival **12**
ir a un partido to go to a game **12**
ir al cine to go to the movies **3**
ir de campamento to go camping **11**
ir de compras to go shopping **3**
ir de mochilero/a to go backpacking **12**
la isla *n. f.* island **9**
la izquierda *n. f.* left (side)
a la izquierda de… to the left of **3**

J

el jardín *n. m.* garden **6**
el *jazz* *n. m.* jazz **4**
jueves *n. m.* Thursday **3**
jugar (u:ue) *v.* to play **3, 11**
a las cartas cards **11**
a las escondidas hide and seek **11**
al básquetbol basketball **3**
al béisbol baseball **3**
al fútbol soccer **3**
al fútbol americano football **3**
al golf golf **3**
al tenis tennis **3**
al vóleibol volleyball **3**
con carritos with toy cars **11**
con las muñecas with dolls **11**
con los amiguitos with your friends **11**
en la arena in the sand **11**
juegos de mesa board games **11**
videojuegos videogames **3**
el jugo de naranja *n. m.* orange juice **8**
julio *n. m.* July **4**
junio *n. m.* June **4**
la juventud *n. f.* youth **10**

L

el laboratorio *n. m.* lab **3**
el lado *n. m.* side
al lado de… next to **3**
el lago *n. m.* lake **9**
la laguna *n. f.* lagoon **9**
la lámpara *n. f.* lamp **6**
la lana *n. f.* wool
el suéter de lana wool sweater **9**
el lápiz *n. m.* pencil **3**
el lavabo *n. m.* bathroom sink **6**
el lavaplatos *n. m.* dishwasher **6**
lavar la ropa/los platos *v.* to wash the
clothes/the dishes **6**
lavarse *v.* to wash; to bathe **6**
leal *adj.* loyal **10**
la leche *n. f.* milk **8**
la lechería *n. f.* dairy shop **8**
la lechuga *n. f.* lettuce **8**
leer *v.* to read **4**
leer tiras cómicas to read comics **11**
leer una novela to read a novel **3**
las legumbres *n. f. pl.* legumes **8**
lejos de… *prep.* far from **3**
la lengua *n. f.* language **3**
las lentejas *n. f. pl.* lentils **8**
levantar pesas *v.* to lift weights **3**
levantarse *v.* to get up **6**
liberal *adj.* liberal **2**
el libro *n. m.* book **3**
la limonada *n. f.* lemonade **8**
limpiar (el baño) *v.* to clean
(the bathroom) **6**

Spanish-English Glossary

los llanos *n. m. pl.* plains **9**
llevar *v.* to wear **7**
llevarse bien/mal con *v.* to get along well/ poorly with someone **10**
llover (o:ue) *v.* to rain **5**
la lluvia *n. f.* rain **5**
lluvioso/a *adj.* rainy **5**
Lo siento. *exp.* I'm sorry. **1**
el lugar *n. m.* place **3**
la luna de miel *n. f.* honeymoon **10**
lunes *n. m.* Monday **3**

M

la madrastra *n. f.* stepmother **5**
la madre *n. f.* mother **5**
la madurez *n. f.* maturity **10**
el/la maestro/a *n. m./f.* teacher **5**
el maíz *n. m.* corn **8**
la maleta *n. f.* suitcase **9**
la mano *n. f.* hand **7**
la mantequilla *n. f.* butter **8**
la manzana *n. f.* apple **8**
la mañana *n. f.* morning **3**
  de la mañana in the morning (a.m.) **3**
el mar *n. m.* sea **9**
el maremoto *n. m.* tsunami **9**
marrón *adj.* brown **7**
martes *n. m.* Tuesday **3**
marzo *n. m.* March **4**
más o menos *exp.* okay, so-so **1**
la máscara *n. f.* mask **11**
las matemáticas *n. f. pl.* math, mathematics **3**
los materiales *n. m. pl.* (school) supplies **3**
materialista *adj. m./f.* materialistic **2**
el matrimonio (feliz) *n. m.* (happy) marriage **10**
mayo *n. m.* May **4**
mayor *adj.* older **5**
Me gustaría... *exp.* I would like … **8**
Me llamo... *exp.* My name is … **1**
el/la mecánico/a *n. m./f.* mechanic **5**
media: y media *exp.* half past (the hour) **3**
el/la médico/a *n. m./f.* doctor **5**
el/la medio/a hermano/a *n. m./f.* half-brother/half-sister **5**
la melodía *n. f.* melody **4**
menor *adj.* younger **5**
menos *adv.* minus; till (used for telling minutes before the hour) **3**
el menú *n. m.* menu **8**
merendar (e:ie) *v.* to have a snack **8**
el merengue *n. m.* merengue **4**
la merienda *n. f.* afternoon snack **8**
la mesa *n. f.* table **6**
la mesita *n. f.* end table **6**
  la mesita de noche nightstand **6**
mexicano/a *adj.* Mexican **2**
mi *poss. adj.* my **5**
  Mi nombre es... My name is … **1**

el micrófono *n. m.* microphone **3**
el microondas *n. m.* microwave **6**
miércoles *n. m.* Wednesday **3**
mil *(one) thousand* **6**
millón *million* **6**
mirar videos *v.* to watch videos **3**
la mochila *n. f.* backpack **3, 9**
la montaña *n. f.* mountain **9**
morado/a *adj.* purple **7**
mucho/a *adj.* a lot **1**
  Muchas gracias. Thank you very much. **1**
  Mucho gusto. Nice to meet you. **1**
mudarse a un lugar nuevo *v.* to move to a new place **12**
los muebles *n. m. pl.* furniture **6**
la mujer *n. f.* woman **2**
  la mujer de negocios businesswoman **5**
  la mujer policía policewoman **5**
la música *n. f.* music **4**
  alternativa alternative music **4**
  blues the blues **4**
  clásica classical music **4**
  country country music **4**
  hip hop hip-hop music **4**
  latina Latin music **4**
  popular pop music **4**
  rock rock music, rock and roll **4**
el/la músico/a *n. m./f.* musician **4**

N

nadar *v.* to swim **3**
naranja *adj* orange (color) **7**
la naranja *n. f.* orange **8**
la nariz *n. f.* nose **7**
la Navidad *n. f.* Christmas **11**
necesitar *v.* to need (something); to need to (do something) **6**
negro/a *adj.* black **7**
nervioso/a *adj.* nervous **4**
nevar (e:ie) *v.* to snow **5**
nicaragüense *adj.* Nicaraguan **2**
el/la nieto/a *n. m./f.* grandson/ granddaughter **5**
la nieve *n. f.* snow **5**
la niñez *n. f.* childhood **10, 11**
el/la niño/a *n. m./f.* child **2**
No mucho. *exp.* Not much. **1**
la noche *n. f.* night, evening **3**
  de la noche in the evening, at night (p.m.) **3**
la Nochebuena *n. f* Christmas Eve **11**
el nombre *n. m.* name **1**
  Mi nombre es... My name is … **1**
el noreste *n. m.* northeast **9**
el noroeste *n. m.* northwest **9**
el norte *n. m.* north **9**
Nos vemos. *exp.* See you soon. **1**
novecientos nine hundred **6**
noventa ninety **2**
el noviazgo *n. m.* engagement **10**

noviembre *n. m.* November **4**
el/la novio/a *n. m./f.* boyfriend/girlfriend **10**
  los novios couple **10**
nublado/a *adj.* cloudy **5**
la nuera *n. f.* daughter-in-law **5**
nuestro/a *poss. adj.* our **5**
nueve nine **1**
la nuez *n. f.* walnut **8**
el número *n. m.* number **1**

O

obtener (e:ie) el primer trabajo *v.* to get your first job **12**
el océano *n. m.* ocean **9**
ochenta eighty **2**
ocho eight **1**
ochocientos eight hundred **6**
octubre *n. m.* October **4**
ocupado/a *adj.* occupied, busy **4**
el oeste *n. m.* west **9**
el oficio *n. m.* job **5**
ofrecer *v.* to offer **5**
el oído *n. m.* inner ear **7**
el ojo *n. m.* eye **2, 7**
  los ojos azules blue eyes **2**
  los ojos de color café brown eyes **2**
  los ojos marrones brown eyes **2**
  los ojos verdes green eyes **2**
once eleven **1**
la ópera *n. f.* opera
optimista *adj. m./f.* optimistic **2**
ordenar (la casa) *v.* to tidy up (the house) **6**
la oreja *n. f.* ear **7**
organizado/a *adj.* organized **2**
el otoño *n. m.* fall, autumn **5**

P

paciente *adj.* patient **2**
el padrastro *n. m.* stepfather **5**
el padre *n. m.* father **5**
los padres *n. m. pl.* parents **5**
el pan *n. m.* bread **8**
la panadería *n. f.* bakery **8**
panameño/a *adj.* Panamanian **2**
la pantalla *n. f.* screen **3**
los pantalones *n. m. pl.* pants **7**
  los pantalones cortos shorts **7**
  los pantalones de trekking hiking pants **9**
la papa *n. f.* potato **8**
el papel *n. m.* paper **3**
paraguayo/a *adj.* Paraguayan **2**
la pareja *n. f.* couple **10**
los parientes *n. m. pl.* relatives **5**
el parque *n. m.* park **3**
pasado/a *adj.* last **9**
  el año pasado last year **9**
  el mes pasado last month **9**

Spanish-English Glossary

secar *v.* to dry **6**
  secar los platos *v.* to dry dishes **6**
  secar la ropa *v.* to dry clothes **6**
el/la secretario/a *n. m./f.* secretary **5**
seguir (e:i) *v.* to follow; to continue **5**
seguro/a de sí mismo/a *exp.* self-confident **10**
seis six **1**
seiscientos six hundred **6**
la selva *n. f.* jungle **9**
sentarse (e:ie) *v.* to sit down **6**
sensible *adj.* sensitive **10**
el señor (Sr.) *n. m.* Mr.; man **1, 2**
la señora (Sra.) *n. f.* Mrs.; woman **1, 2**
la señorita (Srta.) *n. f.* Ms., Miss; woman **1**
la separación *n. f.* separation **10**
separado/a *adj.* separated **10**
separarse de *v.* to separate from **10**
septiembre *n. m.* September **4**
la sequía *n. f.* drought **9**
ser *v. irreg.* to be **2**
  capitán de un equipo captain of a team **12**
  líder de un club leader of a club **12**
serio/a *adj.* serious **2**
la servilleta *n. f.* napkin **8**
sesenta sixty **2**
setecientos seven hundred **6**
setenta seventy **2**
siempre *adv.* always
  siempre quise… I always wanted to … **12**
la sierra *n. f.* mountain range **9**
siete seven **1**
la silla *n. f.* seat, chair **3, 6**
el sillón *n. m.* overstuffed/easy chair **6**
sincero/a *adj.* sincere **2**
el/la sobrino/a *n. m./f.* nephew/niece **5**
la sociología *n. f.* sociology **3**
el sofá *n. m.* sofa **6**
el sol *n. m.* sun **5**
soltero/a *adj.* single **10**
el sombrero *n. m.* hat **7**
el sótano *n. m.* basement **6**
Soy (+ *name*). *exp.* I am (+ name). **1**
Soy de… *exp.* I am from … **1**
su *poss. adj.* his/her/its/your (formal)/their **5**
la sudadera *n. f.* sweatshirt **7**
el/la suegro/a *n. m./f.* father-in-law/mother-in-law **5**
el suéter *n. m.* sweater **7**
  el suéter de lana wool sweater **9**
el supermercado *n. m.* supermarket **3, 8**
el sur *n. m.* south **9**
el sureste *n. m.* southeast **9**
el suroeste *n. m.* southwest **9**

T

talentoso/a *adj.* talented **2**
la tarde *n. f.* afternoon **3**
  de la tarde in the afternoon (p.m.) **3**

la taza *n. f.* cup **8**
el tazón *n. m.* bowl **8**
el té *n. m.* tea **8**
el teatro *n. m.* theater **4**
el teclado *n. m.* keyboard **3**
el/la técnico/a *n. m./f.* technician **5**
la tecnología *n. f.* technology; electronics **3**
el televisor *n. m.* television set **6**
tender la cama *v.* to make the bed **6**
el tenedor *n. m.* fork **8**
tener (e:ie) *v.* to have **2, 4**
  tener alergia a… to be allergic to … **8**
  tener calor to be hot **4**
  tener una cita to have a date **10**
  tener frío to be cold **4**
  tener hambre to be hungry **4**
  tener miedo to be afraid **4**
  tener la primera cita to go on a first date **12**
  tener prisa to be in a hurry **4**
  tener que (+ *inf.*) to have to (do something) **6**
  tener sed to be thirsty **4**
  tener (un buen) sentido del humor to have a (good) sense of humor **10**
  tener sueño to be sleepy **4**
  tener suerte to be lucky **4**
el terremoto *n. m.* earthquake **9**
el tiempo *n. m.* time, weather **5**
la tienda *n. f.* store **8**
tímido/a *adj.* timid, shy **2**
el/la tío/a *n. m./f.* uncle/aunt **5**
el título *n. m.* title **1**
el tocador *n. m.* dresser **6**
el tocino *n. m.* bacon **8**
el tomate *n. m.* tomato **8**
la tormenta *n. f.* storm **9**
la tostada *n. f.* toast **8**
trabajador(a) *adj.* hard-working, industrious **2**
trabajar *v.* to work **3**
tradicional *adj.* traditional **2**
traer *v.* to bring **5**
el traje *n. m.* suit **7**
  el traje de baño bathing suit **7**
  el traje tradicional traditional outfit **11**
tranquilo/a *adj.* calm, tranquil **2**
trece thirteen **1**
treinta thirty **2**
  y treinta half past (the hour) **3**
tres three **1**
trescientos three hundred **6**
la trompeta *n. f.* trumpet **4**
los truenos *n. m. pl.* thunder **9**
tu *poss. adj.* your (familiar) **5**

U

uno one (counting number) **1**
uruguayo/a *adj.* Uruguayan **2**
los utensilios *n. m. pl.* utensils **8**
las uvas *n. f. pl.* grapes **8**

V

el valle *n. m.* valley **9**
los vaqueros *n. m. pl.* jeans **7**
el vaso *n. m.* glass **8**
veinte twenty **1**
la vejez *n. f.* old age **10**
la vela *n. f.* candle **10**
el/la vendedor(a) *n. m./f.* salesperson **5**
vender *v.* to sell **7**
venezolano/a *adj.* Venezuelan **2**
venir (e:ie) *v.* to come **5**
la ventana *n. f.* window **6**
ver *v.* to see **5**
el verano *n. m.* summer **5**
verde *adj.* green **7**
la verdulería *n. f.* produce shop (vegetables) **8**
las verduras *n. f. pl.* vegetables **8**
el vestido *n. m.* dress **7**
vestirse (e:i) *v.* to get dressed **6, 7**
el/la veterinario/a *n. m./f.* veterinarian **5**
la vez *n. f.* time (in a series)
  la primera vez the first time **12**
  una vez once, one time **12**
viernes *n. m.* Friday **3**
el vino *n. m.* wine **8**
  el vino blanco white wine **8**
  el vino tinto red wine **8**
el violín *n. m.* violin **4**
visitar a la familia *v.* to visit family **3**
viudo/a *adj.* widowed **10**
vivir *v.* to live **4**
volar (o:ue) *v.* to fly **5**
el volcán *n. m.* volcano **9**
volver (o:ue) *v.* to return **5**
vuestro/a *poss. adj.* your (familiar pl., Spain) **5**

Y

el yerno *n. m.* son-in-law **5**
el yogur *n. m.* yogurt **8**

Z

la zanahoria *n. f.* carrot **8**
los zapatos *n. m. pl.* shoes **7**
  los zapatos deportivos athletic shoes **7**
el zumo de naranja *n. m.* orange juice **8**

English-Spanish Glossary

A

accountant **el/la contador(a)** *n. m./f.* **5**
accounting **la contabilidad** *n. f.* **3**
active **activo/a** *adj.* **2**
adolescence **la adolescencia** *n. f.* **10**
afraid: be afraid **tener miedo** *exp.* **4**
afternoon **la tarde** *n. f.* **3**
   afternoon snack **la merienda** **8**
   in the afternoon (p.m.) **de la tarde** **3**
aggressive **agresivo/a** *adj.* **2**
ago: (three years) ago **hace (tres años)** *exp.* **12**
All Saints Day **el Día de Todos los Santos** *n. m.* **11**
allergic: be allergic to … **tener alergia a…** *exp.* **8**
almond **la almendra** *n. f.* **8**
alternative music **la música alternativa** *n. f.* **4**
always **siempre** *adv.*
   I always wanted to … **siempre quise…** **12**
am: I am **soy** *exp.*
   I am (+ *name*). **Soy (+ *name*).** **1**
   I am from … **Soy de…** **1**
ambitious **ambicioso/a** *adj.* **2**
angry **enojado/a** *adj.* **4**
apartment **el apartamento** *n. m.* **3**
apple **la manzana** *n. f.* **8**
appliances **los electrodomésticos** *n. m. pl.* **6**
April **abril** *n. m.* **4**
Arabic (language) **el árabe** *n. m.* **3**
architect **el/la arquitecto/a** *n. m./f.* **5**
Argentinean **argentino/a** *adj.* **2**
arm **el brazo** *n. m.* **7**
arrogant **arrogante** *adj.* **2**
art **el arte** *n. m.* **3**
article of clothing **la prenda** *n. f.* **9**
ask for **pedir (e:i)** *v.* **5**
athletic **atlético/a** *adj.* **2**
   athletic shoes **los zapatos deportivos** **7**
attend **asistir (a)** *v.* **4**
attic **el desván** *n. m.* **6**
attractive **guapo/a** *adj.* **2**
auditorium **el auditorio** *n. m.* **4**
August **agosto** *n. m.* **4**
aunt **la tía** *n. f.* **5**
avalanche **la avalancha de nieve** *n. f.* **9**
average height **de estatura mediana** *adj.* **2**

B

bachata (music) **la bachata** *n. f.*
back **la espalda** *n. f.* **7**
backpack **la mochila** *n. f.* **3, 9**
   go backpacking **ir (*v. irreg.*) de mochilero/a** **12**
bacon **el tocino** *n. m.* **8**
bakery **la panadería** *n. f.* **8**
balcony **el balcón** *n. m.* **6**
balloon **el globo** *n. m.* **10**
banana **la banana/el plátano** *n. f./n. m.* **8**
band **la banda** *n. f.* **4**

baseball **el béisbol** *n. m.* **3**
basement **el sótano** *n. m.* **6**
basketball **el básquetbol** *n. m.* **3**
bass **el contrabajo** *n. m.* **4**
bath: take a bath **bañarse, lavarse** *v.* **6**
bathe **bañarse, lavarse** *v.* **6**
bathing suit **el traje de baño** *n. m.* **7**
bathroom **el baño** *n. m.* **6**
   bathroom sink **el lavabo** **6**
bathtub **la bañera** *n. f.* **6**
be **estar; ser** *v. irreg.* **2, 3**
beach **la playa** *n. f.* **3**
beard **la barba** *n. f.* **2**
bed **la cama** *n. f.* **6**
   go to bed **acostarse (o:ue)** **6**
   make the bed **tender la cama** **6**
bedroom **la habitación** *n. f.* **6**
before **antes** *adv.*
   before that moment, I never … **antes de ese momento, nunca…** **12**
   the day before yesterday **antes de ayer, anteayer** **9**
begin **empezar (e:ie)** *v.* **5**
behind **detrás de…** *prep.* **3**
beige **beige** *adj.* **7**
belong **pertenecer** *v.* **5**
belt **el cinturón** *n. m.* **7**
between **entre** *prep.* **3**
bicycle **la bicicleta** *n. f.* **3**
   ride a bicycle **andar en bicicleta** **3**
big **grande** *adj.* **3**
biology **la biología** *n. f.* **3**
birthday **el cumpleaños** *n. m. sing./pl.* **4**
   birthday cake **el pastel de cumpleaños** **10**
black **negro/a** *adj.* **7**
   black coffee **el café solo** **8**
blouse **la blusa** *n. f.* **7**
blue **azul** *adj.* **7**
blues music **la música *blues*** *n. f.* **4**
board game **el juego de mesa** *n. m.* **11**
body **el cuerpo** *n. m.* **7**
Bolivian **boliviano/a** *adj.* **2**
book **el libro** *n. m.* **3**
boots **las botas** *n. f. pl.* **7**
   hiking boots **las botas de senderismo** **9**
bored **aburrido/a** *adj.* **4**
boring **aburrido/a** *adj.* **3**
bowl **el tazón** *n. m.* **8**
boy **el chico** *n. m.*
boyfriend **el novio** *n. m.* **10**
bread **el pan** *n. m.* **8**
break up (with) **romper (con)** *v.* **10**
breakfast **el desayuno** *n. m.* **8**
bring **traer** *v.* **5**
broccoli **el brócoli** *n. m.* **8**
brother **el hermano** *n. m.* **5**
   brother-in-law **el cuñado** **5**
brown **color café, marrón** *adj.* **7**
brush one's hair/teeth **cepillarse el pelo/los dientes** *v.* **6**

businessman **el hombre de negocios** *n. m.* **5**
businesswoman **la mujer de negocios** *n. f.* **5**
busy **ocupado/a** *adj.* **4**
butcher shop **la carnicería** *n. f.* **8**
butter **la mantequilla** *n. f.* **8**
buy **comprar** *v.* **3**
Bye. **Chau.** *exp.* **1**

C

café **el café** *n. m.* **3, 8**
cafeteria **la cafetería** *n. f.* **3**
cake **el pastel** *n. f.* **4**
   birthday cake **el pastel de cumpleaños** **10**
calculator **la calculadora** *n. f.* **3**
calculus **el cálculo** *n. m.* **3**
calm **tranquilo/a** *adj.* **2**
camping: go camping **ir (*v. irreg.*) de campamento, acampar** *v.* **11, 12**
can, be able to do something **poder (o:ue)** *v.* **5**
candle **la vela** *n. f.* **10**
candy shop **la dulcería** *n. f.* **8**
canyon **el cañón** *n. m.* **9**
cap **la gorra** *n. f.* **7, 9**
captain of a team **el capitán/la capitana de un equipo** *n. m./f.* **12**
cardinal directions **los puntos cardinales** *n. m. pl.* **9**
cards: play cards **jugar (u:ue) a las cartas** *v.* **11**
carnival **el carnaval** *n. m.* **11**
carrot **la zanahoria** *n. f. pl.* **8**
cashier **el/la cajero/a** *n. m./f.* **5**
cave **la cueva** *n. f.* **9**
celebrate **celebrar** *v.* **4**
celebration **la celebración** *n. f.* **4, 11**
cereal **los cereales** *n. m.* **8**
chair **la silla** *n. f.* **3, 6**
   easy chair **el sillón** **6**
championship **el campeonato** *n. m.* **12**
chat with friends **conversar con (los) amigos** *v.* **3**
check (in a restaurant) **la cuenta** *n. f.* **8**
cheese **el queso** *n. m.* **8**
chef **el/la cocinero/a** *n. m./f.* **5**
chemistry **la química** *n. f.* **3**
chicken **el pollo** *n. m.* **8**
child **el/la niño/a** *n. m./f.* **2**
childhood **la niñez** *n. f.* **10, 11**
Chilean **chileno/a** *adj.* **2**
Chinese (language) **el chino** *n. m.* **3**
choose **elegir (e:i)** *v.* **5**
chorus **el coro** *n. m.* **4**
Christmas **la Navidad** *n. f.* **11**
Christmas Eve **la Nochebuena** *n. f.* **11**
civil engineering **la ingeniería civil** *n. f.* **3**
class **la clase** *n. f.* **3**
classical music **la música clásica** *n. f.* **4**
classmate **el/la compañero/a de clase** *n. m./f.* **2**
classroom **el salón de clases** *n. m.* **11**

English-Spanish Glossary

clean (the bathroom) **limpiar (el baño)** *v.* 6
clear (skies) **despejado/a** *adj.* 5
close **cerrar (e:ie)** *v.* 5
close to **cerca de...** *prep.* 3
closet **el armario** *n.m.* 6
clothes, clothing **la ropa** *n.f.* 7
  dry clothes **secar la ropa** 6
  iron the clothes **planchar la ropa** 6
  light-weight clothing **la ropa ligera/liviana** 9
  wash the clothes **lavar la ropa** 6
cloudy **nublado/a** *adj.* 5
coast **la costa** *n.f.* 9
coat **el abrigo** *n.m.* 7
  packable coat **el abrigo empacable** 9
coffee **el café** *n.m.* 8
  black coffee **el café solo** 8
  coffee shop **el café** 3, 8
  coffee with milk **el café con leche** 8
cold **el frío** *n.m.*
  be cold **tener frío** 4
  It's (very) cold. [weather] **Hace (mucho) frío.** 5
collect **coleccionar** *v.* 11
  collect stamps **coleccionar sellos** 11
  collect trading cards **coleccionar estampas** 11
college **la universidad** *n.f.* 12
Colombian **colombiano/a** *adj.* 2
color **el color** *n.m.* 7
comb one's hair **peinarse** *v.* 6
come **venir (e:ie)** *v.* 5
comics: read comics **leer tiras cómicas** *v.* 11
competent **competente** *adj.* 2
compose **componer** *v.* 4
computer **la computadora** *n.f.*
  computer science **la informática** 3
  laptop computer **la computadora portátil** 3
conduct **dirigir** *v.* 4
conservative **conservador(a)** *adj.* 2
considerate **considerado/a** *adj.* 10
content (happy) **contento/a** *adj.* 4
continue **seguir (e:i)** *v.* 5
converse with friends **conversar con (los) amigos** *v.* 3
cook **el/la cocinero/a** *n.m./f.* 5
corn **el maíz** *n.m.* 8
correct **corregir (e:i)** *v.* 5
Costa Rican **costarricense** *adj.* 2
costume **el disfraz** *n.m.* 11
cotton **el algodón** *n.m.* 9
counselor **el/la consejero/a** *n.m./f.* 5
count **contar (o:ue)** *v.* 5
country music **la música *country*** *n.f.* 4
couple **los novios/la pareja** *n.m. pl. / n.f.* 10
cousin **el/la primo/a** *n.m./f.* 5
creative **creativo/a** *adj.* 2
Cuban **cubano/a** *adj.* 2
cup **la taza** *n.f.* 8
curtains **las cortinas** *n.f. pl.* 6
customers **los/las clientes** *n.m./f. pl.* 8

cyclone **el ciclón** *n.m.* 9

D

daily routine **la rutina diaria** *n.f.* 6
dairy products **los productos lácteos** *n.m. pl.* 8
dairy shop **la lechería** *n.f.* 8
dance **bailar** *v.* 4
dancer **el bailarín/la bailarina** *n.m./f.* 4
date (*calendar*) **la fecha;** (*going out*) **la cita** *n.f.* 4, 10
daughter **la hija** *n.f.* 5
  daughter-in-law **la nuera** 5
day **el día** *n.m.*
  All Saints Day **el Día de Todos los Santos** 11
  day before yesterday **anteayer, antes de ayer** 9
  Father's Day **el Día del Padre** 11
  Independence Day **el Día de la Independencia** 11
  Indigenous People's Day **el Día de la Diversidad Étnica** 11
  Labor Day **el Día del Trabajador** 11
  Mother's Day **el Día de la Madre** 11
  New Year's Day **el Día del Año Nuevo** 11
  Saint Patrick's Day **el Día de San Patricio** 11
  Three Kings Day **el Día de los Reyes Magos** 11
  Valentine's Day **el Día del Amor y la Amistad, el Día de San Valentín** 11
December **diciembre** *n.m.* 4
dentist **el/la dentista** *n.m./f.* 5
desert **el desierto** *n.m.* 9
desk **el escritorio** *n.m.* 3, 6
difficult **difícil** *adj.* 3
dinner, supper **la cena** *n.f.* 4, 8
dining room **el comedor** *n.m.* 6
direct **dirigir** *v.* 4
disaster: natural disaster **el desastre natural** *n.m.* 9
dishes
  dry dishes **secar los platos** *v.* 6
  wash the dishes **lavar los platos** *v.* 6
dishwasher **el lavaplatos** *n.m.* 6
divorce **el divorcio** *n.m.* 10
divorce someone **divorciarse de** *v.* 10
divorced **divorciado/a** *adj.* 10
do **hacer** *v.* 5
doctor **el doctor (Dr.)/ la doctora (Dra.); el/la médico/a** *n.m./f.* 1, 5
doll **la muñeca** *n.f.* 11
Dominican (from Dominican Repub.) **dominicano/a** *adj.* 2
door **la puerta** *n.f.* 6
dorm **la residencia estudiantil** *n.f.* 3
dramatic **dramático/a** *adj.* 2
draw **dibujar** *v.* 11
dress **el vestido** *n.m.* 7

dressed: get dressed **vestirse (e:i)** *v.* 6, 7
dresser **el tocador** *n.m.* 6
drink **la bebida** *n.f.* 8
drink **beber** *v.* 4
drought **la sequía** *n.f.* 9
drums, drum set **la batería** *n.f.* 4
dry clothes **secar la ropa** *v.* 6
dry dishes **secar los platos** *v.* 6
dust the furniture **quitar el polvo de los muebles** *v.* 6
dynamic **dinámico/a** *adj.* 2

E

ear **la oreja** *n.f.* 7
earthquake **el terremoto** *n.m.* 9
east **el este** *n.m.* 9
easy **fácil** *adj.* 3
eat **comer** *v.* 3
  eat breakfast **desayunar** 8
  eat dinner/supper **cenar** 8
  eat lunch **almorzar (o:ue)** 5, 8
economics **la economía** *n.f.* 3
Ecuadoran **ecuatoriano/a** *adj.* 2
education **la educación** *n.f.* 3
egg **el huevo** *n.m.* 8
eight **ocho** 1
  eight hundred **ochocientos** 6
eighty **ochenta** 2
elect **elegir (e:i)** *v.* 5
electronics **la tecnología** *n.f.* 3
elegant **elegante** *adj.* 2
eleven **once** 1
end table **la mesita** *n.f.* 6
engagement **el noviazgo** *n.m.* 10
engineer **el/la ingeniero/a** *n.m./f.* 5
engineering **la ingeniería** *n.f.* 3
  civil engineering **la ingeniería civil** 3
  electrical engineering **la ingeniería eléctrica** 3
  industrial engineering **la ingeniería industrial** 3
English (language) **el inglés** *n.m.* 3
Enjoy your meal! **¡Buen provecho!** *exp.* 8
environmental studies **los estudios ambientales** *n.m. pl.* 3
Equatorial Guinean **ecuatoguineano/a** *adj.* 2
evening **la noche** *n.f.* 3
  in the evening (p.m.) **de la noche** 3
exercise **hacer ejercicio** *v.* 3
expensive **caro/a** *adj.* 7
experience **la experiencia** *n.f.* 12
experience **experimentar** *v.* 12
  experience a change in your family **experimentar algún cambio en la familia** 12
explore a new place **explorar un lugar nuevo** *v.* 12
expressions of courtesy **las expresiones de cortesía** *n.f. pl.* 1
extroverted **extrovertido/a** *adj.* 2

eye **el ojo** *n. m.* **2, 7**
  blue eyes **los ojos azules** **2**
  brown eyes **los ojos de color café;**
   los ojos marrones **2**
  green eyes **los ojos verdes** **2**

F

facing **enfrente de…** *prep.* **3**
fall, autumn **el otoño** *n. m.* **5**
fall asleep **dormirse (o:ue)** *v.* **6**
fall in love with **enamorarse de** *v.* **10**
family **la familia** *n. f.* **5**
far from **lejos de…** *prep.* **3**
father **el padre** *n. m.* **5**
  father-in-law **el suegro** **5**
  Father's Day **el Día del Padre** *n. m.* **11**
February **febrero** *n. m.* **4**
festival **el festival** *n. m.* **12**
fifteen **quince** **1**
fifty **cincuenta** **2**
finally **finalmente** *adv.* **9**
finger **el dedo** *n. m.* **7**
fireworks **los fuegos artificiales** *n. m. pl.* **11**
first time … **la primera vez…** *exp.* **12**
  on a boat **en barco** **12**
  on a plane **en un avión** **12**
fish **el pescado** *n. m.* **8**
fit (well/poorly) **quedar (bien/mal)** *v.* **7**
  It doesn't fit me well. **No me queda bien.** **7**
  It fits me well. **Me queda bien.** **7**
five **cinco** **1**
  five hundred **quinientos** **6**
flip flops **las chancletas** *n. f. pl.* **7**
float **la carroza** *n. f.* **11**
flood **la inundación** *n. f.* **9**
floor: sweep the floor **barrer el suelo** *v.* **6**
flowers **las flores** *n. f. pl.* **6**
flute **la flauta** *n. f.* **4**
fly **volar (o:ue)** *v.* **5**
follow **seguir (e:i)** *v.* **5**
food **los alimentos** *n. m. pl.* **8**
foot **el pie** *n. m.* **7**
football **el fútbol americano** *n. m.* **11**
forest **el bosque** *n. m.* **9**
  forest fire **el incendio forestal** **9**
fork **el tenedor** *n. m.* **8**
forty **cuarenta** **2**
four **cuatro** **1**
  four hundred **cuatrocientos** **6**
fourteen **catorce** **1**
French (language) **el francés** *n. m.* **3**
Friday **viernes** *n. m.* **3**
friend **el/la amigo/a** *n. m./f.* **2**
  best friend **el/la mejor amigo/a** **12**
  intimate, very good friend **el/la amigo/a**
   íntimo/a **10**
friendship **la amistad** *n. f.* **10**
front: in front of **delante de…** *prep.* **3**
fruit **la fruta** *n. f.* **8**
fruit (produce) store **la frutería** *n. f.* **8**

fun **divertido/a** *adj.* **10**
furniture **los muebles** *n. m. pl.* **6**
  dust the furniture **quitar el polvo de los**
   muebles *v.* **6**

G

game (*e.g., baseball game*) **el partido**
  (de béisbol) *n. m.* **11**
garage **el garaje** *n. m.* **6**
garden **el jardín** *n. m.* **6**
generous **generoso/a** *adj.* **2**
German (language) **el alemán** *n. m.* **3**
get **obtener (e:ie)** *v.*
  get along well/poorly with someone **llevarse**
   bien/mal con **10**
  get around **andar** **3**
  get dressed **vestirse (e:i)** **6, 7**
  get ready **arreglarse** **6**
  get up **levantarse** **6**
  get your first job **obtener (e:ie) el primer**
   trabajo **12**
gift **el regalo** *n. m.* **4, 10**
girl **la chica** *n. f.* **2**
girlfriend **la novia** *n. f.* **10**
give **dar** *v.* **5**
glass **el vaso** *n. m.* **8**
go **ir** *v. irreg.* **4**
  be going to (do something) **ir a (+ *inf.*)** **4**
  go backpacking **ir de mochilero/a** **12**
  go camping **ir de campamento** **11**
  go out **salir** **5**
  go out with **salir con** **10**
  go out with friends **salir con los amigos** **3**
  go shopping **ir de compras** **3**
  go to (a place) **ir a (+ *place*)** **4**
  go to a championship **ir a un**
   campeonato **12**
  go to a festival **ir a un festival** **12**
  go to a game **ir a un partido** **12**
  go to the beach **ir a la playa** **3**
  go to the movies **ir al cine** **3**
golf **el golf** *n. m.* **3**
good **bueno/a** *adj.* **3**
  Good afternoon. **Buenas tardes.** **1**
  Good evening./Good night. **Buenas**
   noches. **1**
  Good morning. **Buenos días.** **1**
Goodbye. **Adiós.** *exp.* **1**
good-looking **guapo/a** *adj.* **2**
grains **los granos** *n. m. pl.* **8**
granddaughter **la nieta** *n. f.* **5**
grandfather **el abuelo** *n. m.* **5**
grandmother **la abuela** *n. f.* **5**
grandson **el nieto** *n. m.* **5**
grapes **las uvas** *n. f. pl.* **8**
grassland **la pradera** *n. f.* **9**
gray **gris** *adj.* **7**
green **verde** *adj.* **7**
greeting **el saludo** *n. m.* **1**
Guatemalan **guatemalteco/a** *adj.* **2**

guest **el/la invitado/a** *n. m./f.* **4, 10**
guitar **la guitarra** *n. f.* **4**
gym **el gimnasio** *n. m.* **3**

H

hair **el pelo** *n. m.* **2**
  black hair **el pelo negro** **2**
  blond hair **el pelo rubio** **2**
  curly hair **el pelo rizado** **2**
  long hair **el pelo largo** **2**
  red hair **el pelo pelirrojo** **2**
  short hair **el pelo corto** **2**
  straight hair **el pelo lacio** **2**
  wavy hair **el pelo ondulado** **2**
hairdresser **el/la peluquero/a** *n. m./f.* **5**
half **medio/a** *adj.*
  half-brother **el medio hermano** **5**
  half past (the hour) **y media, y treinta** **3**
  half-sister **la media hermana** **5**
Halloween **el Día de las Brujas** *n. m.* **11**
hand **la mano** *n. f.* **7**
handsome **guapo/a** *adj.* **2**
happy **alegre, contento/a, feliz** *adj.* **4**
hard-working **trabajador(a)** *adj.* **2**
hat **el sombrero** *n. m.* **7**
have **tener (e:ie)** *v.*
  have a date **tener una cita** **10**
  have a good time **pasarlo bien** **10**
  have a snack **merendar (e:ie)** **8**
  have supper **cenar** **8**
head **la cabeza** *n. f.* **7**
headphones **los audífonos** *n. m. pl.* **3**
Hello. **Hola.** *exp.* **1**
her **su** *poss. adj.* **5**
Hi. **Hola.** *exp.* **1**
hide and seek: play hide and seek **jugar (u:ue) a**
  las escondidas *exp.* **11**
hiking: go hiking **hacer senderismo** *v.* **12**
hiking pants **los pantalones de trekking**
  n. m. pl. **9**
hill **el cerro** *n. m.* **9**
his **su** *poss. adj.* **5**
history **la historia** *n. f.* **3**
hobby **el pasatiempo** *n. m.* **3**
holiday **el día feriado** *n. m.* **4, 11**
home manager **el/la amo/a de casa** *n. m./f.* **5**
Honduran **hondureño/a** *adj.* **2**
honest **honesto/a** *adj.* **10**
honeymoon **la luna de miel** *n. f.* **10**
host/hostess **el anfitrión/la anfitriona**
  n. m./f. **10**
hot: be (feel) hot **tener calor** *exp.* **4**
  It's (very) hot. [weather] **Hace (mucho)**
   calor. **5**
hour (time of day) **la hora** *n. f.* **3**
house **la casa** *n. f.* **6**
household chores **los quehaceres de**
  la casa *n. m. pl.* **6**
househusband/housewife **el/la amo/a**
  de casa *n. m./f.* **5**

English-Spanish Glossary

How? **¿Cómo?** *interrog. pron.* **2**
  How are you? (formal) **¿Cómo está usted?** **1**
  How are you? (informal) **¿Cómo estás?** **1**
  How many …? **¿Cuántos/as…?** **1**
  How much? **¿Cuánto/a?** **2**
hundred **cien** **2, 6**
hungry: be hungry **tener hambre** *exp.* **4**
hurricane **el huracán** *n. m.* **9**
hurry: be in a hurry **tener prisa** *exp.* **4**
husband **el esposo** *n. m.* **5**

I

ice **el hielo** *n. m.* **8**
  with ice **con hielo** **8**
  without ice **sin hielo** **8**
ice cream **el helado** *n. m.* **8**
  ice cream parlor **la heladería** **8**
idealistic **idealista** *adj. m./f.* **2**
ill **enfermo/a** *adj.* **4**
I'm sorry. **Lo siento.** *exp.* **1**
important **importante** *adj.* **2**
impulsive **impulsivo/a** *adj.* **2**
Independence Day **el Día de la Independencia** *n. m.* **11**
independent **independiente** *adj.* **2**
Indigenous People's Day **el Día de la Diversidad Étnica** *n. m.* **11**
industrial engineering **la ingeniería industrial** *n. f.* **3**
industrious **trabajador(a)** *adj.* **2**
inexpensive **barato/a** *adj.* **7**
infancy **la infancia** *n. f.* **10**
inner ear **el oído** *n. m.* **7**
intelligent **inteligente** *adj.* **2**
intend to (do something) **pensar (e:ie) (+ inf.)** *v.* **5**
interesting **interesante** *adj.* **2, 3**
introductions **las presentaciones** *n. f. pl.* **1**
introverted **introvertido/a** *adj.* **2**
iron the clothes **planchar la ropa** *v.* **6**
island **la isla** *n. f.* **9**
its **su** *poss. adj.* **5**

J

jacket **la chaqueta** *n. f.* **7**
January **enero** *n. m.* **4**
jazz **el** *jazz* *n. m.* **4**
jeans **los vaqueros** *n. m. pl.* **7**
job **el oficio** *n. m.* **5**
journalist **el/la periodista** *n. m./f.* **5**
juice **el jugo, el zumo** (Spain) *n. m.* **8**
  orange juice **el jugo de naranja, el zumo de naranja** **8**
July **julio** *n. m.* **4**
jump rope **saltar a la cuerda** *v.* **11**
June **junio** *n. m.* **4**
jungle **la selva** *n. f.* **9**

K

keyboard **el teclado** *n. m.* **3**
kitchen **la cocina** *n. f.* **6**
  kitchen cabinets **los gabinetes de cocina** **6**
knee **la rodilla** *n. f.* **7**
knife **el cuchillo** *n. m.* **8**
know (information) **saber** *v.* **5**
  know (be familiar with a person or place) **conocer** **5**

L

lab **el laboratorio** *n. m.* **3**
Labor Day **el Día del Trabajador** *n. m.* **11**
lagoon **la laguna** *n. f.* **9**
lake **el lago** *n. m.* **9**
lamp **la lámpara** *n. f.* **6**
landform **el accidente geográfico** *n. m.* **9**
language **el idioma/la lengua** *n. m./n. f.* **3**
large **grande** *adj.* **3**
last **pasado/a** *adj.*
  last month **el mes pasado** **9**
  last night **anoche** **9**
  last Saturday (or other day of week) **el sábado (u otro día de la semana) pasado** **9**
  last week **la semana pasada** **9**
  last year **el año pasado** **9**
  the night before last **anteanoche** **9**
Latin music **la música latina** *n. f.* **4**
lawyer **el/la abogado/a** *n. m./f.* **5**
leader of a club **el líder de un club** *exp.* **12**
learn **aprender** *v.* **4, 12**
  learn from a mistake **aprender de un error** **12**
  learn a new language **aprender una nueva lengua** **12**
  learn something new **aprender algo nuevo** **12**
leave **salir** *v.* **5**
left (side) **la izquierda** *n. f.*
  to the left of **a la izquierda de…** **3**
leg **la pierna** *n. f.* **7**
legumes **las legumbres** *n. f. pl.* **8**
lemonade **la limonada** *n. f.* **8**
lentils **las lentejas** *n. f. pl.* **8**
lettuce **la lechuga** *n. f.* **8**
liberal **liberal** *adj.* **2**
librarian **el/la bibliotecario/a** *n. m./f.* **5**
library **la biblioteca** *n. f.* **3**
lift weights **levantar pesas** *v.* **3**
lightning **los relámpagos** *n. m. pl.* **9**
like (to be pleasing) **gustar** *v.* **3**
  I would like … **Me gustaría…** **8**
Likewise. **Igualmente.** *exp.* **1**
listen **escuchar** *v.* **4**
  listen to music **escuchar música** **3**
live **vivir** *v.* **4**
living room **la sala** *n. f.* **6**
lose **perder (e:ie)** *v.* **5**

lot: a lot **mucho/a; mucho** *adj., adv.* **1**
love **el amor** *n. m.* **10**
  fall in love with **enamorarse de** **10**
loyal **leal** *adj.* **10**
lucky: be lucky **tener suerte** *exp.* **4**
lunch **el almuerzo** *n. m.* **8**
  eat lunch **almorzar (o:ue)** **5, 8**

M

make **hacer** *v.* **5**
  make the bed **hacer la cama, tender la cama** **6**
man **el hombre** *n. m.* **2**
manager **el/la gerente** *n. m./f.* **5**
March **marzo** *n. m.* **4**
marital status **el estado civil** *n. m.* **10**
marriage **el matrimonio** *n. m.* **10**
married **casado/a** *adj.* **10**
marry someone **casarse con** *v.* **10**
mask **la máscara** *n. f.* **11**
materialistic **materialista** *adj. m./f.* **2**
math, mathematics **las matemáticas** *n. f. pl.* **3**
maturity **la madurez** *n. f.* **10**
May **mayo** *n. m.* **4**
meadow **la pradera** *n. f.* **9**
meal, main meal **la comida** *n. f.* **8**
meat **la carne** *n. f.* **8**
mechanic **el/la mecánico/a** *n. m./f.* **5**
melody **la melodía** *n. f.* **4**
menu **el menú** *n. m.* **8**
merengue **el merengue** *n. m.* **4**
Mexican **mexicano/a** *adj.* **2**
microphone **el micrófono** *n. m.* **3**
microwave **el microondas** *n. m.* **6**
milk **la leche** *n. f.* **8**
million **millón** **6**
mirror **el espejo** *n. m.* **6**
Monday **lunes** *n. m.* **3**
money belt **la billetera canguro** *n. f.* **9**
mood **el humor** *n. m.*
  in a good/bad mood **de buen/mal humor** **4**
morning **la mañana** *n. f.* **3**
  in the morning (a.m.) **de la mañana** **3**
mother **la madre** *n. f.* **5**
  mother-in-law **la suegra** **5**
  Mother's Day **el Día de la Madre** **11**
mountain **la montaña** *n. f.* **9**
  mountain range **la sierra** **9**
mouse **el ratón** *n. m.* **3**
mouth **la boca** *n. f.* **7**
move to a new place **mudarse a un lugar nuevo** *v.* **12**
movies (movie theater) **el cine** *n. m.* **3**
  go to the movies **ir al cine** **3**
Mr. **el señor (Sr.)** *n. m.* **1, 2**
Mrs. **la señora (Sra.)** *n. f.* **1, 2**
Ms., Miss **la señorita (Srta.)** *n. f.* **1**
music **la música** *n. f.* **4**
  alternative music **la música alternativa** **4**

English-Spanish Glossary

red **rojo/a** *adj.* 7
refrigerator **el refrigerador** *n. m.* 6
reggaeton **el reguetón** *n. m.*
rehearse **ensayar** *v.* 4
relationship **la relación** *n. f.* 10
  personal relationships **las relaciones personales** 10
  sentimental relationships **las relaciones sentimentales** 10
relatives **los parientes** *n. m. pl.* 5
religious **religioso/a** *adj.* 2
reserved **reservado/a** *adj.* 2
respectful **respetuoso/a** *adj.* 10
responsible **cumplido/a, responsable** *adj.* 10
rest **descansar** *v.* 3
restaurant **el restaurante** *n. m.* 8
return **volver (o:ue)** *v.* 5
rhythm **el ritmo** *n. m.* 4
rice **el arroz** *n. m.* 8
right (side) **la derecha** *n. f.*
  to the right of **a la derecha de...** 3
river **el río** *n. m.* 9
romantic **romántico/a** *adj.* 2
room **el cuarto** *n. m.*
routine: daily routine **la rutina diaria** *n. f.* 6
rug **la alfombra** *n. f.* 6

S

Saint Patrick's Day **el Día de San Patricio** *n. m.* 11
sales clerk **el/la dependiente/a** *n. m./f.* 5
salesperson **el/la vendedor(a)** *n. m./f.* 5
salsa **la salsa** *n. f.* 4
salt **la sal** *n. f.* 8
saltshaker **el salero** *n. m.*
Salvadoran (from El Salvador) **salvadoreño/a** *adj.* 2
sand **la arena** *n. f.*
  play in the sand **jugar (u:ue) en la arena** 11
sandals **las sandalias** *n. f. pl.* 7
Saturday **sábado** *n. m.* 3
saucer **el platillo** *n. m.* 8
say **decir (e:i)** *v.* 5
school supplies **los materiales** *n. m. pl.* 3
scientist **el/la científico/a** *n. m./f.* 5
screen **la pantalla** *n. f.* 3
scuba dive **bucear** *v.* 12
sea **el mar** *n. m.* 9
seafood store **la pescadería** *n. f.* 8
seasons of the year **las estaciones del año** *n. f. pl.* 5
seat **la silla** *n. f.* 3, 6
secretary **el/la secretario/a** *n. m./f.* 5
see **ver** *v.* 5
  See you later. **Hasta luego.** 1
  See you soon. **Hasta pronto./Nos vemos.** 1
  See you tomorrow. **Hasta mañana.** 1
self-confident **seguro/a de sí mismo/a** *exp.* 10
sell **vender** *v.* 7

sense of humor **el sentido del humor** *n. m.* 10
  have a (good) sense of humor **tener (un buen) sentido del humor** 10
sensitive **sensible** *adj.* 10
sentimental relationships **las relaciones sentimentales** *n. f. pl.* 10
separate from **separarse de** *v.* 10
separated **separado/a** *adj.* 10
separation **la separación** *n. f.* 10
September **septiembre** *n. m.* 4
serious **serio/a** *adj.* 2
server **el/la camarero/a** *n. m./f.* 5, 8
set **poner** *v.* 5
  set the table **poner la mesa** 6
seven **siete** 1
  seven hundred **setecientos** 6
seventy **setenta** 2
shave **afeitarse** *v.* 6
shirt **la camisa** *n. f.* 7
shoes **los zapatos** *n. m. pl.* 7
  athletic shoes **los zapatos deportivos** 7
shopping: go shopping **ir (v. irreg.) de compras** *v.* 3
short (in height) **bajo/a** *adj.* 2
shorts **los pantalones cortos** *n. m. pl.* 7
should (do something) **deber (+ inf.)** *v.* 6
shoulders **los hombros** *n. m. pl.* 7
shower **la ducha** *n. f.* 6
shy **tímido/a** *adj.* 2
sincere **sincero/a** *adj.* 2
sing **cantar** *v.* 4
singer **el/la cantante** *n. m./f.* 4
single **soltero/a** *adj.* 10
sink (kitchen) **el fregadero** *n. m.* 6
  bathroom sink **el lavabo** *n. m.* 6
sister **la hermana** *n. f.* 5
  sister-in-law **la cuñada** 5
sit down **sentarse (e:ie)** *v.* 6
six **seis** 1
  six hundred **seiscientos** 6
sixty **sesenta** 2
skateboard **la patineta** *n. f.* 11
skateboard **andar en patineta** *v.* 11
sketch **dibujar** *v.* 11
skirt **la falda** *n. f.* 7
sleep **dormir (o:ue)** *v.* 5
sleepy: be sleepy **tener sueño** *exp.* 4
slide: go down the slide **bajar el tobogán** *v.* 11
small **pequeño/a** *adj.* 3
snack **la merienda** *n. f.* 8
  have a snack **merendar (e:ie)** 8
snow **la nieve** *n. f.* 5
snow **nevar (e:ie)** *v.* 5
soccer **el fútbol** *n. m.* 3
  soccer field **el campo de fútbol** 3
social media **las redes sociales** *n. f. pl.* 3
sociology **la sociología** *n. f.* 3
socks **los calcetines** *n. m. pl.* 7
sofa **el sofá** *n. m.* 6

soft drink **el refresco** *n. m.* 4, 8
son **el hijo** *n. m.* 5
  son-in-law **el yerno** 5
song **la canción** *n. f.* 4
sorry: I'm sorry. **Lo siento.** *exp.* 1
so-so **más o menos, regular** *exp.* 1
south **el sur** *n. m.* 9
southeast **el sureste** *n. m.* 9
southwest **el suroeste** *n. m.* 9
Spanish **español(a)** *adj.* 2
Spanish (language) **el español** *n. m.* 3
spend (time) **pasar** *v.*
  spend time on social media **pasar tiempo en redes sociales** 3
spoon **la cuchara** *n. f.* 8
  small spoon **la cucharilla** 8
sport **el deporte** *n. m.* 3
spouse **el/la esposo/a** *n. m./f.* 5
spring **la primavera** *n. f.* 5
stages of life **las etapas de la vida** *n. f. pl.* 10
steak **el bistec** *n. m.* 8
stepbrother **el hermanastro** *n. m.* 5
stepdaughter **la hijastra** *n. f.* 5
stepfather **el padrastro** *n. m.* 5
stepmother **la madrastra** *n. f.* 5
stepsister **la hermanastra** *n. f.* 5
stepson **el hijastro** *n. m.* 5
store **la tienda** *n. f.* 8
storm **la tormenta** *n. f.* 9
stove **la estufa** *n. f.* 6
strawberry **la fresa** *n. f.* 8
stressed **estresado/a** *adj.* 4
student **el/la estudiante** *n. m./f.* 2
student center **el centro estudiantil** *n. m.* 3
study **estudiar** *v.* 3
style **el estilo** *n. m.* 4
  musical style **el estilo de música** 4
sugar **el azúcar** *n. m.* 8
sugarbowl **la azucarera** *n. f.* 8
suit **el traje** *n. m.* 7
  bathing suit **el traje de baño** 7
  traditional outfit **el traje tradicional** 11
suitcase **la maleta** *n. f.* 9
summer **el verano** *n. m.* 5
sun **el sol** *n. m.* 5
Sunday **domingo** *n. m.* 3
sunny: It's sunny. **Hace sol.** *exp.*
sunscreen **el protector solar** *n. m.* 9
supermarket **el supermercado** *n. m.* 3, 8
supper **la cena** *n. f.* 4, 8
  have supper **cenar** 8
sweater **el suéter** *n. m.* 9
  wool sweater **el suéter de lana** 9
sweatshirt **la sudadera** *n. f.* 7
sweep the floor **barrer el suelo** *v.* 6
swim **nadar** *v.* 3
swing (play on the swings) **columpiarse** *v.* 11

Index

A27

Index

Alamy; (bl) Ramón Iván Moreno Prieto/123RF; (bm) Aigars Reinholds/Shutterstock; (br) HighwayStarz/Deposit Photos; **215:** Siphotography/Deposit Photos; **218:** Alex McDougall/Alamy; **221:** Photographee/Deposit Photos.

Chapter 7:
224: Maskot Images/Offset/Shutterstock; **226:** (m) Brent Hofacker/123RF; (b) Kobby Dagan/Shutterstock; **227:** (tl) Matyas Rehak/123RF; (tr) Riderfoot/123RF; (b) Kristof Bellens/Shutterstock; **231:** (b) Riderfoot/123RF; **232:** Michael Dwyer/Alamy; **235:** Kristin Piljay; **238:** (t) Daniel Ernst/123RF; (m) Chuck Wagner/Shutterstock; (b) Wirestock/Deposit Photos; **239:** (tl) Mojojojo/Deposit Photos; (tr) Barna Tanko/123RF; (b) Djavan Rodríguez/Shutterstock; **245:** Daniel Ernst/123RF; **246:** Jeffrey Isaac Greenberg/Alamy; **251:** Kraken Image/Deposit Photos.

Chapter 8:
254: Maskot/Getty Images; **256:** (t) Westend61/Offset/Shutterstock; (m) Vladimir Mironov/123RF; (b) Rafael Ramírez Lee/Shutterstock; **257:** (tl) Ferwulf/123RF; (tr) Javier Sánchez Mingorance/AGE Fotostock; (b) Viperagp/123RF; **263:** Natural Box/Shutterstock; **264:** (b) Jfgl/123RF; **265:** (l) Eduardo López Coronado/123RF; (r) Liudmila Chernetska/123RF; **266:** Malcolm P Chapman/Getty Images; **269:** (tl) Joshua Resnick/123RF; (tml) Dmytro Nikitin/123RF; (tmm) Nito/Shutterstock; (tmr) Funandrejss/123RF; (tr) Barmalini/123RF; (bl) Fotek/123RF; (bml) Handmade Pictures/123RF; (bmm) Sergii Koval/123RF; (bmr) Enez Selvi/123RF; **270:** Iuliia Lodia/123RF; **274:** (l) Vasiliy Budarin/Shutterstock; (r) Brent Hofacker/123RF; **276:** Archeophoto/Alamy; **278:** Ignazuri/Alamy; **279:** Westend61/Offset/Shutterstock; **280:** Melba/AGE Fotostock; **283:** (l) Courtesy of Almudena; (m) Courtesy of Manolo; (r) Courtesy of Alfonso; **284:** (r) Mathes/Deposit Photos; **285:** Ferli/123RF.

Chapter 9:
288: Lin Kuei/Getty Images; **290:** (t) Fotos 593/Shutterstock; (m) Iakov Filimonov/123RF; (b) Diego Grandi/123RF; **291:** (tl) Robert Fried/Alamy; (tr) John Elk III/Getty Images; (b) Ireneuke/Shutterstock; **293:** Juan Karita/Associated Press/AP Images; **295:** Niar Krad/Shutterstock; **297:** Fotos 593/Shutterstock; **298:** (t) Cokada/Getty Images; (m) Pablo Hidalgo/123RF; (b) Steve Allen/Shutterstock; **299:** (tl) Cezary Wojtkowski/123RF; (tr) Yana N/iStockphoto (b) Pep Roig/Alamy; **300:** (t) Dimarik/Getty Images; (m) Leonel Delgado Gavidia/Shutterstock; (b) Allen G/Shutterstock; **301:** (tl) Matyas Rehak/123RF; (tr) Tbradford/E+/Getty Images; (b) Photogearch/Deposit Photos; **308:** Dimarik/Getty Images; **312:** (tl) Altitudevisual/123RF; (tm) Marco Zollino/EyeEm/Getty Images; (tr) Nery Mejia/500px/Getty Images; (ml) Foto Kina/Shutterstock; (mm) Christian Roberts-Olsen/Shutterstock; (mr) Gdagys/Getty Images; (bl) Christian Vinces/Shutterstock; (bm) Michael Sanders/500px/Getty Images; (br) Kamchatka/Deposit Photos; **315:** Dimarik/Getty Images; **316:** Sharptoyou/Shutterstock; **320:** (r) Shalamov/Deposit Photos; **321:** Kamchatka/Deposit Photos.

Chapter 10:
324: Armando Oliveira/Getty Images; **326:** (t) Leandro Henrich/Alamy; (m) Ealisa/Getty Images; (b) Luciano Giordano Photography/Getty Images; **327:** (tl) Fabian Schmiedlechner/EyeEm/Getty Images; (tr) Kobby Dagan/Shutterstock; (b) Dos Fotos/Media Bakery; **340:** Para Chid/Shutterstock; **341:** Leandro Henrich/Alamy; **342:** (t) Daniel M Ernst/Shutterstock; (m) Saimon Pala/Shutterstock; (b) Dmitry Malov/Alamy; **343:** (tl) Kitnha/Shutterstock; (tr) Palko72/Deposit Photos; (b) Zaschnaus/Deposit Photos; **345:** Kobby Dagan/Shutterstock; **346:** (tl) Francesco Dibartolo/123RF; (tm) McKinsey/Raw Pixel; (tr) Ljupco Smokovski/Shutterstock; (bl) People Images/Shutterstock; (bm) Fizkes/Shutterstock; (br) Prostock Studio/Shutterstock; **350:** Universal Images Group North America LLC/DeAgostini/Alamy; **351:** Andrés Betancourt/EyeEm/Adobe Stock; **353:** Daniel M Ernst/Shutterstock; **354:** Thomas Cockrem/Alamy; **358:** (r) NurPhoto SRL/Alamy; **359:** Santiago Iñiguez/EyeEm/Getty Images.

Chapter 11:
362: Wunder Visuals/Getty Images; **364:** (t) Picture Net Corporation/Getty Images; (m) Nehopelon/123RF; (b) Testing/Shutterstock; **365:** (tl) Juan Alonzo/Shutterstock; (tr) Wirestock/Getty Images; (b) Roberto Galán/Shutterstock; **372:** Serhii Bobyk/123RF; **375:** Picture Net Corporation/Getty Images; **376:** (t) Pablo Hidalgo/123RF; (m) Ana María Mejía/Shutterstock; (b) Javier Crespo/Shutterstock; **377:** (tl) Andreas Zeitler/Shutterstock; (tr) Vanessa Hernández Ramírez/123RF; (b) Ostill/123RF; **381:** Carlos Mora/Alamy; **385:** Pablo Hidalgo/123RF; **386:** Anadolu Agency/Getty Images; **390:** (r) Edwin Butter/123RF; **391:** Mesquita FMS/Getty Images.

Chapter 12:
394: Prostock Studio/Shutterstock; **396:** (t) Tempura/Getty Images; (m) AGE Fotostock/Alamy; (l) Anadolu Agency/Getty Images; (b) Pablo Borca/123RF; **397:** (l) Ispencer/Deposit Photos; (r) Mark Green/Alamy; **398:** (tl) Azman L/Getty Images; (tm) Jukkis/Shutterstock; (tr) Marcos Mesa Sam Wordley/Shutterstock; (bl) Ground Picture/Shutterstock; (bm) SDI Productions/Getty Images; (br) José Luis Peláez/Getty Images; **401:** Tempura/Getty Images; **402:** (t) Nicoletaionescu/123RF; (m) Rui Baiao/123RF; (l) José Luis Stephens/123RF; (b) Larisa Blinova/123RF; **403:** (l) James Strachan/Getty Images; (r) Alberto Ghizzi Panizza/Getty Images; **408:** (tl) Ljupco/123RF; (tm) Nikolay Tcuguliev/123RF; (tr, bl) Iakov Filimonov/123RF; (bm: hat) Vitali Avsiannikov/123RF; (bm: rock) Aliaksei Luskin/123RF; (br) Soleg/123RF; **411:** Laurent Davoust/123RF; **413:** Nicoletaionescu/123RF; **414:** Leonard Zhukovsky/123RF; **416:** Antonio Guillem Fernández/123RF; **418:** (r) Buenaventuram/Deposit Photos; **419:** Dmitry Molchanov/123RF.

Back cover: Demaerre/iStockphoto.

Video Credits

98: Footage provided by *If Cities Could Dance*, a KQED production; **136:** El País; Chalalatas / May I Have This One / courtesy of www.epidemicsound.com; **180:** Courtesy of AT&T Intellectual Property. Used with permission.; **218:** Maria Traviesoo; **248:** Reina Solis; **318:** BBC 2014. Reproduced by permission.; **356:** Yerba Mate Pajarito; **388:** AL100.TV; **416:** BBVA.

Text Credits

22: Sandra Pulido; **132:** Page 16 of "Versos Sencillos" by Jose Marti is being reprinted with permission from the publisher (1997 Arte Publico Press - University of Houston); **383:** Editorial Trillas.

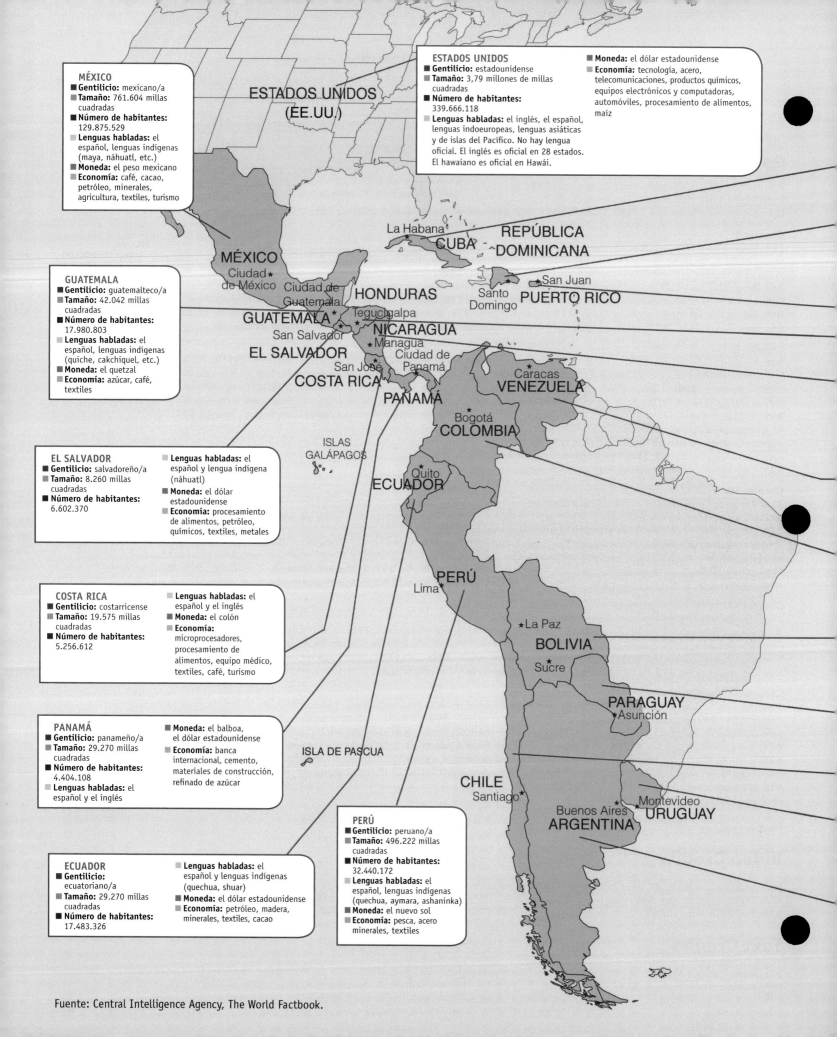

MÉXICO
- **Gentilicio:** mexicano/a
- **Tamaño:** 761.604 millas cuadradas
- **Número de habitantes:** 129.875.529
- **Lenguas habladas:** el español, lenguas indígenas (maya, náhuatl, etc.)
- **Moneda:** el peso mexicano
- **Economía:** café, cacao, petróleo, minerales, agricultura, textiles, turismo

ESTADOS UNIDOS
- **Gentilicio:** estadounidense
- **Tamaño:** 3,79 millones de millas cuadradas
- **Número de habitantes:** 339.666.118
- **Lenguas habladas:** el inglés, el español, lenguas indoeuropeas, lenguas asiáticas y de islas del Pacífico. No hay lengua oficial. El inglés es oficial en 28 estados. El hawaiano es oficial en Hawái.
- **Moneda:** el dólar estadounidense
- **Economía:** tecnología, acero, telecomunicaciones, productos químicos, equipos electrónicos y computadoras, automóviles, procesamiento de alimentos, maíz

GUATEMALA
- **Gentilicio:** guatemalteco/a
- **Tamaño:** 42.042 millas cuadradas
- **Número de habitantes:** 17.980.803
- **Lenguas habladas:** el español, lenguas indígenas (quiche, cakchiquel, etc.)
- **Moneda:** el quetzal
- **Economía:** azúcar, café, textiles

EL SALVADOR
- **Gentilicio:** salvadoreño/a
- **Tamaño:** 8.260 millas cuadradas
- **Número de habitantes:** 6.602.370
- **Lenguas habladas:** el español y lengua indígena (náhuatl)
- **Moneda:** el dólar estadounidense
- **Economía:** procesamiento de alimentos, petróleo, químicos, textiles, metales

COSTA RICA
- **Gentilicio:** costarricense
- **Tamaño:** 19.575 millas cuadradas
- **Número de habitantes:** 5.256.612
- **Lenguas habladas:** el español y el inglés
- **Moneda:** el colón
- **Economía:** microprocesadores, procesamiento de alimentos, equipo médico, textiles, café, turismo

PANAMÁ
- **Gentilicio:** panameño/a
- **Tamaño:** 29.270 millas cuadradas
- **Número de habitantes:** 4.404.108
- **Lenguas habladas:** el español y el inglés
- **Moneda:** el balboa, el dólar estadounidense
- **Economía:** banca internacional, cemento, materiales de construcción, refinado de azúcar

ECUADOR
- **Gentilicio:** ecuatoriano/a
- **Tamaño:** 29.270 millas cuadradas
- **Número de habitantes:** 17.483.326
- **Lenguas habladas:** el español y lenguas indígenas (quechua, shuar)
- **Moneda:** el dólar estadounidense
- **Economía:** petróleo, madera, minerales, textiles, cacao

PERÚ
- **Gentilicio:** peruano/a
- **Tamaño:** 496.222 millas cuadradas
- **Número de habitantes:** 32.440.172
- **Lenguas habladas:** el español, lenguas indígenas (quechua, aymara, ashaninka)
- **Moneda:** el nuevo sol
- **Economía:** pesca, acero, minerales, textiles

Fuente: Central Intelligence Agency, The World Factbook.

PAÍSES DE HABLA HISPANA

CUBA
- **Gentilicio:** cubano/a
- **Tamaño:** 44.218 millas cuadradas
- **Número de habitantes:** 10.985.974
- **Lenguas habladas:** el español
- **Moneda:** el peso cubano, el peso convertible
- **Economía:** azúcar, tabaco, turismo

REPÚBLICA DOMINICANA
- **Gentilicio:** dominicano/a
- **Tamaño:** 18.816 millas cuadradas
- **Número de habitantes:** 10.694.700
- **Lenguas habladas:** el español
- **Moneda:** el peso dominicano
- **Economía:** azúcar, café, cacao, tabaco, cemento

ESPAÑA
- **Gentilicio:** español/a
- **Tamaño:** 194.896 millas cuadradas
- **Número de habitantes:** 47.222.613
- **Lenguas habladas:** el castellano (español), el catalán, el gallego, el euskera
- **Moneda:** el euro
- **Economía:** maquinaria, textiles, metales, farmacéutica, aceituna, vino, turismo, textiles, metales

Madrid
ESPAÑA · ISLAS BALEARES
Ceuta · Melilla

PUERTO RICO
- **Gentilicio:** puertorriqueño/a
- **Tamaño:** 3.435 millas cuadradas
- **Número de habitantes:** 3.057.311
- **Lenguas habladas:** el español y el inglés
- **Moneda:** el dólar estadounidense
- **Economía:** manufactura (farmacéuticos), turismo

ISLAS CANARIAS

HONDURAS
- **Gentilicio:** hondureño/a
- **Tamaño:** 43.277 millas cuadradas
- **Número de habitantes:** 9.571.352
- **Lenguas habladas:** el español y lenguas indígenas amerindias
- **Moneda:** el lempira
- **Economía:** bananas, café, azúcar, madera, textiles

NICARAGUA
- **Gentilicio:** nicaragüense
- **Tamaño:** 50.193 millas cuadradas
- **Número de habitantes:** 6.359.689
- **Lenguas habladas:** el español y lengua indígena (miskito)
- **Moneda:** el córdoba
- **Economía:** procesamiento de alimentos, químicos, metales, petróleo, calzado, tabaco

VENEZUELA
- **Gentilicio:** venezolano/a
- **Tamaño:** 362.143 millas cuadradas
- **Número de habitantes:** 30.518.260
- **Lenguas habladas:** el español y lenguas indígenas
- **Moneda:** el bolívar
- **Economía:** petróleo, metales, materiales de construcción

COLOMBIA
- **Gentilicio:** colombiano/a
- **Tamaño:** 439.735 millas cuadradas
- **Número de habitantes:** 49.336.454
- **Lenguas habladas:** el español
- **Moneda:** el peso colombiano
- **Economía:** procesamiento de alimentos, petróleo, calzado, oro, esmeraldas, café, cacao, flores, textiles

Malabo
GUINEA ECUATORIAL

GUINEA ECUATORIAL
- **Gentilicio:** guineano/a, ecuatoguineano/a
- **Tamaño:** 10.830 millas cuadradas
- **Número de habitantes:** 1.679.172
- **Lenguas habladas:** el español, el francés y lenguas indígenas (fang, bubi)
- **Moneda:** el franco CFA
- **Economía:** petróleo, madera, cacao, café

BOLIVIA
- **Gentilicio:** boliviano/a
- **Tamaño:** 424.165 millas cuadradas
- **Número de habitantes:** 12.186.079
- **Lenguas habladas:** el español y lenguas indígenas (quechua, aimara)
- **Moneda:** el boliviano
- **Economía:** gas, petróleo, minerales, tabaco, textiles

PARAGUAY
- **Gentilicio:** paraguayo/a
- **Tamaño:** 157.047 millas cuadradas
- **Número de habitantes:** 7.439.863
- **Lenguas habladas:** el español y lengua indígena (guaraní)
- **Moneda:** el guaraní
- **Economía:** azúcar, carne, textiles, cemento, madera, minerales

CHILE
- **Gentilicio:** chileno/a
- **Tamaño:** 292.257 millas cuadradas
- **Número de habitantes:** 18.549.457
- **Lenguas habladas:** el español y lengua indígena (mapudungun)
- **Moneda:** el peso chileno
- **Economía:** minerales (cobre), agricultura, pesca, vino

URUGUAY
- **Gentilicio:** uruguayo/a
- **Tamaño:** 68.037 millas cuadradas
- **Número de habitantes:** 3.416.264
- **Lenguas habladas:** el español
- **Moneda:** el peso uruguayo
- **Economía:** carne, metales, textiles, productos agrícolas

ARGENTINA
- **Gentilicio:** argentino/a
- **Tamaño:** 1.065.000 millas cuadradas
- **Número de habitantes:** 46.621.847
- **Lenguas habladas:** el español y lenguas indígenas (mapudungun, quechua)
- **Moneda oficial:** el peso argentino
- **Economía:** carne, trigo, lana, petróleo

- **Gentilicio:** Nationality
- **Tamaño:** Size
- **Número de habitantes:** Population
- **Lenguas habladas:** Languages Spoken
- **Moneda oficial:** Currency
- **Economía:** Economy

Expresiones para la clase

Expresiones para la clase

¿Qué dicen los profesores?	*What do teachers say?*
Abre. /Abran.	*Open. (to one person)/ Open. (to more than one person)*
Abre tu libro/Abran sus libros (en la página…).	*Open your book(s) (to page…).*
Cierra tu libro./Cierren sus libros.	*Close your book(s).*
Lee/Lean las instrucciones/el texto/ en silencio/en voz alta.	*Read the instructions/the text/ silently/aloud.*
Escucha/Escuchen el audio/ las palabras.	*Listen to the audio/to the words.*
Contesta/Contesten las preguntas.	*Answer the questions.*
Escribe/Escriban las respuestas.	*Write the answers.*
Completa/Completen la actividad/ las oraciones.	*Complete the activity/the sentences.*
Estudia/Estudien el vocabulario/ la gramática.	*Study the vocabulary/the grammar.*
Trabaja/Trabajen individualmente/ en grupos/en parejas.	*Work individually/in groups/in pairs.*
Habla/Hablen en español.	*Speak Spanish.*
Levanta/Levanten la mano.	*Raise your hand(s).*
Repite/Repitan, por favor.	*Repeat, please.*

¿Qué dicen los estudiantes?	*What do students say?*
Profesor(a), tengo una pregunta.	*Professor, I have a question.*
¿Puede repetir, por favor?	*Can you repeat, please?*
Más despacio, por favor.	*Slower, please.*
No entiendo.	*I do not understand.*
¿Cómo se dice (…) en español?	*How do you say (…) in Spanish?*
¿Qué significa la palabra (…)?	*What does the word (…) mean?*
¿Cómo se escribe (…)?	*How do you write (…)?*
¿En qué página estamos/está (la actividad)?	*What page are we on/is it (the activity) on?*
¿Cuál es la tarea/actividad?	*What is the homework/activity?*
¿Puedo ir al baño?	*May I go to the restroom?*

¡ATENCIÓN!

Pay attention to the different verb forms used to address one person and more than one, such as **abre** and **abran**.